GÖTTINGER ORIENTFORSCHUNGEN

I. REIHE: SYRIACA

Band 30

Kohelet-Kommentar des Johannes von Apamea

Syrischer Text mit vollständigem Wörterverzeichnis

Herausgegeben von

Werner Strothmann

1988

OTTO HARRASSOWITZ · WIESBADEN

Kohelet-Kommentar des Johannes von Apamea

Syrischer Text mit vollständigem Wörterverzeichnis

Herausgegeben von

Werner Strothmann

1988

OTTO HARRASSOWITZ · WIESBADEN

CIP-Titelaufnahme der Deutschen Bibliothek

Yoḥannan ⟨Apameia⟩:
[Kohelet-Kommentar]
Kohelet-Kommentar des Johannes von Apamea : syr. Text mit
vollst. Wörterverz. / hrsg. von Werner Strothmann. –
Wiesbaden : Harrassowitz, 1988
(Göttinger Orientforschungen : Reihe 1, Syriaca ; Bd. 30)
ISBN 3-447-02854-8
NE: Strothmann, Werner [Hrsg.]; Göttinger Orientforschungen / 01

 Gedruckt mit Unterstützung der Deutschen Forschungsgemeinschaft.
Reproduktion, Druck und buchbinderische Verarbeitung: Hubert & Co., Göttingen. Gedruckt auf säurefreiem Papier der Fa. Scheufelen, Lenningen. Printed in Germany

ACADEMIAE ABOENSI

THEOLOGIAE DOCTORIS HONORIS CAUSA

MAXIMAS GRATIAS AGO

Inhaltsverzeichnis

Abkürzungsverzeichnis

ܒ	BB	Bar Bahlul[53].
ܒ	BH	Bar Hebraeus[54].
ܕ	DR	Kohelet - Kommentar des Dionysius bar Salībī[51].
ܣ	DS	Syrische Katenen[48].
ܫ	IM	Ishō'dad von Merw[47].
ܐ	JA	Johannes von Apamea.
	Koh	Kohelet Ecclesiastes.
	LXX	Septuaginta.
	P	Peshitta[29 - 32].
ܬ	TK	Theodor bar Konai[9 und 52].
ܬ	TM	Theodor von Mopsuestia[38].

Einleitung

Über Johannes von Apamea schreibt 'Abdishō'[1] im 47. Kapitel seines Schriftstellerkatalogs[2]:

ܝܘܚܢܢ ܐܦܡܝܐ
ܣܡ ܬܠܬ ܦܢܩ̈ܝܢ ܘܐܓܪ̈ܬܐ
ܕܥܠ ܕܘܒܪܐ ܪܘܚܢܐ
ܘܥܠ ܚܫ̈ܐ ܘܥܠ ܓܡܝܪܘܬܐ.

"Johannes von Apamea verfaßte drei Bände und Briefe über den geistlichen Wandel[3], über die Leidenschaften[4] und über die Vollkommenheit[5]". Weitere Schriften von ܝܘܚܢܢ ܝܚܝܕܝܐ (von Johannes dem Einsiedler) enthalten die Kataloge syrischer Manuskripte[6].

1 A. Baumstark, Geschichte der syrischen Literatur, Bonn 1922, S. 323 - 325.

2 Assemani, Bibliotheca Orientalis III 1, Romae 1725, S. 50.

3 Der Brief an Eutropius und Eusebius über den geistlichen Wandel: L. G. Rignell, Briefe von Johannes dem Einsiedler, Lund 1941, S. 40+ - 82+; Übersetzung: S. 58 - 82.

4 Dialog über die Seele und die Affekte des Menschen: S. Dedering, Johannes von Lykopolis, Leipzig 1936, S. 25+ - 40+.

5 L. G. Rignell, Drei Traktate von Johannes dem Einsiedler (Johannes von Apameia), Lunds Universitets Årsskrift N.F.Avd.1.Bd 54.Nr 4, Lund 1960, S. 3+ bis 12+; Inhaltsangabe: S. 17 - 19.

6 W. Strothmann, Johannes von Apamea, PTS 11, 1972, S. 5 - 39.

Vor einem halben Jahrhundert wurden die ersten Schriften ediert[4]. Sogleich erkannte man, daß es sich um einen bedeutenden Autor handelt[7]. Es ist das Verdienst von Ir. Hausherr, daß er den Einsiedler Johannes, den Baumstark[8] und Dedering[4] noch Johannes von Lykopolis nannten, mit Johannes von Apamea identifizierte und ihn von dem Ketzer Johannes von Apamea, den Theodor bar Konai in Memra 11 seines Scholienbuches erwähnt[9], deutlich unterschied. Was in diesem Teil des Scholienbuches zusammengetragen wurde, ist schon lange von Fachkennern geprüft und scharf kritisiert worden. Theodor, so heißt es, ist bei der Beschreibung der Häresien weitgehend von den Anschauungen der Mandäer bestimmt worden[10]. "Ob Theodor die Stellen selbst aus den mandäischen Texten auszog oder gar Augenzeuge der mandäischen Sekte war, ist zweifelhaft. Von einem Augenzeugen verlangt man einen besseren Bericht, und die Mandäer hüteten sich bestimmt vor einem christlichen Lehrer"[11]. Mannigfach sind die Stimmen derer, die daran zweifeln, daß diese Berichte einen historischen Wert haben. So urteilt Th. Nöldeke: "Großes Unrecht tun wir ihm (Theodor) doch schwerlich, wenn wir ihn für vielen Unsinn in dem Stück verantwortlich machen; ausdrücklich erkläre ich noch, daß ich für den vielen Un-

7 Ir. Hausherr, Un grand auteur spirituel retrouvé Jean d'Apamée, OCP 14, 1948.

8 A. Baumstark, aaO., S. 88 - 90.

9 A. Scher, Theodorus Bar Kōnī, CSCO 69/Syr 26, 1912 Neudruck 1954, S. 331, 27 - 333, 19; Übersetzung: W. Strothmann, aaO., S. 97 - 99.

10 H. Pognon, Inscriptions Mandaites des coupes de Khoubir, Paris 1889, S. 108 und 164, Anm. 1.

11 K. Rudolph, Die Mandäer 1. Prolegomena: Das Mandäerproblem, in: Forschungen zur Religion des Alten und Neuen Testaments NF 56, 1960, S. 34, Anm. 5.

sinn, den meine Übersetzung als Wiedergabe Bar Chōnī's bringt, keinerlei Verantwortung trage"[12]. Dieser Teil des Scholienbuches wird "le curieux ouvrage syriaque" genannt; der Verfasser verwechselt beim Namen Empedokles dalat und resh[13]. Einige Angaben "notamment sur les Manichéens, sur les Kantéens, sur les Mandéens, sur Jean d' Apamée et sur quelques autres personnages peu connus" werden von J. - B. Chabot als "fort curieux" beurteilt[14]. Daher habe ich die Wörter und Begriffe des Theodor-Berichtes über den Ketzer Johannes von Apamea mit den an Thomasius gerichteten Schriften des Johannes von Apamea verglichen und erkannt, daß fast alle Wörter des Theodor-Berichtes in den Thomasius-Schriften vorkommen[15]. Das Ergebnis dieses Vergleiches wird nicht bestritten, sondern sogar übernommen[16]. Der Bericht über den Ketzer Johannes von Apamea ist manipuliert. Einen solchen Ketzer hat es nicht gegeben. Diese Feststellung muß so lange gelten, bis andere Zeugen, die von Theodor unabhängig sind, von diesem merkwürdigen

12 Th. Nöldeke, Bar Chōnī über Homer, Hesiod und Orpheus, in: Zeitschrift der Deutschen Morgenländischen Gesellschaft 53, 1899, S. 501 - 503.

13 M. Clermont - Ganneau, Empédocle, les Manichéens et les Cathares, in: Journal Asiatique 9s tom 15, 1900, S. 179 und 183.

14 J. - B. Chabot, Théodore Bar - Khouni et le livre des scholies, in: Journal Asiatique 9s tom 17, 1901, S. 170 - 179; hier S. 171.

15 W. Strothmann, aaO., S. 97 - 103 und Anhang 2, S. 227 - 228.

16 R. Lavenant, Le problème de Jean d' Apamée, in: OCP 46, S. 367 - 390; auf S. 389 - 390 wird mein Vergleich übernommen. L. hält an der Geschichtlichkeit des Theodor-Berichtes fest und vertritt weiterhin die These, daß es drei Träger des Namens Johannes von Apamea in der syrischen Literatur gegeben habe.

Ketzer berichten. Die bisher edierten Schriften des ܝܘܚܢܢ ܐܦܡܝܐ: ܝܘܚܢܢ ܝܚܝܕܝܐ (Einsiedlers Johannes - Johannes von Apamea) stammen von einem Autor, auch der Kohelet - Kommentar; hier korrigiere ich meine frühere Äußerung, mit der ich diese Identität bestritten hatte[17].

In den Katalogen syrischer Handschriften ist bisher nur ein Bibelkommentar von Johannes von Apamea (= JA) gefunden worden[18]. Nur eine Handschrift enthält den vollständigen Text:

A = Cod Sin Syr 16, fol 114va 26 - 177vb 18, VII. Jhdt[19].
ܦܘܫܩܐ ܕܩܘܗܠܬ ܕܥܒܝܕ ܠܡܪܝ، ܝܘܚܢܢ ܐܝܚܝܕܝܐ
ܠܘܬ ܐܘܬܪܘܦܝܘܣ ܣܟܘܠܝܐ.

Erster Teil ܡܐܡܪܐ ܩܕܡܝܐ : fol 114va 29 - 118va 13,
Zweiter Teil ܡܐܡܪܐ ܕܬܪܬܝܢ : fol 118va 18 - 177 vb 18.

Die übrigen Handschriften enthalten nur Auszüge:

B = Cod Br M 861 Add 17 193, fol 47v1 - 55ra 7, AD 874[20].
ܦܘܫܩܐ ܕܡ̈ܠܐ ܡܢ ܟܬܒܐ ܕܩܘܗܠܬ ܚܟܝܡܐ ܕܥܒܝܕ
ܠܡܪܝ ܝܘܚܢܢ ܐܝܚܝܕܝܐ.

17 W. Strothmann, Das Koheletbuch und seine syrischen Ausleger, in: G. Wießner, Erkenntnisse und Meinungen I, GOF I 3, 1973, S. 238.

18 Von einem Kommentar zum Hebräerbrief schreibt Johannes im 2. Brief an ܟܬܒ ܬܐܘܕܘܠܘܣ (L. G. Rignell, Traktate, S. 37+, 8): ܕܟܬܒܘ ܕܐܡܪܢ ܗܘ ܠܟ ܒܦܘܫܩܐ ܕܐܓܪܬܐ ܕܥܒܪ̈ܝܐ.

19 A. Smith Lewis, Catalogue of the Syriac Manuscripts in the Convent of S. Catharine on Mount Sinai, Studia Sinaitica I, London 1894, S. 18 - 38.
Checklist of Manuscripts in St. Catharine's Monastery, Mount Sinai, Washington 1952, S. 17.
Murad Kamil, Catalogue of all manuscripts in the Monastery of St. Catharine on Mount Sinai, Wiesbaden 1970, S. 153, Nr. 71 (16).

20 W. Wright, Catalogue of the syriac manuscripts in the British Museum acqired since the year 1838, II. 1871, 996.

Diese Handschrift enthält folgende Abschnitte:
A (Erster Teil) 138 - 144; I 65 - 68, 58 - 62;
II 188 - 194; A 190 - 196; III 84 - 85; IV 80
bis 87, 90 - 98, 100 - 110, 125 - 133, 141 - 165,
169 - 174; VII 1 - 6, 46 - 52, 60 - 66, 105 - 109,
160 - 164, 269 - 273, 281 - 284, 310 - 355, 386 - 405;
X 30 - 36; VII 449 - 462, 479 - 487, 505 - 514;
IX 147 - 165, 374 - 395; X 166 - 194, 213 - XI 28;
XI 43 - 50, 63 - 65, 84 - 95, 105 - 109, 140 - XII 163;
V 211 - 214, 222 - 223, 235 - 240.

C = Br M 730 Add 14 597, fol 136vb 1 - 139rb 9. AD 569[21].
anonym: ܦܘܫܩܐ ܕܦܘܣܩܐ ܕܡܢ ܡܘܗܠܬ
enthält: JA (= Johannes von Apamea) XII 1 - 137.
Diese Handschrift ist noch 12 Jahre älter als Br M 572 Add 17 169, AD 581, die bisher für die älteste Handschrift einer Johannesschrift gehalten wurde (Faksimile unten S. 283).

D = Cod Br M 812 Add 17 183, fol 49r 19 - 51r 12, X. Jhdt.[22].
ܦܘܫܩܐ ܕܡܢ ܡܘܗܠܬ
enthält: JA XII 1 - 137.

E = Cod Ming 331, fol 119r 18 - 123v 17, AD 1573[23].
ܦܘܫܩܐ ܕܡܘܗܠܬ ܕܢܘܚܠ ܢܚܫ̈ܐ.
enthält: JA XI 84 - 104; 146 - XII 118; X 169 bis 190; XII 200 - 214.
Cod Ming 14, fol 94v 12 - 98v AD 1893[24].

21 W. Wright, aaO., 650.
W. H. P. Hatch, An album of dated Syriac Manuscripts, Boston USA, 1946, Plate XXX.

22 W. Wright, aaO., 820.

23 A. Mingana, Catalogue of the Mingana Collection of Manuscripts I, Cambridge 1933, 613.

24 A. Mingana, aaO., 49.

ܕ ܢܘܚܢ ܕܬܐܒܘܗ ܡܪ ܝܫܥܐ ܡܢ ܦܘܫܩܐ
ܕܦܘܫܩܬ ܕܠܗ ܕܢܘܚܢ ܚܝܐ.

Diese Handschrift, die nach der Angabe des Katalogs eine Kopie einer Handschrift aus dem Jahre 1559 sein soll, stimmt völlig mit Ming 331 überein.

F = Cod Par Syr 206, fol 285rb 7 - 287vb 17, AD 1555[25].

ܕܡܫܝܚܐ ܢܘܚܢ ܚܣܝܢܐ ܦܫܝܩܐ ܡܢ ܦܘܫܩܐ ܕܦܘܫܩܬ.

enthält: JA XII 1 - 137.

Schreibfehler in der Handschrift A: V 333 ܘܠܐ und IX 327 ܓܝܪ kommen doppelt vor: am Ende einer Zeile und am Anfang einer neuen.

II 165 statt ܥܒܪܢܘܬܐ (Ms fol 125ra 5) muß es heißen: ܥܒܘܪܢܘܬܐ .

VII 451 statt ܡܚܒܒܢܘܬܐ (Ms fol 155vb 63) muß es heißen: ܡܬܚܒܪܢܘܬܐ

Varianten in B sind zum Teil durch Hörfehler entstanden:

IV 162 *A* ܕܢܣܝܐ *B* ܕܢܒܝܐ VII 506 *A* ܒܠܘܫܐ *B* ܒܐܬܝܐ
IX 150 *A* ܘܕܢܝܐ *B* ܘܕܕܢܝܐ IX 152 *A* ܫܪܘܩܘܬܐ *B* ܦܪܘܩܘܬܐ
XII 33 *A* ܒܐܬܐ *B* ܘܒܐܬܐ.

E, ein Auszug aus B, fügt gelegentlich eigene Erklärungen hinzu, die manchmal beginnen mit: ܐܡܪܢܐ.

XII 87 ܠܗ + ܠܡܫܘܬܐ ܐܡܪܢܐ ܘܠܫܪܒܐ ܕܒܐܪܐ
XII 81 ܠܟ + ܕܫܘܝܢܐ ܒܡܠܟܠ ܡܠܟܠ ܡܢ ܠܟ ܒܡܒܐ ܘܟ ܒܡܒܥܐ

X 174 E übernimmt nicht die fehlerhafte Lesart von B, sondern geht mit A:

ܒܒܢܘܗܝ *EA*] ܒܒܢܝܢܘܗܝ *B*.

X 177 ändert E: ܘܒܒܢܘܗܝ *BA*] ܘܒܡܠܟܗܘܢ *E*.

CD haben gemeinsame Lesarten, auch gemeinsame Fehler:

XII 57 ܪܓܫܬܐ] ܪܓܬܐ *DC*
XII 154 ܗܢܝܐ] ܗܢܐ *DC*.

25 H. Zotenberg, Catalogue des manuscrits syriaques de la Bibliothèque Nationale, Paris 1874, S. 158.

F stimmt oft mit CD überein: *FDC* ܦܣܪ ܒ] ܗܒܪ ܒ
FDC ܗܒܐܐ] ܗܒܐ
FDC ܒܢ̈ܬܐ] ܒܥܒܝܪ̈ܬܐ

Dieser Kohelet - Kommentar ist an Theognis gerichtet. In der Schrift über das Sakrament der Taufe[9] zitiert Johannes Theognis (ΘΕΟΓΕΝΗΣ ܬܐܘܓܢܝܣ), der dort sagt: "Als wir in der Kirche zu Thessalonike (?) waren". Dieser Theognis und der Theognis des Kohelet - Kommentars ist wahrscheinlich dieselbe Person. Es besteht aber keine Identität mit Theognis von Megara, dessen Schrift mit dem Kohelet - Buch in Verbindung gebracht wurde[27].

In Memra I (= A) werden allgemeine Fragen erörtert: Die Griechen legen Wert auf einen guten Stil, Kohelet aber nicht; ihm geht es allein um das, was nützt. Er kennt noch die Wortverdoppelung, die zu der Zeit, als der Kommentar geschrieben wurde, nicht mehr üblich ist. Die Unterschiede der einzelnen Sprachen werden so beurteilt: Die syrische ist durch die griechische verdorben, und die Regeln der hebräischen entsprechen nicht denen der syrischen. Und von der Zeitgeschichte heißt es: Nach dem Tempelbau hat der weise König Salomo sein Volk versammelt, um es zu belehren, daß menschliche Ehre und die Sorge für das Sichtbare nichtig sind. Zuletzt wird das Buch Kohelet in Abschnitte eingeteilt. Hier werden also Themen behandelt, wie sie in der Hypothesis der antiochenischen Schulmethode vorkommen[28]. Aber im Gegensatz zu Theodor von Mopsuestia

26 L. G. Rignell, Traktate, S. 15+.

27 H. Ranston, Ecclesiastes and the Early Greek Wisdom Literature, London 1925.

28 Ch. Schäublein, Untersuchungen zu Methode und Herkunft der antiochenischen Exegese, Theophaneia 23, 1974, S. 84 - 94.

gibt Johannes über seine Auslegungsmethode keine Auskunft.

Nach dem Text der P[29] erklärt Johannes fast jeden Vers. In der Edition werden die Kapitel und Verse nach der Urmia - Ausgabe[30] angegeben, die sich von der Pariser Polyglotte[31] und der Leidener Ausgabe[32] in folgenden Verszählungen unterscheidet:

Urmia	Walton	Leiden
V 1	IV 17	IV 17
V 2 - 20	V 1 - 19	V 1 - 19
VI 12	VII 1	VI 12
VII 1 - 29	VII 2 - 30	VII 1 - 29
XI 10	XII 1	XI 10
XII 1 - 14	XII 2 - 15	XII 1 - 14.

Die von der Leidener Ausgabe abweichenden Lesarten unseres Kommentars werden in der folgenden Liste zusammengestellt und erhalten am Ende ein höher gestelltes A ܐ = JA. Die Übereinstimmung mit den ältesten Bibelhandschriften wird durch die in der Leidener Ausgabe gebräuchliche Bezeichnung (zB 7g2), die Übereinstimmung mit dem Kohelet - Text von Theodor von Mopsuestia (TM)

29 J. Bloch, The Printed Texts of the Peshiṭta of the Old Testament, in: American Journal of Semitic Languages and Literatures, Bd 37, 1920/21, S. 136 bis 144.

30 Urmia 1852.

31 B. Walton, Biblia Sacra Polyglotta, London 1653 bis 1657, Nachdruck Graz 1963 - 1965.

32 Vetus Testamentum Syriace iuxta simplicem Syrorum versionem, Pars II, fasc. V: D. J. Lane, Qoheleth, Leiden 1979.
D. J. Lane, "Lilies that fester ...": The Peshitta Text of Qoheleth, in: Vetus Testamentum 39, S. 481 bis 490.

durch ein höher gestelltes R ܪ und die Übereinstimmung mit dem pragmatischen Kommentar des Dionysius bar Ṣalībī (DS) durch ein höher gestelltes S ܣ gekennzeichnet. Wenn die abweichende Lesart nicht mit P, sondern mit LXX oder MT übereinstimmt, wird das griechische oder hebräische Wort hinzugefügt. Die am Anfang eines Bibelzitates von dem Kommentator hinzugefügten Verbindungswörter wie ܓܝܪ ܕܝܢ ܠܡ ܕ ܡܛܠ ܕ werden nicht vermerkt.

Bibelvers	abweichende Lesart
I 2	ܗܒܠ ܗܒܠܝܢ² > ܐ.
4	ܐܪܥܐ ܐ] ܘܐܪܥܐ P.
5	ܘܗܘ > ܐ.
	ܬܘܒ ܠܡܗܦܟ ܐ] ܬܘܒ P.
6	ܘܡܬܟܪܟܘ ܐ] ܡܬܟܪܟܘ P.
	ܘܐܙܠ² > ܐ.
7	ܟܠܗܘܢ ܐ] ܟܠ P.
	ܠܝܬܘܗܝ ܐ] ܠܐ P.
	ܘܠܐܬܪ ܐ] ܠܐܬܪ P.
8	ܕܠܐ ܐ] ܘܠܐ P.
	ܣܒܥܐ² ܐ] ܡܠܝܐ P.
10	ܘܟܠ ܐ] ܟܠ P.
11	ܕܘܒܪܢܐ² ܐܪ] ܕܘܒܪܢ P.
	ܠܚܪܬܐ ܐ] ܠܐܚܪܬܐ P.
12	ܕܐܝܬܘܗܝ ܗܘܝܬ ܐ] ܗܘܝܬ P.
13	ܒܢܝܢܐ - ܒܗ > ܐ.
14	ܚܙܝܬ ܘܚܙܝܬ ܐ] ܚܙܝܬ P.
16	ܘܐܝܕܥܬܐ ܐ 8aI] ܘܕܝܕܥܬܐ P.
17	ܗܠܟܐ ܘܦܘܪܫܐ ܐ] ܦܘܪܫܐ P.
	ܘܗܘ > ܐ 7g2.
18	ܕܣܘܓܐܬ ܐܣ 7g2] ܕܣܘܓܐܘܬ P.
	ܘܣܓܐܬ ܐ] ܣܘܓܐܘܬ P.
	ܕܡܘܣܦ ܐ] ܘܕܡܘܣܦ P.
	ܠܡܬܚܒܠܘ ܐ] ܠܡܚܒܠ P.

II 2 ܕܡܠܟܐܐ] ܡܠܟܘ P.

3 ܐܪܝܟܬܐ] ܪܝܟܬ P.

ܕܐܒܕܒ ܘܐܘܢܐ ܕܐܘܢܐܐ] ܕܒܕܡܐ ܕܐܘܢܐ P.

5 ܚܝܒܬܐ] ܘܚܝܒܬ P.

6 ܘܐܬܠܠܢܐ ܐܪ 7g2] ܐܬܠܠܢܐ P.

7 ܠܝ[1] > ܐܪ 7g2.

ܘܐܦ > ܐ.

ܗܘܐ > ܐ.

ܫܬܪ ܡܢܐ] ܡܢ P.

8 ܐܦ > ܐ.

ܒܒܕܬ ܠܝ > ܐ.

9 ܘܐܦܐ] ܘܐܦ P.

10 ܡܠܠ ܗܢܐ ܠܒܝܐ] ܡܠܠ ܕ ܠܒܝ P.

11 ܐܢܐ > ܐ.

ܕܐܢܐ ܒܨܠܘܬܐ] ܕܒܨܠܘܬ P.

ܠܡܒܒܕ ܘܗܘܐ > ܐ

12 ܘܡܫܪܝܘܬܐ ܐܪܘ] ܘܡܬܒܒܪܝܘܬܐ P.
(siehe DS S. 7).

13 ܘܫܢܝܬ > ܐ.

15 ܠܡܠܟܐܐ] ܘܠܡܠܟܐ P.

ܐܢܐ ܫܬܪܐܝܬ > ܐ.

ܗܘ > ܐܪ 7g2 8aI+.

16 ܕܘܒܪܐܐ] ܕܘܒܪܢܐ P.

ܗܐܐ] ܐܝܟ P.

ܕܡܢ ܒܕܘ > ܐ.

18 ܫܠܝܬܐ] ܘܫܠܝܬ P.

ܐܢܐ[1] > ܐ.

ܒܠܗܐ] ܒܠ P.

19 ܕܐܢܐ ܒܨܠܘܬܐ] ܕܒܨܠܘܬ P.

ܘܐܬܚܒܫܬܐ] ܘܕܐܬܚܒܫܬ P.

ܐܦܐ] ܘܐܦ P.

20 ܕܐܫܬܫܐ] ܠܡܦܫܘ P.

(Kamenetzky, S. 185, Anm. 2. 203[33]; Lane, S. 483[32]).

ܬܠ ܠܒܝ ܐܪ 9c1] ܠܒܝ P.

22 ܗܕܡܐ[ܐ]]ܗܕܡܝܐ P.

ܒܪܥܝܢܐ[ܐܪ]]ܒܪ̈ܥܝܢܐ P וּבְרַעְיוֹן.

23 ܟܠ[ܐ]]ܡܛܠ ܗܟܠ P.

ܐܦ[ܐ]]ܘܐܦ[2] P.

24 ܘܐܦ[ܐܪܗ] 9c1]ܐܦ P.

26 ܢܗܒ + ܠܗ[ܐܪ].

III 3 ܠܡܐܣܝܘ[ܐ] ἰάσασθαι]ܠܡܚܠܡܘ P.

9 ܠܒܪܢܫܐ > [ܐܪܗ] 9c1.

ܗܘܘ - ܥܡܠܐ > [ܐ].

10 ܕܢܬܥܢܘܢ[ܐܪ]]ܠܡܬܥܢܝܘ P.

11 ܥܒܕ[ܐ] 7g2]ܕܥܒܕ P.

ܐܦ[ܐ] 7g2]ܘܐܦ P.

ܐܝܟ[ܐ] 7g2.

ܒܪܢܫܐ[ܐܗ]]ܐܢܫܐ P.

ܪܫܐ[ܐܪ]]ܪܫܝܬܐ P.

ܠܚܪܬܐ[ܐܪ]]ܠܐܚܪܝܬܐ P.

12 ܢܛܒܬܐ[ܐܪ]]ܘܢܛܒܬܐ P.

13 ܐܦ[ܐ]]ܘܐܦ P.

ܘܢܫܬܐ + ܘܢܚܙܐ[ܐ].

ܗܕܐ < [ܐܪ] 7g2.

14 ܟܠ[ܐ]]ܕܟܠ P.

15 ܡܢܐ[2ܐ]]ܘܟܠ ܡܢܐ P.

ܒܕܘ ܐܝܬܘܗܝ[2ܐ]]ܗܘܝܘ ܗܘܐ P.

16 ܪܘܫܥܐ[ܐ]]ܒܥܘܠܐ P.

17 ܐܡܪܬ[ܐ]]ܘܐܡܪܬ P.

ܕܝܬ[ܐ]]ܝܬ P.

18 ܘܐܡܪܬ[ܐ]]ܐܡܪܬ P.

ܠܡܢܣܝܘ[ܐ]]ܘܠܡܢܣܝܘ P.

33 A. S. Kamenetzky, Die P'shita zu Koheleth textkritisch und in ihrem Verhältnis zu dem massoretischen Text, der Septuaginta und den andern alten griechischen Versionen, in: Zeitschrift für die alttestamentliche Wissenschaft 24, 1904, S. 181 - 239.

19 ܠܗܘܢ ܡܠܟܐ > ܐ 7g2.
ܗܟܢܐ ܡܟܐܬ > ܐ.
ܡܝܬܪܘܬܐ ܐ] ܘܡܝܬܪܘܬܗ P.
21 ܘܡܢ ܐ 7g2] ܘܡܢܗܘ P.
ܦܘܫܐ ܕܒܢܝ̈ܢܫܐ ܐ] ܦܘܫ ܒܢܝ̈ܢܫܐ P.
ܠܟܠ ܥܠܡܐ ܐ] ܥܠܡܐ ܠܟܠ P.
ܘܥܡ ܦܘܫܐ ܕܒܢܝܢܐ ܐ] ܘܦܘܫ ܒܒܢܝܢܐ P.
ܢܫܬܐ ܗܝ > ܐ.
ܢܫܬܐ ܐ] ܠܐܪܒܐ P.
22 ܡܢ ܕܗܘ̇ܐ ܐ] ܕܢܗܘܐ P.
IV 1 ܐܢܐ > ܐ.
ܢܫܬ ܐ] ܘܢܫܬ P.
ܡܦܝܢܢܐ ܐܪ 7g2] ܡܒܕܪܢܐ P.
2 ܕܡܢ ܒܕܘ ܐܗ 7g2] ܕܒܕܪ̇ P.
4 ܘܐܦ - ܕܦܘܫܐ > ܐ.
6 ܕܦܘܫܐ > ܐ.
8 ܘܒܪܐ ܐ 7g2] ܘܐܦ ܒܪܐ P.
ܠܝܬ ܐ] ܘܠܝܬ P.
ܠܒܢܐ ܐ] ܘܠܒܢ P.
ܒܟܠ + ܐܢܐ ܐ.
ܘܡܫܘܚܪ + ܐܢܐ ܐ.
ܐܦ ܐ] ܘܐܦ[3] P.
ܗܘ > ܐ 7g2.
10 ܢܚܠܦ ܐܪ 8aIc] ܠܥܠ P.
ܠܗ[1] > ܐܕ 7g2.
ܕܢܫܬܡܗ ܐ] ܕܢܫܬܡܗܘܢ P.
12 ܬܪܝܢ ܐ 7g2] ܬܪ̈ܝܢܗܘܢ P.
13 ܬܘܒ > ܐ 7g2.
16 ܐܦ ܐ] ܘܐܦ P.
ܡܢ ܡܕܡܗܝ ܐ] ܡܕܡܗܝ P.
ܐܦ ܐ] ܡܛܠ ܕܐܦ P.
17 ܕܕܒܢ̈ܝܐ > ܐ.
V 1 ܘܠܐ ܐ] ܠܐ[1] P.
ܡܕܡ ܐܠܗܐ > P.

2 ܒܣܘܓܐܐܬ ܐ] ܒܣܘܓܝܐܘܬ *P*.

5 ܠܐ¹ + ܡܕܡ ܐ.

6 ܕܦܬܓ̈ܡܐ ܐ] ܘܦܬܓ̈ܡܐ *P*.

9 ܡܬܒܪܝܢ ܐܪܘ 7g2] ܘܡܬܒܪܝܢ *P*.

10 ܘܡ̇ܢ ܠܡܫܢܝܐ ܡܢ ܡܠܝܟܘ ܐ] ܘܡܕܝܢܐ

ܡܬܒܪܝܢ ܠܡܠܟܘܬܗ *P*.

ܕܫܢܐ ܒܚܝܠܘܗܝ ܐ] ܫܢܝܬܐ ܕܚܝ̈ܠܘܗܝ *P*.

11 ܠܦܠܚܐ ܫܠܝܬܐ ܐ] ܫܠܝܬܐ ܠܦܠܚܐ *P*.

12 ܒܝܫܬܐ ܒܪ ܢܫܬܐ ܐ] ܒܘܪܗܢܐ ܕܒܝܫܬܐ *P*.

ܠܒܝܫܬܐ ܐ 7g2] ܠܒܝܫܬܗ *P*.

13 ܘܐܘܠܕ ܐ] ܕܐܘܠܕ *P*.

14 ܘܐܝܟܢܐ ܐ] ܐܝܟܢܐ *P*.

ܐܝܟ + ܡܐ ܐ.

15 ܐܦ ܐ] ܘܐܦ *P*.

16 ܘܒܣܘܬܐ ܘܒܐܒܠܐ > ܐ 7g2.

17 ܗܐ ܐ] ܗܢܐ *P*.

18 ܐܦ ܐ] ܘܐܦ *P*.

ܕܡܪܝܐ ܐ] ܕܐܠܗܐ *P*.

19 ܡܣܕܐ ܐ] ܡܟܝܢܐ *P*.

VI 2 ܫܠܛܗ ܐ] ܐܫܠܛܗ *P*.

ܐܠܗܐ² > ܐ.

ܐܦ ܗܢܐ ܐ] ܗܢܐ *P*.

3 ܘܫܢ̈ܝܗܘܢ ܐ] ܕܫܢ̈ܝܗܘܢ *P*.

ܐܦ ܐ] ܘܐܦ *P*.

ܐܡܪܬ > ܐ.

ܢܦܫܐ ܟܠ ܡܢܗ ܐ] ܡܢܗ ܢܦܫܐ *P*.

5 ܘܫܡܫܐ ܐ 8aIc] ܐܦ ܫܡܫܐ *P*.

ܕܢܚܫ ܐ] ܢܚܫ *P*.

6 ܐܟܠ ܐ] ܘܐܟܠ *P*.

ܦܣ̈ܬܐ ܐ] ܘܦܣܬܐ *P*.

8 ܕܐܝܬ ܐ] ܡܦܠܓ ܕܐܝܬ *P*.

ܢܬܪ ܡܢ ܐ] ܡܢ *P*.

9 ܐܦ ܐ] ܘܐܦ *P*.

ܗܢܐ ܐܘ 8aI] ܗܕܐ *P*.

ܣܬܪ > ܐ.
12 ܚܒܪ ܐ] ܘܚܒܪ P.
ܐܠܘܢ > ܐ.
ܘܡܠܘ ܐܗ] ܡܠܘ P.
ܚܘܝܗܝ ܐ] ܚܘܝܐ P.
VII 1 ܟܠ ܗܘ ܢܡܘܣܐ ܐ] ܘܢܡܘܣܐ P.
ܟܠ² > ܐ.
2 ܘܟܠ ܐ] ܟܠ P.
ܡܫܬܝܐ ܐ] ܡܫܬܘܬܐ P.
ܕܗܝ ܐ] ܕܗܕܐ P.
4 ܒܝܬ¹ ܐܗ] ܒܒܝܬ P.
5 ܟܠ² ܡܢ ܐ] ܡܢ P.
6 ܐܝܟ ܐܪ 8aIc] ܡܟܠ ܕܐܝܟ P.
ܐܦ ܐܗ] ܘܐܦ P.
7 ܘܡܟܠ ܐܗ] ܡܟܠ P.
ܘܡܘܒܕ ܠܒܐ ܐ 8aIc] ܘܡܘܒܕܐ ܠܠܒܐ P.
ܕܢܕ̈ܒܐ ܐ] ܡܘܗܒܬܐ P.
8 ܪܬܗ ܐܪ] ܐܪܝܚ ܬܗ P.
ܕܟܠܒܐ² ܐ] ܘܟܠܒܐ P.
9 ܕܪܘܚܗܘܢ ܕܣܩ̈ܠܐ ܒܒܘܒܗܘܢ ܐܪܗ PUrm 8aI1]
ܕܪܘܚܐ ܒܒܘܒܐ ܕܣܩ̈ܠܐ P.
10 ܕܡܠܐ ܐܗ] ܡܠܐ P.
12 ܟܠܠܐ² ܗܘ ܐ] ܟܠܠܐ P.
ܘܝܬܝܪܬܐ ܐ] ܘܝܬܝܪܘܬܐ P.
ܘܚܡܝܬܐ ܐ] ܕܚܡܝܬܐ P.
13 ܕܒܒܝ ܐܠܗܐ ܐ] ܕܐܠܗܐ P.
ܕܡܠܘ ܐ] ܕܡܢ ܗܘ P.
14 ܟܠܐ ܐܟܠܒ ܠܟ ܐ] ܕܟܠܒܬܐ ܗܝ ܒܟܠ P.
ܒܝܫܐ ܐ] ܕܒܝܫܬܐ P.
ܕܗܢܐ ܐ] ܐܦ ܗܢܐ P.
ܥܡ ܐ] ܒܒܕ P.
17 ܘܠܐ ܐ] ܠܐ³ P.
ܕܠܐ ܐ] ܕܠܡܐ P.
18 ܐܦ ܐ] ܘܐܦ P.

21 ܕܠܡܐ[ܐ]]ܠܐ² P.
22 ܠܐܚܪ̈ܢܐ[ܐܝ]]ܠܐܚܪ̈ܢܝܢ P.
24 ܡܢ[ܐ]]ܝܬܝܪ ܡܢ P.
26 ܗ̇ ܕܗܝ ܐܣܝܪܬܗ̇[ܐ]]ܕܗܝ ܐܣܝܪܬܗ̇ P.
ܡܛܠ[ܐ]]ܡܢ[ܝ] P.
27 ܐܢܐ ܩܘܗܠܬ[ܐ]]ܩܘܗܠܬ P.
VIII 1 .[τίς οἶδεν σοφούς 8aIc ܡܢ ܝܕܥ ܠܚܟܝܡܐ[ܐܘ]
ܡܢܘ ܐܝܟ ܚܟܝܡܐ P.
ܚܟܡܬܐ[ܐ]]ܚܟܡܬܗ P.
2 ܡܠܬ > [ܐ].
4 ܕܫܠܝܛ[ܐ] 9cI]ܫܠܝܛ P.
5 ܕܕܝܢܐ[ܐ]]ܘܕܝܢܐ P.
6 ܡܛܠ² - ܟܠܗܝ > [ܐ].
7 ܡܐ¹[ܐ]]ܠܡܐ P.
ܘܡܐ²[ܐ]]ܘܡܢܐ P.
ܕܢܗܘܐ[ܐ]]ܢܗܘܐ P.
8 ܘܠܝܬ¹ - ܕܡܘܬܐ > [ܐ].
9 ܒܥܒܕܐ[ܐ]]ܒܥܒܕ P.
11 ܡܬܥܒܕ ܦܬܓܡܐ[ܐ] פִּתְגָּם]ܡܬܥܒܕܐ ܬܒܥܬܐ P.
ܒܒܢ̈ܝ[ܐ]]ܒܒ̈ܢܝ P.
ܒܗܘܢ + ܠܡܥܒܕܐ[ܐ].
12 ܘܝܕܥ ܐܢܐ > [ܐ].
13 ܡܕܡ > [ܐ].
14 ܕܒܥܒܕ[ܐܘ] 8aI]ܕܐܬܥܒܕ P.
15 ܚܕܘܬ[ܐ]]ܘܚܕܘܬ P.
ܘܗܘ - ܫܡܫܐ > [ܐ].
17 ܠܐ[ܐ]]ܡܛܠ ܕܠܐ P.
ܡܫܟܚ[ܐ]]ܢܫܟܚ P.
IX 1 ܟܠ - ܗܟܢܐ > [ܐ].
2 ܠܛܒܐ ܘܠܕܕܟܝܐ[ܐ]]ܠܕܕ̈ܟܝܐ ܘܠܛ̈ܒܐ P.
ܘܠܒܝܫܐ > [ܐ].
ܠܕܚܝܠܐ[ܐ]]ܠܕܚܝܠܐ ܘܠܛܡܐܐ P.
ܘܠܕܡܕܒܚ[ܐ]]ܠܕܡܕܒܚ P.

ܢܣܝܢܐ + ܐܦ ܐ 7g2c.
ܒܢܫܬܐ ܐ 7g2]ܒܢܫܐ P.
3 ܚܕ + ܓܕܫ ܐ.
ܘܐܦ ܦܗܝܘܬܐ ܐ]ܘܦܗܝܘܬܐ ܒܢܫܬܐ P.
ܒܚܝ̈ܝܗܘܢ ܐ 8aIc]ܘܒܚܝ̈ܝܗܘܢ P.
ܚܪܬܗܘܢ ܐ]ܘܚܪܬܗܘܢ P.
6 ܐܦ ܐ3 7g2]ܘܐܦ P.
ܬܘܒ ܠܝܬ ܠܗܘܢ ܐ]ܠܝܬ ܠܗܘܢ ܬܘܒ P.
ܕܡܬܒܥܐ ܐ 9cI]ܕܐܬܒܥܐ P.
9 ܒܟܠ + ܐܢܬ ܐ.
10 ܡܐ ܕܡܫܟܚܐ ܐ]ܕܬܫܟܚܢ P.
ܒܫܝܘܠ > ܐ.
11 ܘܗܦܟܬ ܐܢܐ ܐ 8aI]ܗܦܟܬ P.
ܘܟܢܐ ܚܕ ܐ]ܡܛܠ ܕܘܟܢܐ P.
ܘܓܕܫܐ ܚܕ ܐ 916]ܘܦܓܥܐ P.
12 ܒܢܫܬܐ > ܐ.
13 ܘܐܦ ܐܗ 8aI]ܐܦ P.
ܒܒܢ̈ܝܢ ܐ]ܠܘܬܝ P.
14 ܐܬܐ ܐ]ܘܐܬܐ P.
16 ܛܒܐ ܐ 8aI]ܕܛܒܐ P.
ܡܣܟܢܐ ܐ 8aIc]ܥܢܝܐ P.
17 ܛܒ ܡܢ ܐ 916]ܡܢ P.
ܕܫܠ̈ܝܛܢܐ ܐ]ܕܫܠܝܛ ܒܣܟ̈ܠܐ P.
X 1 ܒܡܘܬ ܕܕܒ̈ܒܐ ܐ]ܕܕܒ̈ܒܐ P.
ܡܝ̈ܬܐ ܕܡܣܪܚܝ ܐ]ܕܡܣܪܚܝ ܡܣܪܚܝ P.
ܬܘܩܢܐ ܐ]ܡܐܢܐ P.
ܡܒܣܡܐ ܐ]ܒܣܝܡܐ P.
ܛܒܐ ܐ]ܝܩܝܪܐ P.
ܗܝ ܐ]ܡܢ P.
ܡܢ ܐ +8aI]ܘܡܢ P.
ܣܟܠܘܬ ܐ]ܣܘܟܠܬ P.
ܣܟܠܘܬܐ ܩܠܝܠ > ܐ.
ܒܐܝܩܪܗ ܐ 8aIc]ܠܐܝܩܪܗ P.
2 ܒܣܡܠܗ ܐ 8aIc]ܠܣܡܠܗ P.

3 ܒܐܘܪܚܐ ܗܘ ܕܐܙܠ ܣܟܠܐ ܐ] ܘܣܟܠܐ ܗܘ ܕܐܙܠ ܒܐܘܪܚܐ P.

ܢܚܫܘܒ + ܗܘ ܐ.

ܗܘ ܐ] ܗܝ P.

4 ܘܐܢ ܐܘ] ܐܢ P.

ܕܐܣܝܘܬܐ ܬܫܒܘܩ ܐ 8aIc] ܕܡܪܦܝܘܬܐ ܒܒܕܐ P.

9 ܘܕܡܥܒܪܢܐ ܐ] ܕܡܥܒܪܢܐ P.

ܬܪܥܗ ܢܗܘܐ ܐ 8aIc] ܠܐܐ ܒܗܘܢ P.

(Kamenetzky 192, Anm. 1; Lane 489)

10 ܢܦܠ ܐ ἐκπέσῃ] ܢܗܘܐ P.

ܗ̈ܘ ܐ] ܘܗܘ P.

ܕܐܩ̈ܐ ܐ] ܐܩ̈ܐ P.

ܡܬܪܝܢܐ ܐ] ܘܡܬܪܝܢܐ P.

11 ܢܟܬ ܐ δάκῃ] ܢܟܘܬ P.

14 ܘܣܟܠܐ ܡܣܓܐ ܡ̈ܠܐ > ܐ.

15 ܢܠܐ ܐ] ܢܠܐܘ P.

17 ܘܠܐ + ܢܒܗܬܘܢ ܐ αἰσχυνθήσονται.

19 ܠܚܝ̈ܐ ܐ] ܠܚܕܘܬܐ P.

ܫܬܝ̈ܐ ܐ] ܠܫܬܝ̈ܐ P.

ܕܟܣܦܐ ܐ] ܘܟܣܦܐ P.

ܡܥܢܐ ܠܟܠ ܐ יַעֲנֶה] ܡܫܬܡܥܐ ܠܗܘܢ ܠܟܠ P.

20 ܒܡܕܥܟ ܐ] ܘܐܦ ܒܡܕܥܟ P.

XI 1 ܕ ܠܦܐܬܟ ܐ] ܕ ܠܦܐܬܟ P.

3 ܢܬܐܡ̈ܠܘܢ ܐ] ܢܐܡ̈ܠܘܢ P.

ܕܐܢ ܐ] ܘܐܢ P.

ܒܓܪܒܝܐ ܐ ἐν τῷ βορρᾷ] ܒܓܒܬܐ ܕܓܪܒܝܐ P.

5 ܐܝܟܢܐ ܐ 8aIc] ܗܝ P.

ܕܒܒܛܢܐ ܐ] ܕ ܒܒܛܢܐ P.

6 ܘܐ 1 > ܐ.

8 ܘܒܟܠܗܘܢ ܐ] ܒܟܠܗܘܢ P.

ܢܬܕܟܪ ܐ] ܘܢܬܕܟܪ P.

9 ܠܒܟ ܐ ἡ καρδία σου] ܠܒܟ P.

ܘܗܠܟ - ܒܚܙܘܐ > ܐ.

XII 1 ܠܒܪܘܝܟ ܐ] ܠܒܪܝܟ P.

ܠܝܬ ܐ] ܕ ܠܝܬ P.

ܠܐ > ܐܗ 7g2.

2 ܘܕܟܘ̈ܟܒܐ ܐ 8aIc] ܘܟܘ̈ܟܒܐ P.

3 ܢܚܫ̈ܟܢ ܐ] ܘܢܚܫ̈ܟܢ P.

5 ܐܦ ܐ] ܘܐܦ P.

ܢܚܘܢ ܐ ὄψονται] ܢܕܚܠ P.

ܘܢܥܒܐ ܐ παχυνθῇ] ܘܢܣܓܐ P.

ܩܡܨܐ + ܘܬܒܛܠ ܡܣܟܢܘܬܐ ܐ Doppelübersetzung (J. Göttsberger, Doppelübersetzung Koh 12, 5 nach P, in: Bibl. Zeitschrift VIII, S. 7 - 11)

ܘܬܒܛܠܠ ܒܡܣܟܢܘܬܐ > ܐ Doppelübersetzung.

7 ܒܝܬ ܥܠܡ ܐ εἰς οἶκον αἰῶνος αὐτοῦ] ܠܒܝܬ ܥܠܡܗ P.

9 ܠܥܡܐ > ܐ.

ܝܬ ܐ] ܘܝܬ P.

10 ܒܩܘܫܬܐ ܐܗ 9cI] ܫܪܝܪܐ P.

11 ܐܬܝܗܒܘ - ܚܕ > ܐ.

12 ܝܬܝܪܐܝܬ ܐ] ܘܝܬܝܪܐܝܬ P.

ܣܘܦܗ > ܐ.

ܦܬܓܡ̈ܐ ܐ] ܣܦܪ̈ܐ P.

13 ܕܚܠܘ ܐ] ܕܚܠ P.

ܘܛܪ ܐ] ܛܪ P.

14 ܕܒܠ ܐܗ 8aIc] ܕܠܒܠ P.

ܘܥܠ ܟܠ ܕܟܣܐ ܐ] ܘܟܣܝܐ P.

Johannes von Apamea und Theodor von Mopsuestia übersetzen Koh II 12 הוֹלֵלוֹת περιφορά - παραφορά LXX B+ - durch ܥܡܘܪܢܘܬܐ (siehe DS S. 7).
Durch den hebräischen Text sind folgende Lesarten beeinflußt:.

II 20 בְּרַעְיוֹן ܒܪܥܝܢܐ ܐܝ] ܒܬܪܥܝܢܐ P
VIII 10 פִּתְגָּם ܦܬܓܡܐ ܐ] ܬܡܠܬܐ P
X 20 יַעֲנֶה ܡܥܢܐ ܐ] ܡܫܬܥܒܕܐ P

Diese vier Lesarten, die weder in einer syrischen noch in einer griechischen Bibelhandschrift vorkommen, genügen nicht, auch nicht in Verbindung mit der Erwähnung der hebräischen Sprache in A, um zu beweisen, daß Johannes die hebräische Sprache beherrscht hat. Es bleibt also unbestritten, was Nöldeke schrieb: "Korrekturen der Peshiṭta nach dem MT sind seit etwa dem 3. Jahrhundert von vorneherein sehr unwahrscheinlich. Welcher syrische Christ verstand denn hebräisch? Korrekturen aus LXX konnten dagegen immer noch gelegentlich gemacht werden"[34]. Hätte Johannes wirklich MT benutzen können, dann hätte er bestimmt bei Koh II 12 auf das Problem der verschiedenen Übersetzungen des hebräischen Wortes הוֹלֵלוֹת in der LXX hingewiesen. Denn in der griechischen Textkritik weiß er gut Bescheid. So führt er zu Koh V Vers 1 (Walton und Leiden: IV 17) 2 verschiedene Lesarten an:

zuerst (JA V 15 - 29) die P-Lesart: ܠܡܥܒܕ ܕܛܒ

danach (JA V 30 - 46): ܠܡܥܒܕ ܕܒܝܫ

Alle orientalischen Bibelübersetzungen[35] stimmen mit P überein. Die andere Lesart entspricht der LXX: ποιῆσαι τὸ κακόν. Aber Cod Sin und eine nicht geringe Anzahl von Unzialhandschriften "pro κακόν scribunt καλόν"[36]. Dies bestätigt das Kollationsmanuskript des Göttinger Septuaginta-Unternehmens. Johannes ist hier so gut unterrichtet, daß er die zweite Lesart mit den Worten einführt: ܒܨܚܚܐ ܐܚܪܢܐ ܟܬܝܒ "in einem anderen Exemplar ist geschrieben". Diese 3 Wörter benutzt er

34 Zeitschrift für die alttestamentliche Wissenschaft 14, 1894, S. 222 in einem Brief an H. Pinkuss, der an dieser Stelle einen Aufsatz über die syrische Übersetzung der Proverbien veröffentlicht.

35 S. Euringer, Der Masorahtext des Koheleth kritisch untersucht, 1890, S. 65.

36 E. Klostermann, De libri Coheleth versione Alexandrina, Diss. phil., Kiel 1892, S. 64.

auch in der 3. Abhandlung gegen die Leidenschaften[37] und zitiert dort Eph 2, 14: ܫܪܐ ܣܝܓܐ ܕܒܥܠܕܒܒܘܬܐ τὸ μεσότοιχον τοῦ φραγμοῦ λύσας, τὴν ἔχθράν. Als darauf Eusebius fragt: ܘܠܡܢܐ ܠܐ ܐܡܪ ܠܦܘܠܓܢܐ ܦܘܠܘܣ ܕܚܣܟ ܣܝܓܐ ܕܒܥܠܕܒܒܘܬܐ: ܐܠܐ ܕܬܪܥ, antwortet Johannes: ܒܨܚܚܐ ܐܚܪܢܐ ܟܬܝܒ ܗܟܢ. Koh X 8: ܬܪܥ ܣܝܓܐ καθαιροῦντα φραγμόν. Aus dem Zusammenhang ist nicht erkennbar, woher das Wort ܚܣܟ stammt und welches das andere Exemplar ist. Weder Editor noch Übersetzer dieses Textes geben eine Erklärung.

Daß zwischen den Kohelet - Kommentaren des Johannes und des Theodor von Mopsuestia[38] irgendeine Beziehung bestehen muß, können wir durch die außergewöhnliche Bibellesart Koh II 12 ܫܒܗܪܢܘܬܐ beweisen. Aber das ist noch nicht alles. Es gibt noch mehr, was beiden gemeinsam ist: Beide Kommentare sind zweiteilig; beide behandeln im ersten Teil Probleme der antiochenischen Hypothesis; beide führen als Beispiel für die Wortverdopplung Gen 15, 13 an (JA A 54 - TM I 27). Theodor tut hier auch kund, wie er Kohelet erklären will. Vielleicht haben ihn Ausleger der allegorischen Methode veranlaßt oder sogar gereizt, nun seinerseits im Kohelet-Kommentar nur den klaren Wortsinn des Bibeltextes darzustellen und auszulegen. Bei Johannes fehlen derartige Äußerungen. Aber es ist doch verwunderlich, daß er, der mit Nachdruck die Hoffnung der Christen auf das neue Leben, auf die andere Welt, in fast allen seinen Schriften, besonders aber in den an Thomasius

37 S. Dedering, aaO., S. 62.

38 W. Strothmann, Das syrische Fragment des Ecclesiastes - Kommentars von Theodor von Mopsuestia. Syrischer Text mit vollständigem Wörterverzeichnis. GOF I 28, 1988.

gerichteten, verkündigt, ein biblisches Buch kommentiert, das mehrmals und zwar an betonten Stellen, nämlich am Anfang und am Ende, bezeugt, daß alles nichtig ist, und das Abschnitte enthält, in denen von Pessimismus und Hoffnungslosigkeit die Rede ist, und dann wieder andere, die als Aufforderung zum Lebensgenuß gedeutet werden können. Diese Aussagen sind der Theologie des Johannes schroff entgegengesetzt. Für ihn ist die Welt mit all ihrer Weisheit nur ein Übergang. Gott steht so sehr im Mittelpunkt seines Denkens, daß er Gottesnamen fast zehnmal häufiger erwähnt als P: 20 (13 ܐܠܗܐ und 7 ܡܪܝܐ) zu 198; und von der Hoffnung redet er auch im Kohelet - Kommentar. Er beginnt wie Theodor mit der Hypothesis, endet aber im 12. Kapitel mit einer allegorischen Ausdeutung, die die Syrer ausführlich tradiert haben. Während aber Theodor und die Antiochener nur die Allegorese anerkennen, die den Wortsinn nicht aufgibt, wie es auch der Apostel Paulus tut, verläßt Johannes in Koh XII den Wortsinn der Begriffe und ersetzt zB Sonne durch Gehirn, Mond durch (ܒܕܘܟܬ) Herz und Sterne durch Gedanken (JA XII 10 - 12). Diese allegorische Auslegung weist Theodor zurück und bekämpft sie. Johannes könnte das Ziel gehabt haben, hier Theodors Auffassung zu korrigieren.

Es gibt aber auch andere Verbindungen, die wir zwar nicht beweisen, aber mit hoher Wahrscheinlichkeit vermuten können: Während Theodors Lebenszeit geschichtlich eingeordnet werden kann, finden wir in der syrischen Literatur keinerlei Anhaltspunkte für die Lebensdaten des Johannes. Es gilt zwar als wahrscheinlich, daß er in der Mitte des 5. Jahrhunderts oder, wie es A. de Halleux in seinem richtungweisenden Aufsatz[39] angibt,

39 A. de Halleux, La Christologie de Jean le Solitaire, in: Le Muséon 94, 1981, S. 35.

im 2. Viertel des 5. Jahrhunderts gelebt hat. Und seit Ir. Hausherrs Untersuchung[7] ist sein Name mit Apamea[40] verbunden. Im syrischen Sprachgebiet haben mehrere Ortschaften diesen Namen[41]. Wahrscheinlich ist es Apamea am Orontes, die Hauptstadt der Provinz Syria secunda. Dort war im Jahre 428 Polychronius, der Bruder des Theodor von Mopsuestia, Bischof[42]. Dieser könnte der Mittler zwischen Theodor und Johannes gewesen sein.

Johannes hat nicht nur seine Briefe, sondern auch viele seiner Schriften an namentlich genannte Personen gerichtet, meistens an einzelne Persönlichkeiten, einen Traktat jedoch an eine Gemeinschaft: ܒܢܝ ܬܐܘܕܘܠܣ. Es ist syrischer Sprachgebrauch, die Glieder einer Gemeinschaft so nach ihrem Leiter zu benennen. Aus syrischen und griechischen Quellen[44] wissen wir, daß

40 Babai in den Erklärungen zu den Centurien des Euagrius Ponticus, Cent II 6: ܗܘܝܘ ܚܣܝܐ ܕܡܢ ܠܬܒܐ ܕܐܦܡܝܐ. (Abhandlungen der Göttinger Gesellschaft der Wissenschaten, NF XIII 2, 1912, S. 135).

41 Paulys Realencyclopädie, Bd 1, 1894, Sp. 2663 bis 2665, nennt 7 Ortschaften dieses Namens.

42 O. Bardenhewer, Polychronius, Bruder Theodors von Mopsuestia und Bischof von Apamea, Freiburg 1879, S. 10.

43 L. G. Rignell, Traktate, S. 27+ - 40+.

44 A. Scher, Cause de la Fondation des écoles, PO IV, S. 380, 2 - 3 in einem Bericht aus dem 7. Jahrhundert und Cod Cmbr Or 1318, fol 20r aus dem 19. Jahrhundert: Theodulus, der Schüler des Theodor von Mopsuestia (L. van Rompay, Théodore des Mopsueste. Fragments syriaques du Commentaire des Psaumes (118, 138 - 148), CSCO 436/Syr 190, S. XI, Anm. 34). 'Abdishō' in caput XXI (Assemani aaO., S. 37) "Theodulus, discipulus Theodori".
J. D. Mansi, Sacrorum conciliorum nova et amplissima collectio, 1759 - 1798, Nachdruck Graz 1960. Vol. 10, S. 1121.
F. Diekamp, Doctrina patrum, S. 315.

ein Schüler des Theodor Theodulos hieß, der seinem Lehrer in der Leitung der Schule und im Bischofsamt folgte. Und dieser Traktat an ܒܝܬ ܬܐܘܕܘܠܘܣ behandelt Themen, die einen Bischof besonders angehen: das Sakrament der Taufe und das Priesteramt.

Diese mannigfachen Beziehungen zwischen Johannes und Theodor, die wir mit philologischen Gründen beweisen und bei der Namensgleichheit vermuten können, müssen syrische Theologen schon geahnt haben: Zwei Exegeten von hohem Rang, der Nestorianer Ishō'dad von Merw (IM), der im 9. Jahrhundert "zwischen der älteren exegetischen Literatur und dem späteren Schrifttum der Nestorianer vermittelt"[45], und der Monophysit Dionysius bar Ṣalībī, Bischof von Amida, der im 12. Jahrhundert "einen vorläufigen Höhepunkt in der jakobitischen Renaissanceliteratur darstellt"[46], haben in ihren Kohelet - Kommentaren Katenen aus den beiden Kohelet - Kommentaren des Theodor und des Johannes zusammengestellt. Dionysius hat zu mehreren biblischen Büchern zwei Kommentare verfaßt, einen pragmatischen [ܣܘܥܪܢܝܬܐ ܦܘܫܪܢܝܬܐ] , in dem er P, und einen pneumatischen [ܪܘܚܢܝܬܐ], in dem er LXX auslegt. Der pragmatische ist der Katenenkommentar (DS)[48]. Ishō'dad[47] und Dionysius[49] wählen aus den Kommentaren des Johannes und des

45 A. Baumstark, aaO., S. 234.

46 A. Baumstark, aaO., S. 295 - 298.

47 C. Van den Eynde, Commentaire d' Ishō'dad de Merv sur l' Ancien Testament. III. Livre des Sessions. CSCO 230/Syr 97, 1963, S. 197, 10 - 218, 13; Übersetzung: CSCO 229/Syr 96, S. 233, 17 - 256, 18.

48 W. Strothmann, Syrische Katenen aus dem Ecclesiastes-Kommentar des Theodor von Mopsuestia. Syrischer Text mit vollständigem Wörterverzeichnis. GOF I 29, 1988.

49 J.-M. Vosté, Le commentaire de Théodore de Mopsueste

Theodor Katenen[50] aus; die meisten stammen von Theodor[49], aber auch nicht wenige von Johannes. Dionysius entnimmt Katenen aus Johannes, wenn der LXX-Text des Theodor für die Erklärung des P-Textes ungeeignet ist, zB. Koh VII 11. In Koh XII übernehmen beide die allegorischen Auslegungen des Johannes fast vollständig, Dionysius hat aber auch in diesem Kapitel Katenen von Theodor. Da das syrische Fragment von Theodor nur bis Koh VII Vers 22 reicht, ist es durch die Edition des Kohelet - Kommentars von Johannes möglich, in den Abschnitten Koh VII 23 - XII 14 die Theodor - Katenen zu erkennen.

In dem syrischen Text des Kohelet - Kommentars des Johannes von Apamea werden die Katenen, die diesem Kommentar entnommen sind, durch höher gestellte syrische Schriftzeichen ohne Leertaste vor dem ersten und nach dem letzten Wort einer Katene nach folgendem Muster angedeutet:

ܬ TM Theodor von Mopsuestia[38],
ܣ DS Syrische Katenen[48],
ܫ IM Ishō'dad von Merw[47],
ܨ DR Kohelet - Kommentar des Dionysius bar Ṣalībī[51],
ܟ TK Theodor bar Kōnī[52],
ܒ BB Bar Bahlul[53] und
ܗ BH Bar Hebraeus[54].

sur saint Jean, d' après la version Syriaque, in: Revue biblique 32, 1923, S. 522 - 548; S. 534, Anm. 2: caténistes comme Ishō'dad et bar Salībī.

50 M. D. Gibson zeigt im Vorwort der Ausgabe des Johannes - Kommentars von Isho'dad an über 200 Stellen die Abhängigkeit Isho'dads von Theodor von Mopsuestia (Horae Semiticae V, 1911, S. XXXIII - XXXVI) und ebenso bei den Paulusbriefen (Horae Semiticae XI, 1916, S. IX - XVIII).

Die Katenen werden meist wörtlich entnommen, manchmal ersetzt ein Katenensammler ein Wort durch ein Synonym. Gelegentlich werden einige Wörter hinzugefügt oder ausgelassen. Hier und da kommen auch Versehen vor: Schreibfehler und Hörfehler. Von diesen Änderungen enthalten die Anmerkungen einige Beispiele in Auswahl. Nach ihrer Länge sind die Katenen verschieden. Einige umfassen mehrere Zeilen, andere sind nur das Zitat eines Wortes, das an dieser Stelle, aber sonst nicht im Text vorkommt. Da die Kapitel und Verse nach der Urmia - Ausgabe angegeben werden, sind die Stellen leicht zu finden, so daß sie nur dort vermerkt werden müssen, wo sie nicht im gleichen, vorhergehenden oder folgenden Vers vorkommen. Sowohl das Zitat eines Wortes als auch die Katenen mit einem Umfang von mehreren Zeilen beweisen, daß sie der angegebenen Stelle entnommen sind.

Folgende Katenen stammen aus dem Kohelet - Kommentar des Johannes von Apamea:

JA	IM/TM	DS
I 51		I 29
I 90	IM 201, 10	I 51
I 193 - 195		I 97 - 98

51 W. Strothmann, Kohelet - Kommentar des Dionysius bar Salībī, Auslegung des Septuaginta - Textes. GOF I 31, 1988.

52 A. Scher, Theodorus bar Kōnī, Liber scholiorum I, CSCO 55/Syr 19, 1910, Neudruck 1954, S. 334, 10 bis 336, 14.

53 R. Duval, Lexicon Syriacum auctore Hassan Bar Bahlul, Paris I, II und III, 1886 - 1903.

54 A. Rahlfs, Des Gregorius Abulfarag genannt Bar Ebhroyo Anmerkungen zu den Salomonischen Schriften, Leipzig 1887, S, 16 - 20.

JA	IM/TM	DS
I 202		I 102
II 17 - 20		II 11 - 13
II 64 - 65	IM 203, 19 - 21	II 28 - 29
II 93 - 95		II 31 - 32
II 163	TM II 125	II 55 - 56
II 166 - 169	TM II 132 - 134	II 60 - 63
II 172 - 174		II 67 - 69
II 176		II 71
II 211 - 213		II 83 - 85
II 215 - 216		II 87 - 88
II 217		II 88
II 313	TM II 317	II 141
III 231	TM III 73	III 26
IV 15 - 16		IV 6 - 8
IV 31	TM IV 21	IV 11
VI 36		VI 4 - 5
VII 3	TM VII 2 IM 208, 5	VII 2
VII 18	TM VII 11	VII 7
VII 59	TM VII 25	VII 22
VII 71 - 72		VII 32 - 33
VII 71		VII 31
VII 162 - 164		VII 66 - 68
VII 166 - 167		VII 68 - 69
VII 278	IM 209, 2	VII 93
VII 397		VII 115
VII 460		VII 159
VIII 123		VIII 46 - 47
VIII 138		VIII 63
VIII 145 - 146		VIII 62
VIII 237		VIII 101
JA X 21:		ܐܘܪܚܐ ܗܪܟܐ ܠܡܫ̈ܒܚܐ ܦܪܐ
DS X 11:		ܐܘܪܚܐ ܚܕܪ ܠܡܕ̈ܝܢܬܐ ܦܪܐ
X 228		X 107

JA	IM/TM	DS
XI 93 94		IX 44
XII 10 - 12	IM 213, 28 - 214, 3	XII 100 - 102
XII 15 - 17	IM 214, 3 - 5	XII 102 - 103
XII 14	IM 214, 5 - 6	XII 104
XII 17 - 22	IM 214, 6 - 11	XII 104 - 109
XII 22 - 23	IM 214, 10 - 11	XII 109 - 111
XII 25 - 28	IM 214, 16 - 20	XII 115 - 117
XII 31 - 32	IM 214, 21 - 24	
XII 31	BH 20, 1	XII 19 - 20
XII 35 - 37	IM 214, 26 - 28	XII 22 - 24
XII 40 - 41	IM 215, 1 - 3	XII 28 - 29
XII 43 - 44	IM 215, 4 - 5	XII 32 - 33
XII 46	BH 20, 3	
XII 46 - 47	IM 215, 7 - 8	XII 34 - 35
XII 48 - 50	IM 215, 8 - 10	
XII 52 - 53	IM 215, 10 - 11	XII 36
XII 56 - 57	IM 215, 13 - 14	XII 40 - 41
XII 59 - 61	IM 215, 15 - 18	XII 43 - 46
XII 64 - 65	IM 215, 19 - 21	XII 51 - 53
XII 67 - 68	IM 215, 22 - 23	XII 54
XII 70	IM 215, 24 - 25	XII 61
XII 70 - 74	IM 215, 27 - 29	
XII 76 - 77	IM 216, 1 - 2	XII 61 - 62
XII 80 - 81	IM 216, 12 - 14	XII 67 - 69
XII 83 - 85	IM 216, 3 - 6	
XII 92 - 94	IM 216, 17 - 19	XII 81 - 83
XII 96 - 97	IM 216, 21 - 23	XII 87 - 88
XII 99 - 100	IM 216, 24 - 26	XII 96 - 97
XII 102 - 103	IM 216, 27 - 28	XII 97 - 98
XII 107 - 108	IM 217, 3 - 4	XII 99 - 100
XII 109 - 111	IM 217, 1 - 3	XII 97 - 98
XII 25 - 28	IM 214, 17 - 20	XII 115 - 117
XII 160 - 162	IM 217, 7 - 9	XII 135 - 137

JA	IM/TM	DS
XII 165	IM 217, 10	XII 139
XII 196 - 198		XII 167 - 168
XII 203		XII 173.

ܦܘܫܩܐ ܕܡܘܡܠܬ ܕܥܒܝܕ ܠܡܪܝ ܡܘܫܚ ܐܝܫܘܥܕܢܚ

ܠܘܬ ܬܐܘܓܢܝܣ ܠܦܘܠܒܢܐ

ܡܐܡܪܐ ܩܕܡܝܐ

A

114vb ܡܪܝ ܐܢܐ ܕܡܬܦܬܟܠ ܐܢܬ ܐܘ ܚܒܝܒ ܢܦܫܝ | ܬܐܘܓܢܝܣ
ܕܐܚܪܬܐ ܗܝ ܒܓܠܝܘܬܗ ܕܗܘ ܕܐܡܟܝܢܐ ܕܢܡܠܠ ܥܦܝܪ
ܡܬܦܪܘ. ܘܐܚܪܬܐ ܗܝ ܒܓܠܝܘܬܗ ܕܐܡܝܢܐ ܕܒܠ ܗܕܐ
ܕܢܬܦܪ ܒܠܚܘܕ ܒܓܠܝܐ ܠܗ. ܘܐܦ ܒܗ ܒܠ ܚܕ ܢܝܫܐ
ܢܗܘܐ ܡܡܠܠܝܢ: ܕܠܐ ܗܟܐ ܡܫܬܟܚܝܢ ܒܡ̈ܠܝܗܘܢ
ܕܝ̈ܚܝܕܝܢ ܡܢ ܬ̈ܕܕܐ. ܘܒܗܢܐ ܠܦܘܐ ܒܗ ܚܙܝܢ ܐܚܝܢ
ܐܦ ܚܒܝܒܐ ܡܢ ܚܒܝܒܐ ܦܪܫܝܢ ܒܢܗ ܡ̈ܠܘܗܝ. ܐܦܢ
ܠܐ ܩܪܝܒ ܐܝܟ ܐܠܐ ܒܪ ܕܗܘ ܩܠܐ ܕܩܢܐ ܒܠܚܘܕ ܚܕ
ܡܢ ܚܝ̈ܕܐܝܬ ܦ̈ܪܫ ܠܗ̇ ܠܡ̈ܠܝܢ ܡܢ ܕܬ̈ܕܐ: ܐܦ

2 Siehe oben S. XXIII.

ܒܫܡܝܐ ܒܪܝܐ. ܗܟܢܐ ܐܦ ܒܪ̈ܘܟܒܐ ܕܐܠܗܐ ܘܒܗܘܢ
ܒܝܘ̈ܒܐ ܕܫܘ̈ܫܒܐ. ܦܪܝܫܝܢ ܐܝܟ ܡܬܒܪ̈ܝܢܐ ܡܢ ܚ̈ܕܕܐ.
ܐܡܪܬ ܕܝܢ ܗܕܐ ܡܛܠ ܟܬܒܐ ܗܢܐ ܕܩܘܗܠܬ ܕܠܚܢ̈ܝܐ
ܥܒܝܕ ܘܒܗܐ. ܡܛܠ ܕܠܝܬ ܒܗ ܐܫܬܡܠܝܘܬܐ ܘܐܫܬܡܫܐ ܕܐܠܗܐ
ܫܒܝܚܬܐ. ܠܝܬ ܒܗ ܕܝܢ. ܡܛܠ ܕܐܝܟ ܕܐܡܪܬ. ܠܐ ܗܘܐ
ܟܠ ܡ̇ܢ ܕܐܝܢܐ ܢܟܠܠ ܥܒܕ ܒܟܠܠ ܗܘܐ ܠܗ ܠܚܝܒܘܬܐ
| ܥܠܝܡܗܘܢ. ܐܠܐ ܟܠ ܡ̇ܢ ܕܐܝܢܐ ܢܘܬܪ ܘܢܫܟܠ 115ra
ܒܝܘ̈ܬܐ ܕܐܝܕܥܬܐ ܘܕܘܒܪ̈ܐ ܫܦܝܪ̈ܐ: ܠܐܝܠܝܢ ܕܦܩܝܢ
ܒܟܬܒܗ. ܝܕܥ ܐܢܬ ܓܝܪ ܕܗ̇ܘ ܕܟܠ ܡܬܪܢܐ ܒܟܠܗ ܠܗ.
ܠܗܢܐ ܢܫܐ ܫ̇ܘܡܐ: ܕܟܠ ܐܝܠܝܢ ܕܡܘܬ̈ܪܢ ܢܣܒ ܘܢܟܠܠ.
ܛܒܐ ܕܝܢ ܕܐܢ̈ܕܐ ܒܬܪ ܐܢ̈ܕܐ ܘܐܢ̈ܕܐ ܡܕܡ ܐܢ̈ܕܐ
ܢܣܡ ܠܝܬ ܠܗ. ܡܛܠ ܗܢܐ ܠܚܘܕܗܘܢ ܕܗܒܝܐ ܡܟܠܠܝܢ.
ܦܝܪ ܡܫܬܒ̈ܚܢ ܡܠܬܗܘܢ ܕܪ̈ܚܝܡܝ ܡܢ ܚ̈ܕܕܐ. ܒܟܐ ܐܠܝܢ
ܕܝܢ ܠܐܝܠܝܢ ܕܟܠ ܒܠܗ ܠܐ ܡܦܣܝܢ ܒܠܝܫܝܢ ܐܦ
ܫ̈ܬܐܬܐ ܡܬܚܫ̈ܒܢ. ܐܝܬ ܓܝܪ ܕܛܒܐ ܗܘ ܕܐܠܗܐ ܡܟܝܢ
ܒܠܚܘܕ ܠܡܫܡܫ. ܚܝܠܐ ܕܝܢ ܕܐܠܗܐ ܠܐ ܡܬܚܡ. ܘܠܗܠܝܢ
ܡܬܢܐܬ ܫܪܝܪܐ ܡܫܬܟܚ ܡܕܡ ܕܒܛܒܐ ܠܐ ܫܡܡ: ܐܦ
ܢܗܘܐ ܕܦܝܪ ܡܟܠܠ ܒܚܝܠܐ ܘܒܝܕܥܬܐ. ܐܝܬ ܕܝܢ ܕܟܠ
ܛܒܐ ܘܪܘܒܒܐ ܕܫ̈ܠܝܐ ܠܐ ܒܟܠܗ ܠܗܘܢ ܟܠ ܚܝܠܗ̇ ܕܝܢ
ܕܐܠܗ̇ ܕܐܠܗܐ. ܐܫܬܟܚܬ ܡܫܡܫܝܢ | ܘܗܠܝܢ ܦܝܪ 115rb
ܢܬܪ̈ܝܢ ܡܢ ܡܬܚܫܒܢܘܬܐ ܗܠܝܢ ܕܬ̈ܠܝܢ ܡܢ ܪܘܒܒܐ. ܡܠܝܢ
ܕܝܢ ܚܝܠܐ ܫܦܝܪܐ ܕܐܢܫܐ ܒܢܦ̈ܫܐ ܘܫ̈ܬܐܬܐ. ܟܢ ܕܝܢ
ܢܦܪܘ ܒܗܘܢ ܫܪܪܐ ܘܪܘܒܒܐ ܫܦܝܪܐ: ܫܠܝܐ ܕܝܢ ܐܝܟܢܐ
ܕܟ̈ܢܝܢ ܠܐ ܢܒܫܘܢ: ܒܪܫܬܗ ܡܫܟܠܝܢ. ܘܢܬܪܬܐ

ܫܪܝܢ ܠܟܠܗ̇ ܡܬܟܬܒܢܘܬܐ ܕܗ̇ܘ ܕܐܬܟܬܒ.

ܘܕܗ̇ ܠܝ ܕܝܢ ܕܐܢܘ̇ܫܐ ܐܦ ܗܕܐ. ܒܗܢܐ ܒܢ̈ܝ ܐܢܫܐ ܗܘܐ ܠܝܚ̈ܝܕܐ ܟܠܗܘܢ ܕܒܝܬ ܒܪ̈ܝܬܐ ܘܕܡܘ̈ܬܢܐ. ܦ̇ܬܪ ܐܝܟ ܕܝܢ ܕܐܦ ܕܒ̈ܢܝܢܐ ܐܚ̈ܪܢܐ ܠܒܪ ܡܢ ܩ̈ܢܝܢܐ. ܕܟܠ ܟܠܗ ܟܠ ܙ̇ܘܒܢܐ ܘܫܩܠܘܬܐ ܕܡܠܬܐ ܒܫܠܝܘܬܐ ܠܐ ܬܗܘܐ ܠܗܘܢ. ܕܐܝܟܢܐ ܕܝܢ ܢܥܒܕܘܢ ܚܝܠܐ ܫܦܝܪܐ ܘܢܫܒܚܘܢ ܒܡ̈ܠܝܗܘܢ: ܗܕܐ ܒܥܒܪܐܝܬ ܢ̇ܦܩܝܢ ܗܘܘ. ܘܡܛܠ ܗܕܐ ܠܫܪ̈ܟܐ ܐܚܪܢܝܢ ܕܟܬܒ̈ܢܘܬܐ ܕܡܠܬܐ ܐܬܟܬܒܘ: ܐܦܠܐ ܕܢܬܟܬܒܘܢ ܒܟܬ̈ܒܐ ܡܕ̈ܢܚܐ ܡܢܝܢ: ܐܘ ܒܡܡܠܠܐ ܕܡܬ̈ܟܬܒܢܐ ܕܒܝܬ ܒܪ̈ܝܬܐ ܡܬܟܬܒܝܢ. ܡܛܠ ܕܦܫ̇ܪ ܡܫܬܟ̈ܚܝܢ | ܠܗܘܢ ܕܪ̈ܘܚܢ ܘܡܒܪ̈ܝܢ ܡ̈ܠܐ ܡܢ ܫ̈ܕܕܐ. ܐܟܘܬܐ 115va ܕܐܦ ܟܬܒܐ ܗܢܐ ܕܩܘܗܠܬ ܡܢ ܫܪ̈ܟܐ ܐܬܟܒ̇ܠ ܘܢܬܪܐ ܐܬܫܒܩ: ܡܛܠ ܕܟܠ ܟܠܗ ܚܠܝܐ ܡܢ ܙ̇ܘܒܢܐ ܕܡܠܬܐ.

ܬܘܒ ܕܝܢ ܐܦ ܗܕܐ ܢܐܡܪ: ܕܠܐ ܗܘܐ ܗܘ ܒܪ ܗܘ ܒܢܝܐ ܕܡܠܠܐ ܐܝܬܘܗܝ ܗܢܝܢ ܘܗܟܢܐ. ܐܠܐ ܦ̇ܬܪ ܘܕܠܐ ܗܒܐ ܡܟܫܠܐ. ܘܗܕܐ ܢܦܩܝܢ ܡܢ ܡܬܟܬܒܢܘܬܗܘܢ ܕܗ̇ܢܘܢ ܡܕܡ̈ܝܐ. ܢ̇ܕܥ ܐܢܬ ܓܝܪ ܕܟܠ ܟܠܗ ܗܟܢܐ: ܠܐ ܡܬܚܫܚܝܢ ܫܠܝ ܒܗ̇ܝ ܡܠܬܐ ܒܫܘܬܐ ܕܡܕܥ ܬܕܥ̇. ܐܦ ܠܐ ܒܗ̇ܝ ܕܚܝܐ ܬܚܝܐ. ܐܦ ܠܐ ܒܗ̇ܝ ܕܢܬ ܗܢܐ: ܐܘ ܢܬ ܟܠ: ܐܦ ܠܐ ܒܗ̇ܝ ܕܟܠ ܟܠ. ܘܫܒܩܐ ܟܠܗ ܗܢܐ ܐܫܒܘܩܐ ܒܦܘܫܩܐ ܕܡܠܬܐ: ܙ̇ܢܝܐ ܡܢ ܟܬܒܐ ܕܡܠܠܐ.

54 Gen 15, 13; γινώσκων γνώσῃ LXX, vgl TM I 27.

55 2Kön (Regn IV) 8, 10; ζωῇ ζήσῃ LXX.

ܢܗܪ ܕܝܢ ܐܦ ܗܕܐ. ܕܐܦ ܗܘ ܠܥܠܡܐ ܦܘܪܩܢܐ
ܦܓܪ ܐܬܚܒܠ ܡܢ ܢܦܩܐ ܘܦܘܪܢܣܘܬܐ ܕܠܘܬ ܠܥܠܡܐ ܢܘܟܪܝܐ.
ܘܐܬܛܒܥܘ ܠܒܢ̈ܐ ܕܡܫܠܠܗ ܐܦ ܡܢ ܐܢܫܐ | ܕܒܗ ܐܫܠܕܝܢ. 115vb
ܐܦ ܗܘ ܕܝܢ ܠܥܠܡܐ ܒܪܢܫܐ: ܐܢ̈ܫܐ ܐܝܟ ܦܬܓܡܘܗܝ
ܘܟܬ̈ܒܘܗܝ ܡܢ ܕܠܥܠܡܐ ܦܘܪܩܢܐ. ܘܒܗ ܗܕܐ ܟܠܗ̇
ܒܠܠܘܬܐ ܐܝܬ ܒܡܫܟܚܘܬܐ: ܠܐ ܗܘܬ ܕܕܘܡܪܐ ܐܠܐ ܗܘ
ܕܡܬܒܣܡ ܡ̈ܠܐ ܕܟܬ̈ܒܐ ܘܡܕܫܐ ܠܐܢܫܝܢ ܕܡ̈ܢܝ ܒܗܝ.
ܬܬܐܪܬ ܕܝܢ ܒܬܒܐ ܗܢܐ ܕܡܘܗܠܬ ܠܝ ܕܝܢ ܗܫܐ:
ܒܡܠܐ ܐܝܬ ܠܝ: ܕܗ̇ܘ ܦ̈ܬܓܡ ܕܡܫܝܚܐܝܬ ܦܫܩ ܒܗ: ܢܬܠܐ
ܠܝܘܒܒܐ ܘܠܦܘܪܬܐ ܕܡܠܬܐ ܥܦܝܪܬܐ ܐܝܟ ܚܝܠܝ. ܘܗܕܐ
ܦܪܝܫ: ܠܐ ܗܘܐ ܐܝܟܢܐ ܕܢܦܫ ܢܗܘܐ. ܐܠܐ ܒܗ
ܚܘܝܢ: ܡܛܠ ܩ̇ܠܝܠ ܐܝܠܝܢ ܕܡܢ ܒܠܝ ܥܡܦܪܐ ܕܡܠܬܐ:
ܚܠܝܢ ܡܢ ܢܘܬ̈ܪܐ ܪܘܪ̈ܒܐ ܐܝܠܝܢ ܕܒܬܒܐ ܗܢܐ
ܥܒܝܕܝܢ. ܠܝ ܕܝܢ ܐܝܬ ܗܘܐ ܠܝ ܠܡܫܬܒܪܘ ܚܬܝ̈ܪܐ:
ܐܠܘ ܡܕܡ ܡܢ ܕܝܠܗ ܚܒܒܝܢ: ܘܒܟ̈ܠܝܢ ܒܠ ܥܡܟܐ
ܫܒܝܠܗܝ. ܐܠܐ ܕܝܢ ܗܕܐ ܒܠܚܘܕ ܡܫܬܕܠܝܢ: ܠܡܝܠܠ
ܪܒܝܐ ܕܡܫܟܚ ܒܟ̈ܠܗܝ ܕܥܠܝܗܘܢ: ܚܠܝܐ ܗܝ
ܕܢܝܚ ܡ̇ܠܝܢ ܗܘ ܕܒܗ ܡܬ̈ܝܢ ܠܐ ܡܫܬܒܠܝܢ ܐܝܬܝܗܝ
ܥܘܒܕܢܐ | ܐܢ ܠܗܕܐ ܦܠܚܝܢ ܗܘܝܢ: ܢܝܚ ܡ̇ܠܝܢ ܕܝܢ 116ra
ܕܡܕܡ ܕܩ̇ܪܝܢ ܡ̇ܢܝܢ ܠܡܫܬܒܠܘ: ܥܘܒܕܢܐ ܟܠܝܠܐ ܗܘܐ.
ܠܐ ܕܝܢ ܠܝܬ ܒܢܝܢܘܬܐ ܕܡܢ ܗܕܐ ܡܬܚܝܠܐ. ܕܐܝܟ
ܡܛܠ ܕܢܒܝ ܡܕܡ ܕܠܐܢ̈ܫܐ ܐܡܝܪ. ܘܟܠܗܘܢ ܠܐܢܫܝܢ ܕܠܐ
ܡܫܬܒܠܝܢ ܗܘܘ: ܠܦܫܗ ܚܒܝܒܐ ܢܦܫܗ. ܗܢܐ ܓܝܪ ܐܝܟ
ܡܢ ܦܘܪܫܢܗ: ܚܒܝܒ ܡܢ ܩ̈ܒܠܐ ܘܕܗ̇ ܕܢܦܫܗ. ܚܒܝܒܐ

ܕܝܢ ܡܬܦܪܫܐ ܐܢܫܘ ܕܟܠܒܪ ܡܢ ܟܠܬܐ ܕܢܦܫܐ ܕܫܡܠܝܢ
ܠܗ ܡܢ ܐܣܘ̈ܢܐ ܒܗ ܡܠܦܢܘܬܐ. ܐܦ ܗܘ ܒܕܡܘܬܗ ܕܦ̇ܘ
ܕܡܬܦܫܩ ܡܢܗ ܡ̈ܠܘܗܝ ܠܗܝܢ. ܒܪ ܡܢܬܐ ܡܠܬܐ ܥܡ̈ܝܩܬܐ ܬ̈ܕܡܪܬܐ:
ܘܠܐ ܡ̈ܠܐ ܡܬ̈ܚܬܬܐ. ܡܢܐ ܗܟܢ. ܕܢܒܪ ܡܢܐ ܡܠܠ
ܥܠܝܡܘ̈ܢ: ܣܗܕܘܬܐ ܗܝ ܦܘܫܩܬܐ. ܦܫܪ ܐܢܐ ܕܠܐ. ܐܠܐ
ܗܕ ܢܘܦܬܐ ܦܘܫܩܬܐ ܕܦ̇ܘܢ ܕܠܐ ܐܫܬܟܠܘ ܒܕܒܪܬ ܠܝ
ܣܒ̈ܝܪܐ: ܒܪ ܠܐ ܕ̈ܝܢܩܝܢ. ܣܢܝܬ ܕܝܢ ܦܘ̈ܫܩܐ ܕܡܕܡ
ܡܕܡ ܡܢ ܦܘܫܩܐ ܕܟ̈ܬܒܐ ܡܟܠܘ ܡܢ ܐܣ̈ܘܢܐ: ܘܠܘ ܡܢ
ܠܦܫܩܘܗ̇. ܘܗܟܢܐ | ܐܬܦܢܝܬ: ܐܡܟܢܐ ܕܢܟܪܐ ܗܘܐ ܠܗܘܢ 116rb
ܕܡܡ ܒܠ ܐܢܫ ܠܡܠܠܘ̈ܢ. ܡ̇ܕܪ ܐܢܬ ܐܘ ܣܢܝܩ ܠܦܫܪ
ܬܐܘܕܝܘܣ ܕܐܦ ܒܪ ܠܘܬܝ ܗܦܘܟ: ܦܝܫ ܡܡܠܠܐ ܗܘܐ
ܒܢܝܫ̈ܐ ܒܠ ܗܕܐ: ܕܐܡܟܢܐ ܘܒܐܝܕܐ ܒܠܬܐ ܡܬܬܪܝܡ
ܠܦ̈ܫܬܐ ܠܘܬ ܡܫܒ̈ܚܘܬܐ: ܘܡܬܬܢܝܚܝܢ ܒܠܝܗܘܢ ܐܝܟ ܕܒܠ
ܫܪܪܐ.

ܘܐܡ̇ܪܬ ܗܘܝܬ ܠܝ ܕܒܠ ܟܢ ܕܠܐ ܡܦܣ ܒܫܪܪܐ: ܪܒܐ
ܗܝ ܒܚ̈ܝܠܘܗܝ ܕܐܠܗܘܬܐ. ܘܒܠ ܟܢ ܕܠܐ ܚܙ ܒܐܡܕܒܬܐ
ܕܒܝܠܐ ܫܪܝܪܐ: ܣܢܐ ܗܝ ܒܚ̈ܝܠܘܗܝ ܦܠܚܘܬܐ. ܦ̇ܘܢ
ܗܟܝܠ ܕܒܠ ܡܕܡ ܕܡܢ ܠܒܪ ܟܕ ܘܒܠ ܒܠܝܗܘܢ ܐܝܟ
ܕܒܡܘܡܒܠܐ ܣܦܩܘ ܠܦܫܩܘܗ̇ ܪܒܘܬܐ: ܠܐ ܗܘܐ ܟܠܝܢܐ ܗܝ
ܕܡܢ ܠܒܪ ܗܘ ܫܘܒܚܘܗ̇ ܘܐܡ̇ܪܬ ܗܘܝܬ ܠܝ. ܕܠܘ ܒܠܒܫ
ܡܢܐ ܕܡܢ ܠܗܘ ܠܒܪ ܢܬܟܠܐ ܠܦܫܩܗ: ܐܠܐ ܟܝ ܐܪܟܫ
ܘܐܡܪ: ܕܒܠܒܕܡ ܕܠܒܪ ܡܢܗ ܗܘ ܢܘܒܪܝ ܗܘ ܠܗ. ܒܪ
ܗܟܢܠ ܒܗܠܝܢ ܘܕܐܝܟ ܗܠܝܢ ܐܦ̈ܝܢܝ ܘܩ̈ܒܝܢ. ܠܐ ܢ̇ܕܒ
ܐܢܐ ܐܡܟܢܐ ܢ̇ܒܥܐ ܐܢܬ: ܕܠܘ ܒܝܬܐ | ܕܡ̈ܠܐ ܐܝܠܝܢ ܕܒܠ 116va

ܡܫܬܪܘܬܐ ܕܕܘܒܖ̈ܐ ܐܠܗ̈ܝܐ ܡܡܠܠܝܢ ܒܒܠܒܢ ܬܘܗܐ ܡܫܬܐ
ܠܐ ܐܝܟܢܐ ܕܐܬܗܦܟܬ ܠܗܠܝܢ ܕܟܡܝܟܬ ܐܘܪܚܐ ܡܢܟܝܢ:
ܘܒܠܒ̈ܒܐ ܕܢܦܫܐ ܢܦܫܢ: ܕܫܘܒܚܐ ܢܦܠ ܐܢܐ ܡܢܗܘܢ
ܒܐܬܪܘܬܗܘܢ ܘܐܡܪܬ ܠܝ ܒܡܐ ܐܒܢܬܢ. ܕܐܢܬ ܟܠ ܫܘܒܝ
ܕܢܬܪ̈ܝܢ ܐܡܝܢ ܒܠܒܘܕ. ܘܕܥܪܒܐ ܕܢܘܡ ܡܢ ܬܪܒܝܬܟ
ܪܢܘܗܝ. ܦܬܪ ܐܢܐ ܕܝܢ ܕܐܦ ܗܒܐ ܒܠܗ ܕܢܚܡܬܐ ܐܠܗܝܬܐ
ܘܕܕܘܒܖ̈ܐ ܐܠܗ̈ܝܐ ܐܢܫ ܠܦܫܡ ܘܢܘܐ: ܐܢ ܠܘܬ ܡܕܡ
ܕܡܬܪ ܠܠܦܫܐ ܠܐ ܢܬܟܠܐ: ܗܒܢܐ ܕܡܢܐ ܡܠܦܢܘܬܗ:
ܠܐܝܡܡܐ ܕܡܕܪܟ ܠܗ ܠܠܝܐ ܕܐܦ ܒܐܒܢܗ ܪܢܝܡ ܗܘܐ
ܘܥܦܪ: ܐܠܐ ܒܗ ܐܬܦܠܓ ܐܒܢܗ ܘܥܓܠ ܡܐܪܗܘ. ܥܢܝܘ
ܒܡܗ ܐܦ ܥܘܦܪ̈ܘܗܝ ܒܠܗܘܢ. ܗܒܢܐ ܐܢ ܒܒܠܗ ܢܕܒܬܐ
ܕܕܢܬܡܐ ܒܬܢܡܬܐ ܢܬܒܪܝ ܐܢܫ: ܘܒܒܠܗ ܡܠܦܢܘܬܐ ܕܢܒ̈ܝܐ
ܒܠܗܘܢ ܕܗܘܘ ܒܢܬ ܒܒ̈ܢܐ: ܐܢܫܘ ܕܠܘܬ ܐܢܕܒܬܐ ܘܡ̈ܐܪܐ
| ܕܒܕܢܬܡܐ ܫܕܬܐ ܠܐ ܢܬܡܪܒ: ܘܢܦܒܠ ܡܢܗܘܢ ܢܘܗܪܐ 116vb
ܠܡܬܘܕܒܘ ܢܦܫܗ: ܒܕܡܘܬ ܠܠܝܐ ܕܕܪܟ ܠܗ ܥܘܠܡܐ:
ܘܫܠܠ ܠܗ ܡܢ ܒܠܗܝܢ ܥܒ̈ܝܫܘܬܗ. ܡܛܠ ܗܢܐ ܢܚܡܬܗ
ܒܬܪܬܐ ܕܐܠܗܐ: ܗܠܝܢ ܕܕܢܬܡܐ ܒܬܢܡܬܐ ܢܡܟܐ ܠܘܡܕܡ
ܠܒܢ̈ܝ ܐܢܫܐ ܒܕܡܘܬ ܡܠܐܐ. ܕܒܗ ܢܐܬܘܢ ܠܒܘܬܪܐ
ܕܫܕܬܐ. ܘܒܕ ܡܢ ܒܠ ܕܘܟ ܥܪܢܘ ܢܒܒܝܢ ܘܡܬܛܠܝܢ
ܢܒ̈ܝܗ̇ ܕܢܕܒܬܐ ܐܕܢܫܬܗ ܠܥܪܪܐ ܡܥܘܒ ܡܥܢܫܐ ܡܕܡ
ܒܠ ܕܚܝ ܘܡܪܚܝܚ. ܘܗܒܢܐ ܒܠ ܪܘܦ ܠܘܒܕܗ: ܐܝܟ ܒܢܝܐ
ܠܘܡܒܠ ܕܢܫܗ ܕܢܘܗܪܐ. ܠܐ ܗܒܝܠ ܕܒܖ̈ܐܪܐ ܕܕܢܬܡܐ
ܫܕܬܐ ܐܠܐܐ ܗܘܢܬ ܒܒܢܝܐ ܗܘܬ ܠܝ. ܠܟ ܕܝܢ ܗܕܐ
ܕܗܥܐ ܡܘܗܠܬ ܐܦܥܡ ܐܬܢܝܫܬ ܠܟ ܕܦܠܚܐ، ܡܛܠ ܕܝܢ

ܕܒܟܠ ܘܒܢ̈ܝ ܠܘܬ ܗܕܐ ܩܘܪܒ ܗܘܝܬ ܠܟ: ܕܢܗܘܐ ܚܕ
ܒܫܡܝܐ ܕܫܠܡ ܠܢܦܫܗ: ܗܐ ܫܕܪ ܐܢܐ ܩܠܬܝ، ܒܒܕܪܐ
ܠܘܬܟ. ܘܫܠܡ ܐܢܐ ܠܝܒܝܠܟ ܐܝܟ | ܕܠܝܒܝܠܝ. ܕܬܬܝܚܢ 117ra
ܒܝ ܐܝܟ ܕܒܟ. ܓܠܐ ܕܝܢ ܒܠܝܢ ܐܝܟ ܕܒܠܝܟ. ܐܝܟ
ܕܐܦ ܐܫܬܘܕܝܬ ܠܝ.

ܠܘܩܕܡ ܗܟܝܠ ܓܒܐ ܐܢܐ: ܕܒܦܘܠܚܢܐ ܗܘܠܟ ܠܢ̈ܫܐ
ܕܒܬܟܐ ܗܢܐ ܐܡܪ. ܕܢܬܐܪܬ ܢܗܘܐ ܠܓܠ ܢܦܫܗ. ܗܫܐ
ܕܠܒܐ ܒܕ ܒܢܝܬ ܦܬ̈ܓܡܐ ܡܫܝ̈ܚܝܐ ܠܬܠܡܝܕܝܗ ܠܢ̈ܫܘܗܝ:
ܠܬܠܡܝܕܝܗ ܡܢ ܬܪܒܝܬܐ ܕܥܘ ܕܦܪܐ. ܠܘܩܕܡ ܕܝܢ ܢܐܡܪ:
ܕܠܒܢܐ ܒܗܢܐ ܥܡܐ ܕܡܘܗܠܬ ܐܬܬܪܝ، ܥܠܝܡܐ. ܠܘ ܕܝܢ
ܗܘ ܫܡܗ ܠܦܫܗ ܗܒܢܐ. ܐܠܐ ܡܢ ܒܒܐ ܐܫܬܡܗ. ܦܘܫܡܗ
ܕܝܢ ܒܦܘܪܢܐ ܐܢܬܘܗܝ، ܗܒܗܒܢܝܢܐܗܒ. ܒܗܢܐ ܕܝܢ ܥܡܐ
ܐܬܒܢܝ: ܡܛܠ ܒܡ̈ܠܐ ܡܫܝ̈ܚܝܐ ܕܐܬܝܢ ܗܘܘ ܠܥܠܡܐ ܕܢܒܘܬܗ.
ܘܡܛܠ ܓܒ̈ܝܬܐ ܡܫܝ̈ܚܝܬܐ ܕܒܢܫ ܡܢ ܟܠ ܐܬܪ: ܐܝܠܝܢ
ܕܢ̈ܫܝܢ ܗܘ̈ܝ، ܒܢܝܢܗ ܕܗܝܟܠܐ ܘܕܒܝܬ ܩܠܒܐ. ܘܒܕ

138 ܠܘܩܕܡ - 144 ܩܠܒܐ *B*.
138 ܠܘܩܕܡ - 139 ܥܠܝܡܐ] ܡܩܕܡܐܢܬ ܡܫܘܚܐ: ܕܡܠܘ ܥܡܐ
ܕܡܘܗܠܬ. ܘܡܛܠ ܗܟܝ ܐܬܬܪܝ، ܥܠܝܡܐ ܡܘܗܠܬ *B*.
141 ܒܗܢܐ - 142 ܒܡ̈ܠܐ] ܐܬܒܢܝ ܕܝܢ ܒܗܢܐ ܥܡܐ ܡܛܠ
ܩ̈ܠܒܐ ܘܒܡ̈ܠܐ *B*.
142 ܠܥܠܡܐ ܕܢܒܘܬܗ *B*.
143 ܡܫܝ̈ܚܝܬܐ + ܘܡܫܝ̈ܚܝܬܐ *B*.
144 ܠܒܢܝܢܗ *B* ܩ̈ܠܒܐ *B*.

141 DS I 14; BH 16, 4.

ܬܘܪ̈ܝܢ ܒܗ ܢܩܘ̈ܕܢܐ: ܕܐܢܒܝܐ ܡܢ ܟܠ ܐܬܪ ܙܒ̈ܢܬܐ ܕ̈ܢܚܡܬܐ ܡ̈ܬܚܫܒ ܗܘܐ ܠܙܒܢܬܗ ܕܗܒܠܐ ܘܠܫܘܦܪܐ ... ܚܕ ܗܘ ܒܗ ܘܒܢܝܢܐ ܠܗ ܡܒܢܝܢܐ. | ܡܫܬܡܥܢܐ ܕܝܢ ܗܕܐ ܐܘ ܡܒܢܝܢܐ: 117rb ܐܦ ܟܠ ܡ̈ܠܟܐ ܗܠܝܢ ܕܡܢ ܟܠ ܐܬܪ ܡܬܒܢܝܢ ܗܘܘ ܠܡܫܡܫ ܫܒܚܬܗ. ܡܢ ܙ̈ܒܢܬܐ ܗܒܝܠ ܦܢܝ̈ܐܐ ܕܗܢܒܠܐ ܘܐܘܡ̈ܢܝܐ ܕܟܕܒܐ ܘܦ̈ܬܟܐ ܘܓ̈ܘܫܐ: ܒܗ ܥܕܟܐ ܕܙܒ̈ܢܬܐ ܕܗܘܒܐ ܘܒ̈ܝܦܐ ܓ̈ܠܬܐ ܕܟܠܝ ܘܡܠܬ ܠܐܘܪܫܠܡ. ܘܡܢ ܒ̈ܬܡܐ ܦ̈ܢܝܐܐ ܕܡܢ ܟܠ ܐܬܪ ܒܢܝܢܝܢ ܠܡܫܡܫ ܫܒܚܬܗ: ܡܢܐܘܗܝ ܗܒܝܠ ܢܩܘ̈ܕܢܐ. ܐܬܬܪ ܗܘܐ ܐܝܟ ܕܝܢ ܠܒܠܗܘܢ ܢܩܘ̈ܕܢܐ. ܠܘ ܒܠܚܘܕ ܒܗܠܝܢ ܕܬܬ̈ܝܢ ܗܘܘ ܙܐܕܘܗܝ، ܡܢ ܟܠ ܐܬܪ ܐܠܐ ܐܦ ܒܕܗܒܐ ܦܢܝܐܐ ܘܒ̈ܝܦܐ ܓ̈ܠܬܐ ܕܟܠܝ ܘܡܠܬ ܠܐܘܪܫܠܡ. ܗܒܝܠ ܐܝܟ ܕܡܘܕܒ ܒܬܒܐ. ܕܐܦ ܠܐ ܡܕܡ ܚܫܝܒ ܗܘܐ ܕܗܒܐ ܒܝܘ̈ܡܝ ܫܠܝܡܘܢ ܒܐܘܪܫܠܡ.

ܐܦ ܗܘ ܕܝܢ ܫܠܝܡܘܢ ܒܫܒܚܬܐ ܪܒܬܐ ܫܪܝ، ܒܡܝܢܐ ܒܬܒܐ ܡܢ ܫܡܐ ܕܩܘܗܠܬ: ܘܠܘ ܕܫܠܝܡܘܢ. ܡܛܠ ܕܝܢ ܕܒܝܬ ܗܘܐ ܕܢܫܐ ܒܡܠܬܗ ܕܦܪܢܣ ܗܘ | ܒܠܗ ܥܘܒܕܢܐ 117va ܐܢܫܝܐ ܘܒܛܠܠܘܬܐ ܕܟܠ ܙܒ̈ܢܬܐ ܕܡܬܚܫܒܝܢ: ܐܝܟܢܐ ܕܠܐ ܡܣܝܒ ܒܢܝܢ ܦܓܥܐ ܕܢܚܡܬܗ ܕܠܐ ܢܩܘܬ ܒܗ ܦܬܠܐ: ܘܠܐ ܬܘܒ ܕܒܢ̈ܝܗ ܗܒܝܠܐ ܢܦܘܐ ܒܗ ܠܐ ܡܬܝܠܕ ܡܢ ܙܒܢܬܗ: ܐܠܐ ܚ̈ܬܢܐ ܕܦ̈ܬܟܐ ܘܕܫܒ̈ܝܚܐ ܡܢ ܒܠܦܪܘܣ ܠܢ̈ܒܠܐ ܥ̈ܕܟܝܢ ܒܗ ܒܕܩ̈ܢܘܢ. ܒܗ ܗܒܝܠ ܙܓܝܐ ܗܘܐ ܕܟܠ ܬܘܡ̈ܢܐ ܕܒܕܗ: ܘܙ̈ܬܝܐ ܕܙܒܬ ܢܘܣܐ ܕܦܪ̈ܢܣܝܢ ܐܢܝܢ: ܘܒܘܫܢܐ ܕܐܝܢܒܢܬܗ ܬܬܦܛܠ ܠܗ: ܡܛܠ ܕܠܐ ܡ̈ܙܓܐ ܠܡܛܪ ܒܗ ܢܒܫܗ ܡܢ ܡܘܬܐ: ܫܦܝܪ ܡܕܒܪ. ܠܘ ܫܒܝܐ ܘܗܘ ܕܡܢ ܒܢܝܢܐ ܡܩܝܐ ܗܘܐ. ܐܠܐ

ܗܘ ܕܡܠܝܫܘܢ ܕܫܘܚܕܢܐ. ܗܢܘܢ ܕܒܠܝܫܘܢ ܙܒܢܐ ܗܘܐ
ܕܢܟܠܠ. ܐܬܟܠܝ ܡܘܗܒܬ. ܗܘ ܕܢܣܒ ܡܢ ܚܒܪܬܗ ܘܡܢ
ܚ̈ܒܪܘܗܝ. ܘܠܐ ܡܢ ܐ̈ܒܗܘܗܝ. ܘܒܪ ܙܒܢܐ ܗܘܐ ܕܐܝܟ
ܕܒܣܝܡܐ ܟܠ ܒܡܠܗ ܕܒܣܒܪܬܐ. ܘܟܠ ܒܟܪܐ ܕܒܪ ܐ̈ܒܪܘܗܝ
ܠܡܠܠ. ܣܠܩܗ | ܒܡܘܗܒܘܢ ܐܦ ܠܫܡܐ ܗܘ ܕܐܬܟܠܝ ܒܗ 117vb
ܡܬܠܬܠܘܢ. ܒܪ ܡܣܘܐ ܕܬܠܬܝܘܢ ܦܪ̈ܝܫܝܢ ܐܝܟܢ: ܡܛܠ
ܕܠܐ ܡܩܘܝܢ.

ܠܒ̈ܢܝܐ ܕܝܢ ܐܝܠܝܢ ܕܒܗ ܒܬܪܟܐ ܗܘܝܐ ܦܣܩܝܢ ܠܗ:
ܦܪܘ ܐܝܟ ܕܣܪ ܡܠܝܫܘܢ ܐܡܪܝܢܗܝ: ܗܘ ܕܐܝܬܘܗܝ ܡܕܡܝܐ.
ܘܦܪܘ ܐܝܟ ܕܐܦ ܒܗ ܣܒܝܥܝܢ ܟܠܗܘܢ. ܟܠܬܐ ܓܝܪ
ܕܐܬܬܘܝܒ ܠܡܬܒܝܢܘܬܐ ܗܕܐ ܗܝ ܕܐܡܪ̈ܢ ܣܠܝ. ܕܒܪ ܣܐܪ
ܒܦܝܣܬ ܙܒ̈ܢܬܐ ܘܬܩ̈ܘܢܐ ܕܒܪ ܐ̈ܒܪܘܗܝ: ܕܐܢܟܝܢܐ ܒܪ
ܘܒ̈ܢܝܐ ܡܬܣܠܩܝܢ ܒܟܠ ܡܕܡ ܕܒܪ ܡܬܣܒܠ: ܘܡܫܬܒܚ
ܒܡܠܗ ܒܬܪ ܡܢ ܕܝܢ ܦܪܝܫܐ. ܡܬܬܠܝ ܗܘܐ ܕܢܐܡܪ.
ܒܠܡܕܡ ܗܒܠܐ. ܛܘܒ ܕܝܢ ܡܐ ܕܣܪ ܕܒܡܐ ܪܗܛ ܒܬܪ
ܒܗܝܢܐ ܘܚܟܡܬܐ ܠܡܕܒܪ: ܗܠܝܢ ܕܒܦܫܛܐ ܕܡܕܒܪܢܘܬܗ
ܕܗܘܝܐ ܒܠܡܐ ܐܠܗܐ ܛܦ ܡܢ ܥܘܪܢܐ: ܘܝܗܒ ܕܒܡܐ
ܦܪ̈ܝܫܝܢ ܘܚ̈ܫܡܝܢ ܥܡ̈ܠܐ ܕܚܟܡܬܐ ܘܕܡܕܒܪܢܘܬܐ ܕܗܘܝܐ
ܒܠܡܐ: ܘܠܚܛ ܕܦܘܫ ܕܢܕܪܟ ܐܝܟܢ ܒܡܐ ܟܝ ܢܒܠ
| ܘܢܩ̈ܡܘܗܝ ܒܬܒܥܐ ܢܒܠܐ. ܐܬܬܘܝܒ ܠܡܐܡܪ ܕܐܦ ܗܢܐ 118ra
ܗܒܠܐ ܘܛܘܪܦܐ ܕܪܘܚܐ. ܡܛܠ ܕܒܦܝܣܬ ܚܟܡܬܐ ܦܝܣܬ

188 - 189 Koh II 26.

ܣܟܠܐ. ܬܘܒ ܕܝܢ ܡܢܐ ܕܝܬܪ ܕܚܟܝܡܐ ܡܢ ܠܬܦܪܘ ܐܝܟ ܘܠܬܫܒܘܚ ܐܘ ܠܫܝܢܐ ܠܝܕܕܘ: ܠܐ ܡܫܟܚ ܠܚܘܝܘ ܠܢܦܫܗ ܡܢ ܗܠܝܢ ܕܟܠ ܟܠܗ ܚܝܠܐ ܒܢ̈ܝ ܒܗܝܐ ܟܠܗܐ. ܐܡܪ̇ ܒܢܫ ܟܠܝ ܚܟ̈ܡܐ ܕܐܬܒܒܕ ܬܫܢܬ ܫܡܝܐ. ܬܘܒ ܕܝܢ ܒܗ ܢ̇ܐ ܗܘܐ ܕܐܚܝܠܐ ܐܝܟܢ ܐܠܗܐ ܟܠܝܠܐ ܒܢܫܐ ܠܒܢ̈ܝܢܫܐ: ܘܢܦ̣ܩ ܐܠܝܢ ܒܐܬ̈ܪ ܚܐܪܘܬܗܘܢ ܠܡܗܠܟܘ ܐܝܟܢܐ ܕܨ̈ܒܝܢ. ܐܡܪ. ܟܠܝܠܐ ܒܢܫܐ ܝܗܒ ܡܪܝܐ ܠܒܢ̈ܝܢܫܐ ܕܢܬܟܠܝܢ ܒܗ. ܒ̈ܝܫܬܐ ܕܝܢ ܬܘ̈ܠܝܬܐ ܡܬܢ̈ܝܬܐ: ܕܡܢ ܟܠ ܦܢܘܢ: ܐܦ ܒܗ ܠܐ ܠܫܟܚ ܚܟܝܡܐ ܡܕܡ ܒܐܒܠܐ ܕܡܘܬܐ ܠܡܒܕܪܘ ܠܢܦܫܗ ܐܠܐ ܡܢ ܟܠ ܦܢܘܢ: ܡܛܠ ܗܘ ܡܢ ܗܟܠܐ: ܐܝܟ ܢܗܘܪܐ ܡܢ ܚܫܘܟܐ. ܒܐܝܢ ܗܟܝܠ ܦܪܢܘܬܗ ܕܒܬܪܐ ܡܢܘܐ. ܒܐܝܢ ܟܠ ܚܠܘܬܐ ܡܢܘܐ ܕܚܟܡܐ | ܒܢܫܐ: ܐܝܬ ܐܢܫܐ ܕܟܠ 118rb ܟܠܡܕܡ ܦܪܘ ܠܗ̇ ܠܡܠܬܗ ܕܦܪܝܢ ܗܘ: ܐܝܬ ܐܢܫܐ ܕܟܠ ܒܡܕܪܢܐ ܕܡܢ ܚܟܡܬܐ ܡ̇ܘܐ ܠܡܢ̈ܝܢ ܡܟܠܠ. ܒܐܝܢ ܕܝܢ ܠܗܡܟܠ ܡ̇ܢܝܢ ܕܚܟܝܡܢ ܠܡܢܝܢܐ ܡܟܠܠ. ܐܝܬ ܐܢܫܐ ܕܟܠ ܢܕ̈ܪܐ ܡܠܘ. ܐܝܬ ܕܝܢ ܐܡܬܝ ܕܠܡ̇ܠܝܢ ܕܡܬܕܒܠܝܢ

190 ܡܢܐ ܕܝܬܪ - 196 ܒܗ .B
190 ܡܢܐ ܕܝܬܪ] ܒܕ ܝܬܪ ܕܝܢ ܫܠܝܛܝܢ .B
194 ܒܢܫܐ < .B
196 ܡܪܝܐ] ܐܠܗܐ .B

193 Koh II 17.
196 Koh I 13.
205 vgl Koh V 3 - 4.

ܒܡܕܒܪܢܘܬܐ ܕܐܠܗܐ ܡܪܬܐ. ܒܠܚܘܕ ܕܝܢ ܠܐ ܒܢܫܡܘܬܗ̇ ܕܡܫܠܡܘܬܐ ܡܫܠܠ. ܒܠܚܘܕ ܕܝܢ ܠܐ ܒܬܫܠܡܘܬܐ ܕܡܦܩܬ ܠܗ ܠܐ ܒܟܬܒܐ ܕܢܒܝܘܬܐ ܡܢܗܘܢ: ܒܠܚܘܕ ܠܐ ܒܫܘܝܘܬ ܛܒܥܐ ܕܒܢ̈ܝ ܐܢܫܐ ܡܫܡܠ. ܒܠܚܘܕ ܡܘܠܕܢܐ ܢܦܫ ܕܐܢܫܢܐ ܘܕܦ ܠܡܬܕܒܪܘ ܒܢ̈ܝܢܐ ܗܠܝܢ. ܒܬܪ ܗܠܝܢ ܟܠ ܡܘܗ̈ܒܬܐ ܕܗܠܝܢܐ ܫܠܡ. ܘܡܫܘܠܡܐ ܕܗ̈ܠܝܢ ܟܠ ܡܘܬܐ ܬܫܘܡܐ ܕܢܝ̈ܫܘܗܝ ܕܒܢ̈ܝ ܐܢܫܐ ܡܫܠܠ. ܒܗ ܡܢܘܐ ܘܦܪܐ ܐܫܡܥܗ ܒܡ̈ܠܐ ܕܒܪܢܘܬܐ. ܒܬܪܝܢ ܕܝܢ ܟܠ ܕܒܢܝܐ ܕܒܬܝܒ ܬܪ̈ܝܢ. ܘܕܘܘܦ ܠܝ ܠܒܢ̈ܝ ܐܢܫܐ ܠܡܪܝܐ ܒܗ.

ܗܠܝܢ ܡܚܒܪ ܢ̈ܦܫܐ ܕܦܓܪ̈ܢܝܢ ܡܢ 1 ܗܠܝܢ ܦܣ ܒܟܬܒܐ 118va
ܗܢܐ ܣܒܝܡܐ ܫܠܝܡܘܢ. ܠܗ ܕܝܢ ܒܬܒܬ ܒܠܗܘܢ ܡܛܠ ܕܒܗ ܒܦܘܫܩܐ ܕܦܬܓܡ̈ܐ ܒܬܕܝܠܝ ܠܡܦܩ ܐܝܟ: ܐܝܟ ܛܒܘܗܘܢ. ܗܪܟܐ ܕܝܢ ܩܠܝܠ ܡܢܗܘܢ ܦܣܬ ܒܠܝܘܕ. ܡܛܠ ܕܐܠܘ ܒܠܗܘܢ ܢܦܫܬܗܘܢ ܦܣܬ: ܒܠܗܝܢ ܡ̈ܠܘܗܝ ܐܠܝܢ ܗܘܬ ܠܡܦܩ. ܘܡܫܬܪܝ ܗܘܐ ܠܗ ܛܘܦܣܐ ܕܦܘܫܩܐ.

ܫܠܡ ܡܐܡܪܐ ܕܐܝܕܐ ܗ̇ܝ ܥܠܬܐ ܕܗܘܬ ܠܫܠܝܡܘܢ ܠܡܡܠܠܘ ܠܢ̈ܦܫܐ ܗܠܝܢ ܕܒܟܬܒܐ ܗܢܐ ܦܣܝܩܢ ܀

221 ὑπόθεσις : ܥܠܬܐ.

I

ܡܐܡܪܐ ܕܬܪ̈ܝܢ

ܦܘܫܩܐ ܕܝܠܗܘܢ ܦܬܓ̈ܡܐ

ܘܕܦ̇ ܠܝ ܕܐܢܫܐ ܗܟܢܐ: ܒܐܝܠܝܢ ܕ̈ܝܢܐ ܡ̈ܠܐ ܗܠܝܢ ܡܢ
ܚܟܝܡܐ ܥܠܝܗܘܢ ܡܬܐܡܪ̈ܢ ܗܘ̈ܝ. ܘܐܝܟܢܐ ܡܢ ܚܘܫܒܐ
ܠܚܘܫܒܐ ܡܫܠܡܐ ܗܘܐ. ܘܒܐܝܠܝܢ ܙܒ̈ܢܬܐ ܢܐܪ ܗܘܐ
ܒܐܝܕܥܬܗ ܕܒ ܐܡܪ ܗܕܐ. ܘܒܐܝܠܝܢ ܬܘܒ ܕܒ ܗܠܝܢ
ܚ̈ܝܢܬܐ ܡܟܠܠ. ܐܝܬ ܗܟܢܐ ܐܝܟ ܒܚܘ̈ܫܒܐ ܚܘܪ. ܘܡܢܗܘܢ
ܦܘܡ ܠܗ | ܡ̈ܠܐ ܕܟܬ̈ܒܝ. ܘܗܘܐ ܡܛܠ ܕܡܝܬܪܐܝܬ ܟܠ ܢܫܡܐ 118vb
ܕܟܠ ܚܕܐ ܚܕܐ ܡܢܗܘܢ ܒܕܘܟܬܗ. ܐܢ ܕܝܢ ܡܢ ܡ̈ܠܐ
ܬܘܒܐ ܒܠܫܢ ܕܬܕܒ ܚܝܠܗܘܢ ܕܦܬܓ̈ܡܐ: ܒܪܘܡܠܐ ܗܝܢܐ
ܡܫܬܒܚ ܒܪܫܝܬܗ ܡܕܡܝܢ. ܐܢ ܕܝܢ ܠܗܘܢ ܠܒ̈ܢܝܐ ܕܚܘ̈ܫܒܘܗܝ
ܬܬܪܘܝ، ܗܢܘܢ ܠܒ̈ܢܝܐ ܠܗܬ ܬ̈ܕܐܐ ܕܠܐ ܕܘܘܕ ܡܝܬܠܝܢ
ܠܗ.

ܡܟܝܠ ܕܝܢ ܠܡܪܐ ܚܠܝ ܠܡܐܡܪ: ܕܒܗ ܒܫܘܪܝܐ ܕܟܬܒܗ
ܒܐܝܠܝܢ ܙܒ̈ܢܬܐ ܡܬܒܥܐ ܗܘܐ ܒܚܘ̈ܫܒܘܗܝ. ܢ̇ܐܪ ܗܘܐ ܕܒܡܐ
ܒܠܝܠܘܬܐ ܗܘܬ ܠܗ ܟܠ ܬܘܡܝܐ ܕܙܒ̈ܢܬܐ ܕܗܢܐ ܥܠܡܐ.
ܒܡܐ ܥܒܕ̈ܬܐ ܕܚܘܫ̈ܒܐ ܕܐܬ̈ܡܢܝܬܐ ܐܟܒ ܡܢ ܐܝܕܥܬܗ
ܠܚܘܫܒܐ ܕܟܠ̈ܝܢܘܗܝ. ܠܬܘܡܝܐ ܕܒܝܬ ܡܠܟܘܬܗ. ܐܦ

ܠܒܝܫܘܬܗ ܕܡܚܒܠܐ. ܒܪܐ ܗܘܐ ܓܝܪ ܚܢܘܬܐ ܕܦܘ̈ܕܢܘܗܝ. ܗܕܢܘܬܐ ܕܒܢ̈ܘܗܝ. ܥܡ̈ܠܐ ܕܫ̈ܡܥܬܗ. ܠܡܘܕܥܐ ܕܡܫܡܫܢܘܗܝ. ܗܕܪܐ ܕܡ̈ܢܝܢ ܬܫܡܫܬܗ ܘܡܥܠܐ ܢܦܩ ܗܘܐ ܒܚܠܡܝܢ ܙܒ̈ܢܬܐ ܗܢ̈ܬܐ ܕܡܢ ܒܠ ܚ̈ܛܗܝܢ ܕܒܢ̈ܘܗܝ ܗ̈ܘܝ ܠܗ | ܕܒܗ ܡܠܝܠ 119ra ܘܒܢܝܐ ܘܠܝܬ ܐܝܟ: ܘܒܪ̈ܬܗ ܐܬܠܬ ܒܗ ܗܢܐ ܦܬܓܡܐ ܕܐܡܪ.

1, 2 ܗܒܠ ܡܫ̈ܠܝܢ ܐܡܪ ܡܩܘܡܬ. ܒܠܒܕܩ ܗܒܠܐ.
ܐܠܘ ܗܕܐ ܒܠܚܘܕ ܡܠܬܐ ܗܘ. ܠܐ ܐܝܕܝܥܐ ܗܘܬ ܕܐܝܠܝܢ ܐܬܝܗܒ ܘܐܡܪܗ̇. ܗܟܢܐ ܕܝܢ ܡܢ ܗܠܝܢ ܕܒܬܪܗ̇ ܡܬܦܠܓܐ ܗܕܐ. ܒܠ ܗܢܐ ܕܝܢ ܐܘ ܢܒܝܐ ܥܠܝܗܘܢ ܚ̇ܒܪ ܐܝܟ ܗܒܠܐ: ܠܗܠܝܢ ܒܠܗܘܢ ܬܘ̈ܩܢܐ ܕܗܠܝܢ ܒܝܕܥܬܐ ܦܫܝܛܬܐ ܗܘܘ. ܘܐܝܟ ܗ̇ܘ ܕܠܗܕܐ ܚ̇ܒܢܐ ܦܬܓܡܐ. ܘܐܡܪ.

1, 3 ܗܢܐ ܚܢܪ ܢܘܬܪܢܐ ܠܒܪ ܐܢܫܐ ܒܟܠ ܒܟܠܐ ܕܗܘ
ܒܥ̇ܠ ܬܫܝܬ ܫܡܫܐ.
ܗܢܐ ܠܡ ܢܘܬܪܢܐ ܐܝܬ ܠܝ ܒܫܘܦܪ̈ܐ ܗ̇ܢܘܢ ܕܒܢܝ ܡܘܬܐ ܥ̇ܒܡ ܐܢܐ ܠܗܘܢ ܡܢ ܒܬܪܝ. ܐܘ ܗܢܐ ܐܬܒܕܪܬ ܐܢܐ ܕܒܗܠܬ ܘܙܒܬܬ ܘܐܬܡܢܬ: ܗܢܐ ܢܬܪܐ ܢܫܒܬ ܡܢ ܗܘܢ ܕܒܬܪܝܢ ܠܡܐܬܐ ܒܬܪܝ. ܘܠܡܬܒܫܘ ܒܒ̈ܕܝ.

1, 4 ܕܪ ܚܢܪ ܐ̇ܘܠ ܘܕܪ ܐ̇ܬܐ.
ܘܒܢܝܐ ܠܡ ܕܢܫ̈ܐ ܕܐܝܬ ܗܘܐ ܠܝ ܠܒܢܝܐ: ܐܦܩܘܬܗ | ܒܬ̈ܘܩܢܐ 119rb
ܕܙܒ̈ܬܐ ܒܗ ܥ̇ܪܐ ܐܢܐ ܫܘܦܪܐ ܕܢܒܒܬܝ ܐܦ ܒܠ ܙܒ̈ܬܐ ܢ̈ܫܬܐ. ܒܗ ܕܝܢ ܡܥ̇ܠܡ ܐܢܐ ܬܘ̈ܡܝܪ. ܫܠܡܘ ܠܗܘܢ ܘܒܢ̈ܝ ܘܙܒ̈ܬܐ ܕܒܗܠܬ ܠܡܬܡܢܘ ܦܫ ܠܗܝܢ ܠܠܢܫܐ ܕܗܠܝܢ ܕܐܬܝܢ ܡܢ ܒܬܪܝ. ܠܝ ܚܢܪ ܠܒܢ̈ܝ ܐܢܫܐ. ܗܒܝܢܐ ܬܦ̣

ܠܝ ܒܡܘܕܐ. ܕܒܕܡܘܬ ܡܕܒܪܬܐ ܢܦܫܐ ܐܢܬܘܢ، ܠܝ ܒܠܒܐ
ܗܢܐ. ܗܘ ܕܝܢ ܢܒܬܪ ܐܝܟ ܕܐܬܒܪ، ܕܠܐ ܥܘܠܐ.
ܐܪܒܐ ܠܟܠܗ ܡܢܝܢܐ.
ܚܢܢ ܕܝܢ ܠܐ ܗܟܢܐ. ܐܠܐ ܐܫ̈ܢܝܐ ܚܠܦ ܐܫ̈ܢܝܐ ܡܒܬ̈ܪ ܚܢܢ
ܟܠ ܐܪܒܐ. ܒܗ ܠܓܒܪ ܡܬܓܠܠܝܢ ܐܝܠܝܢ ܕܟܒܪܝܢ ܡܢ
ܟܠܗܝܢ: ܡܢ ܟܠܗ ܗܘܦܟܐ ܐܝܟܢܐ. ܥܪܒܐ ܕܝܢ ܕܒ̈ܘܬܐ
ܐܝܠܝܢ ܕܗܢܝܢ ܒܗܝܢ ܒܡܕܐ ܒܪܝܬܐ: ܠܐ ܗܘܐ ܗܟܢܐ.
ܐܠܐ ܐܦ ܡܬܚܠܦܝܢ ܐܘ ܐܒ̈ܕܝܢ ܘܒ̈ܟܝܢ: ܐܠܐ ܗܢܝܢ
ܒܩܝܡܗܝܢ ܡܟܬ̈ܢ: ܒܕܡܘܬܐ °ܕܐܪܒܐ ܘܐܐܪ° ܘܫܡܫܐ.
1, 5 ܕܢܚ ܢܦܩ ܫܡܫܐ | ܘܥܪܒ ܫܡܫܐ. ܘܠܐܬܪ ܕܕܢܚ ܗܘ 119va
ܬܡܢ ܕܡܢ ܬܘܒ ܢܗܦܘܟ ܢܕܢܚ.
1, 6 ܐܙܠ ܠܬܝܡܢܐ ܘܡܬܟܪܟ ܠܓܪܒܝܐ. ܘܡܬܟܪܟ ܡܬܟܪܟ
ܪܘܚܐ. ܘܠܚܕܪܝܗ ܬܐܒ ܪܘܚܐ.
ܗܠܝܢ ܠܡ ܦ̇ܝܠܢ ܒܗ ܦ̇ܝܠܢ ܡܟܬ̈ܢ ܒܝܘܡܬܗܘܢ ܐܦ
ܡܬ́ܚܠܦܝܢ. ܝܚܣܐ ܕܝܢ ܕܚܠܝܢ ܕܒܬ̈ܪ ܐܝܟܢܐ ܠܐ ܗܘܐ
ܗܟܢܐ. ܐܠܐ ܐܝܟܢܝܐܝܬ ܒܝܕ ܡܘܬܐ ܡܫܬܪܝܐ: ܘܒܝܕ ܝܠܕܐ
ܡܬܝܕܥ. ܒܗ ܠܐ ܡܢ ܝܠܕܐ ܦܫܛܐ: ܘܠܐ ܒܝܕ ܡܘܬܐ
ܡܬܓܠܠ. ܐܠܐ ܒܗ ܗܝܐ ܡܦܘܫܐ ܠܗ ܕܗܝܐ ܡܫܢܐ ܠܗ:

58 ܒܝܕ[1] - 62 ܕܘܘܕܐ B.
58 ܒܝܕ[1] - ܡܫܘܪܐ] ܡܫܬܪܝܐ ܕܝܢ ܒܝܕ ܡܘܬܐ B.
59 ܒܗ - 60 ܡܬܓܠܠܐ > B.

51 DS I 29.

ܗܘ ܒܝܠܕܐ ܕܐܬܚܫܒ ܠܗ ܡܟܬܪ ܒܝܢܬ ܬܪ̈ܝܗܘܢ ܕܠܐ
ܕܘܘܕܐ. ܡܛܠ ܕܝܢ ܕܒܗܘܢܐ ܗܘܬ ܗܕܐ ܕܢܣܒܪ: ܕܠܐ ܡܢ
ܝܠܕܐ ܦܓܪܐ ܘܠܐ ܡܢ ܡܘܬܐ ܐܬܪ: ܐܠܐ ܐܝܟ ܕܐܬܒܪܝ
ܒܬܘܟܡܗ ܢܟܪܝ. ܡܫܕܪ ܠܗ ܡܢ ܐܢܕܐ ܕܡܬܢܝܚܐ: ܒܗ ܐܡܪ.
1, 7 ܟܠܗܘܢ ܫܒ̈ܛܐ ܐܪܥܐ ܒܝܘܡܐ: ܘܢܚܙܐ ܠܝܬܗܘܢ | ܡܬܬܠܝܐ 119vb
ܘܠܐܬܪ ܕܐܙܠܝܢ ܫܒ̈ܛܐ. ܠܬܡܢ ܗܢܘܢ ܬܒܝܢ ܠܡܐܙܠ.
ܡܢܗ ܠܗ ܒܗ ܡܢܗ ܕܥܠܡܐ. ܡܬܩܝܡ ܓܝܪ. ܘܒܗ ܒܗ ܒܗ
ܐܦ ܡܫܬܪܐ. ܐܝܟܢܐ ܕܝܢ ܡܬܩܝܡ ܡܢܗ ܐܘ ܐܝܟܢܐ
ܡܫܬܪܐ ܘܕܦ ܠܡܕܒ ܒܪ ܐܢܫܘܗܝ ܒܫܢ̈ܝܐ ܡܢ ܒܬܪ ܡܘܬܐ
ܘܕܒܪ ܗܪܟܐ ܒܗܢܐ ܥܠܡܐ ܒܙܒܢܝܢ ܠܗ ܒܬܪ ܡܘܬܐ ܘܒܪ
ܒܐܬܪ ܐܚܪܢ. ܒܗܠܝܢ ܗܟܝܠ ܬܒ̈ܥܬܐ ܒܗ ܢܐܪ ܐܡܪ.
1, 8 ܟܠܗܘܢ ܦܬܓܡܐ ܠܐܬܝ. ܠܐ ܢܗܒ ܓܒܪܐ ܠܡܠܠܘ.
ܗ̇ܝ ܕܠܐ ܢܗܒ. ܗܢܘ ܕܝܢ ܠܐ ܢܬܬܚܝܒ ܒܠ ܥܒܝܕܬܗ
ܐܝܟ ܐܢܫܐ ܕܦܩܕܐ ܠܗ: ܘܠܐ ܗܢܝܢ ܬܘܒ ܠܡܒܥܐ. ܒܥܐ
ܓܝܪ ܕܢܦܫܐ ܢܬܒܥ: ܒܥܘܢܝܐ ܕܒܟܬܗ ܡܒܬܪ. ܒܗ ܒܓܢ
ܠܥܒܝܕܬܐ ܐܚܪ̈ܢܝܬܐ. ܡܢܬܐ ܕܝܢ ܬܘܢܝܬܐ ܕܒܐܢܫܐ ܓܒܪܐ ܘܕܦ
ܠܝ ܕܢܣܒܪ ܒܐܢܕܒܬܐ ܘܐܡܪ.
ܕܠܐ ܥܒܕܐ ܒܝܢܐ ܠܡܢܝܐ. ܘܠܐ ܥܒܕܐ ܐܕܢܐ ܠܡܥܒܕ.
| ܐܒܝܢܐ ܠܗ ܓܝܪ ܕܙܒܢܝܢ ܗܢܝܢ ܕܠܒܪ ܐܡܒܝܢܝܬ 120ra
ܥܢ̈ܝܡܐ ܐܢܬܢܗܘܢ ܘܠܐ ܡܢ ܡܬܩܡ ܐܬܡܠܝܬ ܐܕܢܐ ܡܢ
ܕܬܫܡܫ ܐܘ ܒܝܢܐ ܡܢ ܕܬܚܝܐ: ܐܝܟ ܕܦܩܕ ܠܗ ܡܕܡ

61 ܒܝܢܬ ܬܪ̈ܝܗܘܢ < B.
65 ܟܠܗܘܢ - 68 ܡܫܬܪܐ B.

ܕܢܦܠܬ ܒܝܫܐ ܐܘ ܕܫܡܥܬ ܐܕܢܐ: ܐܠܐ ܒܥܠܡܝܢ ܦܘܢܝܐ
ܗܝ ܘܠܡܢܝܐ: ܐܕܢܐ ܥܠ ܫܡܥܐ ܘܥܝܢܐ ܥܠ ܚܙܬܐ. ܗܟܢܐ
ܐܦ ܢܕܒܬܐ ܒܟܠ ܙܒܢ ܦܘܢܝܐ ܗܝ ܥܠ ܥܒܕܬܐ ܕܢܘܠܕܢܐ:
ܕܢ ܠܐ ܡܬܡܠܝܐ. ܡܛܠ ܕܠܐ ܡܨܝܐ ܕܬܕܪܟ ܟܠܗ ܐܢܕܒܬܐ.
ܐܠܐ ܡܕܡ ܗܘ ܡܕܡ ܡܫܬܡܠܐ ܒܥܠܡܝܢ. ܘܗܘ ܗܢܐ ܐܝܟ
ܕܦܩܚܐ. ܡܛܠ ܗܢܐ ܟܡܐ ܐ̱ ܢܠܐܐ: ܡܕܡ ܚܕܬ ܠܡܫܡܥܘ
ܠܝܬ ܠܝ. ܗܠܝܢ ܓܝܪ ܒܕ ܗܠܝܢ ܐܬܝܗܝܢ ܥܒ̈ܕܬܐ: ܗܠܝܢ
ܕܫܒ̈ܝܐ ܕܩܕܡܝܢ ܫܠܠܘ ܟܠܝܗܝܢ: ܘܗܘܝܢ ܒܕ ܗܘ ܕܗܠܝܢ
ܡܕܡ̈ܝܐ: ܘܕܗܠܝܢ ܕܡܢ ܒܬܪܗܘ̱.
1, 9 ܡܢܐ ܕܗܘܐ ܓܝܪ ܗܘ ܗ̇ܘܐ ܘܡܢܐ ܕܐܬܥܒܕ ܗܘ ܡܬܥܒܕ.
ܘܠܝܬ ܡܕܡ | ܚܕܬ ܬܚܝܬ ܫܡܫܐ. 120rb
1, 10 ܘܟܠ ܕܢܡܠܠ ܘܢܐܡܪ: ܚܙܝ ܗܢܐ ܚܕܬ ܗܘ: ܟܒܪ ܕܝܢ
ܗܘܐ ܡܢ ܥܠܡܝܢ ܕܡܢ ܠܩܘܕܡܝܢ.
ܡܢܐ ܓܝܪ ܕܟܝܢܐ ܕܟܠܗܘܢ ܗܠܝܢ ܕܡܬܡܠܠܝܢ ܚܕ ܗܘ:
ܘܥܒ̈ܕܬܐ ܗܠܝܢ ܕܡܬܡܠܠ ܟܠܝܗܝܢ ܗܠܝܢ ܐܠܝܢ ܒܕ ܗܠܝܢ.
ܡܢܐ ܚܕܬ ܐܝܬ ܠܝ ܠܡܫܡܥܘ: ܐܘ ܒܡ̈ܠܐ ܐܘ ܒܥܒ̈ܕܐ. ܟܡܐ
ܓܝܪ ܙܒܢ̈ܐ ܡܛܠ ܕܒܝܢܕܒܬܐ ܚܕ ܡܢ ܚܕ ܦܪܝܫܝܢ ܚܕ̈ܝܢ:
ܡܫܚܠܦܐܝܬ ܕܢܐܡܪ ܡܫܟܚܝܢ ܚܢܢ. ܠܘ ܥܠ ܐܢܝܢ ܕܠܐ
ܗܘ̈ܝ: ܐܠܐ ܟܠܗܝܢ ܒܕ ܟܠܗܝܢ ܕܗܠܝܢ ܕܗܘ̈ܝ ܡܢ
ܠܩܘܕܡܝܢ. ܐ̱ ܕܝܢ ܡܫܬܒܪܐ ܠܡ ܕܡܕܡ ܚܕܬ ܐܫܡܥܝܢ.
ܗܕܐ ܝܕܥܐ ܠܝ ܡܢ ܟܠܝ ܢܕܒܬܐ. ܠܐ ܓܝܪ ܦ̇ܘܫܝܢ
ܒܗܠܝܢ ܕܩܕܡܝܢ. ܘܗܠܝܢ ܕܐ̈ܬܝܢ ܡܢ ܒܬܪܢ ܠܐ ܡܒܬܪܝܢ
ܕܢܚܐ ܐܢܫ̱ ܘܡܛܠ ܗܢܐ ܐܢܝܢ ܕܒܢܝܢ ܡܬ̈ܒܥܝܢ
ܗܢܝܢ̱ ܡܢ ܬܕ̈ܬܐ. ܡܛܠ | ܕܩ̈ܝܡܝܢ ܡܢ ܡܕܡ̈ܝܐ ܘܐܚܪ̈ܝܐ. 120va

ܘܒܗ ܢܘܟܪܐ ܕܙܒܢܐ ܡܬܚܠܦܐ ܒܥܘܗܕܢܐ ܕܡܕܡ̈ܢܐ.

1, 11 ܡܛܠ ܕܠܝܬ ܕܘܒܪ̈ܢ̱ ܠܡܕܡ̈ܢܐ. ܘܐܦ ܠܐ ܠܐܘܣ̈ܝܐ
ܕܗ̇ܘܝܢ. ܠܝܬ ܠܗܘܢ̱ ܕܘܒܪܢܐ ܡܢ ܐܝܠܝܢ ܕܗ̇ܘܝܢ ܠܚܪܬܐ.
ܡܕܡ ܗܘ ܠܡ ܐܡܪ ܚܕ ܚܕ ܡܢ ܟܝܢܗ ܡܫܚܠܦ ܠܡܐܡܪ.
ܘܡܛܠ ܕܪܚܡ ܡܢ ܒܥܘܗܕܢܐ ܕܗܠܝܢ ܡܕܡ̈ܝܬܐ ܘܕܗܠܝܢ
ܕܚܪܬܐ: ܫ̈ܢܝܬܐ ܥܒܝ̈ܕܢ ܡܫܬܥܒ̈ܕܢ ܠܝ.

1, 12 ܐܝܟ ܓܝܪ ܡܘܗܒܬ ܕܐܝܬܝ ܗܘܝܬ ܡܠܟܐ ܥܠ
ܐܝܣܪܐܝܠ ܒܐܘܪܫܠܡ.
ܒܛܠܠܘܬܐ ܩܝܡܬܐ

1, 13 ܢܡܟܬ ܠܒܝ ܠܡܒܥܐ ܘܠܡܬܒܝܢܘ ܒܚܟܡܬܐ: ܥܠ ܟܠ
ܕܐܬܥܒܕ ܬܚܝܬ ܫܡܫܐ.
ܒܢܝܢܐ ܠܡ ܕܢܦܫ ܢܕܪ ܐܝܟ ܒܪܢܫ ܘܥܡܗ ܕܗܕܐ
ܒܟܬܐ. ܡܛܠ ܕܥܒܕܬ ܠܡܐܡܪ ܕܐܢܫܪܐ ܕܡܠܟܘܬܝ: ܘܥܠ
ܒܟܬܐ ܕܚܟܡܬܐ ܒܠܚܘܕ ܐܬܥܛܠ ܠܝ. ܘܡܢ ܥܡܠ ܛܒܥܐ
ܕܗܦܟܐ ܠܝ ܥܠ ܚܟܡܬܐ:

1, 14 ܚܙܝܬ ܘܚܙܝܬ ܟܠ ܥܒܕܐ ܕܐܬܥܒܕ ܬܚܝܬ ܫܡܫܐ.
120vb ܘܗܐ ܟܠ ܡܕܡ | ܗܒܠܐ ܘܛܘܪܦܐ ܕܪܘܚܐ.
ܠܝ ܠܡ ܛܘܪܦܐ ܕܪܘܚܐ ܐܬܚܙܝܬ ܠܝ ܕܐܝܬܝܗ ܗܕܐ
ܕܢܦ̈ܫܢ ܩܝ̈ܡܢ ܒܚܝܠܐ ܕܐܝܕܥܬܗܝܢ ܗܠܝܢ ܕܡܬܕܒܪܢ
ܠܡܕܒܪ ܡܢ ܗ̇ܠܝܢ ܕܪ̈ܚܝܢ ܠܡܕܒܪ ܐܢ̈ܫܐ. ܡܛܠ ܕܠܐ ܚܘܒܐ
ܕܢܘܠܦܢܐ ܥܒܕ ܠܗܘܢ ܠܡܫܟܚ ܡܢ ܒܟܬܐ: ܘܠܐ ܒܟܬܐ
ܡܫܬܟܚܐ. ܡܛܠ ܩܝܡܘܬ ܐܘܣܝ̈ܬܗ̇. ܘܠܐ ܠܒܐ ܢܚܫ ܥܠ
ܥܒ̈ܕܬܗ̇: ܘܠܐ ܙܒܢ̈ܬܐ ܡܬܕ̈ܒܪܢ ܡܛܠ ܒܥܬܝܗܘܢ. ܡܕܝܢ
ܒܠܝܠܐ ܒܚܫܐ ܢܦ̣ܩ ܡܪܝܐ ܠܒܢܝ̈ܢܫܐ ܕܢܬܒܢܘܢ̱ ܒܗ.

ܐܠܘ ܗܟܢܐ ܫܘܕܥܬܐ ܕܒܪܢܫܐ ܪܒܐ ܗܘܬ ܡܢ ܟܠ ܕܐܬܒܥܝ
ܘܐܝܬ ܗܘܐ ܠܗ ܫܘܕܥܬܐ ܕܗܠܝܢ ܕܐܬܚܝܒܢ ܘܕܗܠܝܢ ܕܡܬܩ̈ܢܢ:
ܕܠܐ ܒܥܠܬܐ ܒܫܘܕܥܬܐ ܒܟܠ ܐܝܢ ܡܬܚܫܒܝܢ ܗܘܝܢ ܚܝܠ
ܒܢܝ̈ܢܫܐ. ܗܢܐ ܕܝܢ ܡܛܠ ܕܡܬܚܙܝܐ ܗܝ ܐܫܘܕܥܬܐ ܕܒܢܝ̈ܢܫܐ
ܒܗܘܢ: ܘܪܒܐ ܗܝ ܘܡܝܬܪܐ ܚܟܡܬܐ ܕܒܥܒ̇ܕܐ ܡܬܚܙܝܐ ܡܢ
ܗܕܐ ܕܝܠܗܘܢ. ܟܠܢܐ ܗܝ ܕܗ̇ܘ ܕܐܘܪ ܐܫܘܕܥܬܐ
ܕܡܬܕܪܟܢܘܬܐ ܕܒܥ̈ܒܕܘܗܝ ܡܢ ܐܫܘܕܥܬܐ ܕܒܢܝ̈ܢܫܐ ܗܘ ܘܗܟܢ
ܠܐܢܫܐ ܗܢܐ ܡܫܢܐ ܒܠܝܢ | ܕܒܕ ܡܬܒܠܝܢ ܒܗ. ܠܐ 121ra
ܢܬܬܦ ܠܡܫܡܫܘ ܐ̈ܢܫܘܬܐ ܒܢ̈ܫܬܐ. ܕܒܢܝ̈ܢ ܬ̈ܬܐܝܢ.
ܐܠܐ ܕܝܢ ܘܒܕ ܟܠ ܗܟܢܐ ܒܢܕ ܬܫܡܫܬܐ ܕܫܒܚܬܐ
ܕܒܒ̈ܕܐ ܬܫܡܠܐ ܘܡܬܦܪܫܐ ܒܟܠ ܢ̈ܫܝܢ ܡܬܒܫܝܢ ܚܝܠ:
ܘܒܡܕܒܪܢܘܬܐ ܕܐܢܫܘܬ ܒܥܕ̈ܢܐ ܕܕܠܐ ܥܠܝܐ ܫ̇ܘܝܐ
ܠܘܬ ܚ̈ܕܝܢ ܚܠܝ: ܘܒܠܚܘ̈ܕܝܗ ܘܒܥܡܗ ܒ̈ܢܫܐ ܕܫܒܝܢ
ܡܕܡܝܢ ܡܬܒܫܠܝܢ: ܠܐ ܡܫܟܚ ܠܡܕܒܪ ܠܢ̈ܫܐ ܗܠܝܢ
ܦ̈ܪܝܫܐ ܕܒܠܝܢ ܐܡܠܟܘ ܒܝܕ ܚܐܪܘܬܐ. ܠܒܢܝܐ. ܡܛܠ
1, 15 ܕܡܕܘܕܐ ܠܐ ܡܫܟܚ ܠܡܬܬܩܢ ܘܚܣܝܪܐ ܠܐ ܡܫܟܚ
ܠܡܬܡܢܝܘ.

ܡܕܘܕܐ ܦܪܐ ܠܐܢܫܘܬ ܥ̈ܘܠܐ ܕܒܥܠܝܐ ܫܒܝܢ
ܘܠܐܢܫܘܬ ܙ̈ܒܢܐ ܕܚܐܪܘܬܐ ܡܬܠܝܢ. ܙ̈ܒܢܐ ܓܝܪ
ܡ̈ܥܘܠܐ ܕܒܝܕ ܚܐܪܘܬܐ ܒܠܘ ܒܠܝܢ. ܕܕܘܕܗܝ ܠܡܬܪܐ
ܡܢ ܐܘܪܚܐ ܕܡܠܝܐ ܬܪܝܨܘܬܐ. ܘܒܙܒܬܐ ܕܕܠܐ ܒܦܠܓܬܐ
ܕܟܠ | ܒܪܢܬܐ ܚܟܬ: ܠܟܠ ܡܕܡ ܦܫܝܛ ܘܕܕܘܬ ܡܢ ܣܒܪܗ: 121rb

150 160 ὁδός - πρᾶξις (Ch. Schäublein, aaO. S. 115).

ܘܠܡܢܐ ܦܩܕܬ ܒܢܫܐ: ܘܠܡܢܐ ܠܒܪܐ. ܘܠܡܢܐ ܢܘܟܪܝܐ:
ܘܠܡܢܐ ܒܝܬܝܐ ܘܡܒܝܢܐ ܒܠܡܕܡ ܐܬܚܙܝ ܦܘܩܕܢܐ ܕܣܒܪܗ:
ܡܛܠ ܕܠܐ ܦܩܕܐ ܐܝܕܥܬܐ ܐܠܗܝܬܐ ܕܐܝܟ ܒܥܘܕܐ ܒܟܠ
ܡܕܡ ܒܠܒܗ ܡܢ ܦܘܩܕܢܐ ܬܬܒܥܐ. ܡܛܠ ܗܢܐ ܬܘܕܝܐ
ܒܓܕܝܫܗܝ ܠܡܫܪܐ ܒܡܣܟܢܘܬ ܢܒܝܠ. ܘܒܡܟܐ ܕܡܕܘܕܝܢ
ܗܘ ܠܐ ܡܫܟܚ ܠܫܬܠܡ. ܐܢ ܕܝܢ ܢܪܝܡ ܕܘܕܐ: ܘܒܥܒܕܐ
ܫܦܝܪܐ ܕܦܘܕ ܒܝܢܐ ܢܫܠܡ. ܒܪܫܝܬܗ ܒܠ ܡܕܡ ܒܫܝܢܐ
ܐܝܬܘܗܝ ܠܝ. ܗܝ ܕܝܢ ܕܠܐ ܡܫܟܚ ܠܫܬܠܡܘ: ܠܗ ܠܒܝܢܐ
ܕܒܠܝܠܫܐ ܦܪܐ ܚܫܝܪܐ. ܡܛܠ ܕܠܐ ܒܐܘܪܚܐ ܕܙܕܩܘܬܐ
ܦ̇ܩܕ ܕܡܫܝܚܘܬ ܢܫܠܡ ܡܛܠ ܒܪܢܫܘܬܐ ܕܒܝܢܗ: ܘܠܐ
ܒܫܒܝܠܐ ܕܚܟܡܬܐ ܦ̇ܩܕ ܕܠܗܟܢ ܢܡܠܐ: ܡܛܠ ܕܒܘܪܘܬܐ
121va | ܕܐܬܕܒܪܬܗ ܚܠܝܐ ܠܝ ܡܕܝܢ. ܕܡܕܡ ܕܒܠܗܘܢ ܚ̈ܝܝܢ
ܢܦܠܚ ܘܒܢܕܒܝܟ ܢܬܓܢܪ. ܠܐ ܒܐܘܪܚܐ ܕܒܐܢܘܬܐ ܕܠܐ
ܒܕܠܝ ܡܫܬܠܝ ܕܢܗܠܟ: ܘܠܐ ܒܐܝܕܝܬܐ ܕܒܠ ܡܕܡ ܢܬܓܢܪ
ܦܩܘܕܝܢ. ܡܢ ܒܠ ܬ̈ܒܝܢ ܠܡ ܚܝܢ ܒܬ̈ܪ ܐܢܫܐ: ܡܕ̈ܘܕܐ
ܐܫܬܒܚܝܢ ܘܚܫܝ̈ܐ. ܡܛܠ ܕܠܐ ܒܓܒܐ ܕܐܝܕܝܬܐ: ܘܠܐ
ܒܓܒܐ ܕܕܘܟ̈ܪܐ ܕܢܡܘܣܐ: ܢܦܠܝܢ ܒܠܝܠܐ ܕܐܒܘܬܐ.

1, 16 ܡܠܠܬ ܐܢܐ ܥܡ ܠܒܝ ܠܡܐܡܪ.
ܫܪܝܬ ܠܡ ܐܢܐ ܥܡ ܢܦܫܝ ܠܡܬܢܫܒܘ.
ܐܢܐ ܗܐ ܪܒܝܬ ܘܐܘܣܦܬ ܚܟܡܬܐ ܒܠ ܒܠ ܕܗܘܘ ܩܕܡܝ
ܒܐܘܪܫܠܡ.
ܒܘܢܐܐ ܠܡ ܪܒܐ ܢܡܟܬ ܠܢܦܫܝ ܡܢ ܒܪܢܘܬܐ: ܒܗ ܬ̇ܦܣܡ
ܐܢܐ ܠܝ ܚܟܡܬܐ ܕܦܝܠܝ ܕܗܘܘ ܩܕܡܝ ܒܐܘܪܫܠܡ. ܚܙܬ
ܒܝܪ ܕܢܦܫܝ ܡܢ ܒܠܗܘܢ ܕܗܘܘ ܩܕܡܝ ܐܫܟܚܬ.

ܘܠܒܝ ܚܙܐ ܣܘܓܐܐ ܕܚܟܡܬܐ ܘܕܝܕܥܬܐ.
ܘܣܘܓܐܬܐ ܠܗ ܐܕܟܪܬ. | ܐܝܟ ܕܐܡܪ ܡܢ ܦܘܫܩ ܕܡܕܡ 121vb
ܠܐ ܐܕܟܪ ܐܝܬܝ.
1, 17 ܘܝܗܒܬ ܠܒܝ ܠܡܕܥ ܚܟܡܬܐ ܘܝܕܥܬܐ ܘܡ̈ܬܠܐ
ܘܣܟܠܘܬܐ.
ܘܗܝ ܗܕܐ ܒܝܫܬܐ ܚܫܝܟܬܐ ܕܗܘ̇ܐ ܠܝ ܒܕܝܗܒܬ ܠܒܝ
ܠܡ̈ܬܠܐ ܦܘܫܩܐ ܘܡܫ̈ܬܠܡܢܐ ܕܐܡܝܪܐ ܡ̈ܬܠܐ ܕܚܟ̈ܝܡܐ ܕܡܕܡ:
ܘܣܟܠܘܬܐ ܕܒܥܕܢ ܡܢܢ ܙܢܐ ܐܝܟ ܐܝܟ ܫܒܝܚܐ ܗܘ̇ܐ
ܘܒܕ ܒܗܠܝܢ ܠܡܕܥ ܡܚܕܐ ܗܘܝܬ: ܘܒܟܠܝ ܡܬܚܫܒܐ ܐܝܟܐ.
ܐܬܕܒܪܬ ܕܒܕ ܡܠܟܐ ܒܢܝ ܡܢܘܬܐ ܒܒܪ ܡܢ ܒܠܗܝܢ ܗܠܝܢ
ܕܟܝܫܬ ܡܦܬܪܘ ܐܝܟܐ. ܘܒܠܗ ܒܟܠܝ ܗܘܐ ܐܝܟ ܠܐ ܗܘ̇ܐ.
ܘܝܕܥܬ ܠܗ ܕܐܦ ܗܢܐ ܗܟܠܐ ܘܦܘܪܫܐ ܕܪܘܚܐ.
ܘܚܘܪܐ ܣܓܝܐܐ ܐܬܚܫܒ ܠܝ ܒܟܠܝ ܕܒܟܠܬ. ܡܛܠ ܕܪ̈ܘܚܐ
ܠܝ ܘܥܡܩ ܐܝܟܐ ܠܗ ܡܢ ܒܬܪ: ܒܕ ܐܦ ܠܐ ܐܒܝܢܐ
ܐܒܘܪܐ ܐܫܟܚܬ ܠܡܬܒܥܘ ܒܗ.
1, 18 ܡܛܠ ܕܒܣܘܓܐܐ ܚܟܡܬܐ ܣܘܓܐܐ ܪܘܓܙܐ.
ܒܠ ܒܟܠ ܠܗ ܓܒܪ ܕܡܣܓܐ ܗܘܐ ܠܡܬܒܥܘ ܐܒܝܢܐ ܡ̈ܟܐܒ 122ra
ܗܘܐ ܒܝ ܪܘܓܙܐ ܒܠ ܗܠܝܢ °ܕܡܬܒܥ̈ܝܢ° ܗ̈ܢܝ ܡܢܝ ܐܘ ܡܢ
ܐܢ̈ܫܐ °ܕܠܐ ܒܗܠܝܢܬܐ°. ܘܒܗܬܐ ܒܐܝܢܬ ܘܒܐܝܒܐ ܕܒܠ ܒ̈ܢܝܫܬܐ
ܘܡܒܠ̈ܬܬܐ °ܕܒܢܬ ܒܢ̈ܝܫܐ ܡܬܒܥ̈ܝܢ° ܢܛܪܬ ܡܢ ܚܟܡܬܐ.
ܡܛܠ ܗܢܐ
ܕܡܘܣܦ ܠܡܬܚܟܡܘ ܡܘܣܦ ܒܐܒܐ.

194 DS I 98

ܒܗܠܝܢܬܐ°]ܒܗܕܡܐ°

ܐܦ ܓܝܪ ܒܐܒܐ ܕܦܓܪܐ ܥܠ ܠܒ̇ܫ ܘܢܗܘܐ ܠܝ: ܠܐ ܕܝܢ ܓ̈ܢܝܫܝܢ ܚܠܝ ܒܗ: ܗܘܝܢ ܗܘ ܡܫܚ ܠܝ ܡܢ ܕܐܓܪܝܢ ܚܠܝ ܒܗ: ܗܒܠܐ ܐܦ ܐܝܕܒܬܐ ܡܢ ܚܕܘܬܐ ܠܠܬܝܢ: ܘܒܝܕ ܦܘܪܫܢܗ ܐܠܒܫܬܝܢ ܚܫܐ ܘܒܐܒܐ ܕܒܪܢܬܐ: ܒܠ ܐܝܠܝܢ °ܕܕܠܐ ܒܦܠܝܬܐ° ܡܠܝܢ ܐܘ ܡܢ ܐܚ̈ܪܢܐ °ܡܫܬܒܪ̈ܝܢ°. ܘܒܕ ܒܗܠܝܢ ܙܒܢܝܢ ܡܬܒܬܫ ܗܘܐ: ܡܠܒܬ ܠܠܦܫܝܢ ܕܬܫܠܐ ܘܬܬܝܚ ܡܢ ܒܒܬܐ ܕܚܒܒܬܐ. ܬܐܓܦ ܕܝܢ ܒܠܝܚܘܕ ܕܝܚܐ ܘܓ̈ܝܚܬܐ ܕܦܓܪܐ: ܘܒܝܐ ܘܒܘܪܐ ܕܐܝܬܝ ܬܝܚܬ ܫܫܫܐ.

II

2, 1 ܘܡܫܪܬ ܐܝܟ ܠܠܒܝ. ܬܐ ܐܬܦܣܝܩ ܒܢܕܘܬܐ | ܘܝܗܝ 122rb
ܦܒܬܐ.

ܬܐ ܠܡ ܢܚܐ ܢܚ̈ܐ ܫܦܝܪ ܕܒܠܒܢ ܡܢ ܚܒܒܬܐ ܒܝܬܝܢ ܐ̈ܝܣܝܦܘܗܝ ܡܬܕܒܪܝܢ. ܒܪ ܢܥܒܘ ܝܝܘܫ ܘܢܬܬܝܚ ܒܠ ܗܕܐ.

ܘܗܐ ܐܦ ܗܢܐ ܗܒܠܐ.

ܐܦ ܗܕܐ ܠܡ ܦܪܝܡܘܬܐ ܙܒܬܐ ܐܬܬܝܚܬ ܠܝ ܕܐܝܬܝܗ̇: ܕܢܥܒܘܡ ܐܘܪܚܐ ܕܚܒ̈ܝܒܐ ܘܝܬܬܐ ܠܥܒܝܠܐ ܕܫ̈ܓܝܐ.

2, 2 ܠܓܘܚܟܐ ܐܡܪܬ ܡܠܝܐ ܗܘܝܢ. ܘܠܚܕܘܬܐ ܕܡܒܠܐ
ܒܒܕܬܝ.

ܠܗܠܝܢ ܓܝܪ ܕܗܒ̈ܝܢ ܒܒܢܝܢ ܦܓ̈ܪܐ ܕܐܝܬܝܗܘܢ

ܕܦܫܝܩܘܬܐ ܘܦܬܝܐ ܘܦܘܪܫܢܐ: ܘܟܠܗܝܢ ܒܗܝܢ ܐܫܟܚܬ ܐܝܟ ܕܡܫܡ̈ܠܝܘܬܐ ܒܟܝܢܬ ܠܚܘܒܘ ܒܠ ܢܬܪܐ ܕܚܟܝܡܝܢ. ܒܗ ܡܫܬܐܠ ܐܢܐ ܠܗܝܢ ܕܗܠܝܢ ܐܡܝܢܬܝܢ. ܘܐܫܟܚܬ ܕܠܝܬ ܢܬܪ̱ ܘܡܬ̈ܢܣܬܐ ܐܢܬܘܢ ܒܗܠܝܢ.

2, 3 ܐܪܢܬ ܒܠܒܝ ܠܡܓܕܘ ܒܚܡܪ̈ ܒܣܪܝ.

°ܐܬܒܩܝܬ ܠܝ ܕܕܠܡܐ ܡܟܝܠ ܕܠܐ ܚܫܝܪܐܝܬ ܡܪܒܬ° ܠܒܬ ܗܠܝܢ ܥܠܬ̈ܐ: ܒܠ ܗܕܐ | °ܠܐ ܒܗܡ ܠܝ. ܐܠܐ ܐܫܒܘܩ° 122va ܘܐܫܒܘܩ ܢܬ̈ܪܐ ܠܒܠܗܘܢ ܕܥ̈ܠܡܐ ܕܣܟܠܘܬܐ. °ܐܬܒܗܡ° ܕܝܢ ܒܠܗܘܕ ܘܐܬܚܙܝܬ °ܒܪ̈ܓܝܓܬܐ°. ܠܐ ܕܝܢ ܐܫܒܘܩܬ. ܒܠ ܡܢܐ ܕܠܒܝ ܪܢܐ ܒܣܟܠܘܬܐ ܘܐܚܝܕ ܒܡܘܠܒܘܬܐ.

ܘܠܐ ܠܡ ܐܫܒܘܩܬ ܕܡܠܟܘܬܐ ܠܦܘ̈ܪܫܢܗ ܕܣܟܠܘܬܐ ܐܫܒܘܩ. ܠܐ ܓܝܪ ܡܢܐ ܗܘܬ ܕܠܐ ܐܦܪܘܫ ܠܗܠܝܢ ܕܕܠܐ ܒܘܠܝܬܐ ܢ̇ܝܐ ܗܘܬ ܕܡܬܒ̈ܥܝܢ. ܗܢܝܢܗܘܢ ܓܝܪ ܕܡ̈ܠܟܐ ܗܘܘ: ܠܐ ܦܪܫܝܢܘܢ. ܐܠܐ ܕܝܢ ܡܟܝܠ ܕܠܐ ܡܢܐ ܗܘܬ ܕܠܐ ܐܦܪܘܫ. ܐܦ، ܠܐ ܕܐܬܬܢܝܚ ܒܠ ܦ̈ܬܓܡܬܐ ܡܫܟܚ ܗܘܬ: ܘܒܗ ܛܒ ܢܬܪ ܡܢ ܒܠܫ ܐܝܟ ܡܠܟܐ ܕܒ̈ܬܝܠܝ ܠܒܝ ܥܒ̈ܝܕܝܢ ܗܘܘ ܒܪ̈ܓܝܓܬܐ ܦ̈ܬܓܡܬܐ: ܐܦ ܠܐ ܐܝܟ ܐܢܠܝܢ ܕܢܫܪܐ ܠܗܘܢ ܡܢܐ ܗܘܬ ܠܡܬܒܥܘ. ܚ̇ܠܦ ܓܝܪ ܐܦ ܒܐܒܘܪܬܐ
ܥܠܝܗܘܢ ܡܬܬܢܝܚܐ. ܘܕܒܕ̈ܘܒܬܐ | ܐܝܟ ܕܒ̈ܪܘܪܬܐ ܢ̇ܕܝܢ. 122vb
ܘܡܬܒܥܝܢ. ܐܠܐ ܕܝܢ ܒܗ ܒܦܪܩܘܬܗܝܢ ܕܓ̈ܒܘܬܐ ܢܦܪ ܗܘܬ: ܒܕܒܝܠ ܒܟܬܐ ܡܬܬܒܝܪܐ ܗܘܬ ܒܝ: ܕܐܒܘܒ ܘܐܝܢܐ ܐܝܠܐ ܛܒ ܠܒ̈ܢܝ ܐܢܫܐ ܕܢܒܒܕܘܢ ܬܚܝܬ ܫܡܫܐ ܡܢܝܢ ܝܘ̈ܡܝ ܚ̈ܝܝܗܘܢ.

17 DS II 11 ܚܫܝܪܐܝܬ ܡܪܒܬ] ܡܫܟܠܢܝܬ ܐܬܡܪܒܬ°

ܐܦ ܗܘ ܠܡ ܡܫܝܚܐ ܕܡ̈ܘܬܐ ܗܝܡ ܗܘܐ ܡܕܡ ܒܒ̈ܢܝܐ
ܕܐܒܘܪܐ ܗܘ ܘܐܬܚܫܒܬ ܕܗܟܢܐ ܗܘ ܙܒܢܐ ܒܐܒܘܪܘܬ ܚܝ̈ܐ
ܫܝܢܘܬ ܒܥ̈ܬܐ ܠܡܬܬܙܝܢܘ: ܡܛܠ ܗܢܐ ܫܝ̈ܢܬܐ ܫܡܥ
ܗܘܝܬ ܕܐܡܪܢ: ܗܠܝܢ ܕܢ̈ܦܫ ܠܐܝܠܝܢ ܕܫ̈ܡܥܘܗܝ ܒܥ̈ܝܢ
ܘܡ̈ܠܘܗܝ. ܘܠܐ ܫܡܥܬ ܐܦ ܠܐ ܚܕܐ ܡܢ ܐܝܠܝܢ
ܕܠܒ̈ܝܫܐ ܢ̈ܦܫ ܠܡܬܒܥܘ ܒܗܝܢ: ܕܠܐ ܡܫܬܡ̈ܥ ܠܝ ܐܝܟ
ܓܒܝܐ. ܐܝܟ ܡܢ ܕܐܦ ܠܐ ܚܕܐ ܒܠܚܘܕ. ܐܫܡܥܘ ܠܗܠܝܢ
ܕܐܬܝܗܒ ܡܒ̈ܝܢܝܬܐ ܠܡܘܪܒ ܓܐܕ܆. ܡܛܠ ܗܢܐ
2, 4 ܐܫܬܝܬ ܒܒ̈ܝܕ܆.
ܐܡܝܢܐ ܠܝ ܠܡ ܫܘܓܐܐ ܕܡܫ̈ܬܡܥܢܐ ܠܡܠܝܢܘ ܒܗܘܢ ܓܒ̈ܝܐ | ܒܕܝܢܐ 123ra
ܗܘܝܬ ܕܡܫܝܚ ܗܘܝܬ ܒܠܫܢܟ܆ ܠܬܫܡܫܬܐ ܕܢ̈ܝܫܐ.
ܩܘܝܬ ܠܝ ܒ̈ܬܐ.
ܐܬܦܪܫܬ ܠܝ ܠܡ ܡܕܝܢܬܐ ܫܝܢܝܬܐ ܒܓܠܬܐ ܕܒܠܝܠܐ.
ܐܝܟܢܐ ܕܢܗܘܢ ܫܝ̈ܢܝܢ ܓܒ̈ܝܗܘܢ ܡܢ ܚܠܝܐ ܕܚܝܬܐ.
ܢܓܕܬ ܠܝ ܒ̈ܝܬܐ.
ܐܬܦܪܫܬ ܠܡ ܐܦ ܒܒ̈ܝܬܐ ܢܓ̈ܕܬܐ ܕ̈ܕܬܬܐ ܠܡܫܡܫܘ: ܠܡܪܬܘ
ܠܝ ܒܟܠ ܙܒܢܝ̈ܢ ܦܐ̈ܪܐ ܕܐ̈ܪܝܚܘܬܐ.
2, 5 ܒܒܕܬ ܠܝ ܓ̈ܢܐ ܘܦ̈ܪܕܝܣܐ.
ܘܠܐ ܗܘܐ ܒܠܚܘܕ ܠܘܬ ܒ̈ܝܬܐ ܒܓܠܠܘܬܐ ܕܐܝܟ ܗܕܐ
ܚܘܝܬ: ܐܠܐ ܝܬܪܐܝܬ ܠܘܬ ܓܢܝܐ ܒܠܗ ܕܐ̈ܝܠܢܐ: ܦ̈ܐܪܗܘܢ
ܕܒܝܬܗܘܢ ܘܒ̈ܝܢܝܗܘܢ ܘܓܠܒܐ ܕܐܕܫ̈ܝܗܘܢ ܠܟܠ ܐܢܫ
ܐ̈ܪܝܢܝܢ.
ܢܓܕܬ ܒܗܘܢ ܐ̈ܝܠܢܝܢ ܕܟܠ ܦܐ̈ܪܝܢ.
ܘܠܐ ܗܘܐ ܠܡ ܐܝܠܝܢ ܕܒܗ ܒܐܬܪܐ ܫܒ̈ܝܚܝܢ ܗ̈ܘ܆ ܐܬܦܪܫܬ

ܠܡܣܟܢܘ. ܐܠܐ ܐܦ ܢܨ̈ܒܬܐ ܕܒܐܪ̈ܥܬܐ ܪ̈ܚܝܩܬܐ ܡܬܬܩܢܝܢ ܗ̈ܘܝ. ܒܢܝܬ ܐܢܘܢ ܠܝ ܦ̈ܪܕܝܣܐ. ܒܥܠܡ ܓܢܒܐ ܕܗܘܐ ܠܝ. ܡܛܠ ܕܝܢ | ܕܠܢܨ̈ܒܬܐ ܕܐܝܟ ܗܠܝܢ ܡ̈ܢܐ ܐܝ̈ܠܢܐ ܢܫܝܢ ܗܘܘ. 123rb

2, 6 ܥܒܕܬ ܠܝ ܢܩ̈ܥܬܐ ܕܡ̈ܝܐ: ܠܡܫܩܝܘ ܡܢܗܝܢ ܥܒܐ ܕܡܦܪܥ ܐܝ̈ܠܢܐ.

ܥܒܐ ܕܡܦܪܥ ܦܪܐ ܠܢܨܒܐ ܕܐܝ̈ܠܢܐ ܗ̈ܠܝܢ ܕܡܕܢܚܬܐ ܕܦ̈ܪܕܝܣܐ ܦܩܕܬ ܠܒܢܝ̈ ܐܢܫܐ ܚܢܦ ܡܠܘܐܐ ܕܦܐ̈ܪܝܗܘܢ. ܐܝ̈ܠܢܐ ܕܝܢ ܠܗ̈ܠܝܢ ܕܒܬܪ̈ܬܗܝܢ ܒܚܝܬܐ ܘܒܦܠܚܐ: ܡܒܩܒܠܐ ܠܒܢܝ̈ ܐܢܫܐ ܒܥܒܕܝܢ. ܡܛܠ ܕܝܢ ܕܗܠܝܢ ܒܠܗܝܢ ܕܢܫܒ: ܐܝܟ ܒܢܝܢܐ ܕܒ̈ܬܐ ܘܐܝܟ ܢܨ̈ܒܬܐ ܕܟܪ̈ܡܐ: ܘܐܝܟ ܥܒܝܕܐ ܕܦ̈ܪܕܝܣܐ: ܘܐܝܟ ܥܡܠ ܓܢܒܐ ܕܟܠ ܢܨ̈ܒܬܐ ܫܪ̈ܝܬܐ: ܘܕܠܐ ܢܬܟܪ ܕܐܫܬܡܗ ܠܒܢ̈ܘܗܝ ܡܢ ܡܫܡ̈ܫܢܘܗܝ. ܚܙܐ ܠܗ ܠܥܠܬܗ ܡܕܡܝܢܬܐ ܟܕ ܐܡܪ.

2, 7 ܕܩܢܝܬ ܥܒ̈ܕܐ ܘܐܡ̈ܗܬܐ. ܘܒܢܝ̈ ܒܝܬܐ ܗܘܘ ܠܝ ܘܩܢܝܢܐ.

ܒܗܢܐ ܠܗ ܐܝܟ ܐܣܓܝܐ ܗܘܝܬ ܪ̈ܓܝ: ܠܡܫܝܢܐ ܕܡܫܡ̈ܫܢܝܢ ܠܐ ܡܢ ܡܬܘܡ ܒܒܪܬ. ܡܛܠ ܕܝܢ ܕܠܣܓܝܐܘܬ ܡܫܡ̈ܫܢܐ ܢܦܩܐ ܗܝ ܠܟܢܫܐ | ܕܡܠܟܐ ܗܘ ܒܬܪܐ: ܐܦ ܣܓܝܐܘܬ ܩܢ̈ܝܢܐ 123va ܐܡܪ.

ܩܢܝܢܐ. ܕܬܘܪ̈ܐ ܘܕܥܢܐ ܣܓܝ ܠܝ ܗܘܐ ܡܢ ܟܠ ܕܗܘܘ ܩܕܡܝ ܒܐܘܪܫܠܡ.

ܠܗܘ ܕܝܢ ܕܡܥܢܐ ܒܣܓܝܐܘܬ ܩܢ̈ܝܢܐ ܕܐܝܟ ܗܠܝܢ ܒܬܪܐ: ܢܩܫ ܦܣܝ ܘܡܬܒܥܐ ܐܦ ܕܗܒܐ ܣܓܝܐܐ. ܡܛܠ ܗܢܐ ܐܡܪ.

2, 8 ܟܢܫܬ ܠܝ ܟܣܦܐ ܘܕܗܒܐ ܘܩܢܝܢܐ ܕܡ̈ܠܟܐ ܘܕܡܕ̈ܝܢܬܐ.

ܡܢܗ ܓܝܪ ܒܡܪ̈ܥܐ. ܡܢܗ ܒܢܝܚܘܬܐ. ܡܢܗ ܒܕ̈ܝܢܐ ܘܐܢܫ̈ܐ
ܕܡܢ ܡ̈ܠܟܐ ܦܝܠܣܘ̈ܦܐ ܡܬܕܒܪ ܗܘܐ. ܒܠܗ ܕܝܢ ܡܛܠ
ܡܫܘܕܥܬܐ ܕܐܠܗܐ. ܘܠܐ ܠܡ ܒܠܚܘܕ ܒܡܠܠܐ ܕܐܝܟ ܗܠܝܢ:
ܫ̇ܠܝܚܢ ܕܐܡܪ ܐܡܪ ܐܝܟ ܣܠܗ ܡܢܐ ܠܗܘܢ: ܐܪ̈ܝܣܛܘܬܐ
ܦܝܠܣܘ̈ܦܘܬܐ ܒܟܪܬ ܠܝ. ܐܠܐ ܐܦ ܒܡܕܡ ܕܐܬܚܫܒܬ ܠܘܬ
ܐܠܗܐ ܒܠܚܘܕ ܡܬܥܒܕ ܐܘ ܠܘܬ ܡܠܟܐ. ܗܢܝܐܘܬܐ ܦܝܠܣܘ̈ܦܘܬܐ
ܐܬܦܪܣܬ ܠܝ. ܡܢܗ ܕܝܢ.
ܒܟܪܬ ܠܝ ܠܡ ܡܬ̈ܚܫܢܐ | ܘܡܫܒ̈ܚܢܝܬܐ ܘܒܫܘܫܘܬܐ ܒܒܢ̈ܝ 123vb
ܐܢܫܐ. ܫܥ̈ܬܐ ܘܫܢ̈ܝܬܐ.
°ܡܫܒ̈ܚܢܐ ܕܝܢ ܦܘܪܐ: ܠܫ̇ܠܝܚܢ ܕܒܝܬ ܩ̈ܠܐ ܗܢܝܢܐ ܡܪܟܒܝܢ
ܡܕܡ ܕܦܫܐ ܐܝܟ ܕܠܡܘܠܝܐ ܕܡܠܟܐ. ܘܠܗ ܠܡܘܠܝܐ ܒܟܪܝܢ
ܠܗ ܗܢܝܐ ܒܝܬ ܡ̈ܢܝܐ ܕܐܡܪܐ° ܐܘ ܒܝܬ ܩ̈ܠܐ ܐܪ̈ܝܣܛܝܐ.
ܠܝ ܕܝܢ ܡܬܦܪܫܐ ܕܐܬ̈ܬܝܗܝܢ ܦ̣ܠܓܐ ܗܘܐ ܘܗܠܝܢ ܕܒܝܬ
ܩܠܐ ܗܢܝܐ ܕܦܠܝܢ ܡܫܒܚܝܢ ܗܘܘ ܠܗ: ܘܗܠܝܢ ܕܒܝܬ
ܡ̈ܢܝܐ ܕܐܡܪܐ ܒܝܬ ܐܘܡܢܘܬܗܘܢ. ܗܢܝܐܘܬܐ ܦܝܠܣܘ̈ܦܘܬܐ
ܠܡܫܒܚܘܬܐ ܫܒܩܝܢ. ܡܛܠܗܢܐ ܐܡܪ ܡܫܒ̈ܚܢܐ ܘܡܫܒ̈ܚܢܝܬܐ.
ܘܡܢ ܒܬܪܗ ܒܫܘܫܘܬܐ ܒܒܢ̈ܝ ܐܢܫܐ. ܫܥ̈ܬܐ ܕܝܢ ܘܫܢ̈ܝܬܐ
ܦܪܐ: ܠܫ̇ܠܝܚܢ ܕܒܝܬ ܫܘܦܪܐ ܘܢܒܥܬܐ ܕܐܝܬܝܗܘܢ. ܘܠܠܝܠܝܬܐ
ܕܬܫܒܚܬܗܘܢ. ܘܗܘܦܟܐ ܕܒܪܝܗܘܢ: ܡܛܠ ܐܪ̈ܝܣܛܘܬܐ ܦܝܠܣܘ̈ܦܘܬܐ
ܘܠܐ ܫܒܚܘܬܐ ܕܐܝܬܝܐ ܫ̇ܠܝܚܢ ܕܒܠܥܕ ܚܕ ܡܢܗܘܢ ܒܡ
ܚܕܪܗ: ܒܫܘܦܪܐ ܘܐܪ̈ܝܣܛܘܬܐ ܫ̇ܦܝܪ ܗܘܐ. ܘܠܐ ܗܒܝܐ
ܫܥ̈ܬܐ ܡܢ ܒܢܝܗܝܢ | ܠܗܒܝ ܗ̈ܘ، ܫܘܦܪܐ ܠܢܝܬܗܝܢ: ܐܝܟ 124ra
ܡܢ ܕܫܥ̈ܬܐ ܒܫܘܠ ܦܠܓܗܘܢ ܗܕܝܪܘܬܐ ܒܠ ܩܝܡܗܘܢ
ܡܬܗܦܟܝܢ ܗܘܘ. ܐܝܟܢܐ ܕܐܝܬܝܐ ܕܗ̇ܘ ܕܡܫܬܒܚ: ܡܢ ܫܘܦܪܐ

ܠܡܦܪܥܐ ܬܒܥܐ ܗܘܬ ܘܬܬܒܛܠ. ܘܟܕ ܒܗܠܝܢ ܟܠܗܝܢ ܚܪ ܐܡܪ.

2, 9 ܘܪܒܬ ܘܐܘܣܦܬ ܝܬܝܪ ܡܢ ܟܠ ܕܗܘܘ ܩܕܡܝ
ܒܐܘܪܫܠܡ.

ܘܐܦ ܗܝ ܠܡ ܗܕܐ ܕܠܝܬ ܗܘܐ ܠܝ ܦܘܫܐ ܒܪܒܘܬܐ ܒܗܠܝܢ ܕܡܢ ܩܕܡܝ: ܗܢܝܐܘܬܐ ܝܬܝܪܬܐ ܒܟܕܐ ܗܘܬ ܠܝ.

ܘܐܦ ܚܟܡܬܝ ܩܡܬ ܠܝ.

ܐܦ ܫܒܝܚܘܬܐ ܕܝܢ ܐܝܠܝܢ ܕܝܗܒܬ ܠܡܫܒܚܘ ܒܡ̈ܠܬܐ ܘܒܥܠ̈ܬܐ ܘܒܕܝܠܐ ܕܒܝܬ ܝܗܪܐ ܠܫܒܪܗ ܩܡܬ ܠܝ. ܘܠܐ ܒܠܚܘܕ ܒܝܘ̈ܡܬܐ ܗܠܝܢ ܕܡܢ ܠܒܪ ܗܕܝܪ ܗܘܝܬ. ܐܠܐ ܐܦ ܒܫܒܚܬܐ ܗ̇ܝ ܕܡܢ ܠܗܠ ܒܠܚܘܕ: ܗܘ̣ܝܬ: ܗܕܝܪܐ ܠܫܝܢ ܟܠ ܐܢܫ ܡܬܝܕܥܐ ܗܘܝܬ: ܡܛܠ ܕܒܡܘܬܪܐ ܒܝܪ ܗܘܝܬ ܘܒܫܘܠܛܢܐ ܡ̇ܠܟܐ ܐܝܬܝ ܗܘܝܬ. ܘܒܦܘ̈ܪܫܐ ܕܝܕܥܬܐ ܠܐ ܚܣܝܪ ܗܘܝܬ.

2, 10 ܟܠ | ܕܫܐܠ ܥܝ̈ܢܝ ܠܐ ܟܠܝܬ ܡܢܗܝܢ. ܘܠܐ ܟܠܝܬ 124rb
ܠܒܝ ܡܢ ܟܠ ܚܕܘܐ.

ܐܠܐ ܒܟܠܗܘܢ ܕܝܗܒܬ ܠܥܒ̈ܕܐ ܐܘ ܡܢ ܫܘܠܛܢܐ ܢ̇ܦܠ ܗܘܐ ܒܠܬܐ ܠܡܗܘܐ. ܐܘ ܡܢ ܒܡܘܬܪܐ ܐܘ ܡܢ ܚܟܡܬܝ.

ܡܛܠ ܗܢܐ ܠܒܝ ܚܕܝ ܒܟܠ ܥ̈ܡܠܝ. ܘܗܕܐ ܗܘܬ ܡܢܬܝ ܡܢ ܟܠܗ ܥܡܠܝ.

ܠܗ̇ܘ ܗܟܝܠ ܕܒܟܠܗܝܢ ܡܥܡܠܝ: ܘܢܝܚܐ ܡܢ ܟܠ ܥܒ̈ܕܝܢ ܕܥܒܕܝܢ ܠܗ: ܘܦܘ̈ܪܫܢܗ ܒܕܡܘܬܐ ܕܫ̈ܠܝܐ ܘܫܩ̈ܝܐ ܕܢܗܪ̈ܘܬܐ: ܚܕܐ ܠܚܕܐ ܡܕ̈ܒܪܢ: ܘܡܢ ܠܗܠ ܒܦܪ̈ܕܝܣܐ ܡܬܒܩܝܢ: ܘܡܢ ܠܗܠ ܒܓ̈ܢܝܐ ܡܬܦܪܢܝܢ: ܘܡܢ ܠܗܠ ܒܩ̈ܠܐ ܗܝ̈ܟܠܐ ܕܐܡܪܐ ܡܬܚܕܐ: ܘܡܢ ܠܗܠ ܒܩ̈ܝܘܬܐ ܡܬܦܪܢܝܢ: ܐܝܟܢܐ ܡܫܟܚ ܠܡܐ

ܠܡܐܡܪ ܗܒܠ ܗܒ̈ܠܝܢ ܘܟܠ ܡܕܡ ܗܒܠܐ ܗܘ: ܐܦ ܠܡ ܐܢܐ
ܡܬܢܐܪܬ ܙܕܩ ܠܝ ܗܒܠܐ ܠܡܐܡܪ ܒܗ ܚܢܪ ܢܐܪ ܐܢܐ
ܒܟܠܗܘܢ ܗܠܝܢ ܕܐܬܝܠܦܬ ܠܡܬܠܘ ܒܣܡܟܬܐ ܘܒܐܝܕܟܬܐ
ܘܒܫܘܦܪܐ ܦܢܝ̈ܐ ܕܡܢ ܟܠ ܕܝ̈ܢܝ ܐܝܬܝܬ ܠܚܝܬܐ
| ܘܒܬ̈ܘܩܢܐ ܘܫܒܝ̈ܚܬܐ ܬܕ̈ܬܬܐ ܕܗܘܝ ܗܘܘ. 124va
2, 11 ܘܚܪܬ ܒܟܠ ܥܒܕܐ ܕܥܒ̣ܕ ܐܝ̈ܕܝ: ܘܒܟܠ ܥܡܠܐ
ܕܐܢܐ ܥܡܠܬ ܬܚܝܬ ܫܡܫܐ.
ܒܗ ܒܗܠܝܢ ܠܡ ܡܬܒܥܐ ܐܢܐ: ܕܐܝܟܢܐ ܗܫܐ ܕܠܐ ܫܘܐ
ܒܗ̈ܠܝܢ ܘܥܒ̈ܕܝܢ ܘܦ̈ܪܝܢ ܘܕ̈ܢܚܝܢ. ܘܠܫܪܝܐ ܒܠܗܘܢ ܠܚܕܘܬܐ
ܬ̈ܒܥܝ: ܡܪܢ ܐܢܐ ܕܝܢ ܕܐܝܟܢܐ ܡܢ ܟܠ ܦܪܘܫ ܒܠܗܘܢ
ܡܬܚܒܠ: ܘܒܠܗܘܢ ܫܘܦܪܐ ܕܟܠ ܚܕܐ ܚܕܐ ܡܢܗܘܢ
ܡܬܡܟܟܝܢ: ܘܡܬܡܟܟܢܐ ܦܐܝܘܬܐ ܕܐܫܝܢܐ ܟܠ ܟܠܗܘܢ:
ܘܠܒܫ ܚܝܘܬܐ ܢܠܦ ܫܘܦܪܐ: ܘܢܦܠܐ ܢܠܦ ܦܐܝܘܬܐ:
ܘܕܢܠܬܐ ܘܚܘܪܕܐ ܢܠܦ ܢܝܬܐ ܐܪܝܟܘܬܐ: ܘܒܪܝܘܬܐ ܪܘܝܘܬܐ ܘܒܥܘܬܐ
ܢܠܦ ܢܕܘܬܐ ܘܡܘܝܐܘܬܐ. ܘܐܝܟܢܐ ܒܠܗܘܢ ܐܟܢܫ ܘܡܫܬܪ̈ܝܢ
ܘܒܒ̈ܬܝ ܘܡܘ̈ܬܝ ܐܝܟ ܠܐ ܗܘ̈ܝ: ܗܠܝܢ ܕܒܒ̈ܬܠܐ ܦܢܝ̈ܐ
ܕܝܒܚܬܐ ܐܡܝܟܬ ܘܥܒܬܬ ܐܠܝ̈: ܘܒܠܝ̈ܫܢܐ ܦܢܝ̈ܐ ܫܝܘܬ
ܒܠ ܐܦ̈ܝ | ܬܘܩܢܝܗܝ. ܘܡܟܐ ܘܡܫܒܐ ܐܘܪܚܬ ܠܬܟܫܝܬܗܘܢ 124vb
ܒܗ ܡܟܫܐ ܐܢܐ ܡܢ ܟܠ ܕܘܟ ܫܘܦܪܗܝܢ ܘܡܗܪܒ ܐܢܐ
ܠܘܬ ܬ̈ܕܐܐ ܕ̈ܘܝܗܝܢ ܡܬ̈ܚܝܢܐ ܡܢ ܐܬܪܘܬܐ ܡܫܬܠܡܢܐ
ܘܒܕܡܘܬ ܡܬ̈ܒܢܐ ܡܒܕ̈ܪܐ ܠܦܬ ܗܘܝܬ ܐܪ̈ܟܬܐ ܕܒܠܡܐ
ܕ̈ܬܝܗܝܢ ܗܕܝܐ ܡܢܗܘܢ ܡܢ ܐܫܬܗܘܢ ܕ ܡܬܡܐ: ܡܢܗܘܢ

132 Koh I 2.

ܡܢ ܟܪ̈ܝܘܬܐ ܪ̈ܘܚܢܝܬܐ. ܡܢܗܘܢ ܡܢ ܦܩ̈ܕܬܐ ܗܝ̈ܡܢܘܬܐ
ܘܢܫ̈ܠܐ ܒܝ̈ܫܬܐ: ܡܢܗܘܢ ܡܢ ܪ̈ܓܬܐ ܘܡܢ ܛܘ̈ܪܐ ܪ̈ܡܐ: ܡܐ
ܗܒܝܠ ܕܝܠܝ ܐܢܐ ܒܗܢܐ ܟܠܗ ܥܡܠ ܛܒܢܐ: ܘܟܒܠ ܒܝܠܐ
ܕܡܠܠܬ ܠܡܒܒܕ ܕܥܪܩ ܠܫܒܠܢܐ: ܘܐܝܟ ܠܐ ܗܘܐ ܗ̇ܘܐ.
ܗܕܐ ܗܝ ܥܒܪܬ ܠܝ ܠܡܐܡܪ.
ܕܟܠ ܡܕܡ ܗܒܠܐ ܘܛܘܪܦܐ ܕܪܘܚܐ. ܘܠܝܬ ܝܘܬܪ̈ܢ ܬܚܝܬ
ܫܡܫܐ.
ܠܐ ܠܡ ܢܗܐ ܐܢܐ ܕܐܝܬ ܝܘܬܪܢܐ ܡܕܡ ܒܒܛܝܠܘܬܐ ܕܟܠ
ܗܠܝܢ ܕܡܬܚܙܝܢ ܐܦ ܠܐ ܒܗ ܟܠ ܡܕܡ ܐܝܟ ܐܝܟ ܓܒܝܢܗ
ܢܬܦܢ ܘܢܛܒܘ: ܘܡܛܠ °ܕܥܡܠ | ܛܒܢܐ ܕܟܠ ܒܒܕ̈ܝܢܬܐ° ܡܢ 125ra
ܬܠܬ ܐܝܬܘܗܝ ܥܘܪܝܐ ܕܟܠܬܗ. ܒܝܬ ܐܦ ܗܕܐ.
2, 12 ܘܦܢܝܬ ܐܢܐ ܠܡܚܙܐ ܚܟܡܬܐ ܘܫܒܗܪܢܘܬܐ ܘܣܟܠܘܬܐ.
°ܘܒܚܢܬ ܠܡܕܡ: ܕܡܢ ܐܢܫܐ ܗܠܝܢ ܒܠܗܝܢ ܐܬܒܝܢܬ
ܠܡܬܘܢܘ. ܐ̱ܠܐ ܡܢ ܚܟܡܬܐ ܘܐܦ̱ ܡܢ ܫܒܗܪ̈ܢܘܬܐ ܘܐܦ̱ ܡܢ
ܣܟܠܘܬܐ ܡܛܠ ܕܠܝܬ ܗܘܐ ܐܢܫ ܕܢܦܨܐ ܕܗܕܐ ܢܫܐܠܝܢ. ܕܟܠ
ܐܦ̈ܝ° ܡܢܗ ܗܢܐ ܒܡܠܐ ܐܪܡܝܬ.
ܡܛܠ ܕܡܢܘ ܓܒܪܐ ܕܢܥܘܠ ܒܬܪ ܡܠܟܐ ܒܕܝܢܐ. ܡܢ ܟܡ
ܡܢ ܕܒܥܕܗ.
°ܡܛܘ ܠܡ ܒܪ ܡܪܕܝ ܗܘܐ ܕܢܒܘܢ ܘܢܥܘܠ ܒܠ ܣ̈ܘܥܪܢܐ
ܕܗܘܘ ܠܝ. ܐܘ ܕܢܬܒܕܠ ܒܗ̇ܘ ܕܡܢ ܒܠ ܒ̈ܢܝܢ ܒܡܬܪܐ
ܒܡ ܐܢܫܐ ܘܥܠܛܢܐ ܐܗܦܟ ܠܝ°. ܘܗܘܬ ܠܝ ܡܗܡܒܠܗ
ܒܕܡܘܬ ܡܠܐܟܐ ܗܝܢܐ ܕܠܐ ܢܗܪ. ܠܡܠܘܬܗܘܢ ܓܒ̈ܝܠܝ

165 168 TM II 131;DS II 162

ܘܫܒܗܪܢܘܬܐ °ܐܪ] ܘܡܫܒܗܪܢܘܬܐ P. siehe DS S. 7.

ܘܐܠ̈ܝܨܘܬܝ. ܐܦ ܕܝܢ °ܒܝ̈ܕܥܬܐ ܕܡܬܬܒܥܠ ܠܒܫܢ ܐܚܕܠܬ°:
ܐܠܐ ܣܠܩܬ ܒܩܘܝܡܐ.

2, 13 ܕܐܝܬ ܘܬܘ̈ܪܝ ܒܫܘܒܩܢܐ ܣܓܝ ܡܢ ܥܠܘܠܬܐ: ܐܝܟ
ܕܝܬܝܪ ܠܘܗܪܐ ܡܢ ܚܫܘܟܐ.

125rb | ܣܠܩܬ ܠܡ ܒܝܕ ܗܠܝܢ ܕܒܠ ܐܝܠܝܢ ܘܕܡ ܠܫܒܝܚܐ
ܠܡܬܦܢܝܢܘ. ܕܠܘ ܡܬܗܦܟ ܢܦܪ ܟܠ ܡܕܡ ܕܠܒܪ ܡܢܗ ܗܘ.
ܕܩܝܢܝܢ ܐܘ ܐܝܟ ܙܟܘܬܗ ܐܝܬܘܗܝ ܘܗܠܝܢ ܕܙܒܢܐ ܘܕܘܪܐ ܓܢܪܐ
ܠܗܝܢ ܡܠܝ. ܐܫܟܚܐ ܐܝܟ ܕܒܠ ܩܝܢܝ ܥܪܢܐ ܒܠܒܗܝܢ
ܢܬܟܠܠ ܠܝ. ܐܠܐ ܗܠܝܢ ܕܒܡܫܠܡܢܘܬܐ ܐܝܬܝܗܝܢ. ܡܟܝܠ ܗܘ
ܡܢ ܡܕܡ ܒܝܠܝܗܝܢ ܘܒܠܢܐ ܕܡܬܒܪܬܗܝܢ. ܒܝ̈ܕܥܬܐ ܕܝܢ
ܘܒܫܘܦ̈ܪܐ ܕܡܕܡ ܒܝܠܝܗܝܢ ܒܠܘܕ ܡܬܒܥܝܢ. ܢܫܝܒܐ ܕܝܢ
ܠܐ ܗܘܐ ܗܒܠܐ. ܡܛܠ

2, 14 ܕܢܫܝܒܐ ܒܝܠܝܗܝ ܒܪܫܗ.
ܗܘ ܕܝܢ ܐܝܟ ܕܡܢ ܪܘܫܐ ܠܪܘܩܐ ܒܐܝܕܥܬܗ ܢܛܪ.
ܘܫܘܠܡܐ ܕܙܟܘ̈ܬܐ ܡܬܦܫܐ.
ܘܫܒܠܐ ܒܫܘܫܒܐ ܐܙܠ.

ܘܗ̇ܝ ܕܐܙܠ ܗܕܐ ܗܝ ܕܐܦ ܢܗܘܐ ܠܡ ܕܒܠ ܙܟܘ̈ܬܐ
ܡܬܦܫܛ: ܒܢܝܪܐܝܬ ܘܕܠܐ ܒܗܝܢ ܒܠܝܗܝܢ ܡܬܦܫܛ. ܘܐܝܟ
ܕܒܫܘܫܒܐ ܒܠܐ ܐܝܕܥܬܗ ܬܘ̈ܠܕܬܐ ܡܦܩܐ ܠܗ. ܒܕܡܒܝܢ
ܙܟܘܬܗ ܘܡܫܠܡ ܟܠ ܐܝܠܝܢ ܕܠܐ ܐܬܝܗܒܘܢ | ܡܢܗܘܬܗ. ܡܢܐ 125va
ܕܝܢ ܐܡ̈ܪܝ ܐܝܢܐ ܟܠ ܐܒܝܫܘܬܐ ܕܐܝܬ ܠܗܘܢ ܠܦܪ̈ܠܐ ܟܠ

188 ܫܒܝܚܐ - 194 ܠܗ B.
192 ܢܗܘܐ - ܙܟܘ̈ܬܐ < B.
193 ܢܬܦܫܛ B.

ܒܨ̈ܒܘܬܐ ܕܠܒܪ ܡܢܗܘܢ. ܐܝܟܢܐ ܕܐܦ ܠܚܟܝܡܐ ܒܗܢܐ ܕܠܒܪ
ܕܐܝܟ ܗܕܐ ܓܕܫܐ ܠܗܘܢ.
ܘܝܕܥܬ ܐܢܐ ܕܓܕܫܐ ܚܕ ܓܕܫ ܠܟܠܗܘܢ.
ܫܐܠ ܐܢܐ ܠܟ ܕܐܦ ܠܐ ܐܝܠܝܢ ܕܡܬܦܪ̈ܫܝܢ ܚܟܝܡܐ ܡܢ
ܒܗܠܝܢ ܕܐܝܟ ܗܢܐ ܡܬܕ̈ܢܝܢ. ܐܦ ܫܠܝܘܢ ܓܒܪ ܒܡܓ̈ܢܝܬܐ
ܡܬܬܥ̈ܕܝܢ ܘܥܠ ܐܝܠܝܢ ܕܠܐ ܗܘ̈ܝ ܡܫܬܠܝܘܢ ܡܢ ܒܠܥ
ܠܚܫܗܘܢ ܚܟܝܡܘܬܗܘܢ ܡܫܘܝ:
2, 15 ܘܐܡܪܬ ܐܢܐ ܒܠܒܝ ܕܐܦ ܐܝܟ ܓܕܫܐ ܕܣܟܠܐ ܐܦ
ܠܝ ܢܓܕܫ. ܠܡܢܐ ܐܬܚܟܡܬ.
ܘܕܢܬ ܠܟ ܐܢܐ ܠܒܫܝ. ܕܗܢܘܢ ܐܝܟ ܩ̈ܛܠܐ ܒܝܕ̈ܥܬܐ ܦ̈ܫܝܛܬܐ
ܘܕܠܐ ܢܬܪ̈ܢ ܡܬܬܥ̈ܕ ܐܢܐ: ܒܕ ܢ̈ܦܩ ܐܢܐ ܕܐܝܠܝܢ
ܕܦܫܝܢ ܡܢ ܒܬܪ: ܡܢܐ ܢܬܪܢܐ ܕܟܝܠܘܬܐ ܘܣܟܠܐ
ܦܝܫܐ ܒܠ ܚܟܡܬܐ ܗܘܐ ܠܝ.
ܘܡܠܠܬ ܒܠܒܝ ܕܐܦ ܗܢܐ ܗܒܠܐ.
ܘܢܕܥܬ ܠܟ ܕܐܦ° ܗܢܐ ܒܣܟܠܐ ܗܘ ܦܪܝܫܐ ܐܪܡܝܬ ܠܝ
| ܒܚܟܡܬܐ ܕܚܟܡܬܐ: ܡܐ ܕܒܫܘܒܪܢܐ ܡܕܡ ܡܢ ܣ̈ܟܠܐ° ܠܐ 125vb
ܡܬܚܝܐ ܒܝ ܕܡܢܬܪ.
2, 16 ܡܛܠ ܕܣܟܠܐ ܡܢ ܢܬܪ ܡܡܠܠ.
ܣܟܠܐ ܠܟ ܓܠܝܐ ܗܝ ܠܝ. °ܕܒܕ ܢܫܝܐ ܠܥ̈ܠܡܝܢ ܠܐ ܣܝܡ
ܡܢ ܢܬܪܘ ܘܦܪܝܫܝܬ°. ܐܦ ܒܠ ܡܕܡ ܟܒܕ. ܠܐ ܕܝܢ
ܘܕܡ ܕܒܗܘܢ °ܒܫܘܒܪܢܐ° ܚܟܝܡܐ ܥܡ ܣܟܠܐ ܢܬܥܐ.

215 DS II 87 ܢܫܝܐ˹]ܠܥܠܡܐ°

ܡܛܠ ܕܠܝܬ ܕܡܕܒܪܢ ܠܫܡܝܐ ܥܡ ܗܘܠܐ ܠܥܠܡ.
ܠܝܬ ܗܝ ܠܡ ܘܐܢܕܝܢܐ ܕܫܡܝܐ ܥܡ ܗܘܠܐ ܠܐ ܡܬܕܒܪ. ܐܦ ܠܐ ܡܬܕܒܪܢܐ ܠܥܠܡ. ܐܫܬܟܚܬ ܓܝܪ ܗܘܐ ܘܐܫܬܟܚܬ ܗܘܐ: ܒܝܬ ܒܢܝ ܐܢܫܐ ܘܗܕܡ ܐܠܗܐ ܫܒܝܚܝܢ. ܐܠܐ ܒܪܢ ܬܐܡܪ.

ܕܗܐ ܡܫܬ̈ܟܚܐ ܐܬܝܢ ܘܒܠ ܡܬܛܠܐ.

ܕܠܒܐ ܠܡ ܒܪ ܢܝܚܬ ܥܘܢܬ ܒܘܢܝܐ ܕܫܡܝܐ ܘܕܗܘܠܐ:
ܐܦ ܥܘܢܬ ܒܦܘܪܥܢܐ ܘܥܘܢܬ ܐܓܪܐ ܘܥܡܠܐ ܛܒܐ ܬܦܘܫ ܒܠ ܬܪ̈ܝܗܘܢ.

ܘܐܝܟܢܐ ܢܦܘܫ ܫܡܝܐ ܥܡ ܗܘܠܐ.

ܐܝܟܢܐ ܠܡ ܓܝܪ ܡܬܝܐ ܕܗܘܝܐ ܥܡ ܗܘܝܐ ܢܥܒܕܐ. ܐܢ
ܓܝܪ ܠܗܘܢ ܒܢ̈ܝ ܐܢܫܐ ܦܪ̈ܝܫܝܢ | ܒܥܡܠܐ ܘܒܥܘܒܕ̈ܝܢܐ: 126ra
ܡܬܝܐܬ ܠܗܘܢ ܐܠܗܐ ܦܪ̈ܝܫܝܢ ܒܦܘܪܥܢܐ ܘܒܐܝܩܪܐ.

ܐܝܟܢܐ ܕܝܢ ܕܗܠܝܢ ܕܗܘܝܐ ܒܐܝܩܪܐ ܘܒܥܡܠܐ ܦܪܝܫܝܢ ܡܢ ܬܪ̈ܕܕܐ: ܠܗܘܢ ܒܢ̈ܝܫܐ ܘܠܗܘܢ ܐܠܗܐ: ܠܓܕܫ ܕܝܢ ܘܒܥܘܒܕ̈ܝܢܐ ܢܦܘܫ ܠܬܪ̈ܕܕܐ ܢܗܘܘܢ ܕܟܠܝܢ: ܦܘܢ ܕܝܢ ܫܡܝܐ ܠܬܕ̈ܟܪܐ ܠܗܘܠܐ: ܐܝܟ ܠܐ ܡܬܝܐܬ ܗܘܠܐ ܢܦܪܐ ܠܫ̈ܡܝܐ ܕܐܝܟ ܗܠܝܢ.

2, 17 ܘܗܢܝܬ ܐܝܟ ܠܡ ܠܫ̈ܡܝܐ. ܡܛܠ ܕܒܢܫ ܒܠܝ ܒܪ̈ܕܐ ܕܐܬܒܒܕ ܬܢܝܢܬ ܥܡܫܐ.

ܡܬܝܐܬ ܠܡ ܗܢܝܬ ܐܝܟ ܠܫ̈ܡܝܐ: ܐܝܟܢ ܕܓܒܪܐ ܕܡܠܟܐ ܫܡܥܬܐ ܒܒܕ̈ܪܐ ܕܦܘܢܩܬܐ ܐܝܟ ܗܟܠܐ ܢܗܘܐ ܡܬܕܒܪ.

ܡܛܠ ܕܒܪ ܡܕܡ ܗܘܠܐ ܘܛܘܪܦܐ ܕܪܘܚܐ.

ܘܠܗܘܢ ܠܡ ܡܬܝܐܬ ܦܐܡ ܐܝܟ ܗܘܠܐ ܘܛܘܪܦܐ ܕܪܘܚܐ.

ܐܦ ܐܢܐ ܣܢܐ ܒܗܝܢ: ܐܬܬܚܕܬ ܒܗ ܒܗܢܐ ܗܒܠܐ ܘܢܗܒܬ
ܢܦܫ ܠܡܬܒܝܢܘ ܒܝ̈ܬܒܬܐ ܦ̈ܬܝܟܬܐ ܐܝܠܝܢ ܕܠܝܬ ܒܗܝܢ
ܢܬܪ̱ ܘܠܐ ܡܡܘܢ. ܗܠܝܢ ܕܦܓܪ ܗܘ ܒܗܠܝܢ ܡܢ
ܢܝܫܐ ܕܒܗܝܢ. ܘܡܬ̈ܦܢܝܢ ܡܢ ܒ̈ܢܘܗܐ ܕܒܗܝܢ | ܡܫ̈ܬܝܢ. 126rb
ܢܬܪܐܬ ܕܝܢ ܠܟܝܢܬ ܡܢܗܝܢ. ܐܝܟ ܐܝܠܝܢ ܕܐܦ ܠܐ
ܕܢܬܡܕܝܢ ܡܟܝܢ. ܡܬܠܗܢܐ

2, 18 ܣܢܝܬ ܠܗ ܠܟܠܗ ܥܡܠܝ ܕܐܢܐ ܥܡܠܬ ܬܚܝܬ ܫܡܫܐ.
ܣܢܝܬ ܠܗ ܒܬܠܘܬܐ ܕܗܘܬ ܠܝ ܒܠܗܝܢ: ܘܠܥܡܠܐ ܕܥܡܠܬ
ܒܗܝܢ . ܠܥܠܡܐ.
ܡܛܠ ܕܫܒܩ ܐܢܐ ܠܗ ܠܓܒܪܐ ܕܗܘܐ ܡܢ ܒܬܪܝ.
ܥܡܠܐ ܠܗ ܘܬܫܡܫܬܐ ܕܝܠܝ. ܗܘܐ ܢܝܫܐ ܘܒܘܫܡܐ ܕܗܠܝܢ
ܕܐܬܝܢ ܡܢ ܒܬܪܝ. ܡܛܠ ܕܠܝܒܘܪܘܬ ܫܢ̈ܝܐ ܕܚܝ̈ܝ.
ܘܠܗܘܬܗ ܫܦܝܪܘܬ ܨܒܘܬܐ ܕܒܠܝܢ. ܘܐܬܬܪܝܬ ܠܝ ܥܡܠܐ
ܕܐܣܪܢܐ ܠܬܬܝܢܫ. ܕܒܪ ܐܢܐ ܕܠܐ ܫܒܩܐ.

2, 19 ܘܡܢ ܝܕܥ ܐܢ̱ ܚܟܝܡ ܢܗܘܐ ܐܘ̱ ܣܟܠ.
ܐܫܬܘܦ ܕܝܢ ܡܫܬܥܠ ܗܘܝܬ ܒܗܘ ܕܡܢ ܒܬܪܝ: ܐܢ̱ ܫܒܩܐ
ܡܛܠ ܚܟܡܬܗ ܕܒܥܡܠܐ ܕܐܝ̈ܕܝ ܠܬܟܫܡ ܡܢ ܒܬܪܝ:
ܘܢܫܬܠܛ ܒܟܠ ܥܡܠܝ. ܕܐܢܐ ܥܡܠܬ ܘܐܬܚܟܡܬ ܬܚܝܬ
ܫܡܫܐ. ܘܒܢܝ | ܚܟܡܬܗ ܢܥܒܕ ܕܡܢ ܬܗ̈ܘܝܢ ܒܕܡܘܬܝ ܠܬܟܫܡ. 126va
ܐܢ̱ ܕܝܢ ܠܐ ܚܟܝܡ: ܐܠܐ ܣܟܠܐ ܒܠ ܒܥܒܕ ܐܝ̈ܕܝ
ܢܫܬܠܛ.

ܐܦ ܗܢܐ ܗܒܠܐ. 2, 20 ܘܗܦܟܬ ܐܢܐ ܕܐܫܒܩܝܘܬ ܠܗ ܠܒܝ
ܥܠ ܟܠ ܥܡܠܐ ܕܥܡܠܬ ܬܚܝܬ ܫܡܫܐ.
ܘܗܦܟܬ ܠܗ ܠܡܫܟܚܘ ܠܝ ܒܘܝܐܐ ܒܝܕ ܚܘ̈ܫܒܐ ܡܢ ܒܩ̈ܬܐ

ܕܒܒ̈ܪܐ ܡܬܝܕܥ. ܡܛܠ ܗܘ ܕܐܢ ܒܗܢܐ ܕܐܬܒܫܪܬ: ܕܠܐ
ܗ̇ܘܐ ܐܢܐ ܒܠܚܘܕ ܒܡܠܬܐ ܕܡܠܟܬ ܘܬܘܩܢܐ ܕܬܩܢܬ ܠܐܚ̈ܪܢܐ
ܓ̇ܒܡ ܐܢܐ.

2, 21 ܡܛܠ ܕܐܝܬ ܒܢܪܐ ܕܡܠܟܗ ܒܫܡܡܬܐ ܘܒܢܝ̈ܕܬܐ
ܘܒܥܒ̈ܝܪܘܬܐ ܘܠܐܢܫܐ ܕܠܐ ܒܡܠ ܒܗ ܢܗ̇ܒ ܠܗ̇ ܒ̣ܢܝܬܗ.
ܐܝܬ ܠܢ ܦܓ̈ܪܐ ܕܐܒܘܬܝ: ܕܡܠܟܐ ܒܠܗ ܕܝܡܠܟܘܬܗܘܢ
ܠܐܚ̈ܪܢܐ ܥܒܡܝܢ: ܘܠܐ ܗܘܐ ܠܝ ܒܠܚܘܕ ܕܐܝܟ ܗܕܐ
ܒܪ̈ܫܐ. ܐܠܐ

126vb ܘܐܦ ܗܢܐ | ܡܠܟܐ ܘܒܢܝܫܬܐ ܙܒܬܐ.

ܐܦ ܠܐ ܠܢ ܒܪ ܠܐܚ̈ܪܢܐ ܐܒܘܬܝ ܢܦܕܫ ܠܗܘܢ ܗܕܐ
ܡܒܝܢܐ ܠܝ ܡܛܠ ܕܐܢ ܘܐܢ ܠܐܚ̈ܪܢܐ: ܠܫܫܐ ܦܓܝܐܐ
ܫܘܝܐ ܗܕܐ.

2, 22 ܕܡܢܐ ܗ̇ܘܐ ܠܒܪ ܐܢܫܐ ܒܟܠ ܕܡܠܗ: ܘܒܪܒܝܢܐ
ܕܠܒܗ ܕܗܘ ܥ̇ܡܠ ܬܚܝܬ ܫܡܫܐ.

ܟܠ ܗܕܐ ܠܢ ܢܬܢܐܝܬ ܢ̇ܫܐ ܐܢܐ ܕܐܝܟܢܐ ܟܠ ܕܐܝܟܢܐ
ܟܠ ܕܡܠܟܐ ܕܝܟܡܠ ܒܪܢܫܐ: ܡܢ ܢܬܝܪܘ ܘܦܪܝܣܐ ܡܫܬܟܚ
ܘܟܕ ܛܒ ܗܟܝܢ: ܠܐ ܐܢܫ ܡܬܟܢܝܢ ܒܗܝܢ ܒܝ̈ܓܘܬܐ: ܘܠܐ
ܐܢܫ ܡܬܚ̇ܒܠ ܒܡܫܝܠܘܬܗܝܢ ܐܦܠܐ ܚ̇ܡܕܡ ܦ̇ܣܡ ܡܕܡ ܕܒ̈ܢܝܗܘܢ
ܡܟܪܬܗܝܢ ܐܠܐ ܒܪ ܢܗ̇ܒ ܢܦܫܗ ܠܬܒܫܐ ܕܝܠܦܝܗܝܢ

2, 23 ܟܠ ܝܘ̈ܡܘܗܝ ܒܟܐܒܐ ܘܪܘܓܙܐ ܒܢܝܢܗ: ܘܐܦ ܒܠܠܝܐ
ܠܐ ܓ̇ܒܒ ܠܒܗ. ܐܦ ܗܢܐ ܡܟܠܐ.
ܠܝܬ ܛܒܪ ܕܒܫܪ ܡܢ ܗܢܐ: ܕܝܠܦ ܗܠܝܢ ܕܒܪ ܡܠܝܠ

278 TM II 249 ܒܪܒܝܢܐ[ܐܪ]

ܘܐܘܦ: ܒܟܠܐ ܘܬܟܫܐ ܗܘܝܐ ܢܦܫܐ ܠܝ. ܐܠܐ ܚܠܦ
ܬܟܫܐ ܕܥܒ̈ܕܬܐ ܐܚܪ̈ܢ ܐܢܐ.
2, 24 ܕܠܝܬ ܕܛܒ ܠܓܒܪܐ ܐܠܐ ܕܢܐܟܘܠ | ܘܕܢܫܬܐ: 127ra
ܘܕܢܚܘܐ ܛܒܬܐ ܠܢܦܫܗ ܒܥܡܠܗ.
ܘܐܡܪܬ ܘܐܬܚܫܒܬ ܒܪܢܝܢ ܕܛܒ ܗܘ ܠܡܐܟܠ ܘܠܡܫܬܐ
ܘܠܡܚܙܐ ܒܥܡܠܐ ܡܝܬܪܐ ܕܛܒ̈ܬܐ. ܚܙܝܬ ܡܢ ܗܝ ܕܢܒܠܐ
ܫܘ̈ܡܬ ܒܬܟܫܐ ܘܒܥܡܠܐ ܕܟܠ ܐܦ̈ܪ ܗܠܝܢ ܒܒܘ̈ܪܢܝܬܐ
ܕܢܬܝܪ̈ ܕܝܢ ܐܢܫ ܡܢ ܓܦܬܐ ܕܒܠܥܘܗܝ.
ܘܐܦ ܗܕܐ ܢܕܥܬ ܕܡܢ ܐܝܕܐ ܗܝ ܕܡܪܝܐ.
ܐܦ ܗܕܐ ܠܡ ܕܢܬܦܢܐ ܐܢܫ ܡܢ ܒܥܡܠܐ ܦܪܝܫܐ ܘܕܠܐ
ܢܘܬܪ̈: ܘܠܐ ܢܬܬܪ ܒܥܛܠܠܘܬܐ ܕܟܠ ܓܒ̈ܬܐ ܐܢܫܝܢ
ܕܠܐ ܡܩܘܝܢ. ܢܣܒܬ ܕܡܕܒܪܢܘܬܐ ܗܝ ܕܐܠܗܐ.
2, 25 ܡܛܠ ܕܡܢܘ ܢܐܟܘܠ ܘܡܢܘ ܢܫܬܐ ܠܒܪ ܡܢܗ.
ܡܢܘ ܠܡ ܥܠܝܦ ܕܢܬܒܣܡ ܐܦ ܒܗܠܝܢ ܕܡܬܚܙܝܢ. ܒܠܒܕ
ܡܢ ܡܘܗܒܬܐ ܕܛܝܒܘܬܗ.
2, 26 ܡܛܠ ܕܠܓܒܪܐ ܕܛܒ ܩܕܡܘܗܝ: ܝܗܒ ܠܗ ܚܟܡܬܐ
ܘܝܕܥܬܐ ܘܚܕܘܬܐ.
ܘܠܓܒܪܐ ܠܡ ܕܙܕܩ ܒܗ: ܝܗܒ ܒܗ ܥܢܝܢܐ ܠܡܬܗܒܠܘ
ܠܡܟܢܫ ܡܢ ܒܢܝܢܐ ܦܪܝܫܐ | ܘܚܦܝܛܘܬܐ ܕܟܠ ܗܠܝܢ ܕܠܐ 127rb
ܡܩܘܝܢ.
ܘܠܚܛܝܐ ܝܗܒ ܥܢܝܢܐ ܠܡܟܢܫܘ ܘܠܡܟܢܫܘ.
ܠܚܛܝܐ ܕܝܢ ܩܪܐ ܠܗ ܒܐܢ̈ܫܝ ܬܪܥܝܬܐ ܕܠܒܗ ܠܡܠܐܐ
ܘܠܡܟܢܫܘ. ܗܠܝܢ ܕܠܐ ܗܘ̈ܝ ܕܝܠܗ.
ܘܠܡܬܠ ܠܛܒ ܩܕܡ ܡܪܝܐ.

ܗܝ ܕܝܢ ܠܐܘܬܗ ܡܬܦܪܢܣܐ: ܕܐܝܢܐ ܕܫܘܐ ܢܬܬܢܝܚ ܡܢܗ:
ܒܗ ܥܒܕ[ܪܗ] ܠܗ. ܗܘ ܘܡܫܝܚܐ[ܪܗ] ܕܡܛܠ ܕܝܠܗ ܕܒܥܠܐ ܕܐܒܘܠ
ܒܗ ܡܒܝܢ ܠܗ: ܘܗܘ ܢܦܩ ܒܐܘܠܨܢܐ ܘܬܫܢܝܩܐ ܕܒܥܝܢܝܗ
ܫܒܩ ܠܗ: ܘܗܢܐ ܡܬܟܬܫ ܘܫܪܐ ܒܫܢܝܩܐ ܕܠܐ ܐܒܠ ܒܗܘܢ
ܘܐܦ ܗܢܐ ܗܒܠܐ ܘܦܘܪܩܢܐ ܕܪܘܚܐ.
ܐܢܒܠܐ ܠܡ ܠܘ ܗܒܠܐ ܘܕܝ ܕܢܫܬܗܘܢ ܒܗܠܐ ܕܐܝܟ ܗܢܐ:
ܕܫܒܩ ܠܐܘܪܚܐ ܢܝܚܐ: ܘܠܢܦܫܗ ܬܫܢܝܩܐ. ܠܗ ܐܘܠܨܢܐ
ܘܠܐܘܪܚܐ ܒܗܦܟܐ. ܠܗ ܕܝܢܐ ܘܠܐܘܪܚܐ ܦܘܢܩܐ. ܐܠܐ ܐܘ
ܒܫܒܝܩܐ: ܐܫܬܒܠܘ ܒܐܒܝܒܘܢ ܘܒܒܠܝܐ ܕܒܗ ܐܢܬܘܢ
ܘܕܒܘ

III

3, 1 ܕܠܒܠ ܡܕܡ ܐܒܝܐ | ܘܐܒܝܐ ܠܒܠ ܢܒܘ ܬܢܬ ܫܒܒܐ 127va
ܕܒܘ ܠܡ ܐܒܝܒܘܢ ܒܡܐ ܐܒܘܪ ܡܬܢܐ ܕܫܢܝܩܘܢ ܒܡܐ
ܡܦܫܘ. ܘܠܐ ܬܫܪܘܢ ܠܡܫܝܚ ܕܬܫܢܝܩܬܐ. ܒܐܬܪܐ ܗܢܐ ܐܝܟ
ܡ̈ܢܗܘܢ ܕܐܬܪܐ ܘܠܐ ܬܫܬܘܢ ܒܠ ܒܠܒܘܢ ܡܬܢܐ ܕܐܒܝܐ
ܐܪܒܥܐ: ܐܢܬܘܢ ܐܢܫܝܢ ܕܒܠ ܐܒܝܐ ܕܫܢܝܩܘܢ ܠܐ ܫܠܝܛܝܢ.
ܕܒܘ ܓܝܪ ܕܐܢܒܠܐ ܕܐܒܝܐ ܐܢܬܘܢ ܒܗ ܠܗ ܡܦܫܝܢ
ܐܢܬܘܢ ܗܒܝܐ ܐܦ ܐܒܝܐ ܡܫܠܡ ܠܟܘܢ. ܒܗ ܠܐ ܪܢܫܝܢ

313 TM II 317; DS II 141 ܥܒܕ ܘܡܫܝܚܐ ܪܗ

ܐܝܬܝܗܘܢ ܗܟܢ ܐܝܟ ܐܢܫܝܢ ܕܟܠ ܣܬܝܡܝܢ ܠܐ ܡܬܒܝܠܝܢ.
ܕܒܗ ܕܒܢܝܢ ܕܒܗܪܐ. ܘܡܠܘ ܡܢ ܙܥܘܬܐ ܘܡܠܝܠܘܬܐ ܕܟܠ
ܦܟܝܗܘܬܐ. ܡܛܠ ܕܒܢܝܢܐ ܕܒܗܪܐ ܟܠ ܐܪܥܐ ܐܝܬܝܗܘܢ.
ܘܐܝܟ ܛܠܠܐ ܟܠ ܐܪܥܐ ܫܢܝܗܘܢ ܥܒܪܝܢ. ܘܡܢ ܬܠܬܐ
ܕܒܢܝܗܘܢ ܚܕ ܗܘ ܒܠܚܘܕ ܫܒܩ ܠܗܘܢ. ܕܒܗ ܬܬܠܐ
ܚܐܪܘܬܗܘܢ ܘܬܝܗܒܘܢ ܙܒܢܝܗܘܢ.
127vb 3, 2 ܙܒܢܐ ܠܡܐܠܕ ܘܙܒܢܐ ܠܡܡܬ.
ܙܒܢܐ ܠܡ ܡܕܡܝܐ ܕܐܝܠܝܕܘܬܐ ܘܙܒܢܐ ܐܚܪܝܐ ܕܡܘܬܐ
ܗܠܝܢ ܐܦ ܒܗ ܠܐ ܬܒܥܘܢ ܐܝܟ ܛܒܥܐ ܕܐܬܬܚܝܡ ܒܗܝܢ
ܒܠܒܗܘܢ. ܙܒܢܐ ܕܝܢ ܡܝܬܝܐ ܕܚܝܝܗܘܢ ܗܘܐ ܒܠܚܘܕ
ܐܫܬܠܡ ܒܐܒܗܬܗܘܢ ܘܐܦ ܠܐ ܗܘܝ ܘܒܒܝܬܘܬܗܝ ܕܢܗܘܐ
ܕܐܦ ܡܢ ܡܘܬܐ: ܘܡܡܠ ܘܦܫܘܩ ܡܢ ܢܡܘܣܐ ܕܐܝܠܝܕܘܬܐ.
ܙܒܢܐ ܠܡܙܪܥ ܘܙܒܢܐ ܠܡܥܩܪ ܢܨܒܐ.
ܒܡܕܡܘܬܐ ܠܡ ܕܐܝܠܝܢ ܕܢܡܘܣܐ ܡܬܢܨܒܝܢ ܘܡܢ ܡܬܥܩܪܝܢ:
ܘܐܚܪܢܐ ܢܦܩܝܢ ܒܠܚܘܕ ܒܗ ܒܠܚܘܕ ܕܐܪܥܐ ܡܬܢܨܒܝܢ
ܗܢܐ ܐܦ ܚܢܢ ܒܥܠܡܐ ܗܢܐ ܐܝܬܝܢ.
3, 3 ܙܒܢܐ ܠܡܩܛܠ ܘܙܒܢܐ ܠܡܐܣܝܘ.
ܘܒܢܝܢ ܠܡ ܠܘܬ ܒܘܪܗܢܐ ܒܗ ܬܠܬܐ ܡܬܩܛܠܝܢ ܘܒܢܝܢ
ܠܘܬ ܚܘܠܡܢܐ ܒܗ ܒܕܝܪܐ ܕܡܢ ܐܠܗܐ ܐܬܝܢ.
ܙܒܢܐ ܠܡܣܬܪ ܘܙܒܢܐ ܠܡܒܢܐ.
ܗܟܢܐ ܐܦ ܚܢܢ ܠܘܬ ܙܒܢܝܢܐ ܡܫܬܠܡܐ ܒܟܠ ܕܢ ܡܬܩܛܠܝܢ
ܕܒܢܝܢ ܠܗܢܐ ܦܬܪܝܢ. ܒܢܝܢ ܕܝܢ ܠܐܚܪܬܐ ܡܬܒܢܝܢ.
128ra 3, 4 ܙܒܢܐ ܠܡܒܟܐ | ܘܙܒܢܐ ܠܡܓܚܟ.
ܐܦ ܗܠܝܢ ܕܝܢ ܕܒܥܠܡܐ ܗܢܐ ܚܕ ܠܝ. ܒܢܝܢ ܠܘܬ

ܒܟܬܐ ܡܨܝܢ ܠܝ. ܒܕܝܢ ܕܝܢ ܠܘܬ ܚܘܫܒܐ ܕܣܘܟܠܐ.
ܐܟܢܐ ܠܡܪܕܘ ܘܐܟܢܐ ܠܡܪܕܘ.
ܘܡܟܝܠ ܒܠܚܘܕ ܒܐܒܗ ܡܬܚܫܒ ܒܠܝ: ܘܠܗܘܪ̈ܝܐ ܕܒܝܬܝ
ܡܬܒܪܝܢ ܡܫܠܚ. ܐܝܟܢܐ ܕܒܐܝܢ ܢܘܪܐ ܡܬܠ ܒܩ̈ܫܬܐ
ܦܫ̈ܝܛܬܐ. ܒܐܝܢ ܕܝܢ ܢܘܪܐ ܡܬܠ ܫܪܘܬܐ ܦܫܝܛܬܐ.
3, 5 ܐܟܢܐ ܠܡܪܕܘܗ ܒ̈ܥܡܐ ܘܐܟܢܐ ܠܡܚܪܒܘ ܒ̈ܥܡܐ.
ܒܐܝܢ ܠܡ ܒܗ̇ܘ ܡܕܡ ܕܒܠܠܘܬܐ ܦܫܝܛܬܐ ܫܘܠܚ ܒܠܘܗܝ
ܒܩܠܝܠ. ܒܐܝܢ ܕܝܢ ܟܠ ܡܕܡ ܕܥܒܕ ܗܘܐ ܘܒܥܐ ܡܢܝ:
ܟܠܗ̇ ܒܠܠܘܬܟ ܡܫܘܠܚ.
ܐܟܢܐ ܠܡܚܪܒ ܘܐܟܢܐ ܠܡܬܪܥܘ ܡܢ ܒܥܘܬܐ.
ܗܟܢܐ ܠܡ ܡܥܒܕ ܒܝܠܝ ܠܫ̈ܘܠܚܐ ܗܠܝܢ ܕܒܐܝܕ̈ܐ ܐܚܪ̈ܝܢ:
ܕܐܦ ܠܐ ܗ̇ܘ ܡܕܡ ܕܒܗ ܒܥܝܢܐ ܦܫܡ ܒܒܠܐܝܢ: ܥܠܝܠܝܠܝ
ܠܡܩܪܒܗ. ܐܟܢܐ ܓܪ ܡܢܬܐ ܠܝ ܠܥܒܕܦܬܐ: ܘܐܟܢܐ ܬܘܒ
ܠܠܐ ܠܝ ܡܢܗ: ܘܟܕ ܠܒ ܒܗ ܒܒܝܢܐ ܘܘܘܠܐ: ܠܐ
ܒܠܠܘܬܐ ܦܫܝܛܬܐ ܡܢܐ ܡܬܝܪܐ ܒܠܝ. ܘܐܦ ܠܐ
| ܒܥܒܕܘܬܐ ܠܡܚܬܪܘ ܠܘܬܟ. ܘܡܢ ܗܕܐ ܐܫܬܒܚܬܐ: ܕܐܦ 128rb
ܠܐ ܗܠܝ· ܕܒܒܝܢܐ ܐܫܬܘܗܝ ܡܢܝ ܠܡܬܪܥܘ ܒܫܪܐ
ܫܪܐ ܡܢܗܘܢ. ܐܠܐ ܐܝܟܢ ܠܐ ܢܫܬܐ.
3, 6 ܐܟܢܐ ܠܡܣܒܪܘ ܘܐܟܢܐ ܠܡܚܒܐ.
ܐܦ ܠܐ ܬܘܒ ܦ̈ܬܝܟܐ ܗܠܝܢ ܕܡܬܒܪܝܢ ܕܬܫܘܬ ܐܪ̈ܕܝܢ
ܐܬܚܙܝܘ. ܗܟܢܐ ܐܝܟ ܙܒܢܝܢ ܒܒܠܐܝܢ ܡܫܬܒܩܝܢ ܠܝ.
ܐܠܐ ܒܐܝܢ ܐܟܕܝܢ ܡܢܝ. ܐܦ ܒܕ ܠܐ ܢܙܒܐ. ܒܐܝܢ ܕܝܢ
ܡܫܬܒܩܝܢ ܠܝ. ܐܦ ܒܕ ܠܐ ܢܦܘܩ ܒܒܬܪܗܘܢ.
ܐܟܢܐ ܠܡܦܪܩ ܘܐܟܢܐ ܠܡܫܪܐ.

ܐܦ ܠܐ ܕܝܢ ܗܠܝܢ ܕܡܚܒ̈ܝܢ ܡܬܐܒܕܢ ܗܘܝ. ܡܛܠ ܕܒܒܠܝܐ
ܠܐܬܘܪ ܒܫܘܒܗܘܢ: ܡܛܠ ܕܐܒܕܢܐ ܕܒܗ ܡܬܝܠܕܝܢ: ܐܣܝ̈ܪܬܐ ܫܠܘ
ܫ̈ܢܝܬܐ ܠܡܪܥܝܗ ܒܒܕܝܢ ܠܝ. ܘܒܬܪ ܡܢ ܐܘܪ̈ܚܐ ܕܫܘܒܗ ܕܠܘܬ
ܗܕܐ ܡܫܬ̈ܕܝܢ ܗܘܝ. ܒܥܕܢ ܕܝܢ ܕܫܘܒܐ ܕܠܘܬ ܗܕܐ ܡܬܐܘܪܝܢ ܗܘܝ.
3, 7 ܥܕܢܐ ܠܡܨܪܐ ܘܥܕܢܐ ܠܡܚܛ.
ܘܒܥܕܢ ܠܗ ܡܢ ܫܘܒܐ ܕܠܘܬ ܦܪ̈ܝܫܘܬܐ ܡܪܚܩܝܢ ܠܗܘܢ.
ܒܥܕܢ ܕܝܢ ܒܫܘܒܐ ܕܠܘܬ ܐܣܝ̈ܪܬܐ ܠܗܘܢ | ܡܩܪܒܝܢ. 128va
ܥܕܢܐ ܠܡܫܬܩ ܘܥܕܢܐ ܠܡܡܠܠܘ.
ܒܥܕܢ ܠܗ ܡܢ ܒܒܠܐ ܕܒܠ ܦܪ̈ܝܫܘܬܐ ܫܬܝܩܝܢ ܘܫܬܩܘܬܝܢ.
ܒܥܕܢ ܕܝܢ ܠܘܬ ܒܒܠܐ ܕܒܠ ܦܪ̈ܝܫܘܬܐ ܒܫܦܝܘܬܐ ܡܡܠܠܝܢ.
3, 8 ܥܕܢܐ ܠܡܪܚܡ ܘܥܕܢܐ ܠܡܣܢܐ.
ܘܠܐ ܠܗ ܡܣܝܢܐ ܕܟܡ ܒܗ ܒܗ ܒܫܘܒܐ ܢܦܩܐ ܕܠܐ ܫܩܝܠܘ
ܠܘܬ ܡܕܡ ܒܗ ܠܡܬܪ ܠܐ ܡܬܝܠܕܝܢ ܗܘܝ. ܐܠܐ ܒܥܕܢ
ܠܗܕܐ ܪܚܡܝܢ ܗܘܝ. ܒܥܕܢ ܕܝܢ ܠܗ ܒܗ ܠܗ̇ ܐܦ ܣܢܝܢ.
ܥܕܢܐ ܕܩܪܒܐ ܘܥܕܢܐ ܕܫܠܡܐ.
ܘܐܦ ܠܐ ܠܗ ܫܠܡܐ ܐܡܝܢܐ ܒܟܠ ܥܕܢ ܐܝܬ ܠܝ. ܐܠܐ
ܒܥܕܢ ܡܢ ܬ̈ܠܠܬܐ ܕܩܪܒܐ ܠܘܬ ܦܘܠܚܢܐ ܕܥ̈ܒܕܐ ܡܬܥܒܕܝܢ.
ܒܥܕܢ ܕܝܢ ܠܘܬ ܫܠܡܐ ܘܫܝܢܐ ܡܢ ܕܩܠܬܐ ܕܡܢ ܥ̈ܒܕܐ
ܡܬܦܪܕܝܢ ܗܘܝ. ܒܗ ܠܐ ܙܒܢܝܢ. ܠܗܠܝܢ ܕܝܢ ܕܗܟܢܐ
ܡܫܠܡܝܢ ܦܘܪ̈ܥܢܘܗܝ ܥܒܕ̈ܐ ܘܬ̈ܘܒܥܬܗܘܢ ܦܪ̈ܫܝ: ܘܟܠ
ܡܕܡ ܐܝܟ ܙܒܢܗܘܢ ܠܐ ܫܠܝܛܝܢ.
3, 9 ܡܢܐ ܠܗ ܝܘܬܪܢ ܒܥܒܕܐ.
ܐܝܬ ܠܗܘܢ ܒܒܘܠܠܬܐ ܦܪܝܫܬܐ ܕܡܫܝܢ ܒܠ ܙܒ̈ܢܬܐ
! ܕܠܐ ܗܘ̈ܝ ܒܐܒ̈ܕܢܗܘܢ. ܐܠܐ ܟܠ ܒܡܠܐ ܦܪܢܣܐ ܘܬܒܥܐ 128vb

ܬܝܪܐ. ܗܕܐ ܕܝܢ ܓܒܪܐ ܠܗܘܢ. ܡܛܠ ܫܘܠܛܢܐ ܕܚܐܪܘܬܐ
ܕܡܢ ܒܝܕܗܘܢ ܐܘܕܥܬ ܠܗܘܢ.

3, 10 ܚܙܝܬ ܚܝܠܐ ܕܠܒܟ ܡܪܝܐ ܠܒܢܝܢܫܐ ܕܢܬܒܥܘܢ
ܒܗ.

ܚܙܝܬ ܠܝ ܕܗܕܐ ܒܒܕܐ ܠܒܢܝ ܐܢܫܐ ܠܦܘܪܥܢܐ ܒܚܛܝ̈ܬܐ
ܗ̇ܝ ܕܫܩܠ ܐܢܘܢ ܒܪܘܚܗܘܢ ܠܡܫܠܡܘ ܒܝܕܝܢܐ ܕܚܐܪܘܬܗܘܢ. ܠܗ̇ ܕܝܢ ܠܚܐܪܘܬܗܘܢ ܬܚܡ̇ ܒܗܦܟܐ ܡܫܬܠܡܢܐ ܒܕܡܘܬ ܦܬܓܡܐ ܕܠܐ ܡܬܒܥܢܝ. ܕܠܡܐ ܒܗ ܟܠ ܟܠ ܡܕܡ ... ܠܡܥܒܪ. ܒܒܝ̈ܫܬܐ ܦܬ̈ܓܡܬܐ ܕܠܐ ܐܦܝܣܘܬܐ ܢܦܠܘܢ. ܐܠܐ ܒܗ ܡܬܬܠܝܢ ܡܢ ܫܘ̈ܠܛܢܐ ܕܘܒܪ̈ܐ ܠܡܫܠܡܘ ܓܒܝܗܘܢ ܠܚܐܪܘܬܐ ܕܦ̇ܠܛܬܐ. ܡܢ ܐܝܠܝܢ ܕܢܬܦܢܘܢ. ܡܠܘ ܓܝܪ ܗܢܐ ܕܢܐܬܐ ܠܚܐܪܘܬܐ: ܕܠܐ ܒܗܘ ܕܒܚܐܪܘܬܐ ܫ̇ܠܝܛ ܡܢܗ ܓܒܝܢܐ ܕܫܘܠܛܢܐ ܐܘ ܡܢܗ ܗܘܐ ܕܢܐܬܐ ܠܡܫܒܚܘܬܐ ܘܡܫܒܚܐ ܕܠܐ ܒܪܥܝܗ ܡܫܬܐܠ ܡܢ ܪܡܘܬܐ ܘܐܝܟ | ܓܘܫܡܐ ܒܡܫܒܚܢܘܬܐ 129ra
ܡܢ ܒܠܗ̇ ܢܦܫܗ. ܡܢܘ ܕܝܢ ܗܘܐ ܕܠܡܫܒܚܘܬܐ ܢܐܬܐ: ܘܠܐ ܒܪܥܝܗ ܫ̇ܠܝܛ ܡܢܗ ܐܦ ܒܗ ܠܐ ܢܣܒܐ ܕܗܒܪܐ ܕܛܠܝܘܬܗ. ܡܢܘ ܕܝܢ ܗܘܐ ܕܠܐܝܠܝܢ ܕܡܘܬܐ ܢܬܠܐ: ܘܠܐ ܒܪܥܝܗ ܡܬܒܕܠ ܒܟܠܗܘܢ ܦܘܪ̈ܢܣܘܗܝ ܘܓܒ̈ܝܢܘܗܝ ܡܕܡܝܐ ܡܛܠ ܗܢܐ ܐܕܡ ܠܝ ܠܡܐܡܪ.

3, 11 ܕܒܠ ܕܒܒܕ ܥܦܪ ܒܐܒܘܗ.

ܠܝ ܠܡ ܥܦܪ ܠܝ ܫܘܠܛܢܐ ܕܐܝܟ ܗܢܐ. ܐܫܬܘܗܝ ܓܝܪ ܓ̇ܒܬܐ ܦܬ̈ܓܡܬܐ ܠܟܠܗܘܢ ܒܢ̈ܝ ܐܢܫܐ. ܒܗ ܠܟܠܢܫ ܒܟܠ

84 ܚܙܝܬ - 85 ܕܚܐܪܘܬܗܘܢ B.

ܐܣܟܝܡ ܡܛܠܢ ܘܣܟܡܢ ܡܢ ܟܬܒܐ ܘܠܗܦܟܐ ܕܗܠܝܢ ܕܠܐ ܥܒܝ̈ܕܢ ܡܬܚܐ ܘܫܒܠܐ. ܘܠܐ ܒܠܚܘܕ ܠܗܘܒ̈ܢܐ ܕܐܝܟ ܗܠܝܢ: ܐܝܠܝܢ ܕܐܝܬܝܗܘܢ ܡܣܬܒܪܢܐ ܕܒܟܬܒܐ ... ܐܝܢܐ. ܐܠܐ ܐܦ ܠܗ̇. ܡܦܪܣ ܐܝܢܐ. ܕܝܕܘܥܬܐ ܕܟܠ ܩܘܡܗܘܢ ܕܒܢ̈ܝܢܫܐ ܢܣܒ̇ ܠܚܐܪܘܬܗܘܢ. ܕܒܗ ܡܬܐܠܨܝܢ ܡܢ ܦܘܢܝܐ ܦܢܝܐ. ܠܡܫܬܒܚܘ ܡܢ ܦ̈ܢܝܐ ܦܢ̈ܝܐ.

129rb ܐܦ | ܒܥܠܡܐ ܝܗܒ ܒܠܒܗܘܢ

ܥܒܕ ܐܝܟ ܠܒܢ̈ܝܢܫܐ ܠܡܐܪܦ ܕܩܘܡܗܘܢ ܘܝܕܘܥܬܐ ܕܟܠ ܩܘܡܗܘܢ ܬܒܪܘ ܡܢ ܝܕܘܥܬܐ ܕܟܠ ܕ̈ܠܝܬܝܗܘܢ.

ܕܠܐ ܢܫܟܚ ܒܪܢܫܐ ܒܒܕܐ ܕܥܒܕ ܡܪܝܐ ܡܢ ܪܫܐ ܘܒܕܡܐ ܠܫܪܬܐ. ܘܒܗ ܛܒ ܠܗ ܒܝܬܝܐ ܟܠ ܗܕܐ ܡܬܦܪܫܝܢ ܘܝܕܥܝܢ: ܕܡܕܡ ܠܐ ܢܦܪܫ ܠܗܘܢ. ܒܥܠܠ ܕܝܢ ܢܣܝܪܘܬܗܘܢ ܐܦ ܟܠ ܗܕܐ ܫܒܩ ܠܗܘܢ: ܕܠܐ ܗܘܬ ܒܐܝ̈ܕܝܗܘܢ ܕܠܐ ܢܬܡܝܟܘܢ ܠܡܕܪܒܘ ܡܕܒܪܢܘܬܗ ܕܐܠܗܐ ܕܠܘܬܗܘܢ. ܠܐ ܓܝܪ ܟܠ ܗܕܐ ܐܬܒܠ ܐܝܟ. ܕܕܠܐ ܝܕܘܥܬܐ ܕܩܘܡܗܘܢ ܢܣܒܘܢ: ܘܠܐ ܬܘܒ ܗܕܐ ܐܫܬܪܪܬ ܠܗܘܢ: ܕܒܗ ܢܬܪܦܘܢ ܡܫܟܚܝܢ ܡܘܦܝܢ ܠܦ̈ܓܥܝܗܘܢ. ܐܠܐ ܕܒܗ ܠܐ ܢܬܠܠܝܢ ܡܢ ܝܕܘܥܬܗܘܢ ܘܠܐ ܡܬܬܒܠܝܢ ܬܘܒ ܒܟܠ ܝܕܘܥܬܗܘܢ. ܐܦ ܩܘܛܢܐ ܘܕܝ̈ܠܬܢܝ ܒܥܠܡܐ ܗܢܐ ܢܣܒ. ܕܠܡܐ ܡܛܠ ܬܘܒܠܢܐ ܢܬܪ̈ܦܢ: ܘܒܟܬ̈ܒܐ ܒܬܒܐ ܕܦܢܝܬܐ ܢܬܬܚܕܘܢ ܘܠܐ ܒܠܚܘܕ 129va | ܟܠ ܦܓ̈ܥܝܗܘܢ ܬܘܒܠܢܐ ܠܝܬ ܠܗܘܢ ܐܠܐ ܐܦ ܠܐ ܟܠ ܫܒ̈ܝܗܘܢ. ܐܠܐ ܘܒܗ ܛܒ ܗܘܢܐ. ܐܦ ܠܐ ܟܠ ܫܕ ܬܘܒܠܢܐ ܥܢܝܐ ܒܥܠܡܐ ܗܢܐ ܥܒܝܕ ܠܗܘܢ ܐܝܟ ܥܢ̈ܝܐ ܘܬܒ̈ܢܐ: ܟܠ ܒܠܗܘܢ ܙܒ̈ܢܘܗܝ ܒܦܠܛܘܬܗܘܢ ܡܫܘܚ. ܒܗ ܠܐ ܡܬܒܢܝܢ ܫܪܬܐ. ܠܐ

ܕܝܠܗܘܢ ܐܦ ܠܐ ܕܗܠܝܢ ܕܐܠܝܗܘܢ ܢܦܩܝܢ. ܐܠܐ ܓܝܪ ܢܣܒܘ
ܒܦܘܪܫܗܘܢ ܫܘܒܠܐ ܕܫܢܝܢ ܗܘ ܪܘܚܐ ܕܒܬܪ ܦܢ̈ܝܬܐ: ܡܬܦܢܝܢ
ܗܘܘ ܥܠ ܢܝܫܐ ܕܡܕܡ ܕܡܫܬܡܠܠ. ܘܥܠ ܕܘܟ̈ܝܐ ܦܠ̈ܓܐ ܚܝ ܣܘܦܬܐ
ܩ̇ܘܢܐ ܗܘܬ ܠܗܘܢ. ܐܝܟ ܡܐ ܕܐܦ ܐܢܐ ܒܢܡܘܣܐ

3, 12 ܣܒܪܬ ܕܠܝܬ ܕܠܒ ܒܗܘܢ: ܐܠܐ ܠܡܣܒܪܐ ܘܠܡܥܒܕ
ܕܠܒ ܒܣܢ̈ܝܗܘܢ.
ܐܝܟ ܠܡ ܐܫܬܡܠܬ ܕܦܘܣܐ ܗܝ ܘܥܦܪܐ ܠܒܢ̈ܝܢܫܐ ܕܒܐܝܠܝܢ
ܕܥܒ̈ܕܝܢ ܢܬܚܫܒܘܢ. ܟܕ ܢܕܝܢ ܒܗܠܝܢ ܕܡ̈ܢܝܢ ܐܦ
ܙܒܕ̈ܝܢ. ܘܠܐ ܒܐܝܠܝܢ ܕܪܘ̈ܚܝܢ ܘ̈ܚܝܝܢ. ܟܡ ܗܠܝܢ
ܕܝܢ ܐܦ | ܢܬܦܠܓ ܠܗܘܢ ܥܠ ܦܠ̈ܓܬܐ ܠܡܥܒܕ. ܡܢܐ ܓܝܪ 129vb
ܕܡܢ ܪܝܫܐ ܕܪ̈ܘܚܢܝܬܐ ܐܬܚܙܝܘ. ܘܢܝܫܐ ܕܒܐܝܠܝܢ ܕܥܒ̈ܕܝܢ
ܦ̇ܩܕ ܠܗܘܢ ܘܒܥܘܒ̈ܕܐ ܦܠ̈ܓܐ ܚܠܝܗܘܢ ܠܗܝܢ. ܓܠܝܐ ܗܘ
ܕܦܠ̈ܓܬܐ ܢܩ̈ܡܝܗܘܢ ܘܒܕ̈ܝܐ ܡܓܙܪܝܢ. ܐܝܠܝܢ ܕܗܟܢܐ
ܐܝܟܢ

3, 13 ܐܦ ܠܐ ܐܝܟ ܕܢܐܟܘܠ ܘܢܥܬܐ ܘܢܣܒܐ ܘܢܝܫܐ
ܦܠܬܐ ܟܕܠ ܟܠܗ. ܡܘܡܒܬܐ ܗܝ ܕܩܪܝܢܐ.
ܘܐܦ ܗܕܐ ܓܝܪ ܕܢܬܦܫܐ ܐܝܟ ܡܢ ܣܥ̈ܒܕܐ ܦܪ̈ܝܫܐ ܩ̇ܢܝܢ
ܕܒܟܠܒܢ ܒܬܪ ܪ̈ܘܚܢܝܬܐ ܪ̇ܦܠܝܢ. ܢܦܩܘ ܕܝܢ ܠܪܓܠܗ
ܕܒܐܝܠܝܢ ܕܥܒ̈ܕܝܢ ܢܬܚܫܒ ܠܢܝܫܗ ܘܠܐ ܢܬܠ ܢܦܫܗ
ܠܣ̈ܥܒܕܐ ܩ̇ܢܝܢ ܕܟܕ ܡܫܬܪܝܢ ܥܠ ܦܢܝܐܘܬܐ ܕܒܢ̈ܝܫܐ
ܕܪ̈ܘܚܢ: ܡܬܦܠܓܝܢ ܕܝܢ ܐܦ ܡܢ ܢ̈ܝܫܐ ܡ̈ܢܝܢܐ ܕܐܝܬ
ܒܐܝܠܝܢ ܕܥܒ̈ܕܝܢ: ܦܢܝܢ ܕܝܢ ܕܠܐ ܢܬܪܘܢ ܒܐܝܠܝܢ ܕܠܐ
ܐ̇ܬܝܢ. ܐܦ ܗܕܐ ܡܟܕ ܪܘܬܐ ܕܐܠܗܐ ܦܐܡ ܐܝܟ ܕܐܝܬܘܗ̇
ܡܬܠ ܓܝܪ ܕܟܝܢܐ ܕܒܢ̈ܝ ܐܢܫܐ ܐܝܟ ܕܒܦܘܪܫܢܐ ܒܬܪ

ܠܒܢܝ̈ܗܘܢ ܕܒܢܝܐ | ܘܒܬܪ ܗܠܝܢ ܕܥܒܝܕܝܢ. ܐܦ ܠܐ ܡܢ ܡܬܘܡ 130ra
ܡܬܬܦܝܣ ܕܢܬܬܢܝܚ: ܒܕܘܒܪܐ ܗܘ ܒܚܝ̈ܠܘܗܝ ܗ̇ܘ ܕܐܝܬ
ܠܗ: ܙܒܢܐ ܕܝܢ ܘܡܢܝܢܐ ܗ̇ܘ ܕܠܝܬ ܠܗ: ܡܛܠ ܗܢܐ ܐܡ̇ܪ
ܐܢܐ. ܕܐܠܨ ܡܢ ܒܪܘܚܐ ܢܥܒܕ ܠܛܒܬܐ: ܗܢܐ ܕܫܩܝ̈ܐ
ܕܠܐ ܒܗܝܢ ܐܚܕܝܢ ܒܗ. ܐܡܪܢܐ ܕܡܗܝܡܢܘܬܐ ܗܝ ܘܡܕܒܪܢܘܬܐ
ܕܐܠܗܐ ܕܒܕܪܬ ܠܒܢܝܢܗ ܦܠܓܐ: ܕܗ̇ܘ ܕܡܒܠܐ ܐܬܪ̈ܝܢ ܠܡܢܝܐ.
ܥܩ̈ܠܬܐ ܕܝܢ ܕܡܢ ܐܠܗܐ ܒܒܢ̈ܝ ܐܢܫܐ ܐܬܬܣܝܡܘ: ܐܝܟ
ܠܡܫܚܠܦܘ ܠܐ ܡܨܝܐ. ܡܛܠ
3, 14 ܕܝܕܥܬ ܟܠ ܕܥܒܕ ܡܪܝܐ. ܗܘ ܢܗܘܐ ܠܥܠܡ.
ܝܕܥܢܐ ܕܝܢ ܕܗ̇ܘ ܡܕܡ ܕܡܢ ܒܥܘܕܐ ܟܠ ܟܠ ܚܕ ܚܕ
ܡܢ ܐܬܩܢ. ܗܘ ܗ̇ܘܐ ܡܢ ܒܠܦܪܘܣ. ܘܒܡܟܐ ܫ̱ ܢܬܦܪܘܣ
ܕܒܢܝܐ ܢܣܬܝܟܬܐ ܐܘ ܦܘ̈ܫܐ ܢܦܠܛ ܡܢܗ. ܠܐ ܡܨܝܐ.
ܒܠܗܘܢ ܠܝܬ ܠܡܘܣܦܘ. ܘܡܢܗ ܠܝܬ ܠܡܒܨܪ.
ܠܐ ܓܝܪ ܠܡܘܣܦܘ ܥܠ ܗܠܝܢ ܕܡܢܗ ܐܬܩܢ ܡܨܝܐ: ܐܦ
ܠܐ ܠܡܒܨܪ ܡܥܒܕܝܢ. ܢܣܬܝܟܬܐ | ܓܝܪ ܕܡܕܒܪܢܘܬܗ 130rb
ܠܘܬ ܕܢܣܬܝܟܬܐ ܕܡܢܗ ܢܨܒܐ ܠܝ.
ܘܡܪܝܐ ܥܒܕ ܕܢܕܚܠܘܢ ܡܢܗ.
ܗܕܐ ܕܝܢ ܥܒܕ ܕܢܫܘܐ ܡܪܘܬܗ ܘܫܘܠܛܢܗ ܕܥܠ ܟܠ.
3, 15 ܡܐ ܕܗܘܐ ܡܢ ܟܕܘ ܐܝܬܘܗܝ.
ܗ̇ܘ ܠܡ ܡܕܡ ܕܠܘܬܗ ܡܬܚܪ: ܗ̇ܘ ܐܦ ܠܕܪ̈ܐ ܕܩܕܡܝܢ ܦܪܫ
ܗܘܐ: ܠܬܘܪܓܐ ܕܥܠܬ̈ܐ. ܗܠܝܢ ܕܡܢ ܒܒܢ̈ܝ ܐܢܫܐ ܡܬܬܝ̈ܕܥܢ.
ܡܐ ܕܢܗܘܐ ܡܢ ܟܕܘ ܐܝܬܘܗܝ.
ܘܗܠܝܢ ܟܕ ܗܘܝ ܚܕ̈ܬܐ ܕܗܠܝܢ ܕܩܕܡܝܢ ܗܟܢܢ ܐܦ
ܚܢܢ. ܘܒܗܝܢ ܟܕ ܒܗܝܢ ܒܡܪ̈ܕܘܬܐ ܐܦ ܗܘ ܡܬܚܫܚ ܒܗܝܢ

ܠܬܘܪ̈ܢ ܘܠܐ ܠܫܘܒܠܢ. ܘܐܦ ܠܐ ܚܢܢ ܡܨܝܐ ܗܘܝܬ
ܕܟܠܒܗ ܡܢ ܡܪܕܘܬܐ ܢܣܒ: ܣܠܩ ܐܢܫܝܢ ܕܟܒܠܝܢ ܒܫ̈ܐܕܐ
ܡܪܥܡܠܝܢ. ܘܟܡܐ ܐܢܫ̈ܝܢ ܡܛܠ ܡܢܝܢܘܬܐ ܠܫ̈ܐܕܐ ܫ̈ܠܒܪ ܣܠܩ
ܘܒܪܐ ܠܐܒܘܗ̄ܝ ܡܨܪ ܡܛܠ ܒܗܦܟܐ. ܘܐܚܐ ܠܐܚܘܗ̄ܝ ܪܕܦ
ܡܛܠ ܡܡܘܢܐ. ܕܢܗܒܠ ܕܝܢ ܩܢܝܢ ܗܠܝܢ ܠܐ ܗܘܐ ܕܠܐ
ܡܨܝܢ ܒܪܫܐ | ܡܫܬܒܩܝܢ ܐܚܪ̈ܐ. 130va

ܘܐܠܗܐ ܢܒܥܐ ܠܪܕܝܦܐ ܕܡܬܪܕܦ.

ܠܐ ܠܡ ܬܬܪ̈ܥܘܢ ܐܢܬܘܢ ܐܢܫܝܢ ܕܟܠ ܫ̈ܕܕܐ ܡܬܕܥܝܢ ܐܢܬܘܢ:
ܘܠܐܢܫܝܢ ܕܡܪ̈ܕܦܝܢ ܡܢܟܘܢ ܒܚܝܠܐ ܡܒܐܫܝܢ ܐܢܬܘܢ. ܡܛܠ ܕܠܐ
ܠܡܐ ܡܕܡ ܐܠܗܐ ܒܕܒܟܘܢ: ܘܐܦ ܡܫܒܪܝܢ ܐܢܬܘܢ ܕܢܫܬܘܢ
ܘܡܒܒܬܘܢ ܐܢܘܢ. ܐܠܐ ܐܢܬܘܢ ܗܘ ܐܬܢܫܬܘܢ ܘܐܬܡܒܒܬܘܢ ܡܢ
ܒܢܥܬܐ. ܘܣܠܩ ܕܗܫܐ ܣܬܝܪܝܢ ܐܢܬܘܢ. ܐܝܟ ܠܟܘܢ ܠܡܬܬܢܝܘ:
ܐܡܬܝ ܕܐܠܗܐ ܣܠܩ ܗܠܝܢ ܕܢ̇ܦܠܐ ܒܡܒܟܘܢ ܐܡܪ ܠܢܪܬܐ. ܠܘ ܕܝܢ
ܒܗ ܒܠܚܘܕ ܒܣܦܩܐ ܘܒܟܠܒܘܬܐ ܕܒ̈ܢܝܢܫܐ ܡܬܕܒܪ ܐܢܐ.
ܐܠܐ ܡܬܢܪܐܝܬ ܒܗܕܐ ܡܬܕܒܪ ܐܢܐ. ܕܟܡܐ ܐܚ̈ܪܢܐ ܒܢ̈ܥܬܐ.
ܕܐܝܟ ܗܠܝܢ. ܟܠ ܐܢܫܝܢ ܕܠܐ ܥܘܩ ܡܟܬ̈ܒܢ ܠܡܐܬܐ.
3, 16 ܘܬܘܒ ܠܡ ܣܝܡ ܬܫܝܬ ܥܒܕܐ ܐܬܪ ܕܕܝܢܐ ܬܡܢ
ܪܘܥܒܐ.

ܦ̇ܠܘܢ ܠܡ ܕܒܕܝܢܐ ܘܒܟܐܢܘܬܐ | ܟܠܗ ܒܡܪܘܗܘܢ ܡܕܒܪܝܢ 130vb
ܟܠܗܘܢ ܗܘ ܒܢ̈ܝܢ. ܒܢ̈ܥܬܐ ܕܐܝܟ ܗܠܝܢ ܡܢ ܪ̈ܘܥܒܐ.
ܡܛܠ ܕܗܠܝܢ ܕܠܡܟܐܒܘ ܘܠܡܬܠܡ ܟܕܠܐ ܠܗܘܢ ܠܐ ܗܘܐ
ܕܠܒܠܘ ܢܐܟܥܘܢ ܟܕܠܐ ܠܗܘܢ ܐܠܐ ܒܠܚܘܕ ܠܦ̇ܠܘܢ ܕܡܨܝܢ
ܒܣܠܡܘܢ: ܡܛܠ ܗܢܐ ܒܡܐ ܐܚ̈ܪܢܐ ܡܬܡܟܠ ܠܗܘܢ: ܕܠܐܢܫܝܢ
ܕܐܦ ܠܐ ܒܡܕܡ ܥܘܩ ܗܘܘ ܠܒܢܥܬܐ. ܢܗܘܘܢ ܡܡܪܒܝܢ ܒܢܥܬܗܘܢ.

ܘܐܬܪ ܕܙܕܝܩܐ ܬܡܢ ܪܘܫܥܐ.
ܐܬܪ ܠܡ ܕܒܝܬ ܕܝܢܘܬܐ ܘܒܒܠܗ̇ ܒܟܐܢܘܬܐ ܢܟܣܝܢ ܬܡܢ
ܡܬܬܡܟܠ ܕܢܫܬܠܛ ܪ̈ܘܫܥܐ ܕܠܒܐܫܝܢ. ܗܝ ܕܝܢ ܗܕܐ: ܠܐ
ܐܫܟܚܬ ܕܟܕ̈ܝܢܐ ܐܬܗܦܝܢܗ̇ ܐܦ ܠܐ ܕܡܛܠ ܗܢܐ ܕܐܝܟ
ܗܟܢ ܡܬܬܒܪܬ ܐܫܟܚܬ ܠܡܥܒܕ: ܗܕܐ ܕܝܢ ܕܡܦܩ ܐܢܐ:
3, 17 ܐܡܪܬ ܐܢܐ ܒܠܒܝ. ܕܠܬ ܠܙܕܝܩܐ ܘܠܬ ܪ̈ܘܫܥܐ
ܐܠܗܐ ܕܐܢ.
ܡܢ ܟܠ ܦܪܘܫ ܠܡ ܐܬܡܟܠܬ: ܕܒ̈ܢܝܐ ܕܐܝܟ ܗܠܝܢ ܠܐܠܗܐ
ܠܐ ܛܥܝܢ. ܐܠܐ ܒܬܪ ܗܘ ܕܢܦܪܘܫ ܘܢܕܘܢ ܒܝܢܬ ܗܢܐ
ܠܗܢܐ. ܐܢ ܓܝܪ | ܐܢܐ ܒܪ ܒܪ ܐܢܫܐ ܐܢܬܝ ܠܐ ܐܫܟܚܬ 131ra
ܠܡܫܡܠܘ: ܕܒ̈ܥܘܬܐ ܕܐܝܟ ܗܠܝܢ ܒܒܘܠܐ ܢܬܒ̈ܥܢ. ܢܬܢܐܪܬ
ܓܝܪ ܐܝܠܝܢ ܕܠܐ ܥܒܝܢ: ܐܠܐ ܕܢܬ ܒܬܪܥܝܬܝ ܕܒܐܝܢܐ
ܗܝ ܕܢܗܘܐ ܒܠܗܘܢ ܦܘܪܫܢܐ ܕܬܒܥܬܐ: ܒܗܝ ܢܬܢܐܪܬ
ܗ̇ܘ ܕܕܝܠܗ ܗܝ ܟܠܗ̇ ܟܐܢܘܬܐ: ܡܛܠ ܒܪܢܫܐ ܕܥܒܝܢ ܠܗ
ܢܦܩ ܟܠ ܐܝܠܝܢ ܕܠܫ̈ܕܕܐ ܒܪܢܝܬ ܡܒܐܫܝܢ: ܠܐ ܕܝܢ
ܡܬܕܪܝ ܐܢܐ ܒܗܕܐ ܕܠܐ ܒܪܥܬܗ ܡܛܠ ܒܪܢܫܐ ܕܥܒܝܢ
ܢܦܩ ܒܠܗܘܢ.
ܡܛܠ ܕܙܒܢܐ ܠܟܠ ܨܒܘ.
ܙܒܢܐ ܠܡ ܓܝܪ ܬܡܢ ܠܗܕܐ. ܘܠܕܝܢܐ ܢܛܪܗ ܠܫܪܬܐ.
ܐܢܒܝܐ ܕܬܡܢ ܢܐܪܘܬܐ ܫܘܠܛܢܐ: ܕܦܐܪ̈ܐ ܕܒܢܝܬܗ̇ ܬܡܘܐ.
ܐܘ ܛܒ̈ܐ ܐܘ ܒܝ̈ܫܐ
ܘܠܟܠ ܥܒܕ ܬܡܢ.
ܠܒܠܗܘܢ ܕܝܢ ܥܒ̈ܕܐ ܕܒܢ̈ܝ ܐܢܫܐ: ܬܡܢ ܢܚܘܪ ܘܢܚܙܐ:
ܕܐܢ ܛܒ̈ܐ ܐܢܘܢ ܐܘ ܒܝ̈ܫܐ ܠܟܠ ܥܒܕ ܠܡ ܬܡܢ ܒܢܝܪ.

ܗܪܟܐ ܕܝܢ ܟܠܗ ܒܡܫܪܝܐ ܫܪܘܬܐ ܥܒܝܕܐ ܕܟܠܗ ܡܢ
| ܡܬܥܒܕܢܘܬܐ ܕܕܝܠܗ ܙܒܢܝܢ ܬܫܥܝܢ. ܠܫܪܬܐ ܕܝܢ ܟܠ 131rb
ܐܦ̈ܝ ܟܠܗܝܢ ܕܥ̈ܒܕܬ ܬܬܠ ܦܬܓܡܐ. ܗܝ ܕܝܢ ܗܕܐ ܕܗܒܝܠܐ
ܟܬܝܒܐ ܠܡܗܘܐ: ܠܐ ܗܘܐ ܟܠܝܢ ܡܦܩ ܒܗ̇. ܘܡܛܠ ܗܕܐ ܗܘܐ
ܦܬ̈ܓܡܐ ܒܕܝܠܗ ܕܐܠܗܐ ܡܬܕܒܠܝܢ: ܒܕܝܢܝܢ ܙܢ̈ܝܐ ܕܡܢܠܗ
ܘܕܝܠܗ ܕܐ̇ܒܐ.

3, 18 ܘܐܡܪܬ ܐܝܟ ܟܠܒܪ ܠܐ ܡܬܠܠܐ ܕܟܬ̈ܝܒܐ: ܕܒܪܐ
ܐܝܟ ܐܠܗܐ ܠܡܫܝܚܐ: ܕܗܝܟ ܐܝܟ ܒܒܪܐ ܐܝܟ.
ܐܬܝܚܕܬ ܠܗ ܕܡܢ ܗܕܐ ܟܠܬܐ: ܠܬܪܝܢܘܬ ܝܚܝ̈ܕܐ ܦܬ̈ܓܡܐ
ܐܬܥܪܒܠܘ° ܒܬܪ ܐܝܟܐ. ܒܗ ܡܢܗܘܢ ܡܬܕܒܠܝܢ ܒܡܕܒܪܢܘܬܐ
ܕܐܠܗܐ. ܡܢܗܘܢ ܕܝܢ ܐܦ ܒܗ̇ ܒܡܕܒܪܢܘܬܐ ܒܦܪܝܢ. ܒܗ
ܡܫܘܝܢ ܕܡܕܡ ܒܠܥܘܬܐ ܠܐܠܗܐ ܠܐ ܒܪܝܐ ܬܫܪܪ ܡܢ
ܫܘܬܐ ܠܗܬ ܠܗ̇. ܠܐ ܓܝܪ ܒܫ̈ܡܝܗܘܢ ܡܛܠ ܡܒܝܢܘܬܗܘܢ
ܕܠܘܬ ܬ̈ܕܐ ܒܪܝܢ ܒܡܕܡ ܡܢ ܫܘܬܐ: ܘܐܦ ܠܐ ܬܗܘܐ
ܒܡܬܗܘܢ. ܡܕܡ ܬܫܪܪ ܒܠܥܘܬܐ ܡܬܝܚܐ. ܐܠܐ ܒܠܥܘܬܐ
ܕܐܝܚܝܐ | ܠܗܘܢ ܗܒܪܝܢ. 131va

3, 19 ܚܕܝܐ ܕܒܟ̈ܝܚܐ ܘܚܕܝܐ ܕܒܒܪܐ. ܚܕܐ ܫܕ
ܓ̇ܒܐ ܠܟܠܗܘܢ.

ܠܐ ܠܗ ܫܠܝܢ ܡܕܡ ܥܡܝܠܐ ܒܝܬ ܒܪܝܐ ܠܫܘܬܐ.
ܐܝܟ ܡܬܗܘܐ ܓܝܪ ܕܗܘܐ ܐܦ ܗܝܐ ܘܚܝܐ ܙܘܝܐ ܠܟܠܗܘܢ.
ܡܛܠ ܠܗ ܓܝܪ ܫܪܬ ܐܘ ܡܫܪܬ ܒܒܪܝܐ ܫܠܝܢ ܬܫܪܪ
ܡܢ ܫܘܬܐ.

231 DS III 26 ܐܬܥܪܒܠܘ°] ܐܬܥܪܒܠܘ̈ܢ°

ܡܝܬܪܘܬܐ ܠܡ ܕܒܪܢܫܐ ܡܢ ܒܥܝܪܐ ܠܝܬ.
ܠܐ ܠܡ ܡܬܚܫܒܐ: ܠܐ ܒܚܝܘܗܝ ܐܦ ܠܐ ܒܡܘܬܗ ܕܡܕܡ ܡܝܬܪ ܡܢ ܚܝܘܬܐ ܚܪܫܬܐ.
ܡܛܠ ܕܟܠܡܕܡ ܗܒܠܐ.
ܡܛܠ ܕܐܝܟ ܫܪܒܐ ܕܟܠܗܝܢ ܒ̈ܪܝܬܐ ܕܒܥܠܡܐ: ܕܐܒܝܕܐ ܡܝܬܐ ܠܗܝܢ ܘܐܒܝܕܐ ܡܣܠܩ ܠܗܝܢ. ܗܟܢܐ ܐܦ ܒܪ ܐܢܫܐ ܡܬܚܫܒܐ ܕܐܝܬܘܗܝ.
3, 20 ܟܠ ܐܙܠ ܠܐܬܪܐ ܚܕ.
ܚܕܐ ܠܡ ܚܪܬܐ ܢܦܠܝܢ ܠܟܠ ܡܕܡ ܕܐܝܬܘܗܝ، ܟܠ ܐܪܥܐ. ܐܝܟܢܐ ܕܐܦ ܡܢ ܚܕ ܐܬܪܐ ܢ̇ܦܠܝܢ ܕܐܝܬܘܗܝ، ܥܦܪܐ ܕܟܠ ܒܣܪ.
ܟܠ ܠܡ ܗܘܐ ܡܢ ܥܦܪܐ: ܘܟܠ ܗ̇ܦܟ ܠܥܦܪܐ.
| ܡܢ ܐܪܥܐ ܠܡ ܡܬܒܢܝܢ ܥܦܪܐ ܕܒ̈ܢܝ ܐܢܫܐ ܘܕܚܝ̈ܘܬܐ 131vb
ܘܕܪ̈ܚܫܬܐ ܘܕܦܪ̈ܚܬܐ: ܘܠܗ̇ ܗܝ ܠܗ̇ ܠܐܪܥܐ ܢܦܠܝܢ ܕܗ̇ܦܟ ܟܠܡܕܡ.
3, 21 ܘܡܢ̇ ܝܕܥ ܐܢ ܪܘܚܐ ܕܒܢ̈ܝܢܫܐ ܠܥܠ ܣܠܩܐ: ܘܐܢ ܪܘܚܐ ܕܒܥܝܪܐ ܠܬܚܬ ܢܚܬܐ.
ܘܡܢ ܐܝܟܢܐ ܠܡ ܐܝܬ ܠܝ ܕܐܫܬܟܠ ܡܝܬܪܘܬܗ ܕܒܪܢܫܐ ܡܢ ܚܝܘܬܐ: ܗܐ ܓܝܪ ܕܟܠܗܝܢ ܕܦܓ̈ܪܐ ܘܠܐ ܒܡܕܡ ܦܪܝܫ ܡܢܗ ܘܒܥܒ̈ܕܐ ܕܡܝܬܪܘܬܐ ܗܠܝܢ ܕܐܬܝܗܒ̣ ܡܘ̈ܗܒܬܗ̇ ܕܢܦܫܐ ܠܐ ܡܟܠܝ ܡܢܗܝܢ. ܐܝܟܢܐ ܠܐ ܒܟܠ ܡܕܡ ܕܐܟܘܬܗ ܐܝܬܘܗܝ، ܢܦܬܪ ܠܝ. ܗܠܝܢ ܡܟܝܠ ܡ̈ܠܐ: ܟܠܗܝܢ ܡܬܒܥܝܢ ܠܡܬܚܙܝܘ: ܐܝܟ ܕܡܕܒܪܢܘܬܐ ܕܐܠܗܐ ܚܝܠܬ ܒܟܠ ܕܒܗܝܢ ܒܠܚܘܕ: ܠܡܫܬܟܠܘ ܐܝܟ ܕܐܝܬܝܗ̇ ܠܐ ܫܦܩܐ

ܡܛܠ ܕܒܗܝܢ ܗܘ ܒܐܦܝ̈ ܒܢ̈ܝܬܐ ܕܙܒ̈ܢܘܬܐ ܡܬܚܫܒܝܢ ܒܠܚܘܕ.
ܘܒܓܠܝܢܗ̇ ܪܘܚܐ ܕܝܢ ܘܒܚܝܠܐ ܘܚܟܡܬܐ ܕܐܠܗܐ ܡܕܒܪܢܝܢ
ܠܐ ܡܦܣ ܐܦ ܠܐ ܒܐܝܕܝܬܐ | ܡܩܕܡܬܐ ܗ̇ܝ ܕܩܕܡܬ ܥܪܬ 132ra
ܒܠܒܗܘܢ ܚܒ̈ܪܝܗܘܢ ܕܒܢ̈ܝܫܐ ܕܠܐܝܕܐ ܥܪܬܐ ܦܓܥܝܢ.
ܠܐܢܝܢ ܗܟܝܠ ܕܒܗܠܝܢ ܠܐ ܡܦܣܝܢ: ܐܢܫܐ ܢܦܪܘܩ ܠܗܘܢ
ܐܢܬܪܐ ܘܫܘܒܚܐ ܕܚܐܪܘܬܐ ܗ̇ܘ ܕܡܢ ܐܠܗܐ ܠܒܢ̈ܝ ܐܢܫܐ
ܐܘܗܒ. ܗ̇ܘ ܕܒܗ ܐܫܟܚܘ ܢܝܚܐ ܘܬܫܒܘܚܬܐ: ܒܠܗܘܢ
ܐܝܠܝܢ ܕܒܬܪ ܬ̈ܘܠܕܬܗܘܢ ܐܝܟ ܪ̈ܘܚܐ ܠܐ ܐܬܕܒܪܘ.
ܐܢܫܐ ܓܝܪ ܡܕܡ ܗܘܐ ܐܝܟܢܐ ܠܡܗܘܐ: ܒܕ ܚܐܪܘܬܐ
ܒܡܕܒܪܬܐ ܠܐ ܫܟܚܐ. ܐܘ ܐܢܫܐ ܒܠܒ̈ܠܐ ܡܬܢܗܓܝܢ ܗܘܘ:
ܒܕ ܐܒ̈ܗܐ ܠܐ ܡܬܕܒܪܝܢ ܒܐܝܟܢܐ. ܐܢܫܐ ܕܝܢ ܦܘܪܫܢܐ
ܥܠܬܐ ܡܢ ܒܝܫܬܐ ܡܩܒܠܐ ܗܘܬ. ܡܢ ܕܗ̇ܝ ܕܟܝܢܐ ܚܐܪܘܬܐ
ܠܐ ܐܫܬܢܝܬ ܒܡܕܒܪܬܐ ܐܘ ܟܠܗ ܡܬܦܠܦܠ ܗܘܐ: ܡܢ ܕܗ̇ܘ
ܕܡܬܝܕܥܢܐ ܠܐ ܝܕܥ. ܐܘ ܟܠܗ ܕܡܫܬܟܚ ܗܘܐ ܒܪܗܛܐ
ܕܙܕܩܘܬܐ: ܡܢ ܕܪܗܛܐ ܕܒܢ̈ܫܬܐ ܒܠܐ ܗܘܐ ܘܠܐ ܝܕܥ.
ܐܘ ܐܢܫܐ ܐܚܪܐ ܥܠܦ ܡܢܬܘܪܬܐ ܡܬܢܣܒ: ܠܗ̇ܝܢ
ܕܒܠܒܗ ܕܝܠܝܦܗ̇ ܠܐ ܐܬܚܙܝܘ | ܠܒ̈ܢܝܢܐ. ܐܢܫܐ ܕܝܢ ܐܦ 132rb
ܗܘ ܦܐܡ ܢܡܘܣܐ: ܒܒܐܝܬܘܬܐ ܕܟܝܢ ܗܘܐ: ܠܗ̇ܝܢ ܕܒܫܠܝܛܐ
ܕܚܐܪܘܬܐ ܡܢܗ ܠܐ ܐܬܢܨܪܘ: ܐܢܫܐ ܕܝܢ ܐܦ ܗ̇ܢܝܢ
ܕܡܬܬܕܝܢܝܢ ܗܘܘ: ܡܢ ܕܫܠܝܛܐ ܒܠ ܡܢ ܕܐܝ̈ܟܝܢ
ܕܢܗܦܟܘܢ ܠܐ ܫܠܝܢ ܗܘܘ. ܐܢܫܐ ܕܝܢ ܡܕܝܢ ܗܘܘ
ܕܠܗܕܐ ܢܦܩܘܢ ܐܘ ܠܗܕܐ ܢܗܘܘܢ: ܗ̇ܢܝܢ ܕܫܠܝܛܐ ܒܠ
ܗܕܐ ܡܢ ܒܒܕܗܘܢ ܠܐ ܡܟܠܐ: ܐܦ ܠܐ ܕܝܢ ܦܐܡ
ܢܡܘܣܐ ܡܟܝܠ ܚܟܡ ܗܘܐ: ܠܗ̇ܢܝܢ ܕܡܢ ܒܝܢܐ ܡܬܕܒܪܝܢ

ܘܠܐ ܡܢ ܚܐܪܘܬܗܘܢ ܐܢܫܐ ܕܝܢ ܕܢܦܫܐ ܐܬܬܣܝܡ
ܘܚܐܪܘܬܐ ܐܬܝܗܒܬ. ܘܕܡܐܢܬ ܐܫܬܟܚ ܐܝܟܢܐ ܕܡܬܒܥܝܐ:
ܠܡܘܪܝܐ ܕܚܐܪܘܬܐ ܕܟܠܗܘܢ ܒܢܝܢܫܐ. ܡܕܝܢ ܐܝܟܢܐ ܗܢܐ
ܕܐܬܝܗܒ ܠܝ: ܥܠ ܦܠܢܐ ܢܗܘܐ ܠܝ. ܕܐܝܟܢܐ ܕܠܐ
ܒܕܠܝ ܢܫܐ ܒܗ. ܘܠܐ ܢܛܠ ܢܦܩ ܠܒ̈ܪܐ ܕܦܪܢܣܘܬܐ:
ܦ̇ܠܓܘܢ ܕܒܥ̈ܕܢܝܗܘܢ ܡܬܬܘܢ ܒܠܝܗܘܢ ܡܢ ܕܒܥܕܘ ܐܝܟܢ:
132va ܘܠܡܫܡܗܘܢ ܦ̇ܪܫܝܢ ܡܢ ܕܡܛܪܘ | ܓܒܝܠܗܘܢ: ܘܒܠ ܐܒܘܪܘܬܐ
ܕܚܝ̈ܝܗܘܢ ܡܗܦܟܝܢ ܕܢܦܫܬܐ ܕܚ̈ܒܪܝܗܘܢ ܡܛܠ ܗܢܐ ܐ̇ܡܪ
ܐܢܐ: ܕܠܐ ܢܒܥܕ ܐܝܟܢܐ ܐܒܘܪܐ ܕܚܝ̈ܝܢ ܠܡܘܢܐ ܕܒ̈ܠܝܬܐ.
ܐܠܐ ܢܬܦܢܐ ܠܘܬ ܢܦܫ: ܒܕ ܡܬܒܠܝܢ ܦܠܘܚ ܒܫܘܦܪܐ
ܕܡܢܝܪܘܬܐ. ܐܝܟ ܒܡܐ ܕܐܦ ܐܢܐ ܒܝܢܬ
3, 22 ܘܚܙܝܬ ܕܠܝܬ ܕܛܒ ܒܗܘܢ ܐܠܐ ܕܢܚܕܐ ܐܢܫ
ܒܥ̈ܒܕܘܗܝ. ܡܛܠ ܕܗܝ ܗܝ ܡܢܬܗ.
ܐܢܐ ܠܡ ܚܙܝܬ ܕܠܐ ܡܕܡ ܡܘܬܪܢܐ ܡܫܒܚܝܢ ܚܝܝ
ܒܢܝ̈ܢܫܐ: ܠܡܦܠܛ ܡܢ ܗܢܐ ܒܠܡܐ: ܐܠܐ ܐܢ ܕܥ̈ܒܕܐ
ܥܒ̈ܝܕܐ ܕܡܝܬܪܘܬܐ. ܦ̇ܠܘ ܓܝܪ ܒܚ̈ܕܐ ܡܠܝܚܐ: ܕܚܠܦ
ܕܚܠܬܐ ܘܒܪܝܬܐ ܗܒܪܐ ܘܚܕܘܬܐ ܡܠܐ ܐ̇ܒܝܠܐ ܕܐܚܠܝܢ
ܕܒ̇ܗ ܡܬܚܫܚܝܢ. ܗܘ ܕܝܢ ܐܦ ܐܝܬܘܗܝ ܦܠܚܐ ܕܠܐ
ܡܬܦ̇ܠܛ ܡܢ ܡܘܬܐ: ܘܡܢܬܐ ܦܠܓܬܐ ܕܡܢܝܐ ܒܪܢܫܐ ܕܢܬܦܠܛ
ܡܢ ܗܠܝܢ ܚ̈ܝܐ: ܘܠܢܬܐ ܥܒܝܪܬܐ ܕܠܐ ܡܪܦܝܐ ܠܐܝܠܝܢ
ܕܒܗ̇ ܐܚܝܕܝܢ. ܟܕ ܕܝܢ ܒܠ ܕܥ̈ܒܕܐ ܦ̈ܬܚܐ ܠܐ ܢܬܒܛܠ
132vb | ܠܝ: ܘܐܝܟܢܐ ܐܒܘܪܐ ܕܚܝ̈ܝܢ ܢܬܦܢܐ ܡܢ ܡܘܬܐ. ܗܕܝܢ
ܒܪܢܘܬܐ ܒܡ ܕܚܠܬܐ ܡ̇ܕܪܟܐ ܠܝ. ܘܒܠܗܝܢ ܐܝܠܝܢ
ܕܪ̈ܚܝܡܢ ܗ̈ܘܝ ܠܝ ܘܒܛܠܠܬܐ ܒܠܝܗܝܢ ܐܝܬ ܗܘܐ ܠܝ:

ܥܒܕܝܢ ܠܝ ܘܡܫܠܡܝܢ ܕܠܐ ܡܢ ܨܒܝܢܝ ܠܘܬ ܐܚܪ̈ܢܐ. ܣܓܝ ܕܝܢ ܒܗ ܠܬܬܘܐ ܟܠ ܦܪܢܣܘܬܐ ... ܢܗܘܐ ܫܐܠܝܢ ܠܗ ܠܐܒܝܐ ܕܐܘܒܕܢ ܗܪܟܐ ܒܗ ܡܬܒܕܠܝܢ ܣܓܝ ܒܢܦܫ ܕܐܦܠܝܢܗܝ ܦܪܢܣܝܬ ܬܘܬܐ ܕܝܢ ܗܢܕܝܢ ܡܕܡ ܠܐ ܡܘܬܪܐ ܠܝ. ܠܐ ܓܝܪ ܡܢܝܢܐ ܕܗܠܝܢ ܕܣܒܐ ܐܝܟ ܒܢܝܢ ܡܘܬܐ ܐܫܬܒܩ ܡܠܝ ܕܬܘܒ ܠܬܦܠܝܢ ܠܝ.

ܡܛܠ ܕܡܢܗ ܢܬܬܢܘܗܝ ܠܡܣܢܐ. ܟܕ ܡܢ ܕܗܘ̇ܐ ܡܢ ܒܬܪܗ.

ܐܘܪܚܐ ܗܝ ܠܗ ܕܠܐ ܫܘܒܚܐ ܡܘܬܐ: ܠܐܝܠܝܢ ... ܒܗ. ܡܕܝܢ ܠܐ ... ܐܘ ܢܬܐܦܪ: ܒܡܝܬܐ ܐܝܠܝܢ ܕܡܢܝܢ ܡܫܬܒܩ ܡܢ ܒܬܪ̈ܢ. ܐܠܐ ܢܣܒܐ ܐܝܠܝܢ ܐܝܟܢ ܡܝܬܐ ܕܡܢܝܢ ܕܢܗܘܘܢ ... ܐܦ ܡܢ ܒܬܪ ܒܘܢܕܢܐ. ܕܘܒܪ̈ܐ ܓܝܪ ܛܒ̈ܐ ... ܒܢ̈ܫܐ. ܗܠܝܢ ܒܠܝܘܕ ... | ܒܬܪ ܒܘܢܕܢܐ 133ra ܡܬܝܢܝܢ ܙܢܕ ܡܝܬܝܢܘܢ. ܘܡܢ ܒܬܪ ܡܘܬܐ: ܡܬܒܥܝܢ ܒܗܘܢ ܚܒܘ̈ܕܢܘܢ. ܐܠܐ ܘܒܕ ܛܒ ܗܕܐ ܗܒܝܠܐ ܗܝ. ܠܝܬ ܐܢܫ ܕܡܢܬܐ ܒܠ ܒܠܗ. ܘܒܠ ܛ̈ܒܬܐ ܐܝܠܝܢ ܕܒܗܘܢ ܡܬܝܢ ܘܡܝܬܝܢ ܠܐ ܢܨܒܝܢ. ܒܠ ܡܝܬܐ ܕܝܢ ܐܝܠܝܢ ܕܡܢ ܒܬܪܗܘܢ ܡܫܬܒܩܝܢ. ܒܠܗ ܒܬܠܘܬܗܘܢ ܡܣܘܝܢ. ܘܒܠ ܐܢܫ ܕܐܢܒܝܐ ܢܒܘܐ ܡܢ ܣܒܪܗ ܡܝܢܝܐ ܕܠܡܣܪ ܓܒܡ ܠܗ ܡܬܪܢܦ. ܘܗ̇ܘ ܕܒܐܐ ܫܒܪܐ ܒܗ ܠܐ ܡܦܒܪܐ ܠܗ: ܘܗ̇ܘ ܕܐܬܒܐܐ ܡܛܠ ܠܒܪܢܬܐ: ܒܗ ܠܡܣܪ ܒܬܝܢ ܗܘܐ ܕܢܫܒܢܘܗܝ ܘܗ̇ܘ ܫܒܪܐ ܦܪܢܣܝܬ ܒܡܕܡ ܕܠܐ ܕܝܠܗ. ܘܗ̇ܘ ܓ̇ܒܡ ܒܠ ܡܕܡ ܕܠܐ ܓܒܘܐ ܗܘܐ ܠܒܡܬܐ. ܒܗ ܛܒ ܕܝܢ ܐܦ ܠܐ ܠܘܬ ܐܢܫ ܡܒܬܪ ܡܝܢܝܐ. ܠܝܬ ܐܦ ܠܐ ܣܒ ܕܗ̇ܡܝܐ ܡܢ ܒܝܬܐ ܘܣܛܘܦܝܐ ܘܠܠܒܘܬܐ.

IV

4, 1 ܘܗܦܟܬ ܚܙܝܬ ܐܢܐ ܟܠ ܛܠܘܡܝܐ ܕܡܬܥܒܕܝܢ ܬܚܝܬ
ܫܡܫܐ.

ܐܬܟܪܝܬ ܠܝ ܒܥܘܩܐ ܕܒܢ̈ܝܫܐ. ܕܐܝܟ ܒܢ̈ܝ ܐܢܫܐ ܠܫ̈ܕܕܐ ܡܥܠܝܢ. ܘܐܬܟܪܝܬ ܕܢܛܪܘܬ ܪܘܚܗ ܕܐܠܗܐ | ܫܛܠܝܢ: ܘܟܠ 133rb ܗܠܝܢ ܡܥܪܩܝܢ ܐܡܝܢܐܝܬ. ܢܛܝܪܐܝܬ ܟܠ ܕܠܐ ܗܘܐ ܠܗܘܢ ܒܘܝܐܐ ܒܬܟܒܬܐ ܕܡܬܛܠܡܝܢ ܥܠܝܢ.

ܗܐ ܓܝܪ ܕܡ̈ܥܐ ܕܛܠܘ̈ܡܐ ܘܠܝܬ ܠܗܘܢ ܡܒܝܐܢܐ ܡܢ ܐܝܕܐ ܕܛܠܘ̈ܡܝܗܘܢ.

ܡܐ ܓܝܪ ܕܠܚܕ ܘܠܬ̈ܪܝܢ ܐܟܝܢܝܢ: ܘܬܒܥܬܐ ܠܐ ܐܕܪܟܬ ܠܝ. ܢܛܝܪܐܝܬ ܡܬܡܠܝܐ ܟܠܗܝܢ ܠܥܒܕܐ ܒܢ̈ܝܫܐ. ܟܕ ܠܐ ܡܬܒܝܢܝܢ ܕܠܚܪܬܐ ܢܠܦܘܢ ܕܝܢܐ ܡܬܐܡܪ ܟܡܢ ܡܢ ܐܠܗܐ. ܐܠܐ ܟܕ ܒܚܝܠܗܘܢ ܕܒܝܢ ܡܢ ܕܝܠܝ ܡܬܒܥܝܢ: ܟܘܠ ܡܕܡ ܕܠܐ ܡܢܛܐ ܦܪܥܝܢ.

ܚܝܠܐ ܘܠܝܬ ܠܗܘܢ ܡܦܝܣܢܐ.

°ܐܦܠܐ̈ ܠܡ ܗܝ ܗܕܐ ܕܡܚܝܠܝܢ ܡܢ ܚܣܕܬܢ. ܐܠܐ ܗܝ ܒܝܪܘܬܗܘܢ ܘܡܚܝܠܘܬܗܘܢ ܕܝܠܢ°. ܬܪܥܐ ܦܬܝܚܬ ܠܝ ܠܡܒܠܘ ܒܚܝܠܗܘܢ. ܘܐܝܟ ܐܝܠܝܢ ܕܛܠܝܡܝܢ ܡܢ ܬܒ̈ܥܐ: ܘ̇ܗ ܡܐ ܕܕܝܢܗܘܢ ܗܘܐ ܒܟܐܝܢܘܬܐ: ܒܕܝܢܗܝ ܕܝܠܝ ܕܠܐ ܒܕܝܢܐ. ܐܦ ܠܐ ܡܢ ܕܡܟܝܢܗܘܢ ܐܬܒܥܕܝܢ ܡܬܬܡ. ܗܠܝܢ ܕܬ̈ܪܝ ܕܢܗ̈ܝܢ ܗܕ̈ܐ ܫܪ̈ܝܐ ܠܒܢܝܫܬ ܕܠܬܗܘܢ. ܠܗܠܝܢ

ܕܝܢ | ܙܒܢܐ ܙܥܘܪܐ ܐܚܝܕܝܢ. ܠܐ ܕܝܢ ܒܬܕܒܝܪ ܕܝܠܐ 133va
ܘܬܫܒܘܚܬܐ ܕܠܥܠܡ. ܐܚܪܢܐ ܕܝܢ ܕܗܘܐ ܦܘܠܚܢܐ ܐܝܬܘܗܝ:
ܕܬܘܬ ܢܦܫܐ ܕܠܫܪܬܐ. ܠܝ ܕܝܢ ܡܬܬܒܪܐ ܠܝ: ܕܗ̇ܠܝܢ
ܕܒܗܠܝܢ ܚܝ̈ܐ ܗܢܐ ܒܠܠܝܐ ܐܝܬ ܠܗܘܢ ܘܗܕܐ ܬܐܓܪܬܐ
ܡܒܠܥܝܢ: ܒܗ ܢܣܒܝܢ ܘܡܬܦܪܢܣܝܢ ܒܠ ܡܚܪܬ ܪܘܚܗ ܕܕܝܠܐ:
ܦܫܛ ܗܘܐ ܠܗܘܢ ܕܠܒܘܡܪܐ ܐܢܫܝܐ ܠܐ ܢܬܦܘܢ. ܐܟ ܗܘ
ܕܝܢ ܕܐܬܘ ܠܗܘܢ: ܚܕܪ ܗܘܐ ܠܗܘܢ ܕܙܒܢܐ ܕܚܝܝܗܘܢ
ܢܕܠܩܘܢ ܒܥܒܘܪܘܬܐ ܕܡ̈ܫܝܚܝܗܘܢ.
4, 2 ܘܥܒܕܬ ܐܢܐ ܠܒܢ̈ܝܬܐ ܕܡܢ ܒܗܘ ܡܢܗܘܢ: ܡܢ ܚܝ̈ܐ
ܕܗ̇ܠܝܢ ܚܝܝܢ ܒܗܕܐ ܠܡܫܐ.
ܥܒܕܐ° ܠܡ ܢ̇ܒܥ ܐܢܐ ܠܗܠܝܢ° ܐܟ ܗܘ ܕܢܡܕܡܘܢ ܢܬܥܠܘܢ
ܡܢ ܚܝ̈ܐ. ܡܛܠ ܗܘ ܚܙܪ ܡܢ ܬܗܘܢ ܡܢ ܚܝ̈ܝܗܘܢ.
ܒܕܐܢܬܘܢ ܬܫܘܒܚܐ ܕܒܢ̈ܝܬܗܘܢ.
4, 3 ܥܠ ܕܝܢ ܡܢ ܬ̈ܠܝܗܘܢ ܗܠܝܢ ܕܒܕܒܠ ܠܐ ܗܘܘ:
ܘܠܐ ܚܙܘ ܒܒܕܐ ܒܝܫܐ ܕܐܬܥܒܕ ܬܚܝܬ ܫܡܫܐ.
| ܥܠ ܡܢ ܬ̈ܠܝܗܘܢ ܕܝܢ ܗܕܐ ܡܚܝܪܐ ܗܘܬ: ܐܠܘ ܐܦ ܠܐ 133vb
ܗܘܘ. ܡܛܠ ܚܙܪ ܕܒܠܬܐ ܥܒܕܬܐ ܕܗܘܝܘܗܝ ܢܗܘܘ̇ ܕܗ̇ܠܝܢ
ܒܠܬܐ ܠܒܢ̈ܝܬܐ: ܦܫܛ ܗܘܐ ܠܗܘܢ ܐܦ ܕܠܐ ܢܗܘܘܢ ܘܠܐ
ܢܒܥܘܢ ܠܗܘܢ ܡܫܡܬܐ ܕܪܘܚܐ ܠܡܘܡܐ ܕܐܬܒܒܬܐ. ܗܘܐ
ܕܝܢ ܠܒܠܬܐ ܕܗܘܝܘܗܝ ܐܚܪ̇ ܕܡܚܝܪܐ ܗܘܬ ܐܠܘ ܠܐ ܗܘܬ.
ܗܘ ܚܙܪ ܠܥܝܢ̈ܐ ܒܠܬܐ ܥܒܕܬܐ ܗܘܬ ܠܗܘܢ. ܘܒܠܥܘ
ܘܐܬܬܚܪܘ ܡܢ ܙܒܢܐ ܙܥܘܪܐ ܕܚ̈ܝܝܗܘܢ ܒܡܬܪܐ ܦܚܝܫܐ.

31 DS IV 11 ܥܒܕܐ ܐܘ

ܕܢܗܘܐ ܚܙܐ ܡܢ ܐܠܗܐ ܒܠܬܐ ܗܝ ܛܒܬܐ ܘܒܝܫܬܐ.
ܕܐܝܟܢܐ ܕܝܢ ܢܫܐ ܐܢ̱ ܠܛܒ̈ܬܐ ܘܐܢ̱ ܠܒܝ̈ܫܬܐ ܗܕܐ
ܕܚܐܪܘܬܐ ܐܝܬܝܗ̇. ܗ̇ܝ ܕܟܘܬܗ̇ ܡܟܠܝܢ ܡܢܗ. ܗܘ ܚܙܐ
ܗܢܐ ܚܘܫܒܐ ܕܝܠܝ ܒܢ̈ܝ ܐܢܫܐ. ܥܠܝܗ̇ ... ܐܬܒܪܝ.
ܘܐܝܟܢܐ ܕܝܢ ܒܚܐܪܘܬܗ ... ܕܒܪܗ. ܘܗ̇ܝ ܡܟܝܠܐ ܕܢܗܘܐ
ܒܝܫܬܐ ... ܒܠܚܘܕ ܕܒܥܒܕܐ ... ܗ̇ܝ ܕܝܢ ܕܡܢ ܒܬܪܗ
ܕܐܝܟܢܐ ܢܗܘܐ ... | ܗܘ̣ ܕܚܐܪܘܬܐ̱. ܒܗ̇ܝ ܡܟܝܠ ܕܡܢ 134ra
ܐܠܗܐ. ܠܐ ܛܒ̈ܬܐ ܐܦ ܠܐ ܒܝ̈ܫܬܐ ܐܝܬܝܢ. ܒܗ̇ܝ ܕܝܢ ܕܡܢ
ܨܒܝܢ ܐܘ ܒܝ̈ܫܬܐ ܐܘ ܛܒ̈ܬܐ ܡܫܬܡܗܝܢ. ܐܝܟ ܕܒܥܠܬܐ
ܕܗܘܝܗ: ܒܠܬܐ ܕܬܐܓܘܪܬܐ ܛܒܬܐ ܐܫܟܚ ܠܗ. ܐܝܟ ܕܝܢ
ܕܠܥܠܬܐ ܕܗܘܝܗ: ܗܦܟ̇ ܠܬܐܓܘܪܬܐ ܕܒܝ̈ܫܬܐ. ܗܘܝܘ ܕܠܥܠܬܐ
ܛܒܬܐ ܕܡܛܠܬܗ: ܗܦܟ̇ ܠܒܝܫܬܐ ܘܠܫܘܘܕܝܐ ܕܪ̈ܚܡܐ ܕܗܘܘ
ܠܗ. ܗܦܟ̇ ܠܡܘܬ ܒܪܫܐ. ܗܘܝܘ ܕܒܡܠܐܐ ܕܛ̈ܒܬܐ ܚܬܕ
ܠܗ ܬܐܓܘܪܬܐ ܕܗܘ̈ܝܢܐ: ܘܐܘܪ ܡ̈ܟܘܠܐ ܕܒܝܫܬܐ ܘܟܠ
ܒܬܘܗ ܗܘ: ܘܩ̈ܕܐ ܕܡܛܪܝܢ ܠܘܬ ܕܢܝܐ ܛܒܢ ܘܐܙܠ.
4, 4 ܘܚܙܝܬ ܐܢܐ ܟܠ ܥܡܠܐ ܘܟܠ ܟܫܪܐ ܕܥܒܕܐ.
ܘܚܙܝܬ ܠܟ ܕܟܠܝܗ̇ ܕܗܕܐ ܬܐܓܘܪܬܐ ܡܫܘܚܬܐ ܟܠ ܐܢܫ
ܡܬܒܥܪ.

ܡܛܠ ܕܛܢܢܗ ܕܓܒܪܐ ܡܢ ܚܒܪܗ.
ܘܟܢ̈ܕܐ ܢܫܟܚܢ ܘܛܒܢ. ܕܐܝܟܢܐ ܡܢܗܘܢ̱ ܩܢܝܢܐ ܢܬܒܪܐ
ܡܢ ܒܝܬܐ ܢܟܪܫ ܠܗ: ܘܟܠ ܩܢܝܢܐ ܕܠܐ ܕܝܠܗ ܒܚܪ̈ܝܬܐ
ܢܫܬܠܛ. ܘܐܢ̱ ܗܘ ܕܡܢ | ܛܠܘܡܝܐ ܘܒܘܠܐ ܒܒܬܪܗ ܢܦ̇ܩܐ 134rb
ܘܢܬܬܪ. ܒܫܒܬܗ ܢܚܡܝܐ ܘܢܕܘܟܐ ܡܢܗܘܢ̱ ܡܩܛܠܗ. ܘܡܢܐ
ܕܢܘ ܥ̈ܠܠܬܗ ܕܡܢ ܒܠ ܛ̈ܒܝܢ ܡܬܢ̈ܝܢ̱. ܥܕܠܐ ܕܒܠܘܒܬܐ

ܘܛܠܝܐ ܒܪܫܥܗ ܒܡܪܕܝܬܗܘܢ ܡܬܛܦܠ. ܘܡܢ ܡܠܘܬܐ ܕܪܫܝܥܗܘܢ ܐܒܗܝܗܘܢ ܡܬܦܪܫ.

4, 5 ܗܫܐ ܡܛܝܡ ܐܒܗܘܗܝ، ܘܐܬܒܠ ܒܗܪܗ.

ܡܐ ܠܡ ܕܠܒܪܗ ܢܫܐ ܕܟܬܪ ܡܢ ܒܝܬܐ ܕܐܫܪ̈ܝܐ: ܒܠܘܪܐ ܕܢܫܡܐ ܙܒܢܗ ܡܬܛܦܠ. ܒܗ ܡܬܒܪܟ ܘܟܒܐ. ܕܠܒܢܘ ܢܛܠܩ. ܘܐܦ ܐܝܟ ܙܒܢܗ ܠܐ ܡܫܒܚ ܒܠܘܫܗ ܡܬܒܕܠ. ܒܗ ܦܪܝ ܕܒܠܗ̇ ܡܫܒܘܬܐ ܠܘܬܗ ܗ݁ܝ ܥܠ ܒܝܬܐ ܠܐ ܬܦܠ ܒܐܒܗܘܗܝ، ܘܒܡ ܢܦܫܗ ܡܬܬܕܝܢ ܗܫܠܐ: ܕܐܝܟܢܐ ܠܡ ܐܢܐ ܠܐ ܐܫܒܘܩ ܦܘܪܫܐ ܠܫܪ̈ܟ ܐܝܟ ܢܒܪ. ܘܗܠܝܢ ܡܝ̈ܬܐ ܕܗܢܐ ܐܝܟ ܕܒܪ̈ܝܬܐ ܒܒ̈ܢܝܗܘܢ ܡܬܢܚܝܢ. ܙܘ̈ܪܝܢ ܕܝܢ ܒܒ̈ܢܝܗܘܢ ܘܡܢܬ̈ܝܢ. ܘܗܠܝܢ ܢ̈ܫܐ ܡܝܬܐ ܐܢܝܢ ܕܠܐ ܗܘ̈ܝ، ܕܢܝܚܘ | ܒܗ ܐܒܢܐ ܡܢܗ ܦܘܪܫܢܐ ܕܒܘܢܝܗ: 134va
ܘܠܐ ܡܫܬܒܠ.

4, 6 ܕܗܐ ܟܠ ܡܠܐ ܥܘܕܠܐ ܠܢܫܐ: ܡܢ ܡܠܐ ܣܘܟܠܐ ܒܡܠܐ ܘܛܘܪܦܐ.

ܠܟ ܠܡ ܐܡܪ ܐܢܐ ܐܘ ܕܒܘܝܐ. ܡܫܒܚܬܗ: ܐܬܚܫܒ ܒܢ̈ܫܐ ܐܒܘ̈ܪܐ ܕܡܟܐ ܐܢܬ. ܡܛܠ ܕܡܢܬܪܝܢ ܐܢܘܢ ܡܢ ܢ̈ܫܐ ܙܘ̈ܒܪܐ ܕܠܢܬ ܐܢܘܢ ܠܟ. ܕܠܡܐ ܒܗ ܗܠܝܢ ܫܒܡ ܐܢܬ ܡܛܠ ܕܐܒܘ̈ܪܝܢ: ܗܠܝܢ ܕܦܒܪ ܐܢܬ ܠܐ ܢܦܠܘܢ ܒܐܢܒܟ. ܐܦ ܠܐ ܕܝܢ ܢܦܠܝܢ ܒܐ̈ܢܒܟ ܒܠܒܒ ܒܡܠܐ ܘܛܘܪܦܐ ܘܬܒܥܐ. ܘܡܢ ܒܬܪ ܗܠܝܢ: ܣܛܢܬܐ ܣܘܢܬܐ

80 ܕܗܐ - 87 ܬܒܥܐ B.
80 ܗܐ B ܡܢ > B.
86 ܐܦ - ܒܐ̈ܢܒܟ > B.

ܢܚܝܠܬܐ ܡܘܪܒܐ ܠܟ. ܡܢ ܒܬܪ ܕܝܢ ܣܟܠܘܬܐ: ܡܛܠ ܒܪܢܫܐ
ܕܕܝܢܐ ܘܥܘܢܫܐ ܕܠܥܠܡ.

4, 7 ܘܗܦܟܬ ܐܢܐ ܘܚܙܝܬ ܗܒܠܐ ܬܚܝܬ ܫܡܫܐ.
ܗܦܟܬ ܠܝ ܘܚܙܝܬ ܐܫܟܚܬܐ ܐܚܪܝܐ ܕܥܠܘܒܘܬܐ. ܘܟܡܢܐ
ܦܪܫ ܐܬܕܪܟܬ.

4, 8 ܐܝܬ ܚܕ ܘܠܝܬ ܬܪܝܢ. ܘܒܪܐ ܘܐܚܐ ܠܝܬ ܠܗ.
ܠܗܘܢ ܠܝ ܒܠܫܢܐ ܐܚܪܢܐ ܐܝܬ ܠܗܘܢ ܬܠܬܐ ܒܡܐ
| ܘܒܢܝܐ ܕܒܥܝܢ ܠܗܘܢ ܠܡܣܒ ܘܠܡܬܠ ܘܠܡܗܝܡܢܘ ܢܫܐ 134vb
ܘܒܢܝܐ ܘܒܢܬܐ. ܘܐܡܗܬܐ ܘܒܢܝ ܒܝܬܐ ܕܗܠܝܢ. ܗܪܟܐ
ܕܝܢ ܚܕ ܒܠܚܘܕ ܕܗܘܐ، ܡܢ ܟܠܗܝܢ ܗܠܝܢ ܫܪܐ ܐܢܐ
ܕܒܪܐ ܐܘ ܐܚܐ ܠܝܬ ܠܗ ܐܦܠܐ ܒܢܬܐ ܘܐܡܗܬܐ ܐܠܐ ܡܢ
ܟܠ ܓܒܝܢ ܡܫܠܡ ܘܡܥܘܚܕ ܐܝܟ ܐܝܠܢܐ ܕܗܘܐ، ܡܢ ܦܐܪܐ.
ܘܠܐ ܟܠܠܘܬܐ ܕܐܒܗܬܐ: ܘܠܐ ܟܠܠܘܬܐ ܕܟܠ ܒܢܝܐ ܘܐܦܠܐ
ܟܠܠܘܬܐ ܕܟܠ ܚܝܡܐ. ܠܗܘ ܓܝܪ ܕܒܕܐܝܟ ܗܢܐ ܠܢܫܐ
ܐܚܕ. ܓܠܝܐ ܕܓܠܝܢ ܗܘ ܐܦ ܡܢ ܒܘܗܡܐ ܕܚܒܝܒܐ. ܐܠܐ
ܘܒܕ ܛܒ ܗܘܝܢ ܡܢ ܟܠ ܓܒܝܢ ܡܥܘܚܕ.
ܠܝܬ ܣܘܦ ܠܟܠ ܥܡܠܗ.

90 ܘܗܦܟܬ - 98 ܘܐܡܗܬܐ *B*.
97 ܒܠܚܘܕ > *B*.
98 ܐܦܠܐ > *B*.
100 ܘܠܐ - 110 ܠܢܫܐ *B*.
100 ܘܠܐ] ܘܠܝܬ ܠܗ *B* ܟܠܠܘܬܐ[1] + ܠܐ *B*
ܟܠܠܘܬܐ[2] - ܒܢܝܐ] ܕܒܢܝܐ *B*.
ܘܐܦܠܐ - 101 ܚܝܡܐ] ܠܐ ܕܚܝܡܐ *B*.
101 ܠܗܘ] ܘܗܘ *B* ܗܠܝܢ ܢܫܐ *B*.

ܣܝܒܘܬܗ ܠܡ ܗܝܡܢܐ ܗܘ̇ ܡܢ ܚܠܡܗ: ܘܪܓܬܗ ܡܢ ܒܚܠܡܗ.
ܘܐܦ ܒܢܝܗ ܠܐ ܦ̈ܪܚܐ ܒܘܬܪܐ.
ܘܒܗ̇ ܓܒ ܒܢܫ ܘܒܬܪ ܘܦܩܪ ܡܠܝܢܗ: ܠܐ ܗܒܒܬ
ܒܢܝܗ ܡܢ ܢܒܠܘܬܗ ܘܡܢ ܒܬܪ ܒܚܠܐ ܘܬܒܫܐ ܗܝܡܢܐ. ܗܘ
ܒܫܠܡܘܬܗ ܡܕܡܝܬܐ ܗܘ̇ ܘܡܕܡ ܡܢ ܗܝܡܢܬ ܡܠܝܢܗ ܠܐ
ܢܬܪ. ܒܕܠܐ ܐܢܫ ܕܠܝܛܗ ܢܦܩ ܒܡܐ ܓܢܪ ܕܚܕܠ ܗܘܐ
| ܠܚܪܗܦ ܘܠܡܒܠܥܗ ܒܗܬܪܐ. ܗܒܠܐ ܡܬܡܣܟܢ ܗܘܐ ܒܒ̈ܢܝܢ 135ra
ܢܒܠܘܬܗ ܡܠܝܢܗ. ܘܒܡܐ ܕܡܬܦܪܥ ܗܘܐ ܕܢܦܩܝܐ ܠܗ ܒܗܬܪܐ:
ܗܒܠܐ ܡܬܡܬܢܐ ܗܘܬ ܪܓܝܬܗ ܒܠ ܡܠܝܢܐ ܕܐܣ̈ܝܢܐ. ܒܗܬܪܐ
ܓܢܪ ܢܫܝܒ ܗܘܐ ܠܗ ܒܗܬܪܐ: ܒܕܡܐ ܕܠܘܬܗ ܢܐܬܐ.
ܒܪܫܬܗ ܕܝܢ ܕܠܘܬܗ ܚܪܠ ܗܘܐ: ܒܡܣܒܠܘܬܐ ܡܢ ܢܒܠܘܬܗ
ܡܬܢܠܦ ܗܘܐ. ܗܠܝܢ ܕܒܕ ܡܕܡ ܠܐ ܫܦܝܪ ܗܘܐ ܠܗ: ܡܢ
ܒܠܗܝܢ ܛ̈ܒܬܐ ܫܦܝܪ ܗܘܐ. ܥܒܕ ܕܝܢ ܗܘܒܐ ܦܘܪܩܢܐ
ܕܢܒܠܐ ܫܒܝܚܐ ܥܠܝܡܘ̈ܗܝ. ܘܠܒܢ̈ܝܢܘܬܗ ܦ̈ܩܕ ܗܘܐ ܒܕ ܐܚܪ̈ܢ.
ܕܠܡܠܐ ܐܢܐ ܚܪܠ ܐܢܐ ܘܡܫܝܢܐ ܐܢܐ ܠܦܢܫ ܡܢ ܛܒܬܐ.
ܗ̇ܝ ܕܡܢ ܗ̇ܝ ܙܕܩ ܗܘܐ ܕܬܬܐܡܪ ܒܠ ܦܘܪܩܢܗ ܢܦܫ ܠܗ̇.
ܒܠ ܡܠܐ ܠܡ ܒܕ ܛܒܬܐ ܘܠܐ ܫܕܐ ܫܦܝܪܐ ܠܟ: ܒܝܬܒܠܟ
ܡܡܢܢ ܐܢܬ ܡܢ ܒܠܗܝܢ ܛ̈ܒܬܐ: ܘܐܝܟ ܗ̇ܘ ܕܠܗܕܐ
ܬܪܒܝܬܐ ܦ̈ܫܪ ܒܕ ܐܚܪ̈ܢ.
ܕܐܦ ܗܢܐ ܗܒܠܐ ܘܒܠܝܢܐ ܒܢܝܫܐ.

107 ܘܠܐ *B*.
109 ܗܝܡܢܘܬ *B*.
110 ܐܢܬܪ *B*.

135rb ܡܢ ܕܫܘܝ ܕܪܥܝܢ | ܐܝܟ ܚܝܘܗܝ ܕܐܢܫܐ ܕܗܒܠܐ ܐܝܬܘܗܝ. ܗܢܝܢ ܡܥܒܪ ܠܗ ܠܐܘܪܚܐ ܕܡܪܫܥܘܬܐ. ܒܗ ܐܡܪ.

4, 9 ܛܒܝܢ ܬܪܝܢ ܡܢ ܚܕ ܕܐܝܬ ܠܗܘܢ ܐܓܪܐ ܛܒܐ ܒܥܡܠܗܘܢ.

ܐܬܒܣܡ ܠܟ ܐܘ ܓܒܪܐ ܒܥܡܠܟ. ܘܫܬܦ ܐܦ ܠܐܚܪܢܐ ܒܛܒܬܟ. ܕܐܦ ܡܢ ܙܒܢܟ ܗܕܐ ܬܥܒܕ ܐܓܪܐ ܛܒܐ ܐܝܬ ܠܟ ܒܥܡܠܟ. ܘܐܦ ܕܝܢ ܠܐ: ܕܠܐ ܡܢ ܙܒܢܟ ܛܒܬܟ ܠܐܚܪܢܐ ܡܬܚܫܒܢ. ܐܡܠܠܐ ܓܝܪ ܡܢܐ ܐܝܬ ܕܒܛܒܬܟ ܒܠܚܘܕܝܟ ܬܬܒܣܡ. ܐܦ ܓܝܪ ܡܢ ܙܒܢܟ ܠܐ ܬܦܪܘܫ ܗܕܐ: ܕܠܐ ܡܢ ܙܒܢܟ ܗܘܐ ܡܬܒܪܐ. ܒܡܕܪܢܐ ܓܝܪ ܪܒܐ ܡܦܝܣ ܠܟ ܐܦ ܗܪܟܐ: ܡܢܐ ܕܒܛܒܬܟ ܠܐܚܪܢܐ ܡܫܬܘܦ ܐܝܬ. ܠܘ ܓܝܪ ܒܠܚܘܕ ܒܗܠܝܢ ܕܒܬܝܢ ܐܓܪܐ ܛܒܐ ܗܘܐ ܡܬܚܕܐ ܠܟ. ܐܠܐ ܐܦ ܒܗܢܐ ܥܠܡܐ: ܒܡܕܪܢܐ ܘܢܝܚܐ ܒܚܕܐ ܠܟ. ܡܛܠ ܕܠܐ ܥܒܝܢ ܙܒܢܝܗܘܢ ܕܒܢܝ ܐܢܫܐ. ܘܠܐ ܡܫܢܐ ܕܠܒܪ ܒܠ ܫܕܕܐ ܠܐ | ܢܗܘܘܢ

135va ܡܬܦܢܝܢ. ܡܛܠ ܗܢܐ ܙܕܩ ܕܒܢܝܢܐ ܕܛܒܬܟ ܫܘܬܦܘܬܐ ܬܥܒܕ ܠܟ. ܕܐܦ ܢܗܕܫ ܘܛܒܬܟ ܢܬܬܠܘܢ ܒܒܢܝܫܬܐ: ܒܡܕܪܢܐ

125 ܡܢ - 133 ܡܬܚܫܒܢ *B*.
125 ܗܘܝ *B*.
141 ܕܒܢܝܢܐ - 165 ܗܠܝܢ *B*.
141 ܕܒܢܝܢܐ] ܒܢܕ ܠܟ ܕܝܢ ܫܘܬܦܘܬܐ ܒܒܢܝܢܐ ܕܛܒܬܟ *B*
ܫܘܬܦܘܬܐ - 142 ܠܟ < *B*.
142 ܬܢܕܫ *B*.

ܦܓܪܐ ܡܢ ܪ̈ܘܚܢܟ ܬܫܒܘܚ ܠܟ. ܘܒܢܝܢ ܡܫܘܠܛܐ ܕܡܢ
ܢܦܫܐ: ܘܡܝܡܪܐ ܫܒܕܘܪܐ ܒܐ̈ܕܢܝܗܘܢ ܬܫܒܘܚ ܠܟ. ܡܛܠ
4, 10 ܕܐܢ ܢܦܠܘܢ ܚܕ ܡܩܝܡ ܚܒܪܗ.
ܒܕܡܘܬܐ ܠܡ ܕܚܕ ܡܢ ܡܠܝܠܐ ܡܝ̈ܬܐ ܕܡܢܝܬ ܢܬܚܫܒ ܠܟ
ܕܐܝܬܝܗܘܢ، ܐܦ ܪܘܚܐ. ܗ̇ܘ ܕܒܢܝܢܐ ܕܐܘܠܨܢܐ ܐܝܟ ܕܒܡܠܝܢܟ
ܡܬܚܫܒ ܐܢܬ ܒܗ ܠܒܕܪܢܐ ܕܢܦܫܟ.
ܘܝ ܠܗ ܕܝܢ ܠܚܕ ܕܐܢ ܢܦܠ ܠܝܬ ܡܢ ܕܢܩܝܡܗ.
ܗ̇ܘ ܕܝܢ ܕܡܢ ܗܕܐ ܡܠܬܐ ܕܚܒܝܒܐ ܡܫܘܚܕ: ܠܘܝܐ
ܐܬܬܚܝܡ ܠܝ ܕܫܘܐ: ܚܬܝܪܐܝܬ. ܒܕ ܢܩܕܫ ܘܡܪܝܫܐ ܒܝܫܐ
ܢܬܬܐ ܒܠܒܗ، ܗܕܝܢ ܒܪ ܒܠܥܕܘܗܝ، ܒܟܫܝܬܗ ܡܬܒܪ.
ܐܝܠܝܢܐ ܕܐܦ ܫܘܐ. ܗ̇ܘ ܒܪ ܕܒܦ̈ܠܛܬܗ ܠܐܚܪܢܐ ܒܥܠܗ ܠܐ
ܫܘܬܦ: ܒܠܥܕܝ ܗܝ، ܕܐܦ ܒܟܫܝܬܗ ܒܠܥܕܘܗܝ، ܦܠܚ | ܠܗܝ. 135vb
ܘܕܢܬܚܪܐܝܬ ܢܦܠ ܒܕܘܪܢܐ ܕܗ̇ܘܐ ܠܪܘܚܐ ܡܢ ܪܘܚܗ
ܒܢܝܢ ܐܘܠܨܢܐ: ܒܬܘܚܝܬܐ ܡܬܚܫܒ. ܒܕ ܐܚܪ̇.
4, 11 ܘܐܢ ܢܫܟܒܘܢ ܬܪ̈ܝܢ ܢܫܚܢܘܢ. ܘܚܕ ܐܝܟܢܐ ܢܫܚܢ.
ܗܪܟܐ ܠܐܒܗ̈ܐ ܡܫܬܥܐ ܕܒܠ ܒܒܢܝ̈ܢܐ ܐܬܝܢ: ܒܬܫܬܐ ܟܠܗ
ܐܝܟܢ ܠܪܘܚܐ ܕܝܢ ܕܡܢ ܪ̈ܘܚܐ ܡܬܒܕܪܝܢ ܒܢܝܢ ܡܫܬܪܝܐ:

143 ܪ̈ܘܚܟ *B*.
144 ܡܘܡܪܐ *B* ܒܐ̈ܕܢܘܗܝ *B*.
146 ܕܡܢܝܐ ܐܢܬ *B*.
149 ܕܢܩܝܡܘܗܝ *B*.
153 ܒܥܠܗ ܠܐܚܪ̈ܢܐ *B*.
154 ܡܫܘܬܦ *B*.
159 ܡܢ *B*.

ܗܡ ܐܟܘܬ ܐܢܫ ܠܡܫܟܢܐ ܕܡܢ ܠܡܫܟܢܐ ܡܬܒܣܝܢ ܒܐܒܠܐ
ܕܬܘܬܐ: ܚܕ ܠܡ ܐܝܟܢܐ ܢܫܚܢ. ܕܐܫܬܚܢ ܕܐܝܟܢܐ ܚܕ
ܒܠܚܘܕܘܗܝ ܡܫܟܚ ܕܢܚܪܐ ܠܗܦܟ ܘܡܣܒܠܐ ܗܠܝܢ ܕܒܝܬ
ܒܒܢܝܫܐ ܦܪܝܫܢ. ܠܗܝ ܕܝܢ ܕܐܡܝܢܐܝܬ ܦܪܝܫܢ ܕܐܝܟ:
ܠܗܝ ܕܐܡܝܢܐܝܬ ܐܦ ܫܬܘܐ ܗܘܐ ܘܐܢܫ ܠܐ ܕܡܢ ܗܢܐ
ܠܝܬ ܠܡܕܪܘ. ܗܟܢܐ ܐܦ ܠܐ ܡܢ ܗܠܝܢ. ܒܡܕܪܐ ܕܝܢ
ܡܕܡ ܡܫܟܚ ܠܡܥܒܕܘ ܠܝ. ܘܒܗܢܐ ܘܒܗܘ ܛܒ ܗܘ
ܕܡܢܐܬ ܒܠ ܢܦܫ ܢܬܦܠܠ ܠܝ. ܠܗܢܐ ܒܢܝ ܫܘܝܢܐ
ܕܡܒܪܬܐ ܠܗܘ ܕܝܢ ܒܢܝ ܒܡܕܪܐ ܕܡܢ ܬܪܬܝܢ.
4, 12 ܘܐܢ ܢܬܩܦ ܚܕ ܬܪܝܢ ܢܩܘܡܘܢ | ܠܘܩܒܠܗ. 136ra
ܘܐܢ ܗܘ ܠܡ ܕܒܩܬܐ ܢܩܘܡ ܬܪܝܢ ܡܢ ܚܕ ܒܪܫܟܬܗ
ܕܠܬܪܝܢ ܡܬܩܠܝܢ ܡܢ ܚܝܠܗܝܢ ܡܬܒܪܝܢ.
ܘܚܘܛܐ ܕܬܠܬܐ ܠܐ ܒܥܓܠ ܡܬܦܣܩ.
ܐܢ ܕܝܢ ܐܦ ܢܩܘܡܘܢ ܬܪܝܢ ܡܒܕܪܐ ܡܢ ܗܡܒܠܐ:
ܡܢܝܢܐܝܬ ܢܦܫܐ ܡܬܚܝܠܐ ܕܡܢ ܒܩܬܐ ܠܐ ܬܬܕܒܪ. ܡܛܠ
ܕܝܢ ܕܗܝܡܢܘܬܐ ܬܪܬܝܢ ܒܢܝ ܗܝܡܢܘܬܐ ܚܝ̈ܠܐ ܒܠܒܐ
ܡܬܒܢܝܐ: ܕܠܒܐ ܡܢ ܢܛܪܘ ܬܘܗܐ ܠܗ ܡܠܬܗ ܢܝܚ
ܐܝܠܝܢ ܕܚܝܠܐ ܠܝܬ ܠܗܘܢ. ܘܗܦܟ ܒܪܘܚܐ ܢܒܕܩܘܢ
ܠܘܩܒܠܗ ܡܢ ܬܠܬܗܝ: ܐܝܠܝܢ ܕܐܦ ܠܐ ܬܪܬܝܢ ܐܦ ܠܐ
ܚܝ̈ܠܐ ܐܝܬ ܠܗܘܢ. ܡܢܘܐ ܠܗܘܢ ܕܠܐ ܡܕܡ ܡܬܒܪܐ

162 ܕܢܚܪܐ] ܕܢܚܝܪܐ *A*.
164 ܗܢܐ] ܫܬܘܐ *B*.
169 ܘܐܢ - 174 ܬܬܕܒܪ *B*.

ܡܫܒܚܘܬܐ ܠܐܝܠܐ ܕܝܼܠܕܐ. ܠܘܬ ܒܥܠܐ ܕܦܬܟ̈ܪܐ ܠܡܬܦܪܥܘ:
ܒܗ ܐܡܼܪ.
4, 13 ܛܒ ܛܠܝܐ ܕܡܫܡܫ ܘܣܒܝܡ: ܡܢ ܡܠܟܐ ܗܒܐ
ܕܗܒܠ.
ܡܫܒܚ ܐܢܬ ܠܡ ܕܐܦ ܒܗ ܩܢܝܢܐ ܠܐ ܩܢܐ ܐܢܬ: ܛܘܒܐ
ܠܟ ܝܚܝܕܐ ܕܫܪܪܐ: ܒܗ ܚܒܝܒܘܬܐ ܘܝܕܥܬܐ ܘܕܘܒܪ̈ܐ
136rb ܫܦܝܪ̈ܐ. ܐܦ | ܠܐ ܓܝܪ ܒܗ ܢܦܠܟ ܐܢܫ: ܐܢ ܗܘ
ܕܟܐܝܢܘܬܐ ܒܠܒܗܘܢ ܠܐ ܢܫܒܘܩ: ܕ̈ܝܢܐ ܕܫܪܪܐ ܠܡܩܝܡܐ.
ܠܐ ܡܨܐ ܠܬ̈ܪܝܢ ܦ̈ܬܓܡܝܢ ܚܢܢܐ ܡܠܬܗ ܕܢܒܝܝܐ ܥܠܝܗܘܢ.
ܩ̈ܢܐ ܓܝܪ ܕܒܝܬ ܗܠܝܢ ܕܐܡܪ ܢܫܐ: ܕܠܐ ܙܕܩ ܠܡܒܥܐ
ܒܪܫܘܡܬܐ ܕܐܝܠܝܢ ܕܡܫܡܫܝܢ: ܐܝܟ ܢܡܘܣܐ ܕܒܗ ܡܫܡܫܘܬܗܘܢ
ܡܬܐܡܪܐ ܦܠܝܛܬܐ. ܐܦ ܠܐ ܕܦܠܓ ܐܢܫܪܐ ܐܘ ܒܬܪܬܐ
ܢܦܩܐ ܠܝ ܕ̈ܝܢܐ: ܐܝܠܝܢ ܕܒܠ ܡܫܬܪܝܬܐ ܠܐ ܒܦܠܓ
ܠܗܘܢ ܐܦ ܐܢ ܢܗܘܐ ܕܒܡ ܐܢܫܪܐ ܕܡܠܒܘܬܗܘܢ ܢܗܘܘܢ
ܡܬܒܬܝܢ ܐܦ ܒܗܕܪܐ ܕܫܒܘܬܐ. ܐܝܟܐ ܓܝܪ ܕܒܕܘܒܪ̈ܐ
ܕܡܫܬܪܝܬܐ ܠܐ ܡܫܕܪ: ܠܘܬ ܬܘܒܠܢܐ ܒܠ ܪܫܘܡܬܗ: ܐܦ
ܠܐ ܐܢ ܦܠܓܐ ܗܘ. ܡܛܠ
ܕܠܐ ܢܒܒ ܠܦܘܪܫܢܘ.
ܦܝܫܐ ܠܡ ܕܐܝܟ ܦܠܓܐ ܐܝܬܘܗܝ ܐܘ ܗܒܐ: ܒܝܬ ܒܠܝܢܐ
ܕܪܫܘܡܬܐ ܠܦܘܪܫܢܘ ܫܦܝܪ ܠܐ ܣܒܡ: ܕܪܒܐ ܕܝ ܡܢ
ܒܠܗܝܢ ܗܕܐ: ܕܐܦ ܠܐ ܒܠ ܐܢܫܪܐ | ܕܡܠܒܘܬܗ ܡܫܒܚܝܢ 136va
ܕܢܦܩܪ. ܕܗܒܝܐ ܡܫܘܐ ܒܗ ܠܐ ܡܫܬܚܠܦ. ܙܒ̈ܢܐ ܓܝܪ
ܕܒܠ ܒܢ̈ܝ ܐܢܫܐ ܡܫܬܠܡܝܢ: ܐܝܟ ܐܢܫܬ ܕܠܗܝܐ ܡܒܒܘ:
ܘܐܝܟ ܐܢܫܬ ܕܠܗܝܐ ܙܒܢܘ. ܡܕܝܢ ܠܐ ܒܪܫܡܐ ܒܬܪܬܐ ܢܦܬܟܪ

ܡܛܠ ܒܥܘܬܗ: ܘܠܐ ܠܢܣܒܐ ܡܫܒܘܢܐ ܢܫܬܘܕܥܘܢ، ܡܛܠ ܡܫܒܘܢܘܬܗ.
4, 14 ܡܛܠ ܕܡܢ ܒܝܬ ܐܣܝܪ̈ܐ ܢܦܩ ܠܡܡܠܟܘ.
ܠܐ ܓܝܪ ܕܗܢܐ ܒܡܫܒܘܢܘܬܗ ܡܩܘܐ ܬܒܝܠܝܢ: ܘܐܦ ܠܐ
ܕܓܒ̈ܐ ܗ̇ܘ ܒܐܣܝܪܐ ܕܫܘܠܛܢܗ ܡܚܕ̈ܬ ܡܦܩܝܢ ܐܢܫ. ܒܗܢܐ
ܓܝܪ ܕܒܢܝ̈ ܡܢ ܗܠܝܢ ܕܒܗܝܢ ܗܘܘ ܘܒܝܢܝܢ ܡܢ ܟܠ
ܐܢܫ: ܐܬܕܪܟܘ ܘܐܬܘ ܠܕܪ̈ܓܐ ܕܡܠܟܘܬܐ.
ܡܛܠ ܕܐܦ ܒܡܠܟܘܬܗ ܐܬܝܠܕ ܡܣܟܢ.
ܘܓܕܫܬ ܕܡܢ ܗܠܝܢ ܕܟܠ ܐܕ̈ܓܢܐ ܒܡܠܟܘܬܐ ܐܝܠܝܢ:
ܡܢ ܟܠܗ ܐܝܣܘܪܐ ܐܝܟܢܐ ܢܬܠܟܘܢ. ܘܫܪܒܐ ܕܟܠܗ
ܒܡܪܗܘܢ ܒܡܫܒܘܬܐ ܘܫܘܠܛܬܐ ܢܕܒܪܘܢ ܚܝ̈ܝܗܘܢ.
4, 15 ܘܚܙܝܬ ܟܠ ܚܝ̈ܐ ܕܡܗܠܟܝܢ ܬܚܝܬ ܫܡܫܐ.
ܘܐܝܟܐ ܠܡ ܚܙܝܬ ܒܗܢܐ ܐܒܝ̈ܫܐ | ܫܘ̈ܠܛܢܐ ܕܐܝܟ ܗܠܝܢ 136vb
ܒܒ̈ܢܝܢܫܐ: ܐܝܠܝܢ ܕܚܝܝܢ ܘܡܗܠܟܝܢ ܬܚܝܬ ܫܡܫܐ.
ܕܗܠܝܢ ܕܐܬܝܗܘܢ ܗܘܘ ܡܕܡܝ̈ܢܐ ܒܪܒܘܬܐ. ܘܒܫܘܠܛܢܐ ܘܒܡܠܟܘܬܐ
ܘܐܝܣܘܪܐ ܒܗܝܠܝܢ ܗܘܘ ܐܝܟ ܫܪܒܐ ܕܟܠ ܐܢܫ ܐܦ ܗ̇ܢܘܢ
ܓ̇ܢܘ ܡܢ ܟܠܗܘܢ. ܘܟܠܗ ܫܘܒܚܐ ܘܐܝܣܘܪܐ ܐܢܫܝܐ
ܕܗܠܝܢ ܗܘܘ: ܫܒܩܘ ܠܗ̇ܢܘܢ ܕܐܬܝܢ ܗܘܘ ܡܢ ܒܬܪܗܘܢ
ܘܡܢ ܚ̈ܝܝܗܘܢ، ܘܡܢ ܒܬܪܗ. ܒܠܚܘܕ ܚܕ ܡܢܗܘܢ ܡܠܟܐܝܬ
ܡܬܝܠܕ ܗܘܐ. ܘܒܬܪܐ ܘܐܝܣܘܪܐ ܕܒܗ ܗܢܐ ܐܝܬܘܗܝ ܗܘܐ:
ܦܫ ܕܢܗܘܐ ܒܗ ܗܠܝܢ ܕܐܬܝܢ ܡܢ ܒܬܪܗ. ܐܦ ܡܕܒܪܢܐ
ܐܘ ܡ̇ܠܟܐ ܢܗܘܐ ܐܝܬܘܗܝ: ܠܐ ܡܢܐ ܕܒܡܗ ܢܦܩ ܐܝܣܘܪܗ ܐܠܐ ܗܘ
ܒܪܛܠܝܬ ܫ̇ܒܩܐ ܡܢ ܟܠܗ ܒܬܪܗ. ܐܝܣܘܪܗ ܕܝܢ ܡܬܛܠܪ ܕܢܗܘܐ
ܒܡ ܟܠܡܟܐ ܬܚܝܬ ܕܢܦܘܩ ܚܠܦܘܗܝ.
ܗܘ ܠܡ ܫ̇ܒܩܐ ܐܝܟ ܫܪܒܐ ܕܟܠܝܫ ܘܒܡܝ̈ܬܐ ܕܗܠܝܢ ܕܗܘܘ

ܡܢ ܩܕܡܘܗܝ ܐܦ ܗܘ ܡܬܚܠܦ ܘܟܡ ܕܐܝܬ ܩܕܡܝܐ ܕܕܒܪܘ
137ra ܒܥܘܠ ܐܚܪܢ | ܠܗ ܕܘܟܬܐ.
4, 16 ܘܠܝܬ ܗܘܦ ܠܟܠ ܒܡܟܐ: ܠܟܠܗܘܢ ܕܗܘܘ ܡܢ ܩܕܡܘܗܝ.
ܘܠܐ ܗܘܐ ܠܢ ܠܗ ܒܠܚܘܕ ܗܒܠܐ ܟܕܫ. ܡܛܠ ܕܠܟܠܗܘܢ
ܕܗܘܘ ܡܢ ܩܕܡܘܗܝ ܚܪܬܐ ܕܐܝܟ ܗܕܐ ܟܕܫܬ.
ܐܦ ܐܚܪܝܢܐ ܠܐ ܢܣܒܘܢ ܒܗ:
ܐܦ ܠܫܡܥܘܢ ܕܝܢ ܕܐܬܐܝܢ ܡܢ ܒܬܪܗ: ܐܦ ܒܕ ܠܐ ܢܦܩܘܢ:
ܕܐܝܟ ܗܕܐ ܚܪܬܐ ܟܕܫܐ ܠܗܘܢ.
ܐܦ ܗܢܐ ܗܒܠܐ ܘܦܪܘܫܐ ܕܪܘܚܐ.
ܘܗܝ ܠܢ ܗܕܐ ܗܘܟܐ ܠܒܢܝܢܫܐ ܡܚܝܡܐ ܠܗܘܢ. ܕܚܪܬܐ
ܕܐܝܟ ܗܕܐ ܠܢܕܕܐ ܘܠܡܣܡܘܗܘܢ ܢܚܝ. ܐܝܬ ܕܝܢ ܡܐ
ܕܗܠܝܢ ܢܚܐ ܐܝܬ: ܐܘܕܗܪ ܡܢ ܣܥܪܐ ܫܡܥܘܢ ܕܡܬܒܕܠܝܢ
ܒܡܕܒܪܢܘܬܐ ܕܐܠܗܐ. ܘܢܛܪ ܠܗܠܝܢ ܕܡܢ ܐܠܗܐ ܡܬܬܒܪܢ.
ܢܬܪ ܡܢ ܣܥܪܐ ܕܢܥܟ. ܡܛܠ ܕܠܐ ܦܩܡ ܐܝܬ ܠܟܒܕ
ܒܠܬܐ ܕܠܗܢܐ ܗܒܝܐ ܐܬܬܒܪ. ܐܠܗܐ ܓܝܪ ܒܥܒܪܝܐ ܘܒܚܪܬܐ
ܕܟܠ ܡܕܡ ܢܚܪ. ܐܝܬ ܕܝܢ ܒܐܒܝܐ ܐܕܘܪܐ ܕܡܕܡܝܟ ܢܚܪ
ܐܝܬ. ܒܕ ܐܦܠܐ ܒܠ ܒܠܗ ܥܠܝܟ ܐܝܬ ܒܐܝܕܒܬܟ. ܗܒܠܐ
137rb ܗܝ ܡܕܝܢ ܕܢܬܬܕܝܢ ܡܢ | ܣܥܪܐ ܒܝܢܬܐ ܘܡܢܝܢܐ: ܗܘ
ܣܥܪܐ ܫܠܝܡܐ ܕܓܠܐ ܢܒܥܬܐ.

V

5, 1 ܛܪ ܪܓܠܟ ܡܐ ܕܐܙܠ ܐܢܬ ܠܒܝܬ ܐܠܗܐ.
ܗܠܟܬܐ ܗܪܟܐ ܚܠܦ ܚܘܫܒܐ ܗܘ. ܘܪܓܠܐ ܚܠܦ ܬܪܥܝܬܐ.
ܛܪ ܠܗ ܬܪܥܝܬܟ ܡܐ ܕܥܠ ܐܠܗܐ ܚܘܫܒܐ ܦܠܚܝܢ ܠܟ.
ܘܩܪܘܒ ܠܡܫܡܥ ܛܒ ܡܢ ܡܘܗܒܬܐ ܕܣܟ̈ܠܐ.
ܗ̇ܝ ܕܩܪܘܒ ܠܡܫܡܥ: ܐܫܬܡܥ ܠܗ ܒܐܝܕܥܬܟ ܠܗܠܝܢ ܕܡܢ
ܐܠܗܐ ܡܬܡܠ̈ܠܢ. ܟܕ ܢܠܦ ܐܢܬ ܕܡܟܝܠ ܐܦ ܥ̇ܠܐ ܗܘܐ
ܕܢܗܘܐ. ܡܬܬܪܐ ܗܝ ܓܝܪ ܗܕܐ ܕܠܐܠܗܐ ܒܗܠܝܢ ܕܡܢܗ
ܡܬܡܠ̈ܠܢ ܢܗܘܐ ܫܡܥܝܢ. ܐܘ ܕܒܗ ܣܟ̈ܠܐ ܢܬܘܬܦ. ܟܕ
ܡܬܕܒܪܝܢ ܒܡܕܒܪܢܘܬܗ. ܘܫܦܝܪ ܗܝ ܡܘܗܒܬܐ ܚܠܦ ܡܠܬܐ.
ܐܢ ܢܗܘܐ ܠܗ ܕܠܘ ܡܠܬܐ ܚܫܝܟܬܐ ܐܠܐ ܐܦ ܡܘܗܒܬܐ
ܢܬܠܘܢ ܠܟ ܗ̇ܢܘܢ ܕܐܫܬܡܥܘܢ ܣ̈ܟܠܐ: ܠܐ ܝܕܥ ܠܟ
ܕܒܥܘܕܠܐ ܕܥܠ ܐܠܗܐ ܒܐܝܕܥܬܐ ܐܚܝܕܬ ܒܠ ܢܬܒܕܠ. ܗ̇ܢܘܢ
ܓܝܪ ܕܒܕܠܝܐ ܒܬܪ ܐܠܗܐ | ܡܬܢܝܢ: ܓܠܝܐ ܗܝ ܕܐܦ ܡܢ 137va
ܦܘܩ̈ܕܢܐ ܕܛܒ̈ܬܐ ܓܠܝܙܝܢ:
ܡܛܠ ܕ̣ܝܢ ܕܠܐ ܝܕܥܝܢ ܠܡܥܒܕ ܕܛܒ.
ܗ̇ܢܘܢ ܠܗ ܕܒܥܘܕ̈ܢܝܗܘܢ ܦ̇ܠܚܬܐ ܠܐ ܡܫܬܘܕܥܝܢ: ܐܝܟܢܐ
ܒܡܕܒܪܢܘܬܐ ܕܐܠܗܐ ܡܕܡ ܚܕܬ ܠܡܥܒܕܘ ܒܐܝܕܥܬܐ
ܐܝܬ ܠܗܘܢ. ܗ̇ܢܘܢ ܓܝܪ ܕܡܕܒܪܢܘܬܐ ܕܦܘܠܚܢܗܘܢ
ܟܕ ܐܬܗܢܝܘ ܫܦܝܪ ܠܐ ܕܟܪܘ: ܐܝܟܢܐ ܠܡܕܒܪܢܘܬܐ ܕܟܠ
ܟܠ ܐܝܟ ܡܫܟܚܢܘܬܗܘܢ ܕܢܠܗܘܢ ܢܚܫܝܢ ܗܘܘ. ܡܩ̈ܕܡܐ ܓܝܪ

ܕܟܠܝܘܡܝܗܘܢ ܡܬܕܡܝܢ: ܐܬܘ̈ܬܐ ܐܝܠܝ̈ܢ ܕܢܦܫܐ ܒܪ̈ܝܬܐ
ܘܕܬܪܒܝܬܐ ܡܫܠܡܬܐ. ܗܢܘܢ ܡܛܠ ܕܡܕܒܪܢܘܬܐ ܕܦܠܘܡܝܗܘܢ
ܠܐ ܐܟܫܪܘ: ܒܐܢܫܐ ܡܝܠܐ ܐܦ̈ܐ ܒܡܕܒܪܢܘܬܐ ܕܐܠܗܐ
ܡܬܕܒܠܝܢ. ܐܦ ܓܝܪ ܟܕ ܦܓܪܐ ܚܕ ܘܢܦܫܐ ܚܕܐ
ܐܬܝܠܕܬ ܒܐܪ̈ܒܥܝܗܘܢ ܠܐ ܡܬܦܪܫܐ ܐܫܬܟܚܘ: ܘܩ̈ܛܠܐ
ܘܗ̈ܕܢܝܐ ܠܚܝܢ ܒܠܒܫ ܐܬܚܙܝܘ: ܘܡܢ ܠܗܘ ܒܢܦܫܗܘܢ
ܒܗܢܝܢ ܒܕܘܟ̈ܝܗܘܢ ܐܝܟܢܐ ܠܐ ܡܕܝܢ ܚܠܦܐ ܗܝ
ܕܡܬܠܠܐ ܘܟܝܢܐ ܕܟܠ ܕܐܝܟ | ܗܠܝܢ. ܡܪܚܘܬܐ ܗܝ ܕܟܠ 137vb
ܐܠܗܐ. ܗܘ ܕܝܢ ܗܢܐ ܦܬܓܡܐ ܒܝܚܝܐ ܐܚܪܢܐ ܗܟܢܐ
ܟܬܝܒ.

ܡܛܠ ܕܠܐ ܢܕܝܢ ܠܡܒܒܕ ܕܒܝܫ.
ܗܕܐ ܕܝܢ ܐܝܬܝܗ̇ ܡܢ ܠܐ ܟܠܝܠܘܬܐ ܕܡܦܫܩܢܐ ܘܡܢ ܠܐ
ܟܠܝܠܘܬܐ ܕܡܬܒܥܐ. ܠܝ ܕܝܢ ܐܬܚܙܝܬ ܠܝ ܕܠܒܝܫܐ
ܕܡܬܒܥܐ. ܗ̇ܝ ܕܗܦܟ ܠܫܡܐ ܡܬܢܪ ܡܢ ܗ̇ܝ ܕܒܝܫ ܕܠܐ ܕܝܢ
ܐܢܫ ܟܕ ܦܠܓ ܐܦ ܒܗܕܐ: ܢܦܪܘܫ ܒܠܝܢ ܕܚܠܝܢ ܫܠܝܛܝܢ
ܡܠܬܐ ܐܝܟ ܕܢܛܪܢܘܗܝ ܠܡܬܒܥܐ ܠܠܒܫܝܢ: ܐܝܢܐ ܠܝ ܕܢܦܫܩ
ܐܦ ܗܕܐ ܘܢܚܘܐ ܕܐܝܟ ܗܟܢܐ ܬܬܐܡܪ ܘܐܝܟ ܗܟܢܐ ܠܠܒܫܐ
ܗܢܐ ܕܚܠܝܢ ܠܫܡ ܬܬ̈ܚܝܗܝܢ ܢܫܡܗ ܡܛܠ ܕܫܠܝܛܝܢ
ܗܪܟܐ ܗܢܘ: ܕܢܒܠܘܢ ܦܘܡܝܗܘܢ ܕܗ̇ܢܘܢ ܕܒܐܢܕܪܬܗܘܢ
ܗܪܡܐܝܬ ܣܬ̈ܝܢ: ܘܒܡܕܒܪܢܘܬܐ ܐܣܝܪܬ ܟܠ ܡܬܕܒܪܝܢ
ܘܒܦܪ̈ܢܣܐ ܕܣܝܒ ܐܢܫ ܡܗܘܪ ܠܟܠܢܫ ܡܢ ܟܠܢܫܐ ܕܒܗܘܢ:
ܟܕ ܦܪܐ ܠܗܘܢ ܩ̈ܛܠܐ: ܡܛܠ ܕܒܦܘ̈ܪܢܣܗܘܢ ܕܐܠܗܐ
ܡܬܕܒܪܝܢ. ܦܪܘܩ ܠܢ ܠܗܘܬ ܗܠܝܢ ܕܡܢ ܐܠܗܐ | ܡܬܗܦܟ̈ܢ. 138ra
ܟܕ ܥܡܪ ܐܝܬ ܘܠܐ ܕܓ̈ܢ ܐܝܬ. ܡܛܠ ܕܦܘ̈ܪܢܣܗܘܢ ܕܐܠܗܐ

ܠܐ ܢܪܗܛ ܠܡܐܡܪ ܠܡܡܠܠܘ ܕܒܝܫ. ܐܠܐ ܦܘܡ ܒܫܬܩܐ
ܢܛ̈ܥܢܢ.

5, 2 ܘܠܐ ܬܬܪܗܒ ܒܦܘܡܟ: ܘܠܒܟ ܠܐ ܢܬܪܗܒ ܠܡܦܩ
ܡܠܬܐ.

ܐܙܕܗܪ ܠܟ ܕܠܡܐ ܟܕ ܫܢܐ ܐܢܬ ܒܪ̈ܘܬܐ ܗܠܝܢ ܕܒܠܬܗܝܢ
ܠܐ ܦ̇ܝܣ ܐܢܬ: ܬܬܪܗܒ ܘܬܒܕܘܠ ܕܠܐ ܒܐܝܢܝܬ ܐܬܬܚܪܬ
ܠܗ̇ ܕܐܦܠܐ ܒܠܠܬܗ̇ ܦ̇ܝܣ ܐܢܬ. ܕܠܡܢܐ ܗܟܢܐ ܐܬܬܚܪܬ.
ܘܠܘ ܒܠܝܘܕ ܒܠ ܡܠܬܐ ܗܕܐ ܕܡܢ ܠܒܪ ܙܗܝܪܘܬܐ
ܦܝܣܬܐ ܬܗܘܐ ܠܟ: ܐܠܐ ܡܬܪܐܝܬ ܒܫ̈ܬܩܐ ܕܢܦܫܟ
ܐܙܕܗܪ. ܡܛܠ ܕܗ̇ܘ ܕܒܒ̈ܕܘܗܝ ܡܬܒ̇ܕܠ ܐܢܬ: ܠܐ ܒܗܝܢ
ܡܢܗ ܗܠܝܢ ܕܐܢܬ ܡܢ ܠܗ ܒܠܒܟ ܡܬܚܫܒ ܐܢܬ.
ܡܛܠ ܕܐܠܗܐ ܒܫܡܝܐ ܘܐܢܬ ܒܐܪܥܐ.
ܚܙܝ ܠܟ ܢܦܫܟ ܘܐܬܪܟ ܐܘ ܒܪܢܫܐ: ܘܒܢܝܢܐ ܕܒܪܝܐ
ܕܡܢܗ ܐܬܢܣܒܬ: ܗ̇ܘ ܕܡܢܟ ܒܢܝܬܐ ܡܫܬܢܝܬܐ ܐܝܬܘܗܝ.
ܠܡܘܒܒܐ | ܕܫܘܒܠܝܐ ܕܬܪܒܝܬܟ. ܗ̇ܘ ܓܝܪ ܕܐܦ ܠܐ ܒܐܬܪܗ 138rb
ܡܟܝܠ ܐܢܬ ܠܡܬܒܠܘ ܕܐܝܟܢܐ ܗܘ. ܐܝܟܢܐ ܠܡܦܪܢܣܘ
ܕܢܟܡܬܗ ܕܢ̈ܓܦ ܐܢܬ ܘܡܦܠܦܠ ܒܝܕ ܒ̈ܕܠܢܟ.
ܡܛܠ ܗܢܐ ܢܗܘܘܢ ܦܬ̈ܓܡܝܟ ܙܥܘ̈ܪܢ.
ܐܝܢܐ ܠܟ ܦ̇ܠܓܟ ܐܢܐ ܠܟ: ܕܬܫܬܐܠ ܡܢ ܣܘܓܐܐ ܕܡܡܠܠܐ
ܕܐܝܟ ܗܢܐ.

5, 3 ܡܛܠ ܕܐܬܐ ܚܠܡܐ ܒܣܘܓܐܘܬ ܥܢܝܢܐ.
ܡܛܠ ܕܒܕܡܘܬܐ ܕܚܠܡܐ ܐܝܟ ܕܒܫܢܬܐ ܥ̇ܒܝܕ ܐܢܬ.
ܒܫ̈ܬܩܐ ܕܐܝܟ ܗܠܝܢ. ܗܠܝܢ ܕܒܗ ܢܬܬܐ ܙܒܢܐ ܕܚܝܪܘܬܐ:
ܡܬܬܪ̈ܐ ܐܢܬ ܒܗ ܡܬܒ̇ܕܠ ܐܢܬ ܒܦܪܢܣܘܬܗܘܢ: ܗܫܐ ܕܝܢ

ܠܐ ܡܫܟܚܬ ܠܡܚܙܐ ܦܪܨܘܦܬܗܘܢ. ܡܛܠ ܕܒܕܡܘܬܐ ܕܠܠܝܐ
ܐܝܟܢܐ ܠܟ ܡܬܠܘܬܟ. ܘܬܘ̈ܠܬܐ ܡܥܝ̈ܬܐ ܒܫܡܘܥܐ ܕܠܐ
ܡܕܡܝܬܟ ܠܠܘܫܟ ܡܬܦܠ ܐܢܬ. ܐܝܟܢܐ ܓܝܪ ܕܒܝܕ ܚܠܡܐ
ܒܚܠܡܝܢ ܚܙ̇ܐܠ ܒܠ ܢܦܫܐ ܒܠܠܝܐ ܦܪܨܘܦܐ: ܗܟܢܐ ܒܝܕ
ܒܠܠܝܐ ܐܡܝܢܐ ܕܩ̈ܒܠܐ ܦܪܨܘܦܬܐ ܡܬܚܠܕܐ.
ܘܟܠܗ ܠܟ ܕܗܒܠܐ ܒܗܘܓܝܬ ܦܬܓ̈ܡܐ.
| ܠܝ ܠܟ ܟܠܐ ܘܒܠܠܝܐ ܕܗܒܠܐ. ܐܝܟ ܫܠܝܐ ܐܬܚܫܒ. 138va
ܘܒܕܡܘܬ ܫ̈ܠܝܐ ܦ̈ܪܝܫܐ ܒܚܠܡܝܗܘܢ ܦܬܓ̈ܡܘܗܝ ܚܙ̇ܪ ܐܢܐ.
ܡܛܠ ܕܐܢ ܕܦ̇ܠܝܢ ܕܥܣܩܘܬܐ ܕܐܠܗܐ ܡܬܠܒܐ ܒܗܘܢ: ܦܪܝܫܐ
ܗܝ ܠܗܘܢ ܐܦ ܗܕܐ: ܕܫܘܕܥܗܘܢ ܕܠܘܬܗ ܠܐ ܢܦ̇ܠܘܢ.
ܐܬܚܙܝܬ ܠܗ ܠܫܒܝܚܐ ܫܠܝܚܘܢ. ܕܠܐ ܙܕܩ̇ ܠܡܫܬܘ ܡܢ
ܡܫܘܠܘܬܐ ܕܟܠ ܗܠܝܢ. ܘܫ̇ܪܝ ܕܢܚܘܢ ܐܝܟ ܒܕܡܘܬܐ
ܕܩ̇ܠܘܒܐ: ܒܗ ܐܡ̇ܪ.
5, 4 ܐܡܬܝ ܕܢܕܪ ܐܢܬ ܢܕܪܐ ܠܐܠܗܐ: ܠܐ ܬܫܘܚܪ
ܠܡܫܠܡܘܬܗ.
ܢܕܪܐ ܕܝܢ ܠܐ ܗܘܐ ܒܠܚܘܕ ܥܠ ܕܒ̈ܝܚܐ ܕܚ̈ܝܘܬܐ ܐܡ̇ܪ
ܐܠܐ ܥܠ ܟܠܗܝܢ ܕܒܬܪܝܢܘܬܐ ܡܢ ܒܢ̈ܝܢܫܐ ܡܬܩܪ̈ܒ ܠܐܠܗܐ.
ܘܟܢ ܢܕܪܬܐ ܘܟܢ ܡܕܫܘܬܐ ܘܟܢ ܡܩ̈ܕܫܘܬܐ ܕܡܫܒ̈ܚܐ.
ܘܡܟܐ ܟܠܗܝܢ ܕܡܢ ܒܢ̈ܝܢܫܐ ܦܐܐ ܕܠܐܠܗܐ ܢܬܩ̇ܪܒ. ܗܠܝܢ
ܠܟ ܕܐܠܗܐ ܡܢ ܫܐܪܘܬܟ ܦܪܫ ܐܢܬ. ܠܐ ܬܫ̇ܕܪܐ ܐܠܝܢ
ܠܒ̈ܢܝܐ ܢܟ̈ܪܝܐ. ܡܛܠ ܕܠܐ ܗܘܐ ܟܠ ܒ̈ܢܝܐ ܫܠܝܛ ܐܢܬ.
| ܟܠ ܒܢ̈ܝܢ ܓܝܪ ܒܢܘܗܝ ܐܝܬܘܗܝ. ܕܗܠܝܢ ܕܡܠܝܢ 138vb
ܠܐܠܗܐ ܡܬܬܢ̈ܝܢ. ܩ̈ܒܠܐ ܕܝܢ ܘܐܡܠܝܢ ܕܡܢܗ ܗܝ ܡܢܬܪ̈ܬܐ
ܠܐ ܡܦܩܢ ܡܦ̈ܪܫܝܢ ܒܢ̈ܝܐ ܠܡ̈ܬܬܐ ܘܕܐܡܬܝ ܗܕܐ ܬܫܬܒ̇ܪ

ܘܐܡܬܝ ܗ̇ܝ. ܟܕ ܡܫܬܕܝ ܘܟܠܐ ܡܢ ܦܘܪܢܣܐ
ܕܝ̈ܬܡܬܐ. ܒܗܕܐ ܘܟܠܝ̈ܢ ܕܝܢ ܐܦ ܗܠܝܢ ܕܡܕܒܪܝܢ ܠܗ ܒ̈ܬܝ
ܒܐܝ̈ܕܝܗܘܢ: ܡܢܗܘܢ ܗܘܘ ܢܕ̈ܪܝܢ ܠܐܠܗܐ. ܟܕ ܟܦܝܢ ܠܗܘܢ
ܟܠ ܪܢܬܐ ܕܡܫܡܥܘܢ ܘܠܐ ܗܘܐ ܟܠ ܐܝܩܪܐ ܕܐܠܗܐ. ܡܢ
ܒܬܪ ܕܢܕܪܐ ܡܢ ܨܒܘ̈ܬܐ ܕܪ̈ܚܡܝ ܗܠܝܢ ܠܐܠܗܐ ܢܕܘܪ. ܟܕ
ܦܪܫܝܢ ܬܘܒ ܕܝܢ ܢܐܬܐ ܠܗ ܠܟ ܡܢܝܢܐ ܦܝܫܐ: ܐܘ
ܕܗܒܐ ܐܘ ܣܐܡܐ ܐܘ ܒܥ̈ܝܪܐ ܐܘ ܐܡܗ̈ܬܐ ܐܘ ܥ̈ܠܠܬܐ
ܦܐ̈ܪܐܬܐ ܕܦܘܪ̈ܢܣܐ: ܡܗܠܐ ܠܟ ܘܡܗܠܐ ܐܡܪ ܡܢܗܘܢ
ܠܐܠܗܐ: ܘܗܢܐ ܢܕܪܐ ܠܐ ܗܘܐ ܒܫܠܡܘܬܐ ܕܟܠ ܐܝܩܪܐ
ܕܐܠܗܐ ܡܫܘܐ. ܐܠܐ ܐܝܬܘܗܝ ܫܠܝܡܐܝܬ ܒܫܠܡܘܬܐ ܕܟܠ
ܪܢܝܬܐ. ܘܟܕ ܢܕܪܐ ܠܐܠܗܐ ܦ̇ܪܫܝܢ. ܕܡܕܒܪܢܐ ܠܪܢܝܬܐ
139ra ܢܗܘܐ ܠܝ. ܟܕ ܠܐ ܫ̇ܠܡ | ܐܦ ܠܐ ܨܒܝܢ ܠܢܕܪܝ.
ܡܛܠ ܕܠܝܬ ܨܒܝܢܐ ܒܣ̈ܟܠܐ.
ܗܠܝܢ ܠܟ ܕܕܐܝܟ ܗܟܢܐ ܗܘ ܢܕܪܗܘܢ: ܟܕ ܦܪ̈ܫܝܢ
ܒܣ̈ܟܠܘܬܗܘܢ ܕܒܐܠܗܐ ܡܬܒܥܝܢ: ܠܝܬ ܨܒܝܢܐ ܒܢܕ̈ܪܝܗܘܢ.
ܡܛܠ ܕܒܗ̇ ܠܐ ܬܐܬܝܢ ܒܐܝ̈ܕܝܗܘܢ ܨܒܘ̈ܬܐ ܕܐܬܪ̈ܝܢܘ
ܠܗܝܢ ܐܝܟ ܨܒܝܢܗܘܢ: ܟܠܗܠ ܗܘ ܡܢ ܠܬܗܘܢ ܐܝܩܪܐ
ܕܐܠܗܐ.
ܐܝܬ ܡܕܡ ܕܢܕܪ ܐܝܬ ܦܘܪܥ.
ܐܝܬ ܠܟ ܡܢ ܗ̇ܘ ܡܕܡ ܕܦܩܕ ܐܝܬ ܘܫܠܝܛ ܐܝܬ ܒܠܗܘܢ.
ܡܢܗ ܗܒ ܠܐܠܗܐ ܦܘܪܥܢܐ ܕܝܬ̈ܡܬܐ ܕܠܘܬܟ. ܐܝܟ ܕܝܢ ܡܢ
ܦܠܚܐ ܕܐܪ̈ܚܐ ܚܪܬ ܕܬܦܪܘܥ ܢܕܪܐ ܠܐܠܗܐ.
5, 5 ܛܒ ܕܠܐ ܬܕܘܪ ܡܢ ܕܬܕܘܪ ܘܠܐ ܬܫܠܡ.
ܗܠܝܢ ܒܬܪ ܕܠܐ ܫܠܝܛ ܐܝܬ ܒܠܗܘܢ: ܐܦ ܠܐ ܢܕܪܐ

ܡܬܬܚܫܒ ܐܢܬ ܡܢܗܝܢ. ܡܛܠ ܗܢܐ ܡܢܬܪܐ ܗܝ ܕܠܐ
ܬܕܘܪ ܡܢ ܗ̇ܝ ܕܬܕܘܪ. ܟܡܐ ܚܢܢ ܕܒܢ̈ܝ ܗܠܝܢ
ܕܐܬܪ̈ܝܚܬ ܠܗܝܢ: ܘܒܒܠܬܗܘܢ ܢܕܪܬ ܠܐܠܗܐ ܠܐ ܬ̈ܬܝ
ܒܐܒ̈ܕܢܝ. ܘܡܬܬ݀ܠܝ ܐܢܬ ܒܕܠܐ ܡܫܟܠܐ ܐܢܬ ܢܕܪܝ.
ܠܡܕܒܠܘ ܒܐܠܗܐ: ܗ̇ܘ ܕܠܐ | ܐܠܝܢ ܠܡܕܪ ܠܗ. ܐܝܠܝܢ 139rb
ܕܐܦ ܠܐ ܦ̇ܩܘܡ ܐܢܬ.
5, 6 ܠܐ ܡܕܡ ܬܬܠ ܦܘܡܟ ܠܡܣܟܠܘ ܒܗܘܢܟ.
ܥܠܝܟ ܐܢܬ ܗܘ ܠܟ ܕܐܝܠܝܢ ܕܢ̇ܟܐ ܐܢܬ ܬܗܘܪ. ܠܐ
ܡܕܡ ܬܬܠܐ ܒܝܕ ܦܘܡܟ ܡܛܠ ܒܪܢܫܐ ܡܫܝܐ ܥܠ ܒܗܘܢܟ.
ܐܦ ܐܡܬܝ ܕܡܢ ܗܠܝܢ ܕܡܠܐ ܐܢܬ ܢܕܪ ܐܢܬ. ܐܙܕܗܪ
ܡܢ ܕܬܫܕܢܘܗܝ ܠܢܕܪܟ ܠܒܠܐ ܗܦܝܟܐ. ܕܠܡܐ ܬܬܠܟ
ܒܠܝܟ ܦܬܘܬܐ ܡܛܠ ܕܒܪܢܫܐ ܐܢܬ. ܘܒܗ̇ܘ ܕܠܐ ܦ̇ܠܚܐ
ܠܗ ܡܕܡ ܒܝܕ ܢܕܪܐ ܬܬܪܨ ܕܬ݁ܟܝܢ ܒܗ ܠܐ ܬܪܥܫ ܐܢܬ.
ܘܠܐ ܬܐܡܪ ܩܕܡ ܐܠܗܐ ܕܦܘܕܝܢ ܗܝ.
ܘܠܐ ܬܬܒܥ ܒܠ ܦܘܕܝܢ ܕܗ̇ܘܝܐ ܠܟ ܠܡܦܩ ܒܪܘܚܐ
ܠܫܒܠܘܬܟ.
ܕܠܡܐ ܢܪܓܙ ܐܠܗܐ ܥܠ ܩܠܟ. ܘܢܚܒܠ ܥܒ̇ܕܐ ܕܐܝ̈ܕܝܟ.
ܡܐ ܚܢܢ ܕܒܫܒܠܘܬܐ ܕܐܝܟ ܗܕܐ ܐܬܬܚܕܬ: ܒܝܕ ܡܫܡ
ܒܪܢܫܐ ܡܒܝܢ ܢ̇ܠܦ ܐܢܬ: ܐܦ ܫܒܠܘܬܟ. ܢܕܥ ܗܘ ܚܢܢ
ܐܠܗܐ ܡܦܩ ܒܪܘܚܟ ܕܫܪܝܐ ܗܘ. ܡܛܠ ܗܢܐ ܒܫܘܒܠܐ
ܕܒܒܕܐ ܕܐܝ̈ܕܝܟ ܗ̇ܘܐ ܡܒܗܕܢܐ | ܕܫܒܠܘܬܟ. ܒܒܕܐ ܕܝܢ 139va
ܕܐܝ̈ܕܝܐ ܦ̇ܪܐ: ܠܒܠ ܡܕܡ ܕܐܢܬܘܗܝ ܒܢܫܬܗ ܡܫܠܝܢܐ
ܕܫ̈ܘܢܝܐ ܐܢܫܝܐ. ܡܛܠ ܕܝܢ ܕܫܢ̈ܝܐܐ ܡܠܝܢ ܒܗ
ܡܬܒܒܪܝܢ ܒܫܒܠ̈ܘܬܐ ܕܐܝܟ ܗܠܝܢ: ܢܫܒܝܢ ܒܗܝܐ

ܠܦܬܓܡܝܗܘܢ ܡܢ ܒܪ ܢܡܘܣܐ ܕܫܪܝܢ ܒܐܘܪܚܐ: ܘܒܗ ܫܪܝܢ ܕܗܠܝܢ ܡܢ ܒܬܪ ܫܘܠܡܗܘܢ ܕܠܐ ܡܫܟܚ ܒܪܢܫܐ ܦܘܩ ܡܢ ܠܘܬ ܐܠܗܐ: ܟܠ ܥܠܝܡܘܬܗܘܢ ܕܠܘܬ ܐܠܗܐ ܡܘܦܩܝܢ: ܒܪ ܙܢܝ ܕܐܝܟ ܗܠܝܢ ܐܦ ܗܠܝܢ ܡܡܪܝܢ ܡܢ ܡܫܟܚ ܒܪܢܫܐ ܕܐܠܗܐ: ܘܠܐ ܗܘ ܕܡܢ ܒܬܪ ܫܘܠܡܐ ܢܕܪܬ ܐܝܟ ܡܫܟܚ ܒܪܢܫܐ ܕܢܦܩ ܠܗ. ܒܪܢܫܘܬܗ ܒܒܝܬܐ ܕܐܠܗܐ ܡܬܒܕܠܝܢ: ܕܐܝܬܝܗ ܠܗ ܠܘܬ ܗܠܝܢ ܕܡܬܪ ܡܠܝܢ ܡܪܥܝܢ. ܒܐܝܬܘܗܝ ܕܐܠܗܐ ܠܐ ܡܬܚܫܒ ܐܬܚܙܝܬ: ܐܝܟܘ ܠܗ ܕܕܝܠܗ ܬܪܝܢ ܐܝܠܝܢ: ܥܠ ܡܠܐ ܐܦ ܗܢܐ ܠܐ ܡܬܬܕܝܢ ܐܝܟ ܕܐܢܐ. ܘܡܦܪܫ ܐܚܪܐ ܕܒܬܫܬܗ. ܗܠܝܢ ܕܐܦ ܡܢ ܕܝܠܝ | ܦܢܝܢ: ܐܠܐ ܗܘ ܠܗ ܒܪ ܒܠܝܥܗ ܒܠ 139 vb ܒܬܫܬܗ ܡܘܦܩ: ܘܐܦ ܫܠܘܦܝܐ ܕܡܢ ܟܠ ܦܪܢܝܢ ܡܟܝܢ ܘܡܘܦܩ ܥܠ ܡܫܝܚܗ ܘܦܠܚܬܐ ܕܬܫܡܫܬܐ ܘܥܠܡܐ ܕܐܬܡܠܬܐ ܘܦܠܚܬܐ ܕܒܝܬܐ ܡܢ ܟܠ ܦܪܢܝ ܒܠܘܗܝ ܡܬܚܫܒ: ܗܘ ܕܝܢ ܕܠܐ ܡܫܝܚܐ ܘܐܝܟ ܬܚܒܠܐ ܒܠܒܗ ܡܢ ܡܫܟܚ ܒܪܢܫܐ ܕܒܐܝܬܘܬܐ ܡܘܫܐ: ܒܪ ܦܪܬܬܐ ܡܢ ܟܠ ܦܪܢܝ ܡܬܦܩܕ ܠܗ: ܘܐܝܟ ܙܕܝܩܐ ܘܕܢܝܐ ܕܐܠܗܐ ܬܠܠܗ ܘܡܫܝܚܗ ܢܦܩ ܡܢ ܢܦܩ ܒܬܪܝܢ ܘܦܪܢܝ. ܠܗܠܝܢ ܫܦܝܪܐ ܦܪܝܩܐ ܬܦܘ ܗܪܒܐ ܫܒܝܩܐ ܥܠܝܗܘܢ. ܒܪ ܐܡܪ.

5, 7 ܡܛܠ ܕܒܥܘܠܐܝܬ ܬܠܡܐ ܘܗܦܟܐ ܦܬܓܡܐ ܦܢܝܢܐ. ܥܦܪ ܦܪܐ ܬܠܡܐ ܗܦܟܐ ܠܫܦܝܪܐ ܕܐܝܟ ܗܠܝܢ. ܒܠܝܠ ܗܘ ܦܪ ܕܫܪܕܐ ܘܦܠܚܘܬܐ ܕܦܠܬܐ ܕܡܬܬܚܪܐ ܒܠܦܫܐ ܡܢ ܒܠܕܒܒܐ ܠܘܩܒܠ ܐܠܗܐ. ܚܪܬܗ ܕܝܢ ܐܝܬܝܗ: ܗܟܠܐ ܘܬܘܬܐ ܘܦܪܢܘܬܐ. ܡܢܐ ܗܦܝܠ ܐܡܪ ܐܢܬ ܐܘ ܦܪܐ

ܡܛܠ ܒܪܢܫܐ ܕܒܠܚܘܕ ܒܐܠܗܘܬܐ ܐܝܬܘܗܝ، ܐܘ ܕܠܐ ܒܐܠܗܘܬܐ.
ܠܐ ܕܝܢ ܒܐܠܗܘܬܐ ܐܝܬܘܗܝ، | ܡܛܠ ܚܕ ܐܝܬ ܠܬܠܝܬܝܘܬ 140ra
ܩܢܘܡܗ ܕܐܠܗܐ ܕܠܘܬ ܗܠܝܢ.
ܐܝܬ ܠܐܠܗܐ ܕܝܠ:
ܐܝܬ ܠܗ ܟܠ ܢܦܫܟ ܢܬܦܠܓ ܠܟ. ܘܐܦ ܕܝܠ· ܐܝܬ ܡܢ
ܡܛܠ ܒܪܢܫܐ: ܕܝܠ ܐܦ ܡܢ ܐܠܗܐ ܒܗ ܠܟܢ ܐܝܬ ܕܒܝܢܢ
ܒܡܨܪܬ ܪܘܚܐ ܒܟܠ ܒܝ̈ܫܬܐ ܕܐܢ̈ܫܝܐ.
5, 8 ܘܐܦ ܒܟܠܒܢܐ ܕܡܒܢ̈ܝܐ ܘܫܦܘܦ̈ܝܐ ܘܕܝܠܐ ܬܘܒܐ
ܒܡܕܝܢܬܐ: ܠܐ ܬܬܡܗ ܒܗ̇ ܒܝܒܘܬܐ.
ܘܐܦ ܒܝ̈ܫܬܐ ܚܣ̈ܝܪܬܐ ܕܡܢ ܐܢ̈ܫܝܐ ܕܠܐ ܒܕܝܠܐ
ܡܬܬܒ̈ܥܢ ܬܘܒܐ: ܐܝܬ ܠܐ ܬܬܦܠܓ ܒܠܒܗ̇ ܕܝܒܘܬܐ ܐܘ
ܬܬܡܗ. ܠܐ ܗܘܐ ܓܝܪ ܕܢܠܐ ܐܬܒܪܝܬ. ܐܦܠܐ ܬܒܘܒܐ
ܕܡܠ̈ܘܬܐ ܕܐܢ̈ܫܝܐ.
ܡܛܠ ܕܪ̈ܚܡܐ ܠܟܠ ܡܢ ܪ̈ܚܡܐ ܢܛܪ ܘܪ̈ܚܡܝ ܒܠܒܗܘܢ.
ܡܛܠ ܕܢܦܩܐ ܠܟ ܕܬ̈ܫܒܚܐ ܕܒܠܒ̈ܝ ܘܡܬܬܝ̈ܗܒܢ ܚܕ ܡܢ
ܚܕ ܗܒܠܐ ܕܢ̇ܣܐ ܐܬܬܗܝܡ. ܘܐܬܒܪܝܬ ܦܘܪܒܢܐ ܠܟܠ ܐܝܫ
ܐܝܟ ܡܠܘܬܗ. ܘܐܝܟܢܐ ܕܗܘܝܢ ܡܠ̈ܘܬܐ ܬ̈ܡܢ ܘܡܬܬܝܗܒܢ
ܚܕܐ ܡܢ ܚܕܐ. ܗܒܠܐ ܐܦ ܩܠܝܠ ܡܛܠ ܒܢ̈ܝܫܐ ܕܒܬܪ̈ܝܢ
ܢ̈ܦܫܢ ܘܡܬܬܚܝܢ ܚܕ ܡܢ | ܚܕ. ܒܗ ܢܦܫܬܟܠܚܕ ܚܕ ܡܢܗܘܢ 140rb
ܘܡܒܥܐ ܠܬܒܘܬܐ ܕܕܝܢܐ: ܐܦ ܗܪܟܐ ܕܝܢ ܡܢܗܘܢ ܒܗ
ܡܢܗܘܢ ܕܒ̈ܢܝ ܐܢܫܐ: ܐܬܬܗܝܡ ܠܗܘܢ ܒܗܘܢ ܬܦܘܫܐ
ܕܕܝܢܐ ܕܒܬܪܗ ܕܢܗܘܢ ܬܒ̈ܥܐ ܘܡܒܣ̈ܝܐ ܕܒ̈ܝܫܬܐ
ܕܐܢ̈ܫܝܐ. ܘܒܠ ܟܠ ܚܕܐ ܡܢܗܝܢ: ܡܛܠ ܒܪܢܫܐ ܐܝܠܝܢ
ܕܕܓܠ ܢܦܩܘܢ ܐܝܟ ܡ̈ܕܝܐ. ܘܠܐ ܗܘܐ ܚܕ ܬܒܥܐ ܐܬܬܗܝܡܘܢ

ܕܢܬܐ: ܐܠܐ ܕܒܗ ܒܠܚܘܕ ܡܢܗܘܢ ܪܡ ܘܡܫܬܠܛ ܒܥܘܬܪܐ ܡܢ
ܣܒܪܗ. ܟܠ ܒܠܚܘܕ ܕܫܠܛܐ ܕܡܢ ܫܡܝܐ ܡܬܝܗܒ. ܕܠܒܪ ܡܢ
ܠܗܘܢܐ ܕܒܐܝܢܘܬܐ ܕܝܢܐ ܠܐ ܢܕܘܢ. ܕܝܢܐ ܓܝܪ ܪܕܝܐ
ܡܫܬܠܛܢܐ ܕܫܘܚܐ ܕܡܫܬܠܚ ܐܝܬ ܠܗ. ܡܛܠ ܗܢܐ
ܒܐܝܢܬ ܕܝܢܐ ܐܣܝܐ ܒܠܗܘܢܐ ܠܟܠ ܡܢܗ ܡܬܩܝܡ ܕܬܗܘܐ
ܕܫܠܛܐ ܕܗܘ ܕܠܟܠ ܡܢܗ ܢܛܪܐ ܒܐܝܢܘܬܐ ܒܕܝ̈ܢܘܗܝ. ܡܛܠ
ܕܗܘ ܕܠܟܠ ܐܦ ܗܘ ܕܠܬܝܢ ܡܢܗ: ܘܒܠܚܘܕ ܕܢ̈ܫܐ ܐܢ̈ܫܐ
ܣܓ̈ܝܐܝܢ ܐܝܟ ܠܒܪ ܢܗܘܐ. ܒܠ ܗܕܐ ܐܬܒܥܝܬ ܕܢܬܢܛܪ
ܕܝܢܐ ܕܒܠܚܘܕ ܒܢ̈ܝ ܐܢܫܐ ܠܚܪܬܐ: ܠܗܘ | ܕܐܝܬܘܗܝ 140va
ܘܕܢܗܐ ܘܬܪܝܨܐ ܒܠܫܘܕܘܗܝ. ܡܕܝܢ ܐܦ ܡܐ ܕܐܦ ܡܢ
ܗܪܟܐ ܒܕܢ̈ܝܐ ܠܗܘܢܐ ܕܒܐܝܢܘܬܐ ܡܬܢܛܪ. ܘܠܚܪܬܐ ܗܘ
ܕܝܠܗ ܚܝܬܝܬܐ ܒܗܝܕ ܕܢܗܘܐ. ܦܪܢܣܐܝܬ ܒܠ ܒܢ̈ܝܫܬܐ
ܕܐܣ̈ܝܐ ܡܒܣܝܢ: ܒܠ ܕܗܘ، ܘܦܫ ܕܠܐ ܡܫܡ ܒܪܫܐ.
ܒܠܚܘܕ ܓܝܪ ܕܒܬܪ ܡܢ ܕܢ̈ܝܐ ܗܪܟܐ: ܠܚܪܬܐ ܒܐܝܢܘܬܐ
ܐܝܟ ܘܕܗܘ ܬܒܥܐ ܠܗ. ܗܪܟܐ ܕܝܢ ܐܬܪܐ ܦܘܪܥܢܐ
ܠܚܪܬܐ ܐܬܝܗܒ ܘܡܠܝܐ ܘܒܬܪܗ ܦܘܪܥܢܐ ܕܒܠܚܐ: ܒܠ
ܒܠ ܐܢܫ.
5, 9 ܘܬܪܝܢܐ ܠܡ ܕܐܪܒܐ ܒܒܠ ܗܘ.
ܘܒܠܚܘܕ ܕܡܢ ܐܪܒܐ ܒܝܬ ܬܪܒܝܬܐ: ܕܠܐ ܣܒܥ ܢܗܒ
ܠܒܢ̈ܝܫܐ. ܒܕ ܠܝܬ ܐܢܫ ܕܡܚܝܐ ܕܡܕܡ ܢܛܪܐ ܒܠ
ܢܦܫܗ ܢܗܒ ܡܢ ܦܘܪܥܢܘܬ ܬ̈ܠܠܬܗ: ܐܦܠܐ ܚܕ ܡܠܚܐ
ܢܗܘܐ.

206 ܘܬܪܝܢܐ 7g2]ܘܬܪܝܢܐ *P*.
ܘܪܬܢܐ *P* Urm ܘܘܪܬܢܐ 8aI.

ܡ̇ܠܟܐ ܠܫܘܠܡܐ ܡܫܠܡ.

ܐܦ ܟܕ ܡ̇ܠܟܐ ܒܗ ܡܫܡܠܝܐ: ܠܦܘܠܚܢܐ ܕܡܢ ܫܘܠܡܐ ܗܘܝܘ. ܘܠܡܫܡܠܝܘܬܐ ܕܟܝܢܐ ܬܪܝܢܘܬܐ ܕܝܠܕܐ | ܢܛܪ: ܘܡܦ̇ܩܕܐ 140vb ܕܡܫܝܚ̇ ܢܦܩ ܦܘܢܩܘܗ ܐܝܟ ܐܝܢܐ ܕܡܕܡ ܠܝܬ ܠܗ. ܡܕܡ ܕܝܢ ܛܝܪܐ ܥܠ ܢܦܩ. ܒܪܚܡܬܗ ܚܝܠܐ ܟܝܢܐ ܒܦܪܗܣܝܐ ܕܝܠܗ ܐܡܪ ܒܡܗ. ܒܗ ܡܬܒܕܠ ܒܒܘܬܪܐ ܘܢܦܩ ܠܦܪܟܐ ܠܫܘܪܘܬܐ. ܗܠܝܢ ܕܝܢ ܕܒܗܠܝܢ ܠܐ ܡܬܒܥܝܢ. ܪ̈ܘܚܬܐ ܦܪܝܫܐ ܐܡܝܢ ܠܗܘܢ ܠܡܒܠܥܘ ܡ̈ܝܬܐ. ܘܒܒܠܐ ܘܬܒܥܐ ܡܬܢܪܐ ܐܡܝܢ ܠܗܘܢ. ܠܡܟܠܐ ܘܠܡܒܠܥܘ ܗ̇ܘ ܡܕܡ ܕܠܡܢܪ ܠܐ̈ܚܝܐ ܫ̇ܒܩܝܢ ܠܗ ܘܡܥܠܝܢ. ܘܒܠܗܘܢ ܚ̈ܝܘܗܘܢ ܫ̇ܒܩܝܢ ܒܠܐܘܬܐ ܦܪܝܫܬܐ. ܒܗ ܠܐ ܡܝܬܐ ܚܐܪܘܬܗܘܢ ܠܡܗܘܐ ܬܫܘܡܐ ܠܡܒܠܘܬܗܘܢ. ܡܛܠ
5, 10 ܕܪܫܡ ܒܗܦܟܐ ܠܐ ܢܗܒ ܒܗܦܟܐ.

ܠܪܫܝܬ ܒܗܦܟܐ ܟܕ ܬܫܘܡܐ ܠܝܬ ܠܗ: ܐܠܐ ܥܠ ܡܘܬܐ. ܐܝܟ ܗ̇ܘ ܟܕ ܕܗܝܠܢܐ ܕܐܝܬ ܐܫ̈ܝܢܐ ܐܝܬܘܗܝ. ܚܙܪܐ ܐܡܪ ܒܗ: ܡܬܠܡܝܢܐ ܦܘ̈ܪܫܐ ܩ̈ܝܢܐ ܡܘܠܕܐ: ...
ܘܠܡܫܬܦ ܕܠܐ ܕܝܠܗ̇. ܘܒܦܘܢܝܐ ܠܡ̈ܝܬܐ ܒܕܡܐ ܕܠܘܬܗ ܢܐܬܘܢ. ܡܢܐ ܕܝܢ ܕܢܦܩ ܐܝܟ ܠܘܬܗ ܒܐܘ̈ܚܕܢܐ ܐܘ̈ܚܕܢܐ | ܢܦܫܐ ܕܬܦ̇ܟܐ ܠܗ̇ ܢܘ̈ܪܢܐ ܐܘ̈ܚܕܢܐ ܐܝܟ 141ra ܡܫܝܚܘܬܐ. ܗܢܐ ܗܘ ܒܐܝܟܐ ܕܒܗ ܡܬܐܫܪ ܡܬܚܙܝܬ: ܘܐܬܐܬܐ ܕܡܐ ܕܦܪܬ ܢܬܚܪܐ ܡܬܥܒܕܢܐ. ܠܗܘܢ ܕܝܢ ܠܗܠܝܢ

211 ܡܠܟܐ - 214 ܦܘܢܩܗ *B*.
211 ܘܬܘܒ ܡܠܟܐ *B*.
213 ܘܠܡܫܡܠܝܘܬܗ - ܢܛܪ < *B*.
222 ܕܪܫܡ - 223 ܡܘܬܐ *B*.

ܐܝܟ ܐܢܫܝܢ ܕܠܒܘ ܡܢ ܣܒܥܬܐ ܕܒܢܝܫܘܢ: ܘܪܒܘܬ ܒܪܗܘܢ ܠܐ ܫܒܩܬ ܠܗܘܢ ܠܡܬܒܠܥܘ ܕܡܢܘܬܐ ܐܝܟܢ. ܡܛܠ ܕܠܗܘܢ ܗܘ ܡܕܡ ܕܠܐ ܙܒܘ ܕܢܪܒܘܢ ܒܗ ܒܕ ܒܡܗܘܢ ܗܘܐ ܘܐܬܪ.

ܕܪܢܫ ܡܡܘܢܐ ܠܐ ܢܣܒܥܘܗܝ.

ܒܡܐ ܓܝܪ ܕܢ ܬܣܓܘܢ ܒܛܒܥܢ: ܕܬܡܬܢ ܡܬܬܢܝܚܘܢ ܠܐ ܡܙܝܢ ܐܢܬܘܢ. ܐܝܟ ܓܝܪ ܐܝܕܐ ܢܣܝܒܬܐ: ܕܠܐ ܗܘܐ ܒܫܠܝܐ ܫܠܝܐ ܐܡܒܠܐ ܕܢܦܩܬܘܢ ܐܢܬܘܢ ܡܦܪܫܐ ܠܒܘܢ ܡܢܗܘܢ. ܐܠܐ ܡܢ ܥܠܡ ܘܒܒܕܢܐ ܐܒܘܪܐ ܦܬܫܐ ܘܙܢܒܐ ܡܢ ܒܠܗ ܡܢܝܚܘܢ ܚܒܪܐ ܠܒܘܢ. ܗܝ ܕܝܢ ܡܒܨܪܝܢ ܐܢܬܘܢ ܒܠ ܒܠܗ ܒܛܠܘܬܒܘܢ. ܚܪܝܢ ܐܢܬܘܢ ܒܣܘܥܒܐ ܡܒܬܥܪ ܡܢܝܐ. ܡܬܬܘܝܢ ܐܢܬܘܢ ܒܠ ܒܛܠܢܐ ܕܡܢܝܚܘܢ. ܦܠܝܢ ܐܢܬܘܢ ܘܚܦܪܝܢ ܒܡܢܝܚܘܢ ܐܝܟ ܐܢܫܝܢ ܕܠܐ ܥܪܝܝܢ. ܚܦܪܝܢ | ܐܢܬܘܢ ܠܢܥܒܘܢ ܕܐܬܒܠܬܘܢܗ ܒܠ 141rb ܡܢܝܢܐ ܕܓܠܐ. ܘܒܗܒܪܐ ܕܒܠܗܘܢ ܡܢ ܡܢܝܢܐ ܥܪܝܪܐ ܕܠܐ ܡܬܦܪܦ ܓܠܝܬܘܗ. ܘܒܪܦܠ ܘܡܥܘܕܐܝܬ ܡܢ ܒܠܗ ܒܡܠܒܘܢ ܕܬܝܬ ܥܡܥܐ ܡܬܕܒܪܝܢ ܐܢܬܘܢ. ܒܕ ܦܚܝܢ ܐܢܬܘܢ ܢܘܪܐ ܕܐܘܦܐ ܢܠܘ ܢܘܪܐ ܕܡܢܝܐ. ܘܡܦܚܝܢ ܐܢܬܘܢ

235 ܕܪܢܫ - 240 ܠܒܘܢ B̄.
235 ܢܣܒܥܘܗܝ - 236 ܒܛܒܥܢ < B.
236 ܡܢܝܚܘܢ B.
237 ܓܝܪ ܐܝܕܐ] ܐܡܒܠܐ B ܕܢܣܝܒܬܐ B.
238 ܐܢܬܘܢ] ܐܝܟܢ B.
240 ܚܒܪܐ ܠܒܘܢ ܡܢ ܒܠܗ ܡܢܝܚܘܢ B.

ܡܛܠ ܠܟܘܢ ܒܪܫܐ ܘܠܐ ܠܦܘܪܥܢܐ. ܠܕܝܠܗ ܕܬܒܥܬܐ ܘܠܐ ܠܢܦܫܐ. ܠܥܘܠܡܐ ܘܠܐ ܠܟܘܫܦܐ.

ܘܐܦ ܗܢܐ ܗܟܢܐ.

ܗܟܢܐ ܠܡ ܐܬܚܫܒܘ ܠܝ ܣܒ̈ܐ ܕܐܝܟ ܗܠܝܢ. ܕܗܟܢܐ ܗܘܐ ܘܕܚܝܠ ܙܒܢܐ ܕܫܘܠܛܢܗܘܢ. ܐܠܐ ܐܘ ܟܬܝ̈ܒܢ ܒܕܡܬܚ̈ܝܢ. ܫܪܝ ܠܟܘܢ ܡ̈ܠܬܐ ܐܫܘܝ ܐܟ̈ܘܠܝܗܝ.

5, 11 ܟܘܫܝܐ ܠܡ ܕܡܠܬܐ ܫܘܝܘ ܐܟ̈ܘܠܝܗ:

ܘܠܐ ܠܟܫܝܪܐ ܡܢ ܩܢܘܡܗ.

ܩܢܐ ܗܟܝܠ ܡܬܪܐ ܠܡܠܟܘܢ ܡܢ ܫܘܝܘܬ ܩܢ̈ܝܢܐ. ܐܠܐ ܐܢ ܫܘܝܘܬ ܙܕ̈ܩܬܐ. ܐܢ ܗܘ ܓܝܪ ܕܗܟܢܐ ܬܟܒܕܘܢ ܡܢ ܗܠܝܢ ܕܒܥܡܐ ܕܩ̈ܢܝܢܐ ܡܬܩܪܝܢ. ܩܢܝܢ ܐܢܬܘܢ ܩܢܝܢܐ ܥܪܢܐ ܕܡܠܟܘܬܐ ܘܕܫܪܝܪܘܬܐ. ܐܢ ܕܝܢ ܗܠܝܢ ܠܐ

141va ܬܫܪܘܢ | ܩܢܐ ܢܬܪܝܢ ܐܢܬ ܠܟܘܢ ܡܢ ܫܘܝܘܬ ܩ̈ܢܝܢܐ. ܐܠܐ ܢܛܪ ܒܠܒܫܐ ܫܪܝܪܐ ܕܢܟܝܠܘܬܐ. ܗܢܐ ܓܝܪ ܢܦܫܐ ܡܫܘܚܕܐ ܥܪܩ ܠܟܫܝܪܘܬ ܢܟܝܠܘܬܗ ܕܢܟܝܠܐ:

ܐܠܐ ܐܢ ܕܢܦܫܐ ܟܫ̈ܝܠܘܗܝ. ܢܬܪܘܢ ܠܡ ܗܢܐ ܐܝܬܘܗܝ. ܕܢܦܫܐ ܢܟܝܠܘܬܢ ܡ̈ܠܬܐ ܕܦܘܪ̈ܩܢܐ ܕܫ̈ܘܝܐ ܡܢ ܚܝܠܗ: ܗܠܝܢ ܕܝܢ ܦܪܢܘܬܐ ܐܫܬܡܥܝ. ܡܛܠ ܕܒܥܡܐ ܐܢ ܬܫܘܘܢ ܬܬܟܫܦܘܢ: ܘܟܘ̈ܫܦܐ ܘܬ̈ܢܚܬܐ ܡܢ ܟܠ ܓ̈ܒܝܢ ܢܬܐܡܪܘܢ ܒܠܒܟܘܢ ܠܐ ܢܦ̈ܩܝܢ ܐܢܬܘܢ ܠܟܫܦܐ ܗܝܡܢܘܬܐ ܡܬܪܬܐ ܡܢ ܟܝܠܐ. ܡܬܪܐ ܡܢ ܗ̇ܘ ܕܟܫ̈ܝܠܐ ܫܘܝ ܟܝܪܐ ܩܢܝܢܟܘܢ. ܗ̇ܘ ܓܝܪ ܕܠܐ ܐܫܬܪܐ ܠܗ ܢܟܝܠܘܬܐ: ܐܦ ܒܟܬܦܝܠܘܬܗ ܕܠܒܝܫܬܐ ܢܦܫܐ ܡܬܪܐ ܡܟܫܝܪ.

5, 12 ܚܠܝܐ ܠܦܠܚܐ ܫܢܬܐ ܐܢ ܙܥܘܪ ܘܐܢ ܣܓܝ ܐܟܠ.
ܘܣܒܥܐ ܠܥܬܝܪܐ ܠܐ ܫܒܩ ܠܗ ܠܡܕܡܟ.
ܗܘ̇ ܓܝܪ ܕܣܓܝ ܙܥܘܪ ܡܢܟܝܢ ܦܠܚܘܬܐ ܡܛܠ ܠܡܣܒܥ
ܗܢܝܘܬܐ ܦܠܚܘܬܐ | ܡܢ ܗܠܝܢ ܕܡܬܚܝܢ. ܡܛܠ ܕܡܛܠܗ 141vb
ܘܠܐܘܬܗ ܡܫܡܫܝܢ ܡܐܟܘܠܬܗ. ܘܫܢܬܐ ܦܠܚܘܬܐ ܕܢܝܚܐ
ܢܣܒܝܢ ܠܗ. ܐܝܠܝܢ ܕܝܢ ܕܒܗ̇ ܡܬܒܥܝܢ ܐܝܠܝܢ ܡܢ ܡܢܝܘܬ
ܡܢܝܘܬܐ ܠܡܫܡܫܘ ܐ̈ܦܝܛܪܘܦܐ: ܒܗ̇ ܕܢܣܒܝܢ ܐܝܠܝܢ ܒܠܬܐ
ܡܢ ܒܘܬܪܐ ܩܛܝܢܐ ܡܢ ܚܘܠܡܢܐ ܫܪܝܪܐ ܕܓܘܫܡܐ ܡܬܦܠܓܝܢ
ܐܝܠܝܢ ܘܡܢ ܢܝܚܐ ܕܒܗ̇ ܫܢܬܐ ܫܒܝܩ ܡܬܒܪܝܢ ܐܝܠܝܢ.
ܐܝܬ ܕܝܢ ܦܓܘܕܐ ܐܚܪܢܐ ܒܝܬ ܒܢ̈ܝܢܫܐ ܕܐܟܠܐ ܢܝܚܐ
ܥܘܬܪܐ ܫܒܝܩ ܠܗܘܢ ܒܒܘܬܪܗܘܢ ܐܠܐ ܒܗ̇ ܡܪܬܐ
ܕܒܢܫܘܬܗܘܢ ܢܛܪ ܠܗ. ܕܢܗܘܐ ܠܗܘܢ ܥܠܬܐ ܠܒ̈ܝܫܬܐ
ܣܓ̈ܝܐܬܐ.
5, 13 ܐܝܬ ܓܝܪ ܒܝܫܬܐ ܟܪܝܗܬܐ ܕܚܙܝܬ ܬܚܝܬ ܫܡܫܐ
ܥܘܬܪܐ ܕܡܬܢܛܪ ܠܡܪܗ ܠܒܝܫܬܗ.
ܣܓܝܐܐ ܓܝܪ ܕܡܢ ܐܠܗܐ ܐܬܝܗܒ ܠܗܘܢ ܥܘܬܪܐ ܕܢܩܢܘܢ
ܠܢܝܚܘܢ ܡܢܗ: ܘܒܐܘ̈ܠܨܢܐ ܣ̈ܓܝܐܐ ܢܬܚܒܠܘܢ. ܘܠܐ ܡܢ
ܦܓ̈ܥܐ ܘܒܘܫܠܐ ܫܦܝܪ ܗܘܘ. ܘܠܐ ܡܢ ܬܐܓܘܪܬܐ
ܕܐܢܫܘܬܐ ܕܒܐܘ̈ܠܨܢܐ. ܫܒܩܘ ܕܝܢ ܠܓܒܘܪܬܐ | ܕܒܗܘܢ ܠܐ 142ra
ܙܟܘ ܠܡܬܒܢܝܘ. ܐܠܐ ܐܚܕܬ ܐܢܘܢ ܦܘܪܢܘܬܐ. ܘܦܓܥܬܐ
ܕܟܠ ܦܓ̈ܥܬܐ. ܘܫܪܘ ܠܡܟܢܫ ܘܠܡܟܢܫܘ ܡܕܡ ܕܐܦܠܐ
ܙ̈ܕܩܝܢ ܠܗ. ܘܡܢ ܐܝܠܝܢ ܕܐܦ ܠܐ ܡܕܡ ܕܝܠܝܢ ܗܘܘ
ܦܫ ܗܘܐ ܠܗܘܢ ܒܝܬ ܗܘܘ. ܘܟܠ ܡܢܝܢܐ ܕܝܠܗܘܢ
ܐܝܟܢܐ ܕܠܐ ܣܦܩ ܕܢܦܫܗܘܢ ܣܦܩܝܢ ܗܘܘ. ܘܡܢ ܗܕܐ

ܪܓܬܐ ܒܢܫܬܐ: ܐܫܬܪܓܠܘ ܕܢܦܫܗܘܢ ܫܘܦܐ ܘܕܠܒ̈ܒܐ ܘܕܒܘ̈ܪܐ: ܐܦ ܒܗ ܠܐ ܚܫܝܪ ܠܗܘܢ. ܡܛܠ ܕܝܢ ܕܒܡܬܪܗܘܢ ܗܒܠܐ ܕܚܠܝܢ ܗܘܘ ܠܡܦܪܥ ܠܗ. ܐܝܟ ܐܠܝܢ ܕܦܬܠܘ ܢܡܘܣܐ ܕܠܐ ܢܬܚܫܘܢ ܒܗ. ܘܠܢܡܘܣܐ ܕܐܠܗܐ ܫܦܠܘܗܝ. ܘܠܢܡܘܣܐ ܕܡܢ ܪܓܬܐ ܘܡܝܠܘܬܐ ܐܬܬܗܝܒ ܠܗܘܢ. ܘܠܐ ܒܪܘܗܝ. ܐܠܘ ܓܝܪ ܕܝܢ ܘܡܢ ܗܫܐ ܢܡܘܣܐ ܐܬܦܩܕܘ: ܕܒܡܬܪܗܘܢ ܒܗ ܠܐ ܡܬܚܫܝܢ ܒܗ ܠܦܘܪܩܢܗ: ܐܠܝܢ ܩ̈ܒܠܐ ܕܝܗ̈ܘܕܝܘܬܐ ܘܕܓܘܕܦܐ ܕܠܐ ܡܬܚܝܢ ܗܘܘ ܒܬܪܗ. ܕܠܡܠܐ ܢܫܟܚܝܗܝ ܠܝ ܒܗ ܠܡܬܚܫܘ ܒܗ ܠܐ ܐܫܬܠܛܘ. ܡܫܐ ܕܝܢ ܩ̈ܕܡܝܐ ܘܚܫ̈ܝܘܗܝ ܪܚܝܩܐ | ܡܢ ܢܒܝܘܬܐ ܒܗܘܢܐ ܕܐܝܟ ܗܘ ܡܫܝܚܐ ܡܢ 142rb ܒܗ ܠܐ ܡܬܚܫܚܝܢ. ܘܒܡܬܪܐ ܗ̇ܘ ܕܐܬܝܗܒ ܠܡܠܐܐ ܕܢܦܠܬܐ: ܦܫܠܘ ܗ̇ܢܘܢ ܘܒܒܕܘܗܝ ܡܠܐܐ ܕܒܢ̈ܫܬܐ. ܘܒܗܐ ܐܒܢܝ̈ ܘܓܝܐ ܕܒܡܬܪܗܘܢ: ܡܓܝܪܝܐ ܗܘܐ ܒܠܒܗܘܢ ܠܒܢ̈ܫܬܐ ܦܓܝ̈ܐܬܐ. ܘܐܘܠܕ ܒܠܒܗܘܢ ܬ̈ܒܠܐ ܘܒܟ̈ܐܒܐ ܦܓܝ̈ܐܐ. ܡܢ ܒ̈ܢܝܐ ܘܡܢ ܓܒ̈ܪܐ. ܘܠܐ ܪܘܚܐ ܥܙܝܙܐ ܢܣܒ ܒܡܬܪܐ ܕܢܗܘܐ ܠܗ: ܘܠܐ ܐܝܬܬܐ ܒܐܝܬܐ ܘܠܐ ܒܢ̈ܝܐ ܫ̈ܒܝܒܐ. ܐܠܐ ܡܢ ܪ̈ܫܡܘܗܝ ܢܒܠܐ. ܘܡܢ ܐܝܬܬܗ ܦܓܝܐܬܐ: ܘܡܢ ܒ̈ܢܘܗܝ ܙܠܘܬܐ ܕܒܠ ܡܘܬܗ.

5, 14 ܘܐܡܪ ܒܡܬܪܐ ܗ̇ܘ ܒܒܢܝܢܐ ܒܢܫܐ.

ܒܕܫܬ ܓܝܪ ܕܡܢ ܒܬܪ ܡܘܬܐ ܕܐܕܡ ܐܝܢܐ ܗ̇ܘ ܕܗܘܐ ܠܗ: ܡܢ ܪ̈ܫܡܐ ܐܘ ܡܢ ܐܝܬܬܐ ܐܘ ܡܢ ܒ̈ܢܝܐ: ܒܡܬܪܗ ܒܡ ܦܬܟܬܗ ܒܒܢܝܢܐ ܒܢܫܐ ܐܬܦܠܛܕ ܘܒܡܬܪܗ ܒܡ ܚ̈ܝܘܗܝ ܡܘܒܕ ܗܘܐ ܕܠܐ ܡܢ ܦܠܛܘܬܗ. ܐܦ ܠܐ ܕܝܢ ܙܢܐ ܗ̇ܢܘܢ ܕܒܢ̈ܝܢܘܗܝ ܡܬܟܫܦܝܢ ܒܟܘܕܢܐ ܦܓܪܐ ܐܝܬ ܗܘܐ ܠܗ. | ܡܛܠ 142va

ܕܡܢ ܟܠ ܓܒ̈ܝܢ ܒܐܬܪܐ ܕܡ ܣܢܝܐ ܕܡ ܡܩ̈ܝܠܘܗܝ ܐܝܬ
ܗܘܐ ܘܐܦ ܒܪܐ ܠܝܕܥܘܗ̇. ܐܘ ܒܝܕ ܒܠܝܠܐ ܦܪܝܫܐ ܐܘ
ܒܝܕ ܒܐܬܪܐ ܕܐܣܝ̈ܪܐ: ܡܢ ܒܠܚܘܕ ܡܩ̈ܝܠܘܗܝ ܒܥܕܬ
ܕܢܫܬܘܩ.

ܘܐܘܠܕ ܒܪܐ ܘܠܐ ܐܝܬ ܒܐܝܕܗ ܡܕܡ. 5, 15 ܘܐܝܟܢܐ
ܕܢܦܩ ܡܢ ܒܪܣܐ ܕܐܡܗ: ܥܪܛܠ ܢܗܦܘܟ ܠܡܐܙܠ ܐܝܟ ܡܐ
ܕܐܬܐ.
ܠܐ ܠܡ ܐܬܡܢܝ ܐܦܠܐ ܒܪܗ ܡܩܝܠܗ ܠܡܦܪܥ ܡܢ ܒܬܪܗ.
ܐܠܐ ܐܕܪܒܬܗ ܡܣܟܢܘܬܐ. ܘܥܪܛܠ ܘܡܫܝܚܐ ܠܡܥܪܐ
ܡܣܟܝܢܬ ܗܦܟ ܗܘܐ. ܘܐܝܟ ܡܢ ܐܡܗ ܡܢ ܒܠܡܐ ܢܦܩ
ܗܘܐ. ܒܕ ܡܕܡ ܠܐ ܢܣܒ ܒܗܡܗ.
ܘܡܕܡ ܠܐ ܢܣܒ ܒܥܡܠܗ ܕܢܐܙܠ ܒܐܝܕܗ. 5, 16 ܐܦ ܗܢܐ
ܒܘܪܗܢܐ ܒܝܫܐ.
ܠܐ ܠܡ ܠܘܬ ܐܒܘܗܝ ܡܘܢ ܡܩ̈ܝܠܐ: ܐܦ ܠܐ ܠܘܬ ܝ̈ܪܬܘܬܐ
ܒܬܪܗ. ܘܠܐ ܥܡ ܐܒܐ ܐܙܠ ܒܡܝܬܐ ܕܝ̈ܪܬܘܬܐ ܓ̈ܒܝܐ
ܕܡܩܝܠܗ. ܘܠܐ ܓܝܪ ܢܘܬܪܐ ܗܘ ܗܢܝܐ ܘܒܘܣܡܐ ܕܡܢ
ܒܥܘܬܪܐ. | ܐܠܐ ܗܢܐ ܡܬܓܠܠ ܗܘܐ ܡܢ ܢܦ̈ܫܐ ܒܝܓܢܝܗ: 142vb
ܘܗܢܐ ܡܬܓܠܠ ܗܘܐ ܡܢ ܒܥܘܬܪܐ ܕܠܐ ܒܝܓܢܝܗ. ܬܪ̈ܝܢܘܗܝ
ܕܝܢ ܢܦܫܝܢ ܗܘܘ ܫܘܠܡܐ ܕܡܦܪܥ ܡܢ ܟܠܗ ܒܥܘܬܪܐ
ܕܓܒ̈ܝܬܐ.
ܐܦ ܗܢܐ ܒܘܪܗܢܐ ܒܝܫܐ. ܐܝܟܢܐ ܓܝܪ ܕܐܬ݂ܐ ܗܟܢܐ
ܐܙܠ. ܘܡܢܐ ܝܘܬܪܢܐ ܒܥܠ ܕܥܡܠ ܠܪܘܚܐ.
ܐܦ ܗܝ ܠܡ ܡܐܬܝܬܗ ܕܒܪܐ ܕܡܢܝܗ ܦܪܝܫܬܐ ܗܘܬ: ܒܕܠܐ
ܡܥܒܕ ܗܘܐ ܡܕܡܡܘܗܝ ܒܥܘܬܪܐ ܠܒܘܫܡܗ. ܘܐܦ ܗܘ ܬܘܒ

ܒܘܠܫܐ ܕܡܟܐܒܐ ܦܪܝܫܐ ܗ̇ܘܐ ܗܘܐ. ܒܟܠ ܡܕܡ ܕܡܬܒܥܐ
ܗܘܐ ܡܢܗ: ܠܝܪܬܐ ܐܝܟ ܕܒܪܘܚܐ ܠܐܒܗܝܐ ܡܙܕܗܪ ܗܘܐ.
5, 17 ܘܐܦ ܟܠ ܫܘ̈ܟܢܘܗܝ ܒܢܣܝܘܢܐ ܣ̇ܒܠ.
ܘܐܦ ܗܘ ܠܡ ܦܘܢܩܐ ܕܒܢܝܐ ܬܒܥ ܗܘܐ: ܒܒܗܬܐ
ܘܒܢܦܬܐ ܡܟܠܐ ܗܘܐ.
ܘܒܪܘܢܝܐ ܦܢܝܐ ܘܒܒܘܪܗܢܐ ܘܒܣܘܟܬܐ.
ܒܗ ܙܢ ܒܠ ܢܦܩ̈ܬܐ. ܘܕܝܠ ܕܠܟܐ ܢܝܩܪ ܠܗ. ܘܢܒܥܘܗ
ܘܒܢ̈ܘܗܝ ܥܡ ܐܢܬܬܗ ܦܝܫܐ ܗܘܐ: ܕܒܠܚܘܕ ܒܒܪܬܗ ܠܐ
ܢܦܩܪ. ܕ̈ܢܚܐ ܕܝܢ ܠܐ ܐܡ̇ܪܬ | ܡܛܠ ܕܠܝܬ ܗܘܐ ܠܗ. 143ra
ܠܕܐܝܟ ܗܢܐ ܓܒܪ ܢܦܫܐ: ܕ̈ܢܚܐ ܐܦ ܠܐ ܥܒܝܕܝܢ ܠܗ.
5, 18 ܗܘ ܡܕܡ ܕܢܝܚ ܐܢܐ ܒܘܗܠܬ. ܛܒ ܗܘ ܘܥܒܪ
ܠܡܐܒܠ ܘܠܡܣܒܬܐ. ܘܠܡܢܝܚܐ ܛܒܬܐ ܒܒܠ ܒܡܠܗ ܕܢ̇ܒܠ ܬܢܝܬ
ܥܡܣܐ.
ܠܝ ܠܡ ܐܬܢܝܚܬ ܠܝ. ܕܐܠܘ ܢܗܒ ܢܦܫܗ ܠܡܦܪܢܣܘ
ܥܦܪ ܗ̇ܘ ܡܢ ܕܐܬܢܗܒ ܠܗ ܡܢ ܐܠܗܐ: ܘܐܬܢܓܕ
ܕܠܢܣܝܘܬܐ ܗܘ ܐܬܢܗܒ ܠܗ ܡܢ ܐܠܗܐ ܡܠܝܐ ܘܠܐ ܗܘܐ
ܠܠܦܘܪܬܐ: ܢܣܝܘܬܗ ܢ̇ܗܒ ܗܘܐ ܡܢܗ ܐܝܟ ܡܢ ܕܘܕܡ
ܒܐܝܒܘܬܐ. ܘܐܝܢܐ ܕܡܢ ܣܬܪܘ ܐܝܬܘܗܝ ܗܘܐ ܠܗ.
ܒܫܘ̈ܥܒܐ ܛܒ̈ܐ ܠܒܢ̈ܝܬܗ ܒܗ ܡܦܪܢܣ ܗܘܐ. ܘܡܥܬܒܢ ܗܘܐ
ܗܒܝܠܐ: ܕܒܝܒܝܐ ܐܒܘܪܐ ܕܢ̈ܝܫܘܗܝ ܒܡܥܘܢܝܬܐ ܬܪ ܣܓܝܐܬܐ ܐܝܟ
ܡܢ ܕܗ̇ܠܐ ܠܗ ܐܬܒܥܣ. ܘܥܪܒܐ ܕܒܘܪܬܗ ܐܢܝܐ ܕܢܬܪܐ
ܗ̇ܘܐ ܡܢ ܢܣܝܘܬܗ: ܒܝܕ ܬܐܓܘܪܬܐ ܕܡܢܣܝܢܘܬܐ: ܒܒܕܗ
ܠܗ ܘܕ̈ܕܐ ܛܒ̈ܐ ܠܐܘܪܢܝܐ ܢܝܪ̈ܬܐ ܕܒܘܬܐ. ܘܗܢܐ ܡܬܢܝܐ
ܠܝ ܕܒܘܬܗ ܕܠܐ ܡܛܠܐ ܙܕܐ ܘܒܢ̈ܝܘܗܝ | ܐܬܒܥܣ ܘܢܝܐ 143rb

ܛܒܬܐ ܠܢܦܫܗ̇. ܡܢܝܢ ܝܘ̈ܡܬܐ ܕܚܝ̈ܘܗܝ ܕܝܗܒ ܠܗ ܡܪܝܐ. ܡܛܠ ܕܗܘܝܘ ܡܢܬܗ. ܗܕܐ ܗܝ ܓܝܪ ܡܢܬܐ ܡܛܐ ܠܡܣܒ ܒܪܢܫܐ ܡܢ ܥܡܠܗ ܕܒܠܒܐ ܕܟܝܢ ܒܡܠܐ ܕܡܫܪܘܬܐ ܡܣܒܠܐ ܘܠܝܠܬܐ ܕܦܠ̈ܓܘܬܐ ܢܟܠܫ ܠܗ.

5, 19 ܐܦ ܟܠܢܫ ܕܝܗܒ ܠܗ ܡܪܝܐ ܒܥܘܬܪܐ ܘܢܟ̈ܣܐ. ܘܐܫܠܛܗ ܠܡܐܟܠ ܡܢܗ ܘܠܡܣܒ ܡܢܬܗ ܘܠܡܚܕܐ ܒܥܡܠܗ: ܐܦ ܗܕܐ ܡܘܗܒܬܐ ܗܝ ܕܡܪܝܐ. ܐܦ ܟܠ ܐܢܫ ܠܟ ܕܐܙܕܕܩ ܠܗ ܒܥܘܬܪܐ ܡܢ ܐܠܗܐ: ܐܝܟ ܠܗ ܕܝܢ ܐܦ ܫܪܒܬܐ ܕܠܫܒܚܐ ܠܡܘܗܒܬܐ ܕܡܛܠܬܗ: ܘܡܪܢ ܘܝܕܥ ܕܠܐ ܗܘܐ ܒܚܝܠܗ ܐܦ ܠܐ ܒܡܕܡܬܗ ܦܓܥ ܠܗ ܠܥܘܬܪܐ. ܐܠܐ ܡܢ ܛܝܒܘܬܐ ܕܐܠܗܐ ܐܬܝܗܒ ܠܗ: ܠܦܘܪܢܣܐ ܕܚܝ̈ܘܗܝ ܘܠܡܫܪܝܐ ܕܚܐܪܘܬܗ: ܐܝܕܐ ܕܝܢ ܐܦ ܗܕܐ ܕܡܘܬܪܗ ܕܝܠܗ ܗܘ ܘܠܐ ܗܘܐ ܕܝܠܗ: ܘܐܝܟ ܕܒܕܝܠܗ ܫܪܝܪܐ ܡܚܝܠ ܠܡܬܚܫܒܘ ܒܗ ܒܟܠ ܡܐ ܕܨܒܐ: ܘܐܦ | ܐܬܦܪܥ ܕܡܢܗ ܗܘܒܐ ܢܣܒ ܠܗ: ܡܢܗ ܕܝܢ ܫܦܪ 143va ܠܗ ܡܢܬܐ ܒܝܕ ܙܕ̈ܩܬܐ ܠܙܒܢܐ ܕܕܝܢܐ: ܚܠܦ ܗܝ ܕܥܡܠ ܗܢܐ ܒܝܕ ܦܘܪ̈ܢܣܘܗܝ ܠܡܕܒܪܢܘܬܐ ܕܐܠܗܐ: ܗ̇ܝ ܕܒܟܠܝܘܡܬܗ̇ ܕܟܠ ܟܠ: ܐܦܝܣ ܒܛܝ̈ܒܘܬܐ ܘܡܘܗ̈ܒܬܐ ܠܬܐܓܘܪܬܐ ܕܙܕܩܘܬܐ: ܘܡܘܗܒܬܐ ܠܟ ܕܡܪܝܐ ܒܝܕ ܦܘܪ̈ܢܣܘܗܝ ܚܠܦ ܘܣܘܓܗ̇ ܕܟܠ ܡܢܐ ܠܗܢܐ ܡܚܝܐ ܐܚܪܢܐ. ܠܗܢܐ ܕܝܢ ܡܫܟܚ. ܐܡܪܝܢܐ ܓܝܪ ܕܦܩܝܕ ܕܒܥܘܬܪܐ ܕܡܟܠܘ ܡܢ ܐܠܗܐ ܒܫܘܐܝܬ ܡܬܚܫܒܝܢ: ܟܠ ܡܘܗܒܬܐ ܕܐܠܗܐ ܕܠܗܬܘܢ ܡܟܝܢܢ

ܒܥ̈ܕܢܐ ܣܓܝ̈ܐܐ ܡܢ ܒܢ̈ܝ ܐܢܫܐ: ܘܡܫܬܒܚ ܠܗ ܒܝܕ
ܦܘܓܥܐ ܕܒ̈ܝܫܬܗܘܢ: ܕܠܐ ܬܬܝܕܥ ܥܠܬܐ ܕܡܛܠ ܡܢܐ ܗܟܢܐ
ܐܠܗܐ ܦܠܓ ܒܬܪܝܢܐ ܘܡܫܒܩܢܐ ܒܗܢܐ ܥܠܡܐ: ܗܟܢܐ ܐܦ
ܗܟܢ ܕܒܡܬܪܗܘܢ ܡܠܘܐܐ ܘܬܐܓܘܪܬܐ ܕܦܬ̈ܓܡܐ ܒܒܕܘܗܝ
ܠܗܘܢ: ܥܠ ܡܗܝܡܢܘܬܐ ܕܐܠܗܐ ܕܠܬܗܘܢ ܕܫܦܝܪ ܗܘܬ
| ܡܕܡ ܒܠܒܫ ܒܝܕ ܒܥ̈ܕܢܝܗܘܢ ܡܫܘܚ. ܡܛܠ ܗܢܐ ܚܟܝܡܐ 143vb
ܫܠܝܡܘܢ ܐܡܪ.
ܐܦ ܗܕܐ ܡܗܝܡܢܘܬܐ ܗܝ ܕܡܪܝܐ.
ܡܗܝܡܢܘܬܐ ܠܡ ܕܡܢ ܐܠܗܐ ܕܠܐ ܢܦܠܓ ܒܗ̇ ܕܒܪܝܐ ܗܠܝܢ
ܕܚܘܪܒܬܐ ܗܕܐ ܗܝ ܡܛܠ ܗܢܐ ܦܠܓܘܗܝ ܠܐܢܫܐ ܕܠܐ
ܡܦܠܓܐ ܡܢܗ̇. ܠܫܘܠܛܢܐ ܓܝܪ ܦܠܓܐ ܒܗܠܝܢ ܘܠܐܘܬܗ ܡܟܝܢ
ܒܗ: ܒܕ ܠܐ ܕܢܠ ܐܘ ܡܬܬܘܐ: ܥܠ ܢܘ̈ܡܣܬܐ ܕܢܦܫܗܘܢ
ܡܕܡ̈ܝܢܐ ܕܒܒܪܘ ܦܪܢܣܬ. ܐܘ ܕܢܠ ܘܦܠܓ ܡܢ ܢܘ̈ܡܣܬܐ
ܐܢ̈ܫܝܐ ܕܡܬܘܬܐ ܕܒܬܪܝܢ ܠܗ.
5, 20 ܡܛܠ ܕܠܘ ܦܪܝܫ ܢܦܫܗ ܢܘ̈ܡܣܬܐ ܕܢܦܫܗܘܢ. ܡܛܠ
ܕܐܠܗܐ ܡܫܕܐ ܠܗ ܒܫܕܘܬܐ ܕܠܒܗ.
ܡܛܠ ܠܡ ܕܒܝܕ ܕܒܥ̈ܘܗܝ ܠܘܬ ܐܠܗܐ ܡܫܬܘܫܛ. ܒܕ ܐܦ
ܠܐ ܠܒܬܪܗ ܫܦܝܪ ܡܫܬܘܡ. ܢܦܫܗ ܓܝܪ ܒܕ ܕܒܝܢܐ
ܠܡܒܥܐ ܕܐܠܗܐ: ܒܕܡܘܬ ܐܠܦܐ ܕܦܓܥܝܢܐ ܬܐܓܘܪܬܐ ܕܦܬ̈ܓܡܐ.
ܐܦ ܐܠܗܐ ܒܕܡܘܬ ܡܘܒܪܢܝܬܐ ܢܒܝܡܐ ܕܦܠܓܠ ܠܗ ܟܠ
ܐܠܗܐ. ܕܠܐ ܡܦܠܓܐ ܒܫܕܘܬܐ ܡܕܒܪ ܠܗ̇ ܠܠܡܐܢܐ: ܡܢ
ܕܢܘܝ ܗܪܒܐ ܐܘܪܚܐ | ܦܠܓܬܐ ܘܕܘܒܪ̈ܐ ܥܡܝܪ̈ܐ ܘܕܐܝܕܐ 144ra
ܢܬܪܬܐ ܦܠܓܬܐ ܐܝܬ ܠܗ: ܘܐܝܟܢܐ ܐܦ ܐܠܗܐ ܒܦܠܓܠ ܠܗ
ܥܠ ܐܢܫܝܢ ܕܒܗ̇ ܙ̈ܕܝܩ. ܡܫܪܐ ܡܒܢܠ ܕܢܫܘܗ ܐܘܪܚܐ

ܐܚܪܬܐ ܕܢܣܒܬ ܡܢܢܝܐ. ܘܕܘܟܪ̈ܢܐ ܦܘܢܝܐ ܕܐܝܠܝܢ ܕܒܗ̇
ܡܫ̇ܠܛܝܢ. ܒܗ ܐܡ̇ܪ.

VI

6, 1 ܐܝܬ ܠܝ ܒܝܫܬܐ ܕܚܙܝܬ ܬܚܝܬ ܫܡܫܐ ܘܣܓܝܐܐ ܗܝ
ܥܠ ܒܢ̈ܝ ܐܢܫܐ.
ܦܠܓ ܬܫܥܝܬܐ ܘܒܣܘܟܠܐ ܪܒܐ ܡܠܠ ܗܢܐ ܚܟܝܡܐ ܫܠܝܡܘܢ.
ܡܛܠ ܕܝܢ ܕܝܕܥ ܕܒܠܗܘܢ ܙܒ̈ܢܬܐ ܠܬܪ̈ܬܝܢ ܡܬܦ̈ܠܓܝܢ
ܘܡܬܦܠܓܝܢ ܡܥܬܪܘܬܗܘܢ ܐܘ ܦܫܝܛܘܬܗܘܢ: ܐܡܬܝ ܕܠܘܬ ܬ̈ܪܕܕܐ
ܠܗܕ̈ܝܢ: ܡܛܠ ܗܢܐ ܬܪ̈ܬܝܗܘܢ ܕܗܠܝܢ ܐܘܪ̈ܚܬܐ ܫܒܩ ܗܘܪܐ
ܒܬ̈ܠܗܘܢ. ܘܡܢܐ ܕܐܡܪ ܗܕܐ: ܕܠܐ ܒܠ ܗ̇ܘ. ܘܡܕܝܢܐ ܒܗ
ܬ̈ܠܗܘܢ ܐܝܟ ܕܒܠ ܚܕ ܕܦܐ: ܒܚܕܐ ܕܒܬܐ ܐܝܬ ܠܗܘܢ
ܠܟܠܗ. ܒܗ ܡܣܬܐ ܠܝ ܐܘܪܚܐ ܕܡܫܬܪܬܐ: ܘܐܘܪܚܐ ܕܢܣܒܬ
ܡܢܢܝܐ ܘܒܠܒܘܬܐ: ܕܒܗ ܡܫܠܛ ܠܗܘܢ ܘܡܦܪܫ ܒܥܪܒܗ:
ܒܚܢܐܝܬ ܠܡܬܒܠ ܒܡܫܬܪܬܗ̇ | ܕܐܘܪܚܐ ܕܒ̈ܝܬܐ. ܘܒܠܝܠܝܬ 144rb
ܬܬܦܪܫܐ ܪܓܬ ܡܢܢܝܐ ܡܕܡܝܢ ܕܦܪܝܫܐ ܗܝ.
ܐܝܬ ܠܝ ܒܝܫܬܐ ܕܚܙܝܬ ܬܚܝܬ ܫܡܫܐ ܘܣܓܝܐܐ ܗܝ ܥܠ
ܒܢܝ̈ܢܫܐ.
ܠܐ ܐܡ̇ܪ ܕܒ̈ܝܬܐ ܐܦ ܠܐ ܐܘܪܚܐ ܐܦ ܠܐ ܗܘܦܟܐ ܐܢܫܝܐ.
ܐܠܐ ܒܝܫܬܐ. ܠܝ ܠܝ ܐܘܬܒܪܬ ܠܝ: ܕܠܝܬ ܫܡܫܐ ܐܚܪܝܐ
ܕܦܣܩ ܕܢܣܒܐ ܦܪܝܫܘܬ ܒܠܝܢܗܘܢ ܕܗ̇ܠܝܢ ܕܪܗ̇ܛܝܢ ܒܬܪ

ܢܦܫ̈ܐ. ܐܝܟ ܗܢܐ ܥܡܐ ܕܒܝܫܬܐ: ܗܢܐ ܕܠܝܬ ܐܦ
ܠܡܫܪ̈ܝܐ ܕܢܦܩܝܢ ܡܢ ܕܡܪ̈ܝܡܘܢ. ܒܒܝ̈ܫܬܐ ܓܝܪ ܦܓ̈ܥܬܐ
ܕܠܐ ܡܠܝܢ ܪܓܫܗܘܢ ܪܡܝܐ ܠܗܘܢ. ܠܦܘܬ ܕܪܘܚܬ ܡܢܝ̈ܚܐ
ܐܝܕܐ ܠܗܘܢ ܒܗ ܢܗܪܐ ܒܗܘܢ ܫܒܪܐ ܦܪܝܫܐ. ܘܒܓܠܝܐܝܬ
ܟܠ ܟܠ ܦܘܪ̈ܢܝܢ ܒܡܠܐ ܘܬܒܥܐ ܡܦܝܣܐ ܠܗܘܢ ܕܢܒܥܘܢ:
ܗ̇ ܡܐ ܕܒܗ ܡܠܝܠ ܡܬܒܕܐ ܡܢܗܘܢ ܦܪܝܫܐܝܬ. ܐܠܐ
ܠܡ ܘܒܗ ܠܒ ܗܒܢܐ ܡܬܝܪܐܝܬ ܡܬܕܡܪ ܐܝܢܐ ܒܗܘܢ. ܕܒܡܐ
ܘܒܝ̈ܬ ܒܗ ܠܐ ܚܒܠ ܡܢ ܠܒܘܬܐ ܕܐܠܗܐ ܐܝܕܕܡ ܠܗ
ܒܬܪܐ | ܘܢܦܫ̈ܐ ܦܓܝ̈ܪܐ ܗ̇ܢܝܢ ܕܠܐ ܠܐܐ ܒܗܘܢ: ܘܗܘ 144va
ܗܢܐ ܡܛܠ ܪܢܝܐܬ ܚܙܘܗ ܠܡܫܪ̈ܝܐ ܡܕܡ ܠܐ ܢܪܘܫ
ܡܢܗܘܢ. ܘܡܛܠ ܪܘܚܬ ܡܢܝ̈ܚܐ ܐܦ ܠܐ ܠܢܦܫܗ ܢܬܠ ܗ̇ܘ
ܡܐ ܕܬܒܥ ܦܘܢܝܐ ܚܝܠܢܐ.

6, 2 ܓܒܪܐ ܕܢܬܠ ܠܗ ܐܠܗܐ ܒܬܪܐ ܘܢܦܫ̈ܐ ܘܐܢܫ̈ܐ:
ܘܠܐ ܫܒܩ ܠܢܦܫܗ ܡܕܡ ܡܢ ܟܠ ܡܐ ܕܪܐܓ.
ܓܒܪܐ ܠܡ ܕܦܬ̈ܬܐ ܦܓܝ̈ܪܬܐ ܡܒܠ ܡܢ ܥܡܝܡܘܬ ܠܒܘܬܐ
ܕܐܠܗܐ: ܘܗܠܝܢ ܕܒܡܠܐ ܦܓܝܪܐ ܠܡܫܪ̈ܝܐ ܐܦ ܠܐ
ܡܬ̈ܒܝܢ: ܗ̇ܘ ܡܢ ܥܠܝ ܒܬܪܐܝܬ ܡܢ ܐܠܗܐ ܐܬܝܗܒ ܠܗ:
ܘܒܬܪܐ ܘܐܝܩܪܐ ܘܢܦܫ̈ܐ ܦܓܝ̈ܪܐ ܡܢ ܟܠ ܓܒ̈ܝܢ ܥܡܝ̈ܩܝܢ
ܠܗ: °ܘܠܐ ܫܒܩ° ܗܢܐ ܡܢ ܫܕܐ °ܡܢ ܦܬ̈ܬܐ° ܐܝܠܝܢ ܕܠܝܬ̈ܐ
ܕܕܩ̈ܝܢ: ܗܘ ܕܝܢ ܢܚܙܐ ܒܝܬܗܘܢ ܡܢ ܒܬܪܗ ܦܓܝܪܐ.
ܘܐܝܟ ܡܬܒܥܐ ܘܫܒܪܐ ܒܢܝܐܬ ܢܪܗܦ ܒܬܪ ܢܦܫ̈ܐ
ܐܝܕ̈ܝܐ: ܒܗ ܥܢܦ | ܠܢܒ̈ܝܐ ܕܡܟܝܟ ܘܠܦܓܥܘܬܐ ܕܠܬܗ: 144vb
ܠܗܝܡ ܕܝܢ ܘܕܘܐ ܡܦܪܦ: ܒܗ ܪܕܦ ܠܡܒܢ ܘܠܡܝܠܦ.
ܘܠܡܒܥܝܘ: ܘܡܢܝܦ ܘܕܝܠ ܕܕܠܡܐ ܡܕܡ ܢܬܘܪ ܡܢ ܒܬܪܗ:

ܐܘ ܒܝܕ ܡܘܡܬܐ ܕܗܠܝܢܐ ܐܘ ܒܝܕ ܡܘܠܝܐ ܕܗܘܢܝܗ:
ܠܗ ܕܝܢ ܠܗܢܐ ܕܒܥܠܕܒܒܘܬܐ ܕܐܠܗܐ ܕܠܘܬܗ ܒܫܠܡܘܬܗ ܠܐ
ܐܬܚܙܝ: ܘܫܒܩ ܠܢܫ̈ܐ ܕܐܝܬ ܠܗ ܒܐܝܠܝܢ ܕܫܒܝ̈ܚܝܢ:
ܘܒܠܚܘܕܝܐ ܒܢܫܐ ܕܪܓܬ ܡܠܝܐ ܬܪܥܝܬܗ ܒܪܓܬܐ ܦܠܓ ܗܘܐ:
ܢܒܥܬܐ ܕܐܠܗܐ ܠܐ ܫܒܩܬܗ ܕܠܐ ܡܫܡ ܒܪܫܐ. ܘܠܘ ܒܠܚܘܕ
ܡܢ ܐܝܣܘܪܐ ܘܢܒܩܐ ܘܦܬ̈ܘܬܐ ܕܦܪܓܠ ܓܠܝܬܗ. ܐܠܐ ܐܦ ܡܢ
ܗܠܝܢ ܚܝ̈ܐ ܕܒܗܢܐ ܥܠܡܐ ܕܠܐܠܐܝܬ ܕܢܦܫܗ.
ܘܠܐ ܠܡ ܫܠܛܗ ܠܡܐܟܠ ܡܢܗ.
ܡܛܠ ܓܝܪ ܕܒܥܠܕܒܒܘܬܐ ܕܠܘܬܗ ܠܐ ܐܬܚܙܝ: ܘܒܝܒܠܐ ܕܡܫܒܚ
ܗܘܐ ܕܢܬܚܫܒ ܠܐ ܝܗܒ: ܕܠܠܐܝܬ ܐܒܕܪܬܗ ܠܒܝܒܠܐ
ܕܡܬܝܚܝܕܘܬܗ ܘܒܝܒܠܐ ܡܫܝܐ ܘܕܚܝܠܐ | ܕܡܘܬܐ ܐܕܪܒܗ: 145ra
ܐܝܟܢܐ ܕܡܟܝܠ ܐܦܠܐ ܐܢ ܢܣܒܐ ܢܫܒܚ ܠܡܬܒܘܡܘ ܒܝܕܐ
ܡܢ ܦܬ̈ܘܬܗ.
ܐܠܐ ܓܪ ܢܘܒܪ ܢܬܒܠܝܘܗܝ ܡܢ ܒܬܪܗ. ܐܦ ܗܢܐ ܗܒܠܐ
ܘܟܪܝܘܬܐ ܗܝ.
ܐܝܟܢܐ ܓܝܪ ܠܘ ܗܒܠܐ ܗܘ: ܕܡܢ ܦܬ̈ܘܬܐ ܕܡܢܝ ܡܬܝ̈ܬܝܢ
ܗ̈ܘ ܠܗ. ܢܓܠܘܙ ܢܦܫܗ ܡܢ ܪܓܬ ܡܠܝܐ: ܘܦܬ̈ܘܬܐ ܢܒܕܪ
ܘܡܠܝܬܐ ܠܐ ܢܫܒܘܩ: ܘܡܢ ܚܝ̈ܘܗܝ ܘܡܢ ܐܪ̈ܓܝܓܬܗ ܐܒܝܕ
ܠܬܦܫܘܩ:- ܘܢܒܪܝܐ ܡܢ ܒܬܪܗ ܢܦܠܓܘܢ ܦܬ̈ܘܬܗ ܘܠܐ
ܒܢ̈ܘܗܝ: ܐܦ ܠܐ ܕܝܢ ܒܪ ܒܢ̈ܝܐ ܕܡܢܗ ܢܐܪܬܘܢ: ܘܐܦ
ܡܢܝܢܗ ܡܢ ܒܬܪܗ ܠܒܢ̈ܘܗܝ ܢܬܦܠܓ: ܡܕܡ ܦܬܘܬܐ ܐܘ
ܒܘܕܪܝܐ ܡܢ ܗܕܐ ܐܫܟܚ ܠܗ.
6, 3 ܐܢ ܓܝܪ ܢܘܠܕ ܓܒܪܐ ܡܐܐ: ܘܫܢ̈ܝܢ ܣܓܝ̈ܐܢ ܢܚܐ
ܘܢܣܓܘܢ ܝܘ̈ܡܬܐ ܘܫܢ̈ܘܗܝ: ܘܢܦܫܗ ܠܐ ܬܣܒܥ ܡܢ ܛܒܬܐ:

ܐܦ ܡܒܘܪܬܐ ܠܐ ܬܗܘܐ ܠܗ܀
ܠܐ ܠܟ ܐܡܪ ܐܢܐ ܚܕ ܒܪܐ: ܐܘ ܐܢܫܐ ܕܚܕ ܗܘ ܒܡܫܐܐ
ܥܡܝܩ ܒܗ܀ ܐܠܐ ܟܕ ܢܦܠ | ܒܬܝܐ ܕܡܫܬܐܝܢ ܡܢ ܚܝܠܗ: 145rb
ܐܦܠܐ ܠܡܘܪܬܐ ܕܫܬܝܐ ܐܡܪ ܐܢܐ. ܐܠܐ ܟܕ ܥܠܬܐ
ܡܫܬܝܬܐ ܢܦܫܐ. ܗܘ ܕܝܢ ܗܘܐ ܕܡܫܡܫܐ ܟܠܗ ܘܟܬܝܢܐ
ܗܕܢܝ: ܘܫܬܝܐ ܕܠܝܬܝܢ ܡܬܟܬ ܟܠ ܢܦܫܗ ܠܐ ܢܫܬܠܠ
ܠܗ: ܘܠܐ ܢܥܒܕ ܕܫܬܝܐ ܗܠܝܢ ܐܝܟ ܙܕܩ ܠܗ ܠܡܬܬܕܒܪܘ:
ܐܠܐ ܐܝܟ ܕܡܢ ܡܬܠܘܬܐ ܡܢ ܡܪܐ ܢܦܩܐ ܢܬܬܫܝ: ܘܡܢ
ܕܢܦܩܬܗ ܕܟܠ ܡܬܬܠܐ ܐܦ ܒܟܠܗ ܕܡܒܪܐ ܕܫܬܝܘܗܝ
ܢܒܥܐܢܬ ܢܦܫܐ: ܟܕ ܠܐ ܡܪܘܚ ܡܕܡ ܡܢ ܡܕܡܬܗ: ܠܐ
ܠܢܦܫܗ ܐܦ ܠܐ ܠܚܫܝܢܐ: ܐܡܪ ܐܢܐ ܕܐܦ ܠܐ ܠܡܒܘܪܬܐ
ܫܒܩ ܗܘܐ ܒܐܒܝܐ ܕܡܘܬܗ܀ ܟܕ ܕܝܢ ܫܡܪ ܐܢܐ ܒܥܪܒܐ
ܕܡܫܬܝܢܘܗܝ ܐܬܝܐ ܠܝ ܠܡܐܡܪ܀
ܕܝܠܗ ܗܘ ܫܠܝܐ ܕܝܢ ܡܬܘܠ 6, 4 ܡܛܠ ܕܡܫܬܠܐ ܐܠܦܐ
ܘܡܫܬܒܚܐ ܢܐܙܠ ܘܡܫܬܒܚܐ ܥܒܕ ܢܦܫܗ܀
ܦܬܟ ܠܟ ܦܡܝ ܗܘܐ ܠܗ ܠܗܢܐ: ܐܠܐ ܡܢ ܐܠܝܨܘܬܗ
| ܐܝܟ ܫܠܝܐ ܐܫܬܕܝ ܠܡܘܬܐ܀ ܐܙܠ ܗܘܐ ܪܕܐ ܟܕ ܠܐ 145va
ܝܕܥܐ ܟܠܗܘܢ ܢܦܫܐ ܕܡܫܬܒܚܬܗ ܕܝܠܗ. ܘܟܕ ܠܐ ܢܗܪ
ܡܫܬܒܚܢܐ ܡܢ ܡܪܐ ܕܝܠܝܘܬܗ. ܘܟܕ ܠܐ ܡܕܒܪ ܒܪܢܫܐ
ܦܪܝܫܬܐ ܕܟܠ ܡܬܬܠܐ ܒܡܘܪܐ. ܘܟܕ ܠܐ ܛܥܝܢ ܡܫܬܠܐ
ܢܦܪܫܬܐ ܕܟܠܢ ܠܗ ܒܫܠܝܐ. ܘܟܕ ܠܐ ܐܫܬܘܗܝ ܡܬܠܐ
ܘܕܫܠܝܬܐ ܕܕܢܝܐ: ܘܡܫܐ ܕܝܢ ܕܐܠܐ ܠܠܠܕܐ: ܘܐܫܬܡܥ
ܡܢ ܛܒܘܬܐ ܕܐܠܗܐ ܒܫܬܝܐ ܗܠܝܢ ܕܙܒܢܐ: ܘܐܬܚܡܕ ܠܗ
ܒܗܘܪܐ ܘܒܥܩܐ ܘܐܢܫܪܐ: ܢܦܠ ܒܫܒܚܐ ܕܛܒܘܬܐ:

ܘܐܬܒܣܡܘ ܡܢ ܚܝܘܬܐ ܒܝܫܬܐ ܘܡܪܝܪܬܐ ܒܚܠܘܬܗ. ܢܦܠ
ܒܦܬܐ ܘܦܬܝܐ ܕܝܒܝܠܘܗܝ. ܐܬܬܢܝܚ ܒܓܘܫܡܐ ܒܢܝܫܐ ܕܠܐ
ܡܪܢܝܢܘܬܐ. ܐܬܕܢܚ ܡܢ ܦܢܝܐ ܠܦܢܝܐ ܘܡܢ ܓܘܫܡܐ ܠܓܘܫܡܐ:
ܒܕܡܐ ܕܠܠܝܐ ܕܡܘܬܐ ܐܕܪܟܗ.
ܘܒܝܫܘܬܐ ܫܡܫܐ ܐܬܚܙܝ. 6, 5 ܘܫܡܫܐ ܠܐ ܚܙܐ. ܘܠܐ ܝܕܥ
ܕܢܝܚ ܠܗܢܐ ܛܒ ܡܢ ܕܠܗܢܐ.
ܘܡܒܝܢ ܠܐ ܡܠܝܐܝܬ ܐܟܝܢ ܡܢ | ܒܠܘܩܒܠ ܒܘܩܡܐ ܕܫܢܝܬܐ 145vb
ܐܬܝܠܕ. ܘܠܝܬ ܠܗ ܡܒܝܢ ܠܡܬܒܣܡܘ. ܠܐ ܒܢܘܗܪܐ ܕܫܡܫܐ:
ܘܠܐ ܒܝܕܥܬܐ ܕܦܪܫܐ ܒܝܬ ܗܢܐ ܠܗܢܐ. ܫܦܝܠ ܗܘ ܕܝܢ
ܢܝܚܐ ܕܒܝܫܘܬܗ. ܡܢ ܐܒܘܪܬܐ ܕܚܝܘܗܝ. ܕܐܦ ܠܐ ܐܠܘ
ܐܬܝܗܒ ܠܗ ܢܘܪܐ ܕܐܒܝܢܐ. ܘܢܠܦ ܐܒܘܪܬܐ ܕܢܘܡܐ.
6, 6 ܐܠܘ ܚܝܐ ܐܠܦ ܫܢܝܢ ܕܬܪܬܝܢ ܐܒܝܢ. ܛܒܬܐ ܠܐ
ܚܙܐ.
ܡܢܐ ܕܝܢ ܐܡܪ ܐܝܢܐ ܐܝܟ ܗܿܘ ܕܫܡܫܐ ܒܝܕ ܡܘܬܐ ܐܬܝܠܕ
ܡܢ ܛܒܬܐ. ܡܛܠ ܕܐܦ ܒܕ ܚܕ ܗܘܐ ܒܡܪܢܝܘܬ ܚܝܪܗ:
ܡܢ ܒܠܗܝܢ ܛܒܬܐ ܐܝܠܝܢ ܕܠܚܝܐ ܚܝ̈ܝܢ ܓܠܝܐ ܗܘܐ.
ܘܡܒܝܢܐ. ܠܗ ܚܝܠܐ ܗܘܐ ܒܡܪܢܝܘܬ ܚܝܪܗ. ܕܐܦ ܡܢ ܒܬܪ
ܢܝܚܐ ܕܡܘܬܐ ܕܒܕܐ ܒܠܘܗܝ. ܬܘܒ ܕܬܪܬܝܢ ܐܒܝܢ ܐܠܘ
ܐܙܕܕܩ ܠܗ ܚܝܐ ܢܝܚܬܐ: ܒܗܝܢ ܒܕ ܒܗܝܢ ܒܒܝܫܬܗ
ܡܫܪܐ ܗܘܐ ܠܡܬܗܦܟܘ. ܒܕ ܠܐ ܡܢܝܬܐ ܗܘܐ ܒܠ ܒܠܗ
ܗܕܐ. ܕܠܘܬ ܐܬܪܐ ܚܕ ܒܘܠܐ. ܘܠܐ ܡܫܪܐ ܗܘܐ ܠܡܒܢ
ܒܗ ܢܦܫܗ ܡܒܝܢܐ.
ܕܠܡܐ ܠܐ ܗܘܐ ܠܘܬ ܐܬܪܐ ܚܕ ܒܘܠܐ.
| ܕܠܡܐ ܠܐ ܗܘܐ ܐܒܝܢܐ ܗܘ ܐܒܘܪܐ ܫܠܝܛܝܢ ܚܝܢ ܒܠ 146ra

ܒܚܩܘ. ܕܠܡܐ ܠܐ ܗܘܐ ܐܝܟ ܕ̈ܒܪ ܩ̈ܛܐ ܐܚܝܕܝܢ ܡܠܝܠܐ.
ܡܢܐ ܗܟܝܠܝܢ ܕܕܝܠܢ ܗܘ ܗ̇ܘ ܡܕܡ ܕܒܬܪ ܡܠܠܐ ܕܣ̈ܝܡܐ
ܗܘ: ܗܠܝܢ ܢܦ̈ܫܬܐ ܕܩ̈ܝܢ ܠܐܝܠܝܢ ܕܒܗܠܝܢ ܣ̈ܢܐ
ܐܢܬܘܢ. ܗܟܢܐ ܢܓܙܐ ܠܒܪܢܐ. ܘܒܪܫܝܬܗ ܡܢ ܐܘܪ̈ܚܐ
ܕܝܠܘܬܐ ܡܫܬ̈ܪܝܢ ܣܠܝ. ܢܝܪܐ ܗܘ ܓܝܪ ܡܫܝܚܐ ܝܠܘܬܐ
ܘܡܘܒܠܐ ܝܡܝܢܬܐ ܙܝܘܬ ܡܠܝ̈ܠܐ. ܘܪܒܘܬ ܒܪܫܐ ܡܘܡܐ
ܦܪܝܫܐ ܕܐܬܘܬܐ ܠܝܬ ܠܗ. ܡܕܡ ܓܝܪ ܝܬܝܪܐ ܒܢܪ
ܝܠܘܬܐ ܠܡܫܒ ܡܢ ܒܠܥܐ ܠܐ ܡܨܝܐ. ܐܠܐ ܐܦ ܡܢ
ܢ̈ܝܫܐ ܐܝܠܝܢ ܕܡܒܝܫܝܢ ܝܠܝܐ ܠܝ. ܒܗ ܡܪܗܛܐ ܠܝ ܒܠ
ܗܒܪܐ ܕܢܝܫܐ ܬܬܠ ܠܝ: ܘܢܝܫܐ ܠܐ ܡܒܝܫܝܢ ܣܠܝ:
6, 7 ܒܠ ܕܚ̇ܒܠ ܐܢܫܐ ܒܦܘܡܗ ܘܢܦܫܗ ܠܐ ܡܠܝܐ.
ܣܕ ܗܘ ܠܡ ܗܘܢܝܐ ܐܠܝ ܠܝ ܒܠܝܘܕ ܘܒܣܕܐ ܗܝ
ܡܬܒܒܝܢ ܠܝ ܗܠܝܢ ܕܡܬܝܠܝܢ ܒܝܫܘܬܗ ܕܒܝܠܐ. ܘܗܕܐ
ܒܝܫܐ ܗܝ ܒܒܠܝܢ ܠܐܝܠܐ ܕܡܠܠ ܡܛܠ ܐܦ ܠܐܝܠܐ ܕܗܟܢ. ܐܝܬ
ܠܗ̇ ܕܝܢ ܠܗܕܐ ܡܫܝܚܘܬܐ. ܘܡܕܡ | ܝܬܝܪܐ ܒܠ ܣܠܝ ܠܐ ܬܚ̇ܒܐ 146rb
ܠܝ. ܪܓܬܐ ܕܝܢ ܒܝܫܬܐ ܕܡܠ̈ܝܠܐ. ܒܠ ܒܡܐ ܕܝܬܠ ܠܗ̇
ܝܬܝܪܐܝܬ ܒܢ̇ܦ ܗܘܢܝܗ: ܠܐ ܡܦ̇ܒܠ ܠܗ̇ ܒܝܠܐ ܠܪܓܬ
ܡܠܝܠܐ. ܡܛܠ ܗܢܐ ܐܦ ܒܗ' ܒܝܠܐ ܡܬܒܫܝܢܐ ܠܗ̇ ܡܫܝܚܘܬܐ.
ܠܐ ܡܠܝܐ ܘܠܐ ܗܒܒܐ. ܡܛܠ ܕܠܐ ܣܒܡܐ ܬܫܘܡܐ ܕܐ̇ܠܗܘܬܐ.
ܠܐ ܦܝܫܐ ܘܢܝܫܐ ܡܢ ܪܗܛܗ̇. ܐܠܐ ܦܛܪ ܒܗ̇ ܡܘܬܐ
ܘܦܘܡܗ̇ ܡܢ ܗܒܪܗ: ܗܕܐ ܗܝ ܣܝܘܬܐ ܡܪܝܪܬܐ: ܕܐܝܟ
ܕܡܕܒܪܐ ܣܪܒܐ ܒܬܪܝܬܐ ܕܩ̈ܒܠܐ ܒܪܝܡܐ ܡܢ ܥܝܠܐ.
ܘܕܠܐ ܕ̈ܝܢܐ ܒܝܡ̈ܝܢܐ ܢܩ̈ܘܒܐ ܠܐܝܠܝܢ ܕܐܣܝܕܝܢ ܒܗ̇
ܪܒܝܐ ܗ̇ܝ ܕܝܢ ܗܕܐ ܝܬܝܪܐܝܬ ܠܗܬ ܩ̈ܒܠܐ ܡܬܒܫܝܢܐ.

ܡܬܒܥܝܐ ܗ̇ܘ ܠܝ ܠܡܐܡܪ. 6, 8 ܕܐܝܬ ܡܘܬܪܢܐ ܠܚܟܝܡܐ
ܝܬܝܪ ܡܢ ܕܠܣܟܠܐ.
ܗܢܐ ܐܝܢܐ ܓܝܪ ܕܡܢ ܐܢܫܝܢ ܦܬ̈ܝܐ ܘܡܢ ܐܢܫܝܢ ܣܣ̈ܟܠܐ
ܡܦܝܣܐ ܚܟܡܬܐ ܠܐܢܫܝܢ ܕܐܚܝܕܝܢ ܒܗ̇. ܡܛܠ ܗܢܐ ܐܝܟ
ܕܡܝܬܪ ܢܗܘܪܐ ܡܢ ܚܫܘܟܐ: ܗܟܢܐ ܡܝܬܪ | ܚܟܡܬܐ ܡܢ 146va
ܣܟܠܐ.
ܠܡܢܐ ܕܡܣܟܢܐ ܝ̇ܕܥ ܠܡܐܙܠ ܠܚ̈ܝܐ.
ܫܦܝܪ ܚܠܦ ܚܟܝܡܐ ܡܣܟܢܐ ܐܡܪ. ܗܕܐ ܗܝ ܓܝܪ ܐܬܐ
ܫܪܝܪܬܐ ܕܒܗ̇ ܡܬܝܕܥܝܢ ܚܟܝ̈ܡܐ. ܡܦܪܘܫܬܐ ܕܡܢ ܦܬ̈ܝܐ.
ܚܟܝܡܐ ܠܗ ܝ̇ܕܥ ܠܡܐܙܠ ܠܚ̈ܝܐ. ܠܘܬ ܚ̈ܝܐ ܠܗ ܐܚܪ̈ܢܐ
ܬܪܝܨܘܬܗ ܡܬܘ. ܒܗ̇ ܠܐ ܡܬܕܒܪ ܕܐܝܟ ܕܒܠ ܫܪ̈ܝܐ: ܒܠ
ܗܠܝܢ ܕܗܪܟܐ ܢܬܬܒܠ. ܝ̇ܕܥ ܗܘ ܓܝܪ ܡܕܒܪܢܘܬܐ ܕܚ̈ܝܐ
ܗܠܝܢ. ܝ̇ܕܥ ܐܦ ܥܘܠܢܗܘܢ ܘܠܐ. ܡܦܩܢܘܬܗܘܢ. ܘܡܦܩ
ܒܒ̈ܫܬܐ ܡܫܬ̈ܝܐ ܐܢܫܝܢ ܕܒܗܘܢ ܡܢܚܝܢ. ܡ̈ܟܠܐ ܕܝܢ ܐܢܫܝܢ
ܕܡܬܪܢܝܢ ܠܗܘܢ. ܘܠܐ ܒܥܘܠܡܗܘܢ ܡܬܟܢܫܝܢ: ܐܦ ܠܐ
ܒܒ̈ܫܬܐ ܡܫܬ̈ܝܐ ܐܢܫܝܢ ܕܚܕ̈ܝܢ ܠܗܘܢ ܡܬܒܝܢܝܢ. ܐܠܐ ܒܗ̇
ܦܘܫ ܒܣܬܒܪܗܘܢ ܒܠ ܒܠ ܙܒܢ: ܚ̈ܝܐ ܠܢܝ̈ܚܐ ܠܢܦܫܗܘܢ ܡܫܬܕܪܝܢ:
ܘܢܝܚܐ ܘܦܘܪ̈ܩܢܐ ܒܣܬܒܪܗܘܢ ܙܒ̈ܢܝܢ. ܘܠܒ̈ܫܬܐ ܕܠܒܝܢܐ ܠܢܘܪܐ
ܢܦܫܗܘܢ ܡܬܒܠܝܢ. ܕܠܗܘܢ ܠܗܠܝܢ ܡܢܗܘܢ ܗܪܟܐ ܘܡܬܒܥܝܢ
ܒܠܡܬܪܬܗܘܢ ܒܗ̇ ܐܡܪ.
146vb 6, 9 ܛܒ ܚܙܘܐ | ܕܥܝ̈ܢܐ ܡܢ ܗܠܟܬܐ ܕܢܦܫܐ.
ܗܠܟܬܐ ܕܢܦܫܐ ܠܣܬܒܪܐ ܩܪܐ. ܒܗ̇ ܣܬܒܪܐ ܓܝܪ ܐܝܟ
ܒܕܡܘܬ ܓ̈ܠܠܐ ܠܟܘܠ ܐܬܪ ܕܬܙܒܐ ܢܦܫܐ ܡܬܛܠܩܐ. ܚܙܘܐ
ܕܝܢ ܕܥܝ̈ܢܐ ܠܗܠܝܢ ܕܩܘܪ̈ܒܢܐ ܒܠܝܢܝ ܗܘܘ ܒܝ̈ܢܝܢ

ܚܙܝܢ ܕܡܬܚܙܝܢ̈. ܫܪܝܪܐ ܗܝ ܠܡ ܗܕܐ ܕܟܠܗܘܢ ܚܙܝܢ
ܕܬܘܟܠܢܐ ܫܪܝܪܐ ܟܠ ܚܝܐ ܠܝܬ ܠܝ. ܐܬܪ ܡܢ ܗ̇ܝ
ܕܟܝܢ ܚܘܫܒܐ ܕܢܦܫܐ ܢܘܠܐ ܠܝ ܦܠܓܘܬܐ ܕܪܘܚܐ
ܠܢܘܗܪܐ ܕܚܝ̈ܐ . ܘܫܪܝܪܐ ܗܝ ܗܕܐ ܕܟܠܗܝܢ ܚܙܝܢ:
ܕܟܠܗܘܢ ܙܒ̈ܢܬܐ ܕܟܠܗܝܢ ܚܘܫܒܐ ܕܕܠܗܘܟܠܐ ܡܬܩ̈ܠܝܢ. ܐܬܪ
ܡܢ ܕܒܗ ܡܬܐܠܨܝܢ ܡܢ ܚܫܐ ܕܪܘܚܬܗܘܢ: ܢܦܪ̈ ܒܠܒܗܘܢ
ܟܕ ܚܘܫ̈ܒܐ ܕܡܩܘܝܢܘܬܐ ܐܝܬܝܗܝܢ. ܡܛܠ ܗܢܐ ܐܢܐ
ܐܡܪܬ ܕܐܒܝ ܐܒܠܐ ܦܝܫܐ ܡܕܥܢ ܠܝ. ܡܛܠ ܕܐܝܟ
ܕܠܫܪܝܪܬܐ ܬܒܥܝܢ ܗ̇ܘܝܢ ܘܡܫܬܡܥܝܢ ܒܠܒܗܘܢ.
ܐܦ ܗܢܐ ܗܟܠܐ ܘܓܘܪܦܐ ܕܢܦܫܐ.
ܐܦ ܗܢܐ ܠܡ ܒܗܠܐ ܗܘ ܐܬܪܐ ܘܬܒܥܐ ܦܪܝܫܐ. ܕܢܦܫܐ
ܟܕ ܚܘܫܒܗ̇ ܡܬܕܕܐ ܠܗ̇. ܙܕܩ ܗܘܐ ܠܝ ܐܢܐ ܠܡܬܒܠܘ
ܕܐܒܠܐ ܡܢܗ | ܡܢ ܫܘܪܝܐ ܠܓܠܬܐ ܒܡ ܒܫܡܬܐ ܡܠܝ̈ܢ: 147ra
ܘܡܬܬܒܠܝܢ ܒܡ ܢܠܕܐ ܕܒܬܪ ܐܢܫܐ. ܡܛܠ
6, 10 ܕܡܕܡ ܕܗܘܐ ܡܢ ܩܕܝܡ ܐܬܩܪܝ ܫܡܗ.
ܘܟܕ ܠܒ ܬܕܡܪ̈ܬܐ ܡܫܬܒܚܢ ܠܝ ܒܫܡ̈ܬܐ ܕܦܘܬ̈ܟܝܢ ܒܝ. ܡܛܠ
ܕܠܐ ܢܫܟܠ ܐܢܫ ܠܡܬܒܘܢ ܒܐܝܠܝܢ ܕܩܕܝܡܝܢ ܕܗܘܐ
ܠܒܪ ܡܢܗ̇. ܐܠܐ ܡܢܗ ܡܢ ܫܡܗܐ ܕܡܫܬܡܗ̈ܝܢ ܡܬܝܕܥܐ
ܕܡܫ̈ܝܚ ܐܢܫ̈ܝ ܡܢܝ. ܫܡܗܘܗܝ ܐܢܐ ܠܘܬܟ ܡܫܝܚ ܗܘ ܡܢ
ܦܘܪܫܢܗܘܢ. ܐܦ ܐܢܐ ܢܩܘܒ ܐܢܫ ܡܢܝ ܕܡܟܐ: ܐܡܪܢ
ܚܝ ܕܐܬܦܪܫܬ. ܠܐ ܕܝܢ ܢܩܒܝܢ ܗܘܝܢ ܐܦ ܠܐ ܕܢܩܪ
ܕܐܬܦܪܫܬ: ܐܠܘ ܠܐ ܗܘ ܫܡܐ ܕܦܪܘܫܘܬܐ ܩܕܝܡ ܗܘܐ
ܠܦܘܪܫܢܐ ܕܠܘܬܟ. ܗܟܢܐ ܬܘܒ ܐܡܪܬ ܕܒܦܘܪܫܢܐ ܡܢ ܐܒ̈ܕܝ
ܠܒܘܫܐ ܡܬܕܪܫܝܢ: ܠܘܩܕܡ ܫܡܐ ܫܡܗܝܢ ܕܦܘܪܫܢܐ. ܒܬܪܗ

ܕܝܢ ܒܝܕ ܦܘܪܫܢܐ ܡܒܠܝܢ ܠܫܡܗ܂ ܗܟܢܐ ܐܦ ܓܒܪܐ.

ܗܟܢܐ ܐܦ ܠܡܟܒܐ ܕܒܝܫܐ. ܗܟܢܐ ܐܦ ܚܠܘܦܝܐ ܕܛܒ̈ܐ.

ܒܠܗܝܢ ܗܟܝܠ ܒܝܫ̈ܬܐ ܘܛܒ̈ܬܐ. | ܡܕ̈ܡܝܢ ܠܝ ܗܐ ܠܘܬܪܐ 147rb

ܦܝܫܐ ܒܥܠܡܐ. ܘܒܗܕܐ ܠܐ ܡܬܒܠܝܢ ܚܝܝ܂ ܐܠܐ ܒܕ

ܠܡܕܝܢ ܠܝ ܡܢ ܥܠ ܬܚܘܝܬܝ. ܘܐܝܟ ܐܝܠܝܢ ܕܠܐ ܗܘ̈ܝ

ܡܬܬܘܡ ܡܬܕܡܪܝܢ ܒܗܝܢ. ܘܠܐ ܚܙܝܢ ܚܝܝ ܒܗܕܐ ܕܠܝܬ

ܡܕܡ ܚܕܬ: ܐܠܐ ܡܐ ܕܗܘܐ ܡܢ ܩܕܝܡ ܫܡܝܗ ܗܘܐ ܠܝ

ܐܝܟ ܕܒܫܡܐ:

ܘܐܬܝܕܥ ܠܡ ܕܗܘ ܒܪ ܐܢܫܐ.

ܒܢܝܐ ܓܝܪ ܐܢܫܐ ܒܝܠܬ ܗܠܝܢ ܬܪ̈ܬܝܢ ܐܬܬܗܝܡ.

ܕܢܬܒܪܝ ܒܥܠܡܐ ܗܢܐ ܒܝܕ ܒܝܫ̈ܬܐ ܘܛܒ̈ܬܐ.

ܘܠܐ ܡܫܟܚ ܠܡܕܢ ܥܡ ܡ̈ܢ ܕܬܩܝܦ ܡܢܗ.

ܘܠܐ ܠܡ ܡܫܟܚ ܕܥܡ ܒܥܕܗ ܢܕܘܢ. ܕܠܡܢܐ ܒܝܠܬ ܗܠܝܢ

ܒܗܠܝܢ ܦܘ̈ܫܠܐ ܒܥܠܡܐ ܗܢܐ ܐܫܬܝܬܝܢ: ܘܒܝܫ̈ܬܐ ܥܡ

ܛܒ̈ܬܐ ܡܝܬܝ ܠܝ ܒܝܫ̈ܐ ܗܠܝܢ: ܛܘܪܦܐ ܥܡ ܢܝܚܐ:

ܘܒܘܪܗܢܐ ܥܡ ܚܘܠܡܢܐ: ܘܒܘܬܪܐ ܥܡ ܡܣܟܢܘܬܐ: ܘܡܘܬܐ

ܥܡ ܚ̈ܝܐ. ܠܐ ܠܡ ܡܫܟܚ ܕܥܡ ܚܙܪ ܒܗܠܝܢ ܒܐܠܗܐ

ܕܒܥܕܗ ܢܬܕܪܝ. ܡܛܠ ܕܠܐ ܐܡܪܐ ܓܒܝܠܬܐ ܠܦ̈ܘ

| ܕܓܒܠܗ̇ ܕܠܡܢܐ ܓܒܠܬܝ. ܗ̇ܘ ܓܝܪ ܕܓܒܝܠܘܬܐ ܒܠܗܝܢ 147va

ܗܠܝܢ ܕܩܢܐ ܢܦܫ: ܒܕ ܠܐ ܡܬܬܚܝܒ ܠܗ: ܐܝܟܢܐ ܡܨܐ

ܠܡܬܕܝܢܘ ܒܗ̇ܘ ܕܐܚܝܕ ܠܗ ܛܝܒܘܬܐ ܕܠܐ ܗܒܐ ܠܗ

ܡܢܗ: ܡܛܠ ܕܝܢ ܕܚܐܪܘܬܐ ܕܝܠܝ ܒܬܪ ܐܢܫܐ ܐܦ ܒܠ

ܒܘܕܠܐ ܕܒܐܠܗܐ ܡܡܪܝܚܐ: ܐܡܪ.

6, 11 ܡܛܠ ܕܐܝܬ ܦܬܓܡ̈ܐ ܣܓܝ̈ܐܐ ܕܡܣܓܝܢ ܗܒܠܐ.

ܒܪܐ ܠܡ ܥܠ ܢܬܕܒܪ ܒܐܠܗܐ: ܒܗ ܡܬܕܒܠܝܢ ܒܡܕܒܪܢܘܬܗ: ܦܪ̈ܢܣܐ ܘܕܠܐ ܢܬܪܢ ܐܢܬܘܢ ܦܬܓ̈ܡܝܢ. ܘܕܢܚܘܐ ܦܪܢܣܘܬܗܘܢ ܐܝܟܢ.

6, 12 ܡܢܐ ܢܬܪܢܐ ܠܒܪܢܫܐ.

ܢܗܘܐ ܠܡ ܕܐܝܟ ܨܒܝܢ ܒܠܒܗܡ ܕܒܢܝܢ ܡܠܠܝܢ. ܡܢܐ ܢܬܪܢܐ ܢܗܘܝܢ ܡܢ ܗܕܐ ܨܒܘܬܐ ܒܪ ܕܒܗܝܢ ܡܬܕܒܠܝܢ ܗܘܝܢ: ܐܦ ܡܢ ܒܬܪ ܡܠܠܝܢ ܦܫܝܩܐ: ܐܝܟ ܡܐ ܕܐܬܚܙܝܢ ܐܫܬܟܡ. ܡܢܐ ܕܝܢ ܗܢܐ ܕܡܥܪ ܠܝ. ܕܢܬܪ ܡܢ ܐܠܗܐ ܢܬܒܥܡ.

ܡܛܠ ܕܡܢܘ ܚܕ ܡܢܐ ܛܒ ܠܒܪܢܫܐ ܒܚܝ̈ܘܗܝ.

ܡܢܘ ܓܝܪ ܡܢܝܢ ܕܒܝܡܡܬܗ ܦܘܩ ܐܦ ܠܒܬܪܢܐ ܕܢܦܫܗ.

| ܐܘ ܡܢܘ ܚܕ ܐܢܫܝܢ ܕܡܛܪ̈ܝܢ ܘܗܟܢ ܒܗܝܢ ܘܠܐ ܦܠܛܐ. 147vb ܡܢܝܢ ܢܩܡܝ ܗܒܠܗ.

ܘܒܢܐ ܠܡ ܘܒܘܪܐ ܕܒܠܗܐ ܡܗܠܟ ܗܘܐ: ܐܦ ܠܐ ܒܗ ܗܒܢܐ ܢܫܐ ܒܡܬܪܘܬܐ ܒܠܗ ܘܒܢܐ ܕܚܝ̈ܘܗܝ: ܕܦܠܢܬܐ ܢܬܪ ܡܢ ܐܠܗܐ ܡܬܚܙܝܐ ܗܘܬ ܠܗ ܥܠܝܠ ܠܡܐܡܪ. ܢܬܪܐܝܬ ܕܠܘ ܘܒܢܐ ܢܨܝܪܐ ܐܝܬܘܗܝ ܘܗܢܘ ܒܠ ܐܪܒܐ. ܐܠܐ ܒܪ ܐܝܟ ܛܠܠܐ.

ܗܘ ܠܡ ܕܒܡ ܛܠܠܐ ܚܝ̈ܘܗܝ ܒܡ ܐܢܕܒܬܗ ܡܗܠܒܝܢ. ܐܝܒܢܐ ܡܢܟܐ ܠܡܬܦܫܒܘ ܒܡ ܢܕܒܬܐ ܘܚܒܬܒܬܐ ܕܐܠܗܐ: ܗ̇ܝ ܕܒܠܗܘܢ ܗܒܢܐ ܚܒܝܫܝܢ ܒܗ̇. ܡܕܡܝܢܐ ܘܡܨܒܝܢܐ ܘܐܫܝ̈ܢܐ: ܘܠܒܠܗܘܢ ܐܝܟ ܨܒܝܢܗ̇ ܘܐܡܒܢܐ ܕܒܕܪ ܡܕܒܪܐ. ܐܢܕܒܬܐ ܕܝܢ ܕܒܪܢܫܐ ܐܦ ܡܢ ܚ̈ܝܘܗܝ ܒܪܝܐ ܘܡܨܝܢܐ. ܒܗ ܠܐ ܪܚܫ ܒܐܢܫܝܢ ܕܒܬܪ̈ܝܢ. ܘܡܢܘ ܢܚܘܝܘܗܝ ܠܒܪܢܫܐ ܡܢܐ ܢܗܘܐ ܡܢ ܒܬܪܗ ܬܚܝܬ ܫܡܫܐ.

ܐܝܟܢܐ ܠܗ ܠܡ ܕܢܦܩܘܢ ܘܢܬܒܪ ܒܥܘܕܪܢܐ ܠܐܝܠܝܢ ܕܒܬܪܗ̇ ܠܡܐܬܐ: ܐܘ ܗܘܝܬܗ | [148ra] ܐܘ ܢܬܟܘܗ ܢܚܙܐ ܒܝܕ ܫܒܒܘܬܗ ܠܐܝܠܝܢ ܕܕܒܝܠ ܕܒܢܘܗܝ ܠܐ ܝܕܥ. ܡܛܠ ܕܒܗ ܡܬܚܫܒ ܐܘ ܡܬܦܪܫ ܟܠ ܕܒܬܪܗ ܕܒܬܪܗܝܢ: ܕܒܝܗ ܕܐܝܠܗ ܐܬܝܕܥ ܠܗ ܡܢ ܡܘܬܐ. ܒܗ ܠܝܬ ܠܗ ܡܕܡ ܡܢܬܐ ܒܡ ܚܝ̈ܐ ܟܕܒܘܢ. ܐܦ ܕܝܢ ܠܚܘܕ ܘܐܢܫ ܕܒܕܘܟܪ̈ܢܐ ܛܒ̈ܐ ܚܝܐ ܢܦܘܩ ܡܢ ܥܠܡܐ ܟܡܐ ܕܒܢܝ̈ܢ ܗܢܐ ܫܪܝܪ ܠܗ ܡܕܡ ܒܝܬ ܚܝ̈ܐ ܡܛܠ ܡܢܬܪܬܗ. ܘܕܚܝܐ ܕܝܢ ܗܘ ܡܕܡ ܕܫܪܝܪ ܡܢ ܒܬܪܗ ܐܚܪ݂ܢ.

VII

7, 1 ܛܒ ܫܡܐ ܡܢ ܡܫܚܐ ܛܒܐ.

ܫܡܐ ܚܠܦ ܚܠܝܨܘܬܐ ܘܡܝܬܪܘܬܐ ܕܛܒ̈ܬܐ ܐܡܪ. ܡܫܚܐ ܕܝܢ ܚܠܦ ܬܘ̈ܡܢܐ ܕܝܚ̈ܘܬܐ ܗܘ. ܠܐ ܠܡ ܗܟܢܐ ܕܘܒܪܢܐ ܐܝܟܢܐ ܒܟܠܡܐ ܥܒܡܝܢ ܠܝ: ܐܡܬܝ ܕܒܠ ܝܚ̈ܘܬܐ ܕܠܒܪ ܡܢ ܐܝܬܝܗ̇ ܒܛܠܝܘܬܗ̇. ܐܝܟ ܡܐ ܕܒܕܘܟܪ̈ܢܐ ܛܒ̈ܐ ܘܥܒ̈ܕܐ ܢܦܩܝܢ ܡܬܒܥܠܝܢ. ܐܡܬܝ ܚܢܢ ܕܒܠ ܢܦܩܝܢ ܢܝܚ: ܕܐܝܟܢܐ ܒܥܒ̈ܕܐ ܕܫܦܝܪ̈ܬܐ | [148rb] ܬܬܠܒܢ: ܠܐ ܡܬܪܒܝܢܐ ܐܘ

1 ܛܒ - 6 ܡܬܒܥܠܝܢ B.
6 ܡܬܒܥܠܢ B.

ܡܫܬܠܛܢܐ ܠܘܬ ܚܕ ܡܢ ܚܫ̈ܐ ܗ̇ܠܝܢ ܕܐܝܬܝܗܘܢ
ܒܨܒܝܢܘܗܝ: ܐܠܐ ܒܥܡܠܐ ܕܦܬ̈ܓܡܐ ܬܘܕܐ ܘܒܡܡܠܠܐ
ܕܡܫܬܪܝܘܬܐ ܬܬܚܝܒ. ܒܗ ܡܦܩܢܐ ܡܛܠ ܕܒܪܝܗ̇ ܠܡܘܠܒܢܐ
ܘܠܐ ܠܡܣܒ ܒܪܫܐ. ܘܠܦܬ̈ܓܡܐ ܘܠܐ ܠܒܥ̈ܬܐ: ܘܠܚܫܐ
ܘܠܚܕܘܬܐ ܘܠܐ ܠܕܘܝܐ ܘܟܡܐ: ܠܗܠܝܢ ܕܡܒܝܢܐ
ܡܬܕܒܪܝܢ: ܐܬܬܚܝܡ ܠܝ ܕܡܛܠ ܕܒܪܝܗܘܢ.
ܛܒ ܗܘ ܢܘܡܐ ܕܡܘܬܐ ܡܢ ܢܘܡܐ ܕܐܠܗܘܬܐ.
ܢܘܡܐ ܕܐܠܗܘܬܐ ܥܕܪ ܐܝܟܢ ܒܪܫܝܬܗ ܠܟܝܢܐ ܘܬܬܒܥܐ.
ܘܕܪܐ ܡܢ ܟܠ ܕܒ̈ܢܝ ܐܢܫ ܟܠܗܘܢ. ܒܗ ܡܦܝܣ ܠܗܘܢ
ܒܐܝܢ ܒܗ ܦܘܩ̈ܕܢܐ ܕܡܢ ܠܒܪ: ܒܐܝܢ ܒܗ ܦܘܩܕܢܐ
ܕܡܢ ܠܓܘ. ܢܘܡܐ ܕܡܢ ܕܡܘܬܐ ܒܠܠܐ °ܕܦܘܠܚܢܐ° ܦܓܪ
ܒܪܫܗܘܢ. ܐܝܪܐ ܕܡܫܒܪܢܘܬܗܘܢ ܡܟܠܕ ܠܗܘܢ. ܠܥܘܒܕܐ
ܡܒܝܠ ܡܦܩܝܢ ܘܠܐ ܠܝܪܬܐ. ܠܚܫܐ ܘܠܐ ܠܬܒܥܬܐ.
ܠܥܢܝܐ ܘܚܕܘܬܐ ܘܠܐ | ܠܡܛܠܬܐ ܐܚܝܢܐ. ܡܬܝܪ ܗܘ ܡܕܝܢ 148va
ܐܝܟ ܕܐܡܪܬ.
ܢܘܡܐ ܕܡܘܬܐ ܡܢ ܢܘܡܐ ܕܐܠܗܘܬܐ. 7, 2 ܘܛܒ
ܠܡܐܙܠ ܠܒܝܬ ܒܟܐ: ܡܢ ܕܠܡܐܙܠ ܠܒܝܬ ܡܫܬܝܐ.
ܡܬܚܐܪܬ ܠܡ ܙܕܩ ܕܒܡܘܬܗܘܢ ܕܗܠܝܢ ܢܬܒܘܐ. ܐܝܟ ܡܢ
ܕܐܬܚܘܝ ܠܝ ܡܦܪܢܐ ܕܠܘܬ ܢܫ̈ܐ. ܘܙܕܩ ܠܝ ܠܡܪܚܡ
ܢܘܡܐ ܕܒܝܬ ܒܟ̈ܝܗܘܢ: ܝܬܝܪ ܡܢ ܢܘܡܐ ܕܡܐܟܠܐ
ܘܕܡܫܬܝܐ: ܘܟܒܢܐ ܕܒܘܣܡܐ ܕܒܡ ܩܛܠܐ. ܗܘ ܓܝܪ ܠܘܬ
ܙܒܘܬܐ ܡܓܪܓ ܠܝ. ܒܗ ܡܠܘ ܠܝ ܦܣܩܘܬܗ ܕܒܝܢ:
ܘܦܫܡ ܡܕܡ ܒܟܠܝܢ ܥܘܠܡܐ ܕܡܕܕܝܢ ܕܢܝܦ ܕܒܒܢ̈
ܘܢܦܠ ܡܢ ܡܦܪܢܘܬܐ ܕܙܒܢܐ ܠܝܢܪܐ ܕܚܛ̈ܐ. ܐܘܒܠܐ

ܕܝܢ ܘܫܡܝܢܐ ܐܡܝܢܐ. ܠܘܬ ܚܡܘܬܐ ܕܡܢ ܚ̈ܫܐ ܡܩܪܒ ܠܗ. ܡܟܝܢ ܟܠܢ ܐܢܫܘܬܐ ܡ̈ܝܢܬܐ ܕܟܠ ܫܘܚܠܦ. ܫܡܥ ܡܠܝ ܐܢܫܐ ܕܡܙܕܝܢܗ ܕܐܘܪܚ. ܦܩܕ ܠܗ ܡܘܬܐ ܡܢ ܪܘܚܡܐ. ܘܕܝܢܐ ܠܗܠ | ܡܢܗ. ܡܕܝܢ ܬܪ̈ܝܢ ܒܘܕ̈ܝܢ 148vb ܡܫܬܒܩܝܢ ܠܗ ܒܫܐܠܬܐ ܕܒܝܬ ܒ̈ܟܝܐ. ܚܕܐ ܕܬ̈ܝܒܘܬܗ ܡܢ ܚܛܗܝܢ ܦܪܝܫܐ ܡܬܝ̈ܒܝܢ. ܘܐܚܪܬܐ ܕܚܪܬܗ ܒܐܚ̈ܪܝܬܐ ܚܝܝܢ.

ܡܛܠ ܕܗܝ ܗܝ ܚܪܬܐ ܕܟܠܗܘܢ ܒܢ̈ܝܢܫܐ. ܘܕܚܝ ܢܣܒ ܛܒܬܐ ܠܠܒܗ.

ܗܟܢܐ ܓܝܪ ܟܠܗ ܛ̈ܒܬܐ ܦܘܪ̈ܣܐܬܐ ܚܪܬܐ ܕܐܢܫ ܗܕܐ ܗ̇ܘܐ ܠܗ. ܕܚܝܝ ܡܟܝܠ ܐܝܠܝܢ ܕܚܝ̈ܝܢ ܚܝܝ. ܕܠܐܠܐܝܬ ܠܘܬ ܫܡ̈ܝܢܬܐ ܡܬܚܦܛܝܢ. ܒܗ ܢܗܒܝܠ ܠܦܩܝ ܡܟܝܠ ܚ̈ܫܘܟܐ ܛ̈ܒܐ: ܦܝܠ ܕܦܐܝܢ ܠܐܝܠܝܢ ܕܡ̈ܢܘܬܐ ܐܬܝܗܘܢ. ܕܚܫܘܐ ܕܝܢ ܕܐܝܠܝܢ ܐܝܟ ܚ̈ܫܘܟܐ ܚܫܝܚ ܠܗ: ܐܡܪ.

7, 3 ܛܒ ܪܘܓܙܐ ܡܢ ܓܘܚܟܐ. ܡܛܠ ܕܒܒܝܫܘܬ ܐܦ̈ܐ ܢܛܒ ܠܒܐ.

ܙܕܩ ܠܗ ܠܡ ܕܒܟܠܝܢ ܢܛܪ ܘܢܓܪ ܠܗܒܠ ܬ̈ܝܒܘܬܐ ܘܚ̈ܫܐ ܐܝܠܝܢ ܕܒܢ ܡܬܬܒܪܝܢ. ܒܗ ܢܛܪܝܢ ܢܦܫܢ ܐܦ ܡܢ ܬ̈ܠܠܬܐ ܗܠܝܢ ܕܡܢ ܠܒܪ ܡܟܝܢ̈ ܠܗܘܢ ܒܢ. ܘܠܐ ܡܦܣܝܢ ܒܗܘܢ ܦܪܘܩ ܠܡܦܟܠܘ ܒܒ̈ܝܫܬܗܘܢ. ܡܛܠ ܕܦܓܪ

46 ܛܒ - 52 ܕܡܟܝܢܗܘܢ *B*.
51 ܠܗܘܢ *B* ܒܒ̈ܝܫܬܗܘܢ] ܒܝܫܬܗܘܢ *A*.
52 ܘ] ܐܦ *B*.

ܡܘܬܪܐ ܘܡܥܕܪܢܐ ܠܟܠ | ܪ̈ܚܡܘܬܐ ܕܥܠܡܝܢ. ܦܫܝܩܐ ܒܪ 149ra
ܕܢܦܫ ܗܝܢ ܒܗܘܢ ܘܒܗܬܐ ܟܠ ܚ̈ܛܗܝܗܘܢ ܘܥܒ ܠܘܬ
ܟܢܝܫܐ ܐܢܫܐ ܐܬܢܚܡܘ: ܘܠܗܠܝܢ ܕܡܬܬܒܪܝܢ ܚܛ̈ܗܐ ܒܪ̈ܢܫܐ
ܐܦ̈ܝܗܘܢ ܐܦܪܝܘ ܒܝܕ ܟܢܝܫܐ: ܐܝܟ ܕܒܝܕܡܘܬ ܥܡܝܢܐ
ܐܬܪ̈ܟܝܘ. ܘܐܠܗܐ ܥܒ̈ܘܕܐ ܕܚ̈ܛܗܝܗܘܢ: ܗ̇ܢܘܢ ܕܐܝܟܢܐ ܗܘܘ
ܡܢ ܠܘܩܕܡ. ܡܛܠ ܗܢܐ ܐܝܠܝܢ ܕܚ̈ܛܝܐ ܐܢܬܘܢ.
ܙܢܝܘܬܐ ܦܫܝܩܐ ܐܝܬ ܠܗܘܢ. ܕܠܐ ܢܫܬܠܡܘܢ ܠܘܬ
ܦܪܝܫܘܬܐ ܘܟܢܝܫܐ ܦܬܝܟܐ.

7, 4 ܠܟܐ ܕܚ̈ܛܝܐ ܒܝܬ ܐܟܠܐ. ܘܠܟܐ ܕܩ̈ܛܠܐ ܒܝܬ
ܚܕܘܬܐ.

ܠܚ̈ܛܝܐ ܠܡ ܗܘ ܒܗܪܝܗܘܢ ܐܡܝܢܐ ܠܐ ܥܒܕ ܠܗܘܢ
ܠܡܚܕܐ ܘܠܡܬܦܪܝܘ ܦܪܝܫܐܝܬ. ܒܗ̇ ܕܝܢ ܒܕܡܘܬܐ ܐܦ
ܩ̈ܛܠܐ ܡܢ ܗܕ ܢܬܠܬܘܢ ܡܬܕܒܪܝܢ ܒܛܠܝܢ ܠܡܚܕܐ
ܘܠܡܬܦܪܝܘ. ܒܗܠܝܢ ܕܩ̈ܛܠܝܢ ܦܪܝܫܘܬܐ. ܡܛܠ ܕܝܢ ܕܠܐ
ܗܘܬ ܕܢܛܠܐ ܠܟܠܢܫ ܠܡܫܬܘܕܥܘ ܒܐܟܗ: ܘܕܗ̇ ܠܝ ܕܠܐ
ܢܗܠܐ ܡܢ ܡܬܘܡ ܠܟܘܘܢܐ ܐܘ ܠܡܟܘܢܘܬܐ ܕܡܢ | ܚ̈ܛܝܐ 149rb
ܡܬܦܪܥܐ ܠܝ. ܐܠܐ

7, 5 ܛܒ ܠܡܫܡܥ ܟܐܬܐ ܕܚ̈ܛܝܐ. ܛܒ ܡܢ ܙܡܪܐ
ܕܫ̈ܡܥ ܙܡܪܐ ܕܣܟܠܐ.

ܡܫܬܪܐ ܗܝ ܒܪ ܟܐܬܐ ܐܦ ܕܢܟܠܐ ܒܕܒܝܫ: ܢܬܪ ܡܢ
ܙܡܪܐ ܘܦܪܝܫܘܬܐ ܕܩ̈ܛܠܐ ܗ̇ܢܘܢ ܕܡܬܬܒܪܝܢ ܕܡܚܕܝܢ.
ܠܟܐܬܐ ܒܪ ܕܚܛܝܐ ܚܪܬܐ ܛܒܬܐ ܐܝܬ ܠܗ̇. ܘܒܟܐ

60 ܠܟܐ - 66 ܒܐܟܗ B.

ܕܪܒܝܐ ܡܢܢ: ܗܒܝܠܐ ܡܬܪ̈ܢܝܗܝ ܒܥܩ̈ܒܝܢ ܘܡܬܪܒܝܢ. ܘܪܒܐ
ܕܝܢ ܘܫܠܝܛܘܬܐ ܕܥܠܡܐ. ܚܪܬܗ ܬܘܒ ܠܒܫܐ ܗܝ ܘܟܠ
ܫܘܠܡܗ̇ ܐܦ ܗܟܢܐ ܡܬܒܛܠ.
7, 6 ܐܝܟ ܩܠܐ ܕܟܘ̈ܒܐ ܬܚܝܬ ܩܕܪܐ. ܗܟܢܐ ܓܘܚܟܗܘܢ
ܕܣܟ̈ܠܐ.
ܐܟܢܐ ܠܡ ܕܟܘ̈ܒܐ ܟܕ ܩܠܗܘܢ ܡܫܡܥܝܢ ܕܐܫܬܠܛܬ
ܒܗܘܢ ܢܘܪܐ ܠܡܘܒܕܐ ܐܢܘܢ: ܗܟܢܐ ܐܦ ܣܟ̈ܠܐ ܟܕ
ܒܓܘܚܟܐ ܕܩܠܗܘܢ ܡܫܡܥܝܢ: ܕܐܫܬܠܛܬ ܠܗ̇ ܒܗܘܢ
ܫܠܝܛܘܬܗܘܢ ܘܣܟܠܘܬܗܘܢ ܠܡܘܒܕܘ ܐܢܘܢ.
ܐܦ ܗܢܐ ܗܒܠܐ.
ܘܐܦ ܗܕܐ | ܠܡ ܒܪܝܬܐ ܪܒܬܐ: ܕܐܝܟܢܐ ܒܪܢܫܐ ܗ̇ܘ 149va
ܕܒܛܝܠܘܬܐ ܚܫܝܫܬܐ ܡܢ ܐܠܗܐ ܗܘܬ ܒܠܗܘܢ: ܠܒܝ̈ܫܬܐ
ܚܫ̈ܝܫܬܐ ܕܒܩ̈ܝܡ ܠܐܣܘܬܐ ܟܕ ܚܠܠܘܬܗ ܐܬܪܡܝ. ܗܟܢܐ
ܕܝܢ ܡܬܕܡܪܢܐ ܒܗܕܐ ܕܣܟ̈ܠܐ ܟܕ ܚܠܠܘܬܗܘܢ ܐܒܕܝܢ:
ܐܝܟܢܐ ܕܐܦ ܚܟܝ̈ܡܐ ܒܗܕܐ ܙܒ̈ܢܐ ܒܗ ܢܛܪܝܢ ܠܢܦܫܗܘܢ
ܙܗܝܪܐܝܬ ܡܢ ܟܠ ܚܛ̈ܗܝܢ ܟܕ ܚܟܡܬܗܘܢ ܡܢ ܒܝ̈ܫܬܐ
ܕܒܥܠܡܐ ܐܕܪܟ ܐܢܘܢ ܒܫܘܩܐ: ܘܒܝ̈ܫܬܐ ܚܫ̈ܝܫܬܐ ܕܠܐ
ܡܠܝܢ ܓܝܪ ܒܠܒܗܘܢ.
7, 7 ܘܡܛܠ ܕܥܘܫܩܐ ܡܫܓܫ ܠܚܟܝܡܐ. ܘܡܘܒܕ ܠܒܐ ܕܡܘܗ̈ܒܬܐ.
ܗܟܢܐ ܠܡ ܕܠܐ ܐܫܟܚܘ ܡܢ ܚܫܝܫܘܬ ܢܦ̈ܫܐ ܕܢܦܠܘ
ܒܗܘܢ: ܠܡܒܕܪܘ ܢܦܫܗܘܢ ܡܕܡ ܟܕ ܚܟܡܬܗܘܢ ܐܠܐ
ܒܠܒܗܘܢ ܢܛܥܢܘܢ ܐܟܕܘ. ܘܐܬܦܟܪܘ ܒܫܠܝܛܘܬܐ ܕܡܢ ܣܟ̈ܠܐ
ܐܦܢ ܒܠܒܗܘܢ. ܘܗܟܢܐ ܡܫܒܫ ܡܬܪܘ ܗܠܝܢ ܡܢ ܚܟܡܬܗܘܢ
ܒܪܒܝܐ ܕܐܘܠܨܢܐ: ܕܗܘܐ ܐܦ | ܗܘܝܢ ܐܝܟ ܣܟ̈ܠܐ ܒܪܝ 149vb

ܟܠܗܘܢ ܒܟܬܒܐ: ܘܠܡܬܦܫܩܘ ܡܢܗܝܢ ܟܕ ܣܟܠܘܬܗܘܢ ܠܐ
ܐܫܟܚܘ. ܐܦ ܠܐ ܕܝܢ ܠܡܫܡܥܗܘܢ ܡܢ ܒܟܬܒܐ ܠܐ ܐܫܟܚܘ
ܕܢܦܩܘܢ ܐܠܐ ܒܗ̇ ܒܡܕܐ ܕܠܟܬܒܬܗܘܢ ܚܪܬܐ ܠܒܬܐ ܐܝܬ
ܠܗܝܢ: ܦܪܢܣ ܐܢܘܢ ܡܢ ܩܕܡܐ. ܠܩܕܡܐ ܓܝܪ ܡܢ ܒܬܪ
ܫܘܠܡܐ ܕܟܬܒܬܗܘܢ. ܐܝܟܐ ܕܟܬܒܬܗܘܢ ܬܘܒ ܡܡܠܠܝܢ: ܒܟܘܡ
ܒܪܫܐ ܕܡܢ ܐܠܗܐ. ܣܒܝܪܐ ܕܝܢ ܠܐ ܗܘܐ ܗܟܢܐ. ܐܠܐ ܒܡ
ܫܘܠܡܐ ܕܢܘܦܠܝܗܘܢ. ܐܝܟܐ ܕܒܠܝܠܝܗܘܢ. ܡܛܠ ܗܢܐ
7, 8 ܛܒܐ ܗܝ ܚܪܬܗ ܕܦܬܓܡܐ ܡܢ ܡܫܘܪܝܬܗ.
ܛܒܐ ܗܝ ܠܗ ܚܪܬܗܘܢ ܡܢ ܕܩܕܡܝܐ. ܐܦ ܠܐ ܢܗܘܐ ܕܢܬܛܪ
ܡܢܗܘܢ ܒܟܬܒܬܐ ܦܫܝܩܬܐ ܢܦܠܘܢ. ܡܛܠ ܕܒܪܐܢܫܘܬ ܗܘ
ܡܡܠܠܝܢ ܠܗܝܢ ܘܒܡܫܒܪܢܘܬܐ ܕܪܘܚܗܘܢ ܕܠܐ ܪܕܘܦܝܐ
ܢܘܦܗܪ ܡܢܗܘܢ ܡܡܠܠܝܢ. ܡܛܠ ܕܡܦܩܢ ܐܢܘܢ.
ܕܛܒܐ ܗܝ ܠܚܪܬܗ ܪܘܚܐ ܡܢ ܪܡܘܬ ܪܘܚܐ.
| ܬܫܪܐܝܬ ܠܡ ܒܡܕܐ ܛܒ ܠܗܘܢ. ܕܠܐ ܡܬܬܪܚܡܝܢ ܟܕ 150ra
ܘܕܢܩܘܬܗܘܢ: ܘܒܐܠܗܐ ܡܬܪܓܠܝܢ ܟܠ ܐܦܢ ܒܟܬܒܐ ܕܚܕ̈ܝܐ
ܠܗܘܢ ܒܕ ܠܐ ܫܦܝܢ. ܐܠܐ ܚܫܝܢ ܪܘܚܗܘܢ ܒܕ ܡܦܩܝܢ
ܠܒܘܣܡܐ ܕܡܢ ܐܠܗܐ. ܘܠܐ ܦܪܥܝܢ ܐܝܟ ܩܕܡܝܐ: ܫܠܝܢ ܕܒܕ
ܒܟܬܒܐ ܕܫܦܝܢ ܠܗܘܢ ܚܕ̈ܝܐ ܠܗܘܢ ܒܐܠܗܐ ܡܬܪܓܠܝܢ: ܐܝܟ ܐܢܫܝܢ
ܕܠܐ ܫܦܝܢ ܗܘܘ ܠܗܝܢ. ܗܠܝܢ ܕܠܘ ܒܠܚܘܕ ܡܢ ܐܘܠܨܢܝܗܘܢ ܒܢܕ
ܪܘܚܢܝܗܘܢ ܠܐ ܒܪܢܝܢ: ܐܠܐ ܐܦ ܕܢܝܚܐ ܕܡܪܘܚܘܬܐ ܕܠܘܬ ܐܠܗܐ

105 ܛܒܐ - 109 ܡܡܠܠܝܢ *B*.
106 ܚܪܬܗܘܢ + ܕܣܒܝܪܬܐ *B*.
109 ܡܢܗܝܢ *B*.

ܠܚܪܬܐ ܡܟܬܒܝܢ ܠܢܦܫܗܘܢ. ܐܝܟܢܐ ܕܢܗܘܘܢ ܕܠܐ ܡܦܣ ܒܪܘܚ
ܘܕܠܐ ܫܒܪ. ܫܦܝܪܐ ܓܝܪ ܕܟܕ ܐ̈ܘܠܝܢ ܗܘܘ ܕܢܟܦܘܢ: ܓܒܫܘ
ܘܗܢܘܢ ܒܠܒܗ ܡܫܘܬܐ ܢܫܝܢܬܐ ܘܟܕ ܐ̈ܘܠܝܢ ܗܘܘ
ܕܢܒܘܢ ܗܦܟܘ ܠܢܗܘܢ ܒܬ̈ܠܕܒܢܝܗܘܢ ܘܫܪܪܐ ܒܗܘ ܐܢܘܢ.
ܘܫܦܝܪܐ ܬܘܒ ܕܟܕ ܡܗܝܡܢ ܒܢܦܫܗܘܢ ܠܬ̈ܓܪܬܐ ܫܦܝܪܬܐ
ܕܠܒܗܘܢ. ܒܦܬ̈ܐ ܫܦܝܪܐ ܘܒܒܐܪܒܐ ܕܠܝܬ ܠܗܘܢ ܐܫܘܬܐ
150rb | ܢܦܠܘ. ܘܗܢܐ ܕܐܬܐ̈ܠܝ ܡܬ̈ܝܠܝܢ ܘܦܚܝܢ. ܘܒܐܠܗܐ
ܡܬܒܕܠܝܢ ܫ̈ܦܝܪܐ ܕܠܐ ܒܢܦܫܗܘܢ. ܒܕ ܛܒ ܗܢܘܢ ܐܝܬܘܗ
ܒܠܒܗܘܢ ܒ̈ܝܫܬܐ ܫܦܝܪܬܐ. ܐܝܟ ܗ̇ܘ ܕܝܢ ܕܒܗܠܝܢ ܣܓܝ
ܗܘܐ ܘܠܬܒܪܗܘܢ ܚܝܒܐ ܢܚܡܝܐ ܥܠܝܗܘܢ ܫ̇ܡܪܒ ܗܘܐ. ܒܕ
ܐܡܪ.

7, 9 ܠܐ ܬܬܪܗܒ ܒܪܘܚܟ ܠܡܪܓܙ. ܡܛܠ ܕܪܘܓܙܗܘܢ
ܕܣ̈ܟܠܐ ܒܥܘܒܗܘܢ ܢܬܬܢܝܚ.

ܡܢܐ ܠܡ ܡܬܦܪܗܒ ܐܢܬ ܠܡܪܓܙܘ ܠܐܠܗܐ ܒܢܩܘܬܐ:
ܗ̇ܢܘܢ ܕܐܢܬ ܒܠ ܢܦܫܟ ܩܪܝܬ ܐܢܘܢ. ܘܡܢܐ ܓܝܪ ܐܢܬ
ܒܠ ܗ̇ܘ ܕܒܒܠ ܥܒ ܐܪܓܝܬܗܝ. ܡܕܡ ܕܝܢ ܡܢ ܗܕܐ
ܠܐ ܢܗ̇ܪ ܐܢܬ. ܪܘܓܙܟ ܓܝܪ ܒܠܒܟ ܗܘ ܡܬܬܢܝܚ. ܡܛܠ
ܕܪܢܝܢܬ ܓܝܪ ܐܢܬ. ܐܢܬ ܕܝܢ ܫܦܝܪܐ ܕܗܒܢܐ
ܡܬܪܢܚܡܝܢ ܕܗܒܢܐ ܠܡ ܢܬܢܪܐ ܣܓܝܬ ܒܗܢܐ ܕܒܢܐ ܛܒ ܡܢ
ܕܒ̈ܢܐ ܡܕ̈ܡܝܐ: ܕܗܢܐ ܐܦ ܡܬ̣ܪ ܒܝܪܬ ܡܢ ܒ̈ܝܫܬܝ.
ܘܣܠܩ ܕܐܬܦܝܣܐ ܗܫܐ ܡܢ ܒ̈ܝܫܬܐ. ܐ̈ܢܠܝܢܐ ܫܦܝܪܐ ܣܓ̈ܝܐܝܢ.
ܗ̇ܢܘܢ ܕܒܕ | ܢ̇ܛܪܐ ܗܘܝܬ ܫܦܪ: ܐܦܠܐ ܣܕ ܡܢܗܘܢ ܢ̇ܬܝܬ. 150va
ܠܗ̇ ܬܘܒ ܠܗܕܐ ܡܫܒܚܬܐ ܬܚ̇ܘܐ ܒܕ ܐܡܪ.

7, 10 ܠܐ ܬܐܡܪ ܕܡܢܐ ܗܘܐ ܕܝ̈ܘܡܬܐ ܩܕ̈ܡܝܐ ܛܒ̈ܢ

ܗܘܘ ܡܢ ܗܠܝܢ. ܡܛܠ ܕܠܐ ܗܘܐ ܒܚܟܡܬܐ ܫܐܠ ܐܢܬ ܟܠ ܗܠܝܢ.

ܠܐ ܒܚܟܡܬܐ ܗܠܝܢ ܡܬܒܥܐ ܐܢܬ ܐܘ ܓܒܪܐ. ܘܒܢܝܐ ܓܝܪ ܡܕܡܝܢܐ ܕܢܦܫܐ ܗܘܝܬ: ܘܡܢ ܡܛܠ ܒܢܝܐ ܕܒܢܝܫܬܐ ܦܓܪܢܝܬܐ ܢܦܫܟ ܗܘܝܬ. ܡܢ ܠܓܢܘܬ ܪܘܚܗ ܕܐܠܗܐ ܡܬܝܠܦܐ ܗܘܝܬ ܠܒܢܝܐ ܕܬܫܒܘܚܬܐ ܒܗ ܕܝܢ ܘܒܢܝܐ ܒܠܒܘܢ ܕܢܦܫܟ ܓܒܪܬ ܐܝܟ ܒܡܠܐ: ܘܠܐ ܐܬܬܘܝܬ ܐܘ ܐܬܝܠܦܬ: ܐܕܪܟܟ ܒܒܕܢܟ ܘܐܝܕܘܥܟ ܘܦܪܝܫܟ ܒܢܝܐ. ܘܕܠܐ ܢܒܥܬ ܠܡܬܦܠܦܠܘ ܡܢܗܘܢ ܒܗ ܡܚܟܡ ܗܘܝܬ: ܢܒܥܬ ܗܫܐ ܠܡܬܚܙܝܘ ܡܢܗܘܢ ܘܠܐ ܡܚܟܡ ܐܢܬ. ܐܢܬ ܗܘܐ ܠܟ ܓܝܪ ܘܒܢܝܐ ܕܒܗ ܡܚܟܡ ܗܘܝܬ ܠܡܬܦܠܦܠܘ ܡܢ ܗܠܝܢ: ܘܒܫܘܠܡܬܟ ܐܘܒܕܬܝܗ̇. ܘܒܗ ܚܙܪ ܚܟܝܡܐ ܥܠܝܗܘܢ ܒܐܝܠܝܢ ܢܦ̈ܫܬܐ ܒܢ̈ܝܫܐ ܡܛܠ | ܗܒܠ̈ܬܗܘܢ ܡܬܬܚܕܝܢ. ܐܝܟܢܐ ܕܝܢ ܚܟܝܡܐ 150vb
ܒܡܝܬܪܘܬܗܘܢ ܦܪܫܝܢ ܘܒܢܝܗܘܢ ܕܠܐ ܢܬܟܘܢ ܠܡܛܐ ܒܢܫܐ: ܘܐܦ ܢܓܕ ܬܘܒ ܘܒܪ ܚܐܪܬ ܢܬܬܐ: ܠܐ ܡܚܝܡ ܠܗܘܢ ܐܘ ܡܬܘܗ: ܡܛܠ ܕܢܕܒܪ ܕܡܢ ܟܠ ܦܪܘܫ ܢܦܘܫܐ ܚ̈ܒܪܝ: ܐܓܪܐ ܕܝܢ ܕܢܠܦܝܗܘܢ ܡܢܗ: ܘܗܒܢܐ ܚܟܝܡܐ ܐܦ ܒܐܘܠܨܢܗ ܠܦܐܫܐ ܡܚܟܡ ܠܗ: ܒܗܠܝܢ ܗܒܝܠ ܒܗ ܚܙܪ ܐܡܪ.

7, 11 ܛܒܐ ܗܝ ܚܟܡܬܐ ܡܢ ܡܐ̈ܢܝ ܙܝܢܐ. ܘܝܬܝܪ ܠܚܙ̈ܝܝ ܫܡܫܐ.

°ܐܝܟ ܙܝܢܐ ܠܗ ܒܐܝܢ ܡܐܪܘܗܐ ܐܝܬܝܗ̇ ܚܟܡܬܐ ܠܚܟܝܡܐ: ܕܒܗ̇ ܐܝܟ ܕܒܙܝܢܐ ܡܩܪܒ ܠܘܩܒܠ ܟܘܠ ܢܦܘܫܝܢ ܕܒ̈ܪܝܢ

160 ܛܒܐ - 164 ܒܠܘܗܝ .B

ܡܩܪܒ] ܐܩܪܒ°

163 DS VII 67

ܒܠܗܘܢ°. ܘܗ̇ܘ ܫܪܝܪܐܝܬ ܙܢܐ ܕܐܡܪ: ܕܠܐ ܡܫܬܟܚܝܢ ܠܡܫܟܚܗ ܡܛܠ ܢܘܢܗ ܐܦ ܠܐ ܬܘܒ ܕܡܢ ܒܥܠܕܒܒܐ ܢܬܢܛܪ ܡܢܝܢܐ. ܡܛܠ ܗܢܐ ܐܡܪܬ°ܕ ܢܬܝܪ ܡܢ ܟܠ ܡܕܡ ܗܕܐ ܢܟܣܐ ܠܐܝܠܝܢ ܕܒܥܠܡܐ ܗܢܐ ܬܚܝܬ ܫܡܫܐ ܚܙܝܢ°. ܡܢܐ ܓܝܪ ܙܢܐ: ܕܚܟܡܬܐ ܠܡܐܡܪ ܥܠ ܡܩܒܠܝܢ ܕܒܥܠܡܐ 151ra ܡܬܬܚܒܪܝܢ | ܘܠܐ ܢܦܫܠ ܐܢܘܕܗ. ܠܘ ܕܝܢ ܒܠܚܘܕ ܡܢ ܙܢܐ ܕܐܡܪ. ܐܠܐ ܐܦ ܡܢ ܒܬܪܐ ܘܡܢ ܢܦܩܐ ܡܢܬܪܐ.

7, 12 ܡܛܠ ܕܛܠܠܐ ܕܚܟܡܬܐ ܐܝܟ ܛܠܠܐ ܗܘ ܕܟܣܦܐ. ܗܟܢܐ ܠܟ ܡܢܝܢܐ ܕܬܦܢܐ ܡܢ ܡܩܒܠܢܐ ܠܡܢܝܗ: ܢܛܪ ܡܢ ܕܡܢܐ ܕܗܟܢܐ ܠܡܕܒܪܘ ܡܢܗܘܢ ܒܐܝܢ ܡܟܪܗܐ. ܡܛܠ ܕܗܟܢܐ ܠܘ ܒܠܚܘܕ ܗܘ ܠܐ ܡܦܢܐ ܠܟ ܡܢ ܡܟܪܗܐ: ܐܠܐ ܒܗܐ ܙܒܢܝܢ ܗܘ ܡܒܪܐ ܠܗܘܢ ܒܠܝܢ ܠܢܗܘܢܐ. ܩܢܝܢܐ ܓܝܪ ܕܒܢܝܕ ܩܢܝܐܘܬܐ ܕܒܬܪܗܘܢ ܢܦܠܘ ܒܫܘܡܐ: ܘܐܬܬܚܕܘ ܒܢܒܠܐ ܡܢ ܒܥܠܕܒܒܝܗܘܢ ܘܢܣܒܘܗܘܢ ܡܛܠ ܒܬܪܗܘܢ ܡܥܒܕܝܢ ܗܘܘ. ܩܢܝܢܐ ܬܘܒ ܕܡܛܠ ܨܦܬܐ ܩܢܝܐܘܬܐ ܕܢܫܘܡܬ ܐܢܘܢ ܥܠ ܦܢܝܗܘܢ. ܒܒܘܪܢܐ ܡܢܝܐ ܐܬܬܚܕܘ. ܘܡܕܡ ܒܬܪܗܘܢ ܠܚܘܢܝܗ ܐܢܘܢ ܠܐ ܐܬܡܨܝ. ܩܢܝܢܐ ܬܘܒ ܕܒܕ ܡܬܬܒܠܝܢ ܥܠ ܒܬܪܗܘܢ ܩܢܝܢܐ: ܕܠܐ ܕܢܠܐ ܐܢܫܘ ܠܡܒܘܠ ܒܐܘܪܚܐ ܘܟܕ ܠܢܬ ܗܘܐ ܕܡܟܡ ܠܡܩܒܠܗܘܢ. ܒܠܗ ܓܒܝܠܐ ܕܒܢܫܬܗܘܢ ܫܠܝܘ ܒܟܒܕܐ. ܘܡܟܐ ܠܗܘܢ ܬܘܒܠܝܐ ܕܒܠ ܡܢܝܢܐ ܡܕܝܢܐ 151rb ܘܡܛܠܠܬܐ ܠܘܬ ܒܢܫܬܐ ܩܢܝܢܬܐ. | ܩܢܝܢܐ ܬܘܒ ܕܒܕ ܚܕܝܢ ܒܩܢܝܐܘܬ ܛܠܠܬܗܘܢ: ܐܬܬܙܝܒ ܠܒܗܘܢ ܒܚܕܘܬܐ. ܘܢܗܒܘ ܢܦܫܗܘܢ ܠܡܒܗܡ ܘܠܡܚܕܐ. ܘܠܡܟܝܦ ܕܪܓܝܬܗܘܢ ܘܡܢ ܚܠܬܐ ܕܡܢܝܢܗܘܢ ܒܦܢܝܐ ܩܢܝܢܐ ܕܢܛܠܬܐ ܐܬܬܚܕܘ. ܘܚܪܬܐ

ܒܫܬܐ ܗܠܝܢ ܠܦܪܫܘܢ ܒܬܪܘ. ܐܝܟܐ ܕܝܢ ܕܒܗܝܡܢܘܬ ܚܟܡܬܐ
ܘܐܝ̈ܕܥܬܐ ܒܬܪ ܡܢ ܟܠܗܝܢ ܗܠܝܢ ܡܬܬܠܬܗ̇ ܕܝܠܗ̇ ܕܚܟܡܬܐ ܡܬܦܣܩܐ.
ܠܐ ܓܝܪ ܗܝܡܢܘܬ ܢܫܝܟܐ ܡܚܝܪܐ ܟܠܝܢ ܚܟܡܬܐ ܥܪܝܪܬܐ
ܕܡܬܟܬܒܐ ܒܡܬܪܘܬܐ: ܘܠܐ ܒܬܟܠܐ ܕܐܢ̈ܫܐ ܡܬܬܚܝܕܐ ܕܚܫܘܬ.
ܡܠܐ ܓܝܪ ܢܦܫ ܡܢ ܒܬܪܗ ܗ̇ܘ ܕܡܛܠ ܠܗ: ܡܢ ܓܒܪܐ
ܕܒܗܘ ܡܫܟܚ ܟܠܗ ܩܢܝܢܗ: ܠܐ ܚܣܝܪܬܐ ܗܝܡܢܘܬܐ ܢܟܠ
ܕܢܬܬܚܝܕ ܠܒܘܪܗܢܐ: ܡܛܠ ܕܠܐ ܥ̇ܒܕܐ ܠܗ ܚܟܡܬܗ
ܠܡܬܬܚܝܕܘ ܒܡܫ̈ܡܗܬܐ: ܘܠܐ ܬܘܒ ܒܗ̇ ܡܬܬܟܠ ܒܠ ܗܝܡܢܘܬ
ܚܟܡܬܗ. ܠܡܦܠܚܘ ܒܐܢ̈ܫܐ ܡܬܓܪܓܪ. ܡܢ ܗܕܐ ܓܝܪ ܡܬܚܪܐܝܬ
ܙܗܝܪ. ܐܦܠܐ ܠܘܬ ܪ̈ܓܝܓܬܐ ܗ̈ܠܝܢܐ ܢܗܒ ܢܦܫܗ | ܠܡܫܬܠܛܘ: 151va
ܒܠ ܬܘܒܠܐ ܕܚܟܡܬܗ ܗܝܡܢܘܬܐ. ܠܐ ܓܝܪ ܥ̇ܒܕܐ ܚܟܡܬܐ
ܠܐܝܠܐ ܕܐܢܫ ܒܗ: ܒܕܐܝܟ ܗܠܝܢ ܠܡܬܬܚܝܕܘ.
ܘܡܬܚܪܐܝܬ ܕܐܝܕܥܬܐ ܘܚܟܡܬܐ ܬܒܥ ܡܢܗ.
ܒܡܐ ܠܡ ܕܢܦܩܐ ܠܡܬܚܪܘ ܒܐܝܕܥܬܐ: ܗܟܢܐ ܚ̈ܝܐ
ܥܪ̈ܝܐ ܕܡܠܝܢ ܬܘܒܠܐ ܒܗ ܡܬܬܪ. ܕܡܬܚܪܐ ܕܝܢ ܡܢ
ܟܠܗܝܢ. ܕܚܪܬܐ ܓܒܬܐ ܡܢ ܒܠ ܓܒ̈ܝܢ ܡܟܢܫܐ ܠܗ. ܐܠܐ
ܠܡ ܘܒܕ ܓܒ ܡܢܐ ܗܘܐ ܒܠܒܫ ܕܗܒܠܐ ܢܫܐ ܡܬܚܪܐܝܬ:
ܒܫܪܘܬܐ ܗ̇ܝ ܕܐܙܕܕܩܬ ܠܗ: ܥܒ̈ܕܠܐ ܓܒ̈ܝܐ ܡܥܒܚܢܝܢ
ܒܝܬ ܒܠܒܫܐ ܗ̇ܢܘܢ ܕܒܡܕܡ ܠܫ̈ܕܕܐ ܠܐ ܕܚܝܢ. ܕܒܠ
ܚܕ ܡܢܗܘܢ ܐܝܟ ܓܒܪܗ ܥܒܕܠܐ ܐܥܒܕ ܠܗ. ܡܛܠ ܗܢܐ
ܗܢܘܢ ܕܒܢܝܐ ܚܕ ܐܝܬ ܠܗܘܢ: ܘܒܬ̈ܪ ܓܢܫܐ ܕܫ̈ܕܕܐ
ܐܬܬܣܝܡܘ: ܘܠܐ ܒܡܕܡ ܡܥܒܕ ܐܝܬ ܠܗܘܢ ܕܕܚܝܢ ܠܫ̈ܕܕܐ.
ܘܗܕܐ ܐܠܗܐ ܐܦܩ: ܘܠܒܘܫܝܐ ܚܝܘܬܐ ܕܫܪܘܬܐ | ܕܒܠܗܘܢ 151vb
ܒܢ̈ܝ ܐܢܫܐ. ܓܒܪ ܓܝܪ ܐܬܚܫܝܬ ܠܗ ܕܦܘܫܐ ܡܫܬܠܡܘܬܐ

ܘܡܫܝܢܘܬܐ ܕܝܘܬܪܬܐ ܚܙܐ ܡܢ ܒܗܝܐ ܒܠܚܘܕ: ܐܝܟ ܕܠܬܪܥܝܬܐ ܕܐܝܕܥܬܐ. ܕܒܗ ܡܬܦܫܩ ܗܢܐ ܥܡ ܗܢܐ ܘܗܕܐ ܝܘܬܪܬܐ ܥܡ ܚܒܪܬܗ̇: ܚܝܠܐ ܢܬܝܪܐ ܡܕܡ ܬܩܒܠ ܐܝܕܥܬܐ ܕܒܪܢܫܐ ܠܘܬ ܝܘܬܪܬܐ ܕܗܕܐ ܡܢ ܗܕܐ. ܘܦܘܪܫܢܐ ܢܬܝܠܕ ܡܛܠ ܠܐ ܕܡܝܘܬܐ ܘܠܐ ܒܠܚܘܕ ܠܘܬ ܒܢܝܢܫܐ ܗܕܐ ܥܒܕ ܕܢܗܘܘܢ ܦܪܝܫܝܢ ܒܬܪܥܝܬܐ ܡܢ ܚ̈ܕܕܐ: ܐܠܐ ܐܦ ܠܟܠ ܡܕܡ ܕܐܬܥܒܕ ܒܥܡܠܐ ܐܘ ܒܐܪܥܐ. ܐܝܟ ܗ̇ܝ ܕܗܕܐ ܐܬܚܙܝܬ ܠܗ̇ ܕܢܦܫܐ ܠܡܠܦ ܕܟܠ ܬܪܥܝܬܐ ܕܐܝܕܥܬܐ ܫܠܝܡܝܢ. ܕܠܘܩܕܡ ܢܗܘܘܢ ܦܪܝܫܝܢ ܚܕ ܡܢ ܚܕ. ܕܒܗ ܡܫܠܡܝܢ ܡܢ ܗܕܐ ܠܘܬ ܗܕܐ. ܬܬܒܝܪ ܢܦܫܗܘܢ ܒܕܘܪܫܐ ܕܐܝܕܥܬܐ: ܘܬܬܪܒܐ ܬܪܥܝܬܗܘܢ ܒܝܕܥܬܐ ܕܫ̈ܪܪܐ.

7, 13 ܚܙܝ ܥܒ̈ܕܐ ܕܥܒܕ ܐܠܗܐ.

ܚܙܝ | ܠܡ ܐܝܟܢܐ ܟܠ ܡܕܡ ܡܠܝܠܐ ܘܠܐ ܡܠܝܠܐ ܕܪܓܫܐ 152ra
ܘܕܠܐ ܪܓܫܬܐ: ܕܚܝܝܢ ܘܕܡܝܬܝܢ ܐܝܟܢܐ ܡܫ̈ܚܠܦܝܢ ܘܡܦ̈ܪܫܝܢ ܒܟܠܡܕܡ ܡܢ ܚ̈ܕܕܐ. ܠܐ ܓܝܪ ܒܝܘ̈ܡܬܐ ܐܝܬ ܒܗܘܢ ܕܫܘܐ ܥܡ ܚܒܪܗ: ܠܐ ܒܙܘܥܐ. ܠܐ ܒܡ̈ܠܐ. ܠܐ ܒܐܪܥܐ. ܠܐ ܒܥ̈ܝܢܬܐ. ܠܐ ܒܫ̈ܘܝܘܬܐ ܠܐ ܒܪܘܫܐ. ܠܐ ܒܠ̈ܒܐ. ܘܠܐ ܡܕܡ ܐܝܬ ܕܫܠܡ ܠܚܒܪܗ ܒܟܠܡܕܡ. ܐܦ ܠܐ ܚܕ ܢܗܘܘܢ ܗܢܐ ܘܗܢܐ ܡܢ ܚܕ ܓܢܣܐ ܐܘ ܡܢ ܚܕ ܟܝܢܐ: ܡܫܬܚܠܦܝܢ ܦܘ̈ܫܐ ܒܕ ܢܬܦܫܩܘܢ ܚܕ ܥܡ ܚܕ. ܡܢܐ ܕܝܢ ܐܡܪ ܐܢܐ ܓܢܣܐ ܐܘ ܟܝܢܐ. ܫ̇ܡܥ ܓܝܪ ܠܡ̈ܝܢܐ ܢܦܫܢ. ܐܠܐ ܐܦ ܠܐ ܚܕ ܡܢ ܦܠܘܓܐ ܕܟܝܢܐ ܡܢ ܓ̈ܢܣܐ ܐܘ ܟܝܢܐ ܡܢ ܟ̈ܝܢܐ: ܫܘܐ ܗܘ ܥܡ ܢܦܫܗ ܒܟܠܡܕܡ. ܐܠܐ ܐܦ ܡܪܒܥܐ ܗܘ ܒܡܠܘ̈ܬܗ ܡܫܚܠܦ. ܘܠܐ ܐܦ ܡܪܒܥܐ ܗܘ: ܒܐܒܢ̈ܘܗܝ

ܡܫܠܡ. ܐܦ ܠܗܘܢ ܕܝܢ ܠܒܢ̈ܝܢܫܐ ܗܒܠܐ ܡܫܡܠܝܢ: ܕܕܠܐ ܗܒܠܐ ܡܫܬܠܛܝܢ ܡܢ ܫ̈ܐܕܐ. ܒܗ̇ ܓܝܪ ܒܢ̈ܝ ܚܕ ܐܒܐ | 152rb ܐܢܬܘܢ ܘܒܢ̈ܝ ܚܕ ܐܡܐ. ܘܗܠܝܢ ܒܗ̇ ܗܠܝܢ ܐܘܠ̈ܦܢܐ ܡܪܢ ܠܗܘܢ: ܘܗܠܝܢ ܒܗ̇ ܗܠܝܢ ܘܒܢ̈ܝܐ ܡܬܪܒܝܢ ܒܠܒܗܘܢ. ܐܝܬ ܕܝܢ ܐܚܝ̈ ܕܡܘܕܥܐ ܦܪܝܫ ܚܕ ܠܗܘܢ ܚܕ ܡܢ ܚܕ ܗܘܐ ܡܬܒܥ ܚܛܝܬܐ ܘܗܘܐ ܡܪܝܐ. ܘܗܘܐ ܚܢܢܐ ܘܗܘܐ ܙܟܝܐ. ܐܝܬ ܕܝܢ ܐܚܝ̈ ܕܒܝܫܘܬܐ ܘܗܘܐ ܛܒܐ ܡܬܒܥ. ܘܗܘܐ ܚܛܝܐ. ܐܝܬ ܕܝܢ ܐܚܝ̈ ܕܙܕ̈ܝܩܘܬܐ ܘܒܥܒ̈ܕܬܐ ܗܠܝܢ ܕܐܬܚܙܝܢ ܒܫܠܡܘܬܐ ܕܚܐܪܘܬܐ ܘܕܝܢܐ ܘܗܘܐ ܡܬܒܥ ܓܒܪܐ ܘܗܘܐ ܒܝܫܐ. ܘܒܗ ܡܫܡܠܝܢ ܠܒܢ̈ܝ ܐܢܫܐ ܕܐܦ ܠܐ ܒܡܕܡ ܫܘܝܢ ܠܫ̈ܐܕܐ: ܠܐ ܗܘܬ ܕܕܘܡܪܐ ܗܝ. ܕܠܘ ܠܒܠܗܘܢ ܒܠܒܠ ܠܗܘܢ ܒܠ ܡܬܬܪܘܬܐ. ܡܛܠ ܕܟܠܗ ܡܫܒܚ ܠܡܬܠܘܢ ܠܟܝ ܕܡܕܕ ܗܘ. ܠܐ ܠܡ ܓܝܪ ܡܨܝܐ ܕܟܠܗܘܢ ܠܚܕ ܕܒܪܐ ܢܬܕܡܘܢ ܘܐܠܐ ܡܛܥܝܢܐ ܠܗ ܫܘܠܛܢܐ ܗ̇ܘ ܕܒܗ ܚܝܐ ܘܡܘܬܐ ܚܐܪܘܬܗܘܢ. ܐܦ ܓܝܪ | 152va ܒܠܗܘܢ ܚܕ ܟܒܕ ܢܗܘܘܢ ܟܒܕܝܢ: ܐܘ ܓܝܪ ܐܘ ܕܝܢ: ܐܦ ܠܐ ܦܘܪܫܢܐ ܐܝܬ ܗܘܐ ܒܗ ܒܒܪܝܬܗܘܢ. ܐܦ ܓܝܪ ܗܘ ܐܘ ܗܘ ܐܘ ܕܝܢ: ܡܐ ܓܝܪ ܕܚܕ ܗܘ ܗܘ ܒܟ̇ܕ ܒܡ ܡܠܐ ܢܬܦܫܩ ܐܘ ܢܬܡܪܐ: ܡܐ ܕܡܕܡ ܐܚܪܢܐ ܠܝܬ ܒܡܨܒܝܢܘܬܐ: ܡܕܝܢ ܠܐ ܢܬܕܪܫ ܒܨܒܝܢܘܬ ܕܒܢ̈ܝܢܗܘܢ. ܘܕܠܐ ܡܫܒܕܝܢ ܠܚܐܪܘܬܐ ܒܠܗܘܢ ܒܢ̈ܝ ܐܢܫܐ ܒܡܦܪܢܫܘܬܐ ܓܝܪ ܕܐܠܗܐ: ܐܦ ܗܕܐ ܡܢ ܠܡܕܡ ܐܬܬܪܝܬ. ܕܒܗ ܡܫܒܠܝܢ ܚܐܪܘܬܐ ܘܨܒܝܢܐ ܡܫܬܠܛܐ ܠܘܬ ܦܘܪܢܝܐ ܕܐܬܬ̈ܪܐ ܘܕܒ̈ܝܫܬܐ: ܒܠ ܚܕ ܚܕ ܡܢ ܒܢ̈ܝܢܫܐ ܢܦܪܘܢ ܠܡܬܠܒܘ ܒܫܒ̈ܝܠܐ ܦܫܝ̈ܛܐ: ܒܠ ܚܕ ܡܫܘܢ ܐܝܟ ܨܒܝܢܗ. ܘܡܐ

ܕܐܘܪܚܘܬܐ ܡܫܝܚܝܬܐ ܐܬܩܠܠ: ܢܗܘܐ ܐܬܪܐ ܠܒܣܪܢܐ ܘܠܦܘܪܥܢܐ ܕܐܢܕܪܘܬܐ: ܕܢܒܘܠ ܒܡܣܟܢܘܬܐ ܕܠܗܕܐ ܢܦܩܐ ܘܠܗܕܐ ܢܡܟܟ ܘܠܗܕܐ ܢܪܝܡ ܢܦܠܐ. ܐܝܬ | ܗܟܢܐ ܣܠܩ ܕܡܬܒܪܠ ܐܝܬ ܒܡܫܝܚܘܬ ܥܘܠܝܐ ܕܗܟܢ 152vb ܡܕܡ̈ܝܢ: ܠܬܩܠܠ ܠܟ ܕܬܕܒ ܕܐܝܠܘ ܠܒܝܢܟ ܕܒܗ ܡܢܐ ܐܝܬ ܠܒܣܝܡ ܩܛܠܬܐ.

ܦܘܫܩܐ ܕܕܘܒܪ̈ܐ ܕܒܢ̈ܝ ܐܢܫܐ ܘܕܡܘܬܐ ܘܕܝܢ̈ܐ ܒܠ ܒܠ ܡܕܡ.

7, 14 ܒܝܘܡܐ ܛܒܐ ܐܬܛܝܒ ܠܟ. ܘܒܝܘܡܐ ܒܝܫܐ ܚܙܝ ܠܦܫܟ.

ܝܘܡܐ ܛܒܐ ܦܪܐ ܠܒܢܝܐ ܕܒܗ ܐܝܟ ܙܒܢܝܢ ܡܙܠܝܢ ܠܡܥܠܝܘ ܛܒܬܐ. ܝܘܡܐ ܕܝܢ ܒܝܫܐ ܠܒܢܝܐ ܕܒܗ ܦܪܝܢ ܠܟ ܥ̈ܠܠܬܐ ܠܡܬܒܪܠܘ ܒܐܠܗܐ. ܐܒܘܢܐ ܕܡܐ ܕܡܬܒܝܢ ܒܠܗܘܢ ܢܬܒܝܘܢ ܡܢ ܦ̈ܬܘܪܐ: ܐܘ ܛܠܡܘܬܐ ܒܪ ܚܐܪܘܬ ܢܐܬܐ ܒܠܝܢ ܐܘ ܒܪܘܪܗܢܐ ܡܫܝܢܐ ܡܢ ܒܩܬܐ ܡܫܝܚܝܬܐ ܕܢܕ̈ܢܝܢ ܠܟ ܢܦܕܫ ܠܟ: ܗܕܝܢ ܓܪ ܡܐ ܕܒܒܥܬܐ ܗܠܝܢ ܐܢܕܢܝܢ: ܠܐ ܒܠܝܘܕ ܦܘܠܚܢܐ ܕܛܒܬܐ ܒܗܘ ܠܟ. ܐܠܐ ܡܫܝܚܐ ܒܗܝܢ ܢ̇ܒܕܝܢ ܡܛܠ ܠܐ °ܡܣܬܝܢܘܬܗܘܢ°. ܘܡܬܬ̈ܦܝܢ ܡܢ ܒܠܗܝܢ ܛܒܬܗܘܢ ܡܕܡܝܬܐ ܒܕ ܡܬܒܪܠܝܢ | ܒܗ ܒܐܠܗܐ: ܡܛܠ ܒܩܬܐ ܕܢܕ̈ܢܝܢ ܠܗܘܢ ܡܢ ܬ̈ܫܒܚܐ 153ra ܒܪ ܚܐܪܘܬ. ܢܦܘܠܢܐ ܓܪ ܗܠܝܢ ܕܦܕܫܝܢ ܒܝܬ ܒܢ̈ܝ ܐܢܫܐ

269 ܒܝܘܡܐ - 273 ܒܐܠܗܐ *B*.
281 ܢܦܘܠܢܐ - 284 ܛܒܐ *B*.
281 ܢܦܘܠܢܐ] ܒܗ; ܕܢܦܘܠܢܐ ܘܒܩܬܐ ܒܕܝܢ ܒܠܝܢ ܠܒܣܪܢܝܢ. ܚܠܝ ܕܝܢ ܡܬܒܪܠܝܢ ܒܐܠܗܐ ܕܠܒܢܐ ܗܕܐ ܠܡ ܠܟ ܢܦܕܫܐ. ܢܦܘܠܢܐ *B*.

ܒܝܘܡܬ ܒܢܘܪܐ ܠܕܗܒܐ ܚܫܝܢ ܠܗܘܢ ܠܒܢ̈ܝ ܐܢܫܐ. ܡܛܠ
ܗܢܐ ܠܘ ܟܠ ܐܢܫ ܡܨܐ ܠܡܣܒܪܘ ܡܥܘܬܗܘܢ. ܘܠܡܥܡ
ܡܠܗܘܢ ܐܝܟ ܕܗܒܐ ܦܟܐ. ܡܛܠ ܗܢܐ ܥܒܪ ܢܒܗܡܐ
ܥܠܝܗܘܢ ܫ̇ܠܝܛ ܠܝ. ܕܡܕܡ ܕܢܬܬܚܒ ܒܢܣܝܘܢܐ ܢܬܢܨܦ
ܒܡܘܒ̈ܪܐ ܦ̈ܟܐ. ܕܠܡܐ ܒܗ ܡܡܚܝܠ ܘܒܢܝܐ ܕܢܣܝܘܢܐ ܢܒܪܟ
ܠܝ: ܘܠܐ ܡܢ̈ܬܝܐ ܢܥܬܒܘ. ܪܗܦܟܐ ܚܢ ܕܦ̈ܟܬܐ ܗܘܐ ܢܗܒ
ܡܣܒܪܢܘܬܐ ܠܢܦܫܐ ܒܙܒܢܐ ܕܢܣܝܘܢܐ. ܡܛܠ ܕܢܒܘܬܗ
ܕܒܟܠܗܘܢ ܡܕܡ̈ܝܐ: ܢܒܥܐ ܠܗ ܠܟܐܒܐ ܕܢܣܝܘܢܗܘܢ. ܡܕܝܢ
ܠܗ ܐܬܢܒܝ ܘܡܐ ܕܡܦܟ ܘܒܢܝܐ ܕܒܗ ܡܥܒܕ ܐܢܬ ܠܡܚܬܪ
ܒܦ̈ܟܬܐ ܠܐ ܬܬܡܚܟ. ܘܒܢܝܐ ܚܢ ܐܚܪܢܐ ܒܬܪ ܕܢܐܬܐ
ܒܬܪܗ: ܘܡܡܒܠ ܠܗ ܒܟܠ ܡܕܡ. ܡܛܠ
ܕܗܢܐ ܠܘܡܒܠ ܗܢܐ ܗܘ ܐܠܗܐ.
ܕܗܒܢܐ | ܐܬܢܚܝܬ ܠܡܦܪܢܣܘܬܐ ܢܚܝܡܬ ܒܟܠ ܕܐܠܗܐ ܕܢܥܝܡܐ 153rb
ܠܒܢ̈ܝ ܐܢܫܐ ܕܢܬܢܝܚ ܘܒܢ̈ܐ ܡܫ̈ܢܝܐ ܢܣܗܘܢ.
ܒܠ ܡܡܠܠܐ ܕܠܐ ܢܥܒܕ ܒܪ ܐܢܫܐ ܡܕܡ ܒܬܪܗ.
ܘܠܐ ܠܡ ܡܥܒܝܠ ܡܕܡ ܕܐܢܬܘܗܝ ܡܕܒܪܢܐ ܠܒܢ̈ܝܢܫܐ
ܢܬܪ ܡܢ ܗܘܝ: ܒܡܚܐ ܒܟ ܢܦܩܐ ܢܫܠܠ ܐܘ ܢܬܪܥܡ.
ܠܘ ܕܝܢ ܡܕܡ ܚܕܬ ܕܐܢܬܘܗܝ ܡܕܒܪܢܐ ܠܐ ܡܨܝܠ
ܠܡܥܒܕܘ: ܐܠܐ ܐܦ ܠܐ ܠܗ ܠܗܢܐ ܕܒܒܕ ܐܠܗܐ ܗܦܟܝܠ
ܠܡܕܪܒܘ ܐܝܟ ܕܐܢܬܘܗܝ. ܡܛܠ ܕܗܦܟܢܝܢ ܐܟܘܢ ܐܗܦܟܢܢܗ.
ܕܢܚܡܬܐ ܐܠܗܝܬܐ: ܫ̇ܟܘܢ ܕܒܟܠ ܚܕ ܚܕ ܡܢܗܘܢ ܒܡܕܪ̈ܢܐ

282 ܠܒܢ̈ܝ ܐܢܫܐ < B.

ܦܓܥܐ ܘܕܠܐ ܡܠܝܢ. ܡܣܟܢ ܘܢܕܪܟ ܐܝܟ ܠܝܬ ܦܘܪܩ. ܘܗܕܐ ܡܢ ܢܗܝܐ ܐܡܪܬ. ܡܛܠ ܕܐܬܦܠܓ ܠܝ ܠܚ̇ܟܡܘ ܟܠ ܟܠܡܕܡ ܕܡܬܥܒܕ ܬܚܝܬ ܫܡܫܐ. ܘܟܕ ܡܫܪܪ ܠܗܕܐ ܐܡܪ.

7, 15 ܟܠܡܕܡ ܚܙܝܬ ܒܝܘ̈ܡܝ ܗܒܠܝ.

ܦܓܥܬܐ ܠܡ ܐܬܦܠܓ ܠܝ ܠܡܚܟܡܘ ܘܠܡܒܚܢܘ. ܠܐ ܒܠܚܘܕ ܟܠ ܡܕܡ ܕܡܢ ܐܠܗܐ | ܡܬܕܒܪ. ܐܠܐ ܐܦ ܠܟ̈ܠܗ ܕܒܢ̈ܝܢܫܐ 153va ܕܠܘܬܗ ܐܡܪܢ.

ܐܝܬ ܙܕܝܩܐ ܕܐܒܕ ܒܙܕܝܩܘܬܗ ܘܐܝܬ ܪܫܝܥܐ ܕܐܪܝܟ ܒܒܝ̈ܫܘܬܗ.

ܘܟܕ ܠܡ ܐܝܟ ܕܒܙܕܝܩܘܬܐ ܒܗܝܢ ܗܘܐ: ܘܡܢ ܫܠܝ ܢܦ̈ܘܠܐ ܡܢ ܕܠܘܩܒܠ ܬܟܒܘܗܝ ܐܝܟ ܕܠܟܘܫܪܗ: ܘܠܐ ܐܬܟܝܢ ܐܠܐ ܒܗ ܡܦܩܕ ܗܘܐ ܟܠ ܥܕ ܕܒܢ̈ܘܗܝ ܠܡ̇ܠܝܢ ܕܡܬܒܪ̈ܝܢ ܗ̈ܘܝ ܐܒܕܘܗܝ: ܪܒܝܐ ܒܟܕ ܗܘܐ ܢܦܫܗ ܡܢܗܝܢ. ܘܕܠܐ ܓܘܐ ܠܗܝܢ ܡܬܚܫܒ ܗܘܐ. ܘܟܕ ܡܬܐܠܨ ܗܘܐ ܐܝܟ ܕܒܘܪܐ ܕܢܬܟܫܪ: ܚ̇ܒܪ ܠܗ ܒܡܕܒܪܢܘܬܐ ܕܐܠܗܐ. ܒܕ ܪܢܐ ܕܠܐ ܡܕܡ ܒܦܠܓ ܠܗ ܠܐܠܗܐ ܟܠ ܒܢ̈ܝ ܐܢܫܐ. ܐܦ ܠܐ ܠܙܕܝܩܘܬܐ ܪܢܡ ܘܦܠܐ ܠܒܘܠܐ. ܐܠܐ ܐܝܟ ܕܒܓܕܫܐ: ܟܠܡܕܡ ܕܠܐ ܒܨ̇ܠܘܬܐ ܡܬܕܒܪ. ܒܗ̇ ܕܝܢ ܒܕܡܘܬܐ ܐܦ ܪܫܝܥܐ. ܒܕ ܙܒ̈ܢܬܐ ܦܓܥܬܐ ܐܟܘܠ: ܘܒܝܓܪܘܬ ܪܘܚܐ ܕܐܠܗܐ ܐܬܡܛܝ ܟܠ ܗܒܪܐ ܕܬܝܒܘܬܐ. ܒܡܫܒܪܢܘܬܐ ܕܐܝܟ

310 ܐܝܬ - 355 ܕܫܟܠ̈ܬܐ *B*.
312 ܕܒܙܕܝܩܘܬܗ *B*.
314 ܠܗܠܝܢ *B*.

153vb ܗܕܐ ܗܘܬ ܠܗ. ܘܕܠܐ ܕܥܠܐ ܥܠ ܟܠ | ܒܢ̈ܝܢ ܦܩܕ ܗܘܐ
ܘܠܐ ܕܢܛܠ.

ܘܐܝܬ ܠܗ ܪܫܝܥܐ ܕܡܘܪܟ ܒܒܝ̈ܫܘܬܗ.

ܗܝ ܠܗ ܗܕܐ ܕܠܐ ܡܚܠ ܡܢܗ ܒܪܫܐ ܒܪܫܥܘܬܗ: ܛܒ ܪܓܙܬܗ ܠܡܩܘܡ ܒܒܝ̈ܫܘܬܗ. ܡܢܐ ܡܚܝܠ ܢܦܫܗ ܕܠܐ ܠܗ̇ܘ ܙܕܩ ܗܘܐ ܠܗ ܠܐܠܗܐ ܕܢܬܒܝܢܘܗܝ ܠܚܒܠ ܠܢܫ̈ܘܢܐ. ܘܠܐ ܠܗ̇ܘ ܢܓܪ ܠܗ ܪܘܚܐ ܘܠܐ ܢܬܒܥ: ܕܢܬܪܐܬ ܢܘܦܩ ܥܠ ܒܒܝ̈ܫܘܬܗ: ܢܘ. ܠܐ ܠܗ ܙܕܩ ܡܢܐ ܠܡܬܪܒܝܘ. ܘܕܢܬܪܐܬ ܢܬܒܥܝ̇ܘ ܠܗܕܐ ܡܢܒܥܝܬܐ ܐܡܪ.

7, 16 ܠܐ ܬܗܘܐ ܙܕܝܩ ܛܒ ܘܠܐ ܬܬܚܟܡ ܝܬܝܪ ܕܠܐ ܬܬܡܗ.

ܠܐ ܠܗ ܙܕܩ ܠܝ ܕܢܦܪܘܫ ܥܠ ܢܦܫܝ ܕܐ̇ܠܗܘܬܐ ܛܒ ܡܢ ܐܠܗܐ ܡܬܚܝܒܐ ܠܝ. ܘܐܦ ܠܐ ܬܘܒ ܕܒܚܟܡܬܐ ܡܣܬܠܝ ܠܡܦܪܫ ܒܗܕܝܢ ܛܒ ܡܢܗ. ܘܡܢ ܕܐܪܬܝ ܠܗ̇ܘܢ ܕܡܬܚܟܡܝܢ ܒܡܕܒܪܢܘܬܐ ܕܐܠܗܐ ܡܢ ܦܫܝܩܘܬ ܒܡܠ̈ܬܗܘܢ: ܡܛܠ ܕܢܦܠܘܢ ܠܗ̇ܢܝܢ ܕܡܗܝܡܢ ܒܒܝ̈ܫܘܬܗܘܢ ܒܕܠܐ ܦܘܪܫܢ ܠܗܘܢ ܡܢܗ ܒܪܫܐ ܒܪܫܥܘܬܗ ܘܐܡܪ.

7, 17 ܠܐ ܬܪܫܥ ܛܒ ܕܠܐ ܬܗܘܝܐ ܛܒ.

ܠܐ ܠܗ ܬܬܚܫܒ ܒܣܪܝܩܘܬ | ܪܘܚܐ ܕܐܠܗܐ ܠܗܘܢܝܐ ܐܘ 154ra

329 ܕܢܬܒܥܐ ܢܬܪܐܬ B.
330 ܢܐܘ B.
331 ܢܬܒܥܝ̇ܘ B.
337 ܡܢ] ܡܛܠ B.
340 ܠܐ] ܘܠܐ B.

ܓܒܪܐ. ܟܠ ܪܓܫ ܓܝܪ ܚܫܐ ܐܝܬ ܘܡܦܪܐ ܕܢܦܫܬܐ
ܕܦܓܪ ܐܝܬ. ܒܟܠ ܓܝܪ ܕܡܫܬܟܚ ܐܝܬ ܒܢ̈ܫܬܟ: ܗܘܢܐ
ܡܘܗܒ ܐܝܬ ܟܠ ܢܨܚܘܗܝ ܕܕܝܢܐ. ܘܒܗܢܐ ܕܪܓܫ ܐܝܬ
ܠܡܦܪܫܬ ܪܘܚܗ: ܗܢܐ ܡܦܪܫ ܐܝܬ ܠܗ ܒܠܒܟ ܠܡܐܨ
ܒܪܫܐ ܕܟܐܢܘܬܐ. ܘܕܢܫܘܐ ܕܗܝ ܗܕܐ ܕܢܫܒܘܩ ܐܢܫ ܘܢܦܘܫ
ܟܠ ܡܦܪܫܬ ܪܘܚܐ ܕܡܟܠܬܐ ܗ̇ܝ: ܘܠܐ ܡܟܕܐ ܡܢ ܡܗܫ
ܒܪܫܐ ܐܚܪ̇ܢ.
ܘܠܐ ܬܗܘܐ ܣܟܠ ܕܠܐ ܬܡܘܬ ܕܠܐ ܒܙܒܢܟ.
ܒܡܟܠܬܟ ܠܡ ܐܦ ܡܢܗ ܕܙܒܢܐ ܕܡܦܪܫܬ ܪܘܚܐ ܕܢܦܩ ܠܟ
ܦܘܡ ܐܝܬ. ܐܢ ܐܦ ܠܐ ܩܠܝܠ ܬܗܘܐ ܦܐܪ̈ܐ ܕܬܒܘܬܐ.
ܐܝܟܢܐ ܕܫܒܩ ܫܠܝ ܕܗܘܐ ܐܦ ܠܕܪܐ ܕܒܝܩܕܝܢ ܢܘܚ: ܕܠܐ
ܥܒܕܘ ܠܙܒܢܐ ܕܡܦܪܫܬ ܪܘܚܐ ܕܢܓܠܡ ܙܒܢܗ: ܐܠܐ ܐܦ ܐܢ
ܢܗܘܐ ܕܡܫܬܠܛܝܢ ܠܫܠܝܬܐ: ܠܐ ܙܕܩ ܠܟ ܕܠܘܬܪ ܬܫܒܘܩ
ܠܡܬܬܘܟܠܘܬܐ ܗ̇ܝ ܕܐܢܬ̇ܝ ܡܬܪ̈ܥܝܢܘܬܐ ܕܡܟܠ̈ܬܐ. ܒܟܠ
ܓܝܪ | ܕܠܗܕܐ ܐܫܟܚ ܐܝܬ. ܐܝܟ ܐܝܬ ܒܠܒܟ ܗܒܪܐ ܕܦܠܓܐ 154rb
ܐܝܬ ܠܡܬܢܛܪܘܬܐ. ܐܢ ܕܝܢ ܠܗܢܐ ܬܬܒܥ. ܓܝܪ ܡܟܐܢܬ ܡܢ
ܫܘܦܐ ܕܒܢ̈ܫܬܐ ܡܬܬܪܦ ܐܝܬ. ܡܛܠ ܕܝܢ ܕܡܫܬ̈ܐܐ ܟܠ
ܗܘܠܩܘܢܗܘܢ ܡܬܦܠܓܝܢ: ܐܝܟ ܗ̇ܘ ܕܗܘܝܢ ܡܢܬܝܢ ܠܗܘܢ
ܠܒܢ̈ܫܬܐ ܡܫܬ̈ܐܐ: ܠܡܟܠ ܐܘ ܠܡܫܬܐ: ܐܘ ܠܡܦܠܒ ܐܘ

342 ܟܠ – 343 ܐܝܬ[1] < B.
344 ܘܒܗܢܐ – 346 ܕܟܐܢܘܬܐ < B.
350 ܒܡܟܠܬܐ B ܕܢܦܩ B.
353 ܥܒܕ B.
355 ܡܬܪ̈ܥܝܢܘܬܐ B.

ܠܡܕܒܪܢܘ: ܘܡܢܗܘܢ ܡܙܕܗܪܝܢ ܠܗܠܝܢ. ܘܐܦܢ ܒܪܘܚܐ ܗܘܐ ܡܦܪܫܝܢ: ܕܟܡܐ ܕܦܘܩܕܢܐ ܡ̈ܬܒܥܝܢ ܠܝ: ܠܡܐܡܪ ܕܙܕܝܩܘܬܐ ܠܐ ܡܫܟܚ: ܡܛܠ ܕܦܘܩܕܐ ܠܝ ܠܡ ܘܦܠܚܐ ܢܝܫܘܬܐ ܕܟܠ ܫܥܐ: ܗܘ ܕܝܢ ܕܐܘ ܕܢܫܝܢ ܢܐܙܦ ܐܘ ܕܡܠܬܘܬܐ: ܕܬ̈ܬܢܝܢ ܒܪ ܢܐܙܦ ܗܝܟ ܒܗܘܡܐ ܠܝ: ܒܕ ܒ̇ܟܐ ܕܢܫܘܐ ܐܢܘܢ ܕܠܐ ܡܕܡ ܡܟܒܪܐ ܢܝܫܘܬܐ ܕܟܠ ܦܘܢܩܐ ܠܦܘܠܚܢܐ ܕܡܠܬܘܬܐ: ܘܕܡܫܢܐ ܗܝ ܕܒܬ̈ܬܢܝܢ ܥܒܝܪܐܝܬ ܘܐܝܟ ܕܒܠܝܬܐ ܢܬܚܫܒ ܐܡ̇ܪ.

7, 18 ܡܛܠ ܕܬܐܫܘܕ ܒܗܢܐ. ܐܦ ܡܢ ܗܢܐ ܠܐ ܬܪܦܐ ܐܝܕܟ.

154va ܡܫܢܐ ܗܝ ܠܡ ܕܒܕ ܒܠ ܡܠܬܘܬܐ | ܒܛܠܠ ܠܟ. ܐܦ ܕܦܘܢܩܟ ܒܐܒܘ̈ܢܬܐ ܬܐܙܦ. ܒܕ ܐܝܬ ܠܟ ܐܘܡܢܘܬܐ ܐܘ ܦܘܠܚܢܐ: ܕܒܐܝ̈ܢܘܗܝ ܦܬܟܡܘܬܐ ܕܐܠܗܐ ܕܠܘܬܟ ܬܡܟܠ. ܘܒܛܠܠ ܠܟ ܐܦ ܒܠ ܢܦܫܟ: ܕܒܒܥܠܐ ܕܥܒ̈ܝܬܐ ܬܬܒܥܪ. ܒܕ ܡܫ̇ܟܚܐ ܐܝܬ ܠܗ̇ ܡܕܡܐܝܬ ܒܫܘܒܚܐ ܕܠܘܬ ܐܠܗܐ. ܒܬܪܡ ܕܝܢ ܒܫܘܒܚܐ ܕܠܘܬ ܒܢ̈ܝܬܟ.

ܡܛܠ ܕܡܢ ܕܕܢܠ ܠܐܠܗܐ ܢܦܩ ܠܒܠܗܝܢ.

ܗ̇ܘ ܠܡ ܓܝܪ ܕܟܠ ܕܫܠܛ ܐܠܗܐ ܡܢ ܒܠܗ̇ ܢܦܫܗ ܐܒܦܐ ܠܗ: ܘܠܐ ܒܫܕܐ ܡܢ ܗܠܝܢ ܡܬܦܪܦ. ܐܠܐ ܘܠܘܬ ܡܠܬܘܬܐ ܫܦܝܠܐ ܐܝܬܘܗܝ ܘܠܘܬ ܦܘܢܩܗ ܒܥܒܪܐ. ܘܕܠܘܬ ܫܘܒܐ ܕܐܠܗܗ ܘܕܒܝ̈ܬܘܬܗ ܡܛܠܒܐ ܡܬܬܒܥ. ܗܠܝܢ ܕܝܢ ܒܠܗܝܢ ܡܬܕ̈ܢܝܢ ܠܝ: ܕܐܝܟܢܐ ܙܕܩ ܕܢܬܒ̈ܢ: ܘܦܩܝ̈ܩܬܐ ܡܕ̈ܚܝܢ ܡ̈ܬܒܥܝܢ: ܡܢܐ ܕܗ̇ܝ ܕܒܠܒܕܡ ܦܥܝܡ ܠܗ̇ ܘܕܠܝܠ ܠܘܝܐ ܠܝ. ܫܒܒܬܐ ܘܕܢܫܘܐ ܕܢܬܪ ܡܢ ܐܝܠܝܢ ܕܐܝܬ ܐܝܬ ܠܗܘܢ

ܫܘܠܛܢܐ: ܙܒ̈ܢܬܐ ܒܫ̈ܘܬܐ ܠܚܟ̈ܝܡܐ ܦܫܝܩܝܢ ܐܡܪ.
154vb | 7, 19 ܚܟܡܬܐ ܡܥܫܢܐ ܠܚܟܝܡܐ: ܛܒ ܡܢ ܥܣ̈ܪܐ
ܫܠܝܛܝܢ ܕܐܝܬ ܒܡܕܝܢܬܐ.
ܐܦ ܗܠܝܢ ܠܡ ܕܫܠܝܛܢܐ ܒܗܘܢ: ܠܚܟ̈ܝܡܐ ܕܠܒ̈ܝ
ܘܦܫܝܩܝܢ. ܠܚܢܐ. ܡܛܠ ܕܢܕܥܝܢ ܡܢܐ ܙܕܩ ܠܗܘܢ ܠܡܥܒܪ
ܘܐܝܠܝܢ ܡܫܡܫܝܢ ܘܫܪܝܢ ܒܫܘܠܛܢܗܘܢ ܘܠܐ ܒܣܘܥܪܢܗܘܢ.
ܘܒܡܠܝܬܐ ܘܒܡܐܢܘܬܐ ܘܠܐ ܒܪܓܬܗܘܢ. ܫܠܝܛܢܐ ܕܝܢ
ܕܡܕܝܢܬܐ. ܠܐ ܗܘܐ ܗܟܢܐ. ܐܠܐ ܫܪܝܢ ܒܫܘܠܛܢܗܘܢ
ܘܠܐ ܒܡܠܝܬܐ ܘܒܪܓܬܗܘܢ ܘܠܐ ܒܡܐܢܘܬܐ. ܡܛܠ ܗܢܐ
ܕܒܢ̈ܝ ܚܝ̈ܠܝܗܘܢ ܥܠ ܐܢ̈ܫܐ ܒܐܝ̈ܢܐ ܘܬܪ̈ܝܨܐ ܡܢܬܝܢ ܒܝ̈ܫܬܐ
ܘܒܫܢܝܗܘܢ ܕܒܡܕܡ ܠܐ ܐܫܬܒܠܘ: ܒܪ ܚܐܪܘܬ ܡܫܠܝܢ. ܐܠܗܐ
ܕܠܐ ܗܘܐ ܫܠܝܛܐܝܬ ܡܫܠܛܐ ܥܠ ܒܢ̈ܝܢܫܐ, ܐܠܐ ܐܘ
ܕܢܒܥܘܢ ܘܢܗܘܐ °ܡܫܥܒܕܢܘܬܗܘܢ°. ܐܘ ܕܢܚܣܢ ܐܢܘܢ ܕܠܐ
ܢܬܪܦܘܢ. ܐܘ ܕܢܕܪܐ ܐܢܘܢ ܥܠ ܕܐܫܬܒܠܘ.
7, 20 ܡܛܠ ܕܠܝܬ ܐܢܫ ܕܙܕܝܩ ܒܐܪܥܐ ܕܢܥܒܕ ܕܛܒ
ܘܠܐ ܢܚܛܐ.
ܡܛܠ ܕܠܐ ܡܚܝܠܐ ܕܐܢܫ ܡܢ ܒܢ̈ܝܢܫܐ ܢܥܒܕ ܡܢ ܣܟܠܘܬܐ.

386 ܚܟܡܬܐ - 405 ܚܛܝܬܐ *B*.
391 ܘܒܡܠܝܬܐ - ܒܪܓܬܗܘܢ > *B*.
395 ܐܠܗܐ + ܕܝܢ *B*.
396 ܕܠܐ] ܠܐ *B*.
399 ܕܢܥܒܕ ܕܛܒ > *B*.
401 > *B*.

397 DS VII 115 ܡܫܥܒܕܢܘܬܗܘܢ]ܡܫܥܒܕܢܘܬܐ°

ܡܛܠ ܗܢܐ ܟܠ ܢܦܩ ܘܐܙܠ ܡܢ | ܘܕܝ̈ܢܐ ܢܦܠܐ ܐܘ 155ra
ܠܬܪܥܐ ܟܝܢ ܡܫܡܠܝܘܬܐ ܕܟܠܗ: ܫܪܟܐ ܘܡܚܣܝ ܠܗ: ܕܡܟܝܠܐ
ܒܗ ܕܟܐ ܐܝܟ ܕܗܟܐ ܢܥܘܠ ܡܢ ܒܬܪܐ ܕܒܠܚܘܕ ܕܠܐ
ܣܘܟܠܐ. ܦ̈ܫܝܛܐ ܕܝܢ ܒܗ ܫܪܝܪ ܕܐܦ ܩܠܗܘܢ ܕܡܬܬܒܪܝܢ
ܘܕ̈ܡܐ ܒܐ̈ܦܝܗܘܢ ܡܫܬܠܡܝܢ: ܘܡܕܡ ܠܫܒܪܐ ܢܦܫܗܘܢ
ܠܐ ܚܙܝܢ. ܡܬܪܐܡܐ ܒܠ ܕܘܒ̈ܪܐ ܥܒܝ̈ܕܐ ܟܠܗܝܢ.

ܘܒܟܠܗܘܢ ܡܫܡܠܝܢ ܐܦ̈ܝܗܘܢ. ܒܗ ܡܬܦܫܩܝܢ ܘܡܫܬܠܡܝܢ.
ܕܐܦ ܠܐ ܒܡܕܡ ܡܢܬ ܘܕܝܢܐ ܡܢ ܦ̈ܫܝܛܐ. ܘܐܦܠܐ ܗܘ ܐܠܗܐ
ܚܝܠܘܬܐ ܒܡܕܡ ܡܬܪܐܡܐ ܒܠܗܘܢ ܡܚܘܐ. ܠܗܘܢ ܗܟܝܠ ܠܗܠܝܢ
ܣ̈ܘܥܪܢܐ ܘܩܠܠܐ ܘܦ̈ܝܫܬܐ: ܬܒܘ ܚܒܝܒܐ ܥܠܝܗܘܢ ܒܗ ܐܡܪ.

7, 21 ܘܐܦ ܠܟܠ ܡܬܚ̈ܙܝܢ ܕܡܠܠܝܢ ܦ̈ܫܝܛܐ ܠܐ ܬܬܠ
ܠܟܝ.

ܐܘܕܝ ܠܗ ܕܠܟܐ ܒܗ ܢܫܘܢܐ ܡܕܡ ܢܦܩܫ ܠܟܝ. ܬܬܠ
ܠܟܝ ܠܡܬܗܢܝܘ ܠܗܠܝܢ ܕܡܢ ܦ̈ܫܝܛܐ ܡܬܬܠܠܝܢ ܠܪܒܢܐ
ܕܐܠܗܐ.

ܕܠܟܐ ܬܫܡܫ ܠܒܒܟܝ ܕܡܪܝܐ ܠܟܝ.

ܐܦ ܠܐ ܠܗ ܚܢܪ ܒܠܝܟܝ ܡܦܪܠܐ | ܕܬܫܡܫ ܠܒܒܟܝ ܕܡܪܝܐ ܠܟܝ. 155rb
ܘܟܝ ܬܫܡܫ ܒܪܥܝܬܗ ܡܗܡ ܒܪܫܐ ܙܢܪ ܐܢܬ ܒܠܗܘܢ. ܠܐ
ܗܘܐ ܕܝܢ ܡܢ ܒܒܕܟܝ ܠܐ ܙܒܢܐ ܐܢܬ ܪܒܪܟܝ ܠܡܫܡܫ. ܐܠܐ
ܐܦ ܠܐ ܡܢ ܣܒܪ̈ܝܟܝ: ܩܠܗܘܢ ܕܐܒܠܝ ܗܒ̈ܝܒܐ ܒܗ ܠܐ
ܐ̇ܝܬܝܢ ܐܦ ܗܠܝܢ ܡܠܟܝ ܐܬܪܥܝܘ.

7, 22 ܡܛܠ ܕܐܒܠܝ ܗܒ̈ܝܒܐ ܢܒܒ ܠܟܝ ܕܐܦ ܐܢܬ ܪܚܝܡܬ
ܠܐܚ̈ܝܢܐ.

ܟܕ ܕܝܢ ܒܗ ܠܗܘܢ ܐܢܬ ܐܪܓܝܫܬ ܣܩ̈ܒܠܐ ܕܪܒܢܐ ܒܠܚܘܕܝܗܘܢ:

ܠܡܥܒܕ ܙܒ̈ܢ ܡܢܗܘܢ ܠܐ ܡܫܒܪ ܐܢܬ: ܚܙܝ ܟܡܐ ܢܬܪܐܝܬ
ܘܗ̇ ܕܒܥ̈ܠܬܐ ܦܩܝ̈ܕܬܐ ܕܐܡܪܢ ܘܐܦ ܠܟ ܒܗ ܡܬܥܕܪ ܡܢܟ
ܠܐ ܢܫܬܘܩ ܐܘ ܢܬܒܐ.
7, 23 ܟܠܗܝܢ ܗܠܝܢ ܢܣܝܬ ܒܚܟܡܬܐ.
ܟܠܗܝܢ ܠܡ ܗܠܝܢ ܒܒܨ̈ܬܐ ܚܟܝܡܬܐ ܙܒܢܬ ܠܡܥܒܕܘ ܟܠ
ܟܠ ܚܕ ܚܕ ܡܢܗܝܢ.
ܐܡ̇ܪܬ ܕܐܬܚܟܡ.
ܘܪܚܩܬ ܕܠܐ ܢܬܦܠܓ ܡܕܡ ܡܢ ܗܠܝܢ ܕܠܒ̈ܝܫܬܐ ܡܢܝ
ܕܢܬܚܕܢ:
ܘܗܝ ܪܚܝܩܐ ܗܝ ܡܢܝ 7, 24 ܡܢ ܟܠ ܕܗ̣ܘܐ ܪܚܝܩܐ.
ܘܗܝ ܠܡ ܚܬܝܬܘܬܐ ܕܐܝܕܟܬܐ ܕܙܕܩ̈ܬܐ | ܠܡܕܪܟܘ ܠܐ 155va
ܐܫܟܚܬ. ܐܠܐ ܗܕܐ ܚܕܐ ܐܫܟܚܬ ܠܡܕܪܟ. ܕܠܐ ܡܬܕܪܟܢܝܬܐ
ܐܝܬܝܗ̇ ܡܕܪܟܢܘܬܐ ܚܟܝܡܬܐ ܕܐܠܗܐ ܕܟܠ ܒܠܒ̈ܫܐ. ܘܪܚܝܩܐ
ܗܝ ܡܢ ܟܠܗܘܢ ܒܢ̈ܝܐ. ܠܐ ܗܘܐ ܒܡܫܘܚܬܐ ܐܠܐ ܕܠܐ ܣܟܐ.
ܘܥܡܝܩܐ ܕܥܡܝ̈ܩܐ ܗ̇ܝ ܠܡܫܟܚܘܗܝ.
ܘܟ̈ܠܠܬܗܝܢ ܕܟ̈ܠܠܬܐ ܗܠܝܢ ܕܥܡܘܪܘܬ ܚܕܬܗ ܕܐܠܗܐ
ܦܪ̈ܝܫܢ ܘܕܠܝܚܢ ܡܢܗ ܠܫܘܚ. ܚܬܝܪܬ ܕܝܢ ܗܝ ܡܕܪܟܢܘܬܐ
ܘܚܝܠܐ ܡܢܝܢܐ ܕܟܠ ܕܐܠܗܐ ܒܪܘܝܐ: ܕܒܗܘܢ ܒܒܪ̈ܝܐ
ܒܟܠܝܢ ܡܫܠܡܢܝܬ ܠܒ̈ܢܝ ܐܢܫܐ ܡܬܚܙܝܐ: ܡܛܠ ܫܦܝܪܘܬ
ܐܫܟ̈ܚܬܗܘܢ ܕܢܬܚܙܐ ܠܢܬ ܦܪܘܫ. ܘܡܢܐ ܐܡ̇ܪ ܐܢܐ ܟܠ
ܡܕܪܟܢܘܬܐ ܐܠܗܝܬܐ: ܕܒܫܢܐ ܗ̇ܝ ܘܥܡܝܩܐ ܡܢ ܟܠ ܬܕ̈ܥܝܢ:
ܐܝܟܢܐ ܕܐܦ ܒܒܪܝܬܐ ܕܟܠ ܕܥܒ̈ܝܕܢ ܕܒ̈ܢܝ ܐܢܫܐ ܐܘܕܥܬ.
ܘܠܡܕܪܟܘ ܟ̈ܠܠܬܗܘܢ ܘܫܘܠܡܗܘܢ ܠܐ ܐܬܡܨܝܬ.
7, 25 ܐܬܟܪܟܬ ܐܢܐ ܘܠܒܝ ܠܡܕܥ ܘܠܡܒܨܪ ܘܠܡܒܥܐ

449 ܐܬܟܪܟܬ - 462 ܒܚܟܡܬܐ *B*.

155vb ܫܒܝܬܐ ܘܫܘܒܩܢܐ. ! ܘܠܡܕܒܪ ܪ̈ܫܝܡܘܬܗ ܕܡܠܟܐ: ܘܡܠܟܘܬܐ
ܡܥܒܕܢܘܬܐ.
ܐܬܝܗܒܬ ܠܟ ܠܡܒܢܝܘ ܐܦ ܠܬ̈ܪܥܬܐ ܘܠܫܒ̈ܝܠܬܐ. ܗܠܝܢ ܕܒܢܝܬ
ܒܢ̈ܝ ܐܢܫܐ ܡܬ̈ܟܠܝܢ. ܐܝܟ ܙܢܐ ܕܦܫܪܐ ܘܫܒܩܬܐ:
ܘܫܘܒܩܘܬܐ ܘܡܚܝܠܘܬܐ ܘܡܫܪܝܘܬܐ: ܟܡ ܫܪܟܐ ܕܢܕ̈ܝܬܐ.
ܒܚܝܠ ܕܝܢ ܐܦ ܗܕܐ ܠܡܕܒܪ: ܕܐܝܕܐ ܒܠܬܐ ܢܛܪ ܡܢ
ܒܠܗܘܢ ܢ̈ܒܝܐ ܠܒ̈ܢܝ ܐܢܫܐ ܠܘܬ ܪ̈ܘܫܡܐ ܦܓܝܥܐ.
7, 26 ܘܐܫܡܥܬ ܕܡܪ̈ܝ ܡܢ ܡܘܬܗ ܘܡܬܐ ܐܢܬܬܐ.
ܗܪܟܐ ܐܢܬܬܐ ܠܡܠܟܘܬܐ ܡܫܡܗ.
ܗ̇ܝ ܕܝܢ ܕܐܢܬܬܗ̇ ܦܫܐ ܘܡܝܢܕܬܐ ܠܒܗ̇.
ܠܘܬ °ܕܐܝܟ ܕܒܦ̈ܬܐ ܘܒܡ̈ܝܢܕܬܐ ܒܫ̈ܘܒܚܘܗܝ ܡܬܬܢܝܚ° ܩ̈ܠܐ.
ܘܐܫܬܡܥܬ ܠܟ ܕܢܛܪ ܡܢ ܒܠ ܡܕܡ ܡܥܒܕܐ ܠܒ̈ܢܝ ܐܢܫܐ
ܗܠܘܬܐ ܠܡܬܬܝܕܘ ܒܢܦܫܬܐ: ܘܡܬܦܠܠܬܗ̇ ܒܥܒ̈ܠܐ ܦ̈ܓܥܐ
ܕܒ̈ܥܬܐ ܡܬܦܪܢܝܢ ܠܢܗܠܒܘ. ܡܢܕܐ ܢܛܪ ܕܒܠ ܢܦܫܐ
ܡܫܬܠܛܐ ܒܠܗܘܢ ܡܢܬ̈ܬܐ ܐܝܟ ܡܬ̈ܩܠܝܢ ܘܡܬ̈ܩܠܝܢ ܡܢ
| ܠܘܬܗ: ܘܐܝܟ ܙܢܐ ܕܡܢ ܡܘܬܐ ܡܬܬܢܝܚܝܢ ܠܡܥܠܐ ܡܢ 156ra
ܒܠ ܒܕܒ: ܗܒܢܐ ܐܦ ܗܝ ܡܬ̈ܢܝܬܐ ܠܒܠܗ ܪܢܝܢ ܕܦ̈ܓܥܬܐ
ܒܕ̈ܪܐ ܠܝ. ܒܕܡܘܬܐ ܕܝܢ ܕܦܫܐ ܕܦܓܪܝ ܠܗ ܡܢ
ܡܐܒܠܘܬܗ ܡܘܬܐ: ܗܒܢܐ ܒܢ̈ܫܬܐ ܦ̈ܓܥܬܐ ܠܗ ܡܢܗ

451 ܡܥܒܕܢܘܬܐ] ܡܫܬܥܒܕܢܘܬܐ *B*.
453 ܐܝܟ - 454 ܕܢܕ̈ܝܬܐ < *B*.
455 ܘܒܚܝܠ *B*.

460 Jes 8, 14.

ܡܣܟܢ: ܘܗܟܐ ܕܐܝܟ ܕܠܠܡܠܟܐ ܗܢܝܐ ܠܐ̈ ܢܣܝܘܬܗ̇ ܕܡܠܬܐ
ܐܬܦܪܢܣ: ܗܢܝܢ ܐܝܟ ܕܒܡܨܝܕܘܬܐ ܒܓܘܗ̇ ܡܬܐܚܕܝܢ ܚܠܝ
ܒܗ̇ ܡܬܚܠܨܐ ܘܢܦܠܐ ܡܢ ܟܠܗ ܡܬܘܪܬܗ̱. ܘܒܨ̈ܒܝܢܬܐ
ܕܠܐ ܢܬܪ̈ܝ ܡܚܠܨܐ ܠܗ̇.
ܐܦܪܬ ܐܒ̈ܕܝܗ̇ ܡܛܠ ܕܠܒ.
ܒܠܗܘܢ ܠܡ ܣܘܟ̈ܠܝܗ̇ ܘܦܓܥܬܗ̇ ܘܡܪܝܪܘܬܗ̇:
ܕܐܚܝܕܐ ܒܒܝ̈ܫܬܐ ܣܓܝ̈ܐܬܐ ܛܥܝܐ ܠܐܢܝܢ ܕܐܬܬܚܕܘ ܒܗ̇.
ܘܡܚܝܐ ܠܡ. ܬܪܥܐ ܐܝܟ ܣܝܦܐ ܦ̈ܬܓܡܝܗ̇ ܘܦܓ̈ܥܝܗ̇:
ܘܫܘܒܗܪܗ̇ ܘܐܪ̈ܓܝܓܬܗ̇: ܘܐܣܟ̈ܡܝܗ̇ ܕܢ̈ܟܠܐ ܘܪܚܡܘܬܗ̇ ܕܒܝܠܬܐ.
ܐܠܐ ܗܕܐ ܚܕܐ ܐܡܪ ܐܢܐ.
ܕܡܢ ܕܠܒ ܩܕܡ ܐܠܗܐ ܡܫܬܘܙܒ ܡܢܗ̇: ܘܡܢ ܕܢܦܠܐ
ܡܬܬܚܕ ܒܗ̇.
156rb | ܗܝ ܠܡ ܗܕܐ ܕܐܢܫ ܐܢܫ ܢܬܦܠܓ ܡܢܗ̇: ܐܬܐ ܗܝ
ܒܠܝܬܐ ܕܙܕܝܩܘܬܐ ܘܡܒܕܪܢܘܬܐ ܕܐܠܗܐ. ܡܛܠ ܕܐܦ ܠܐ
ܗܝ ܙܕܝܩܘܬܐ ܒܠܚܘܕܝܗ̇ ܦܫܝܛܐ ܗܘܬ. ܕܡܢ ܗܢܐ ܦܣܩܐ
ܚܫܝܒܐ ܕܡܬܠܘܬܐ ܛܦܝܐ ܠܐܢܫ ܒܠܒܕ ܡܢ ܒܥܕܪܢܐ
ܕܐܠܗܐ. ܦܢܝ ܕܝܢ ܕܐܚܝܕܝܢ ܒܗ̇: ܒܠܝܐ ܗܝ ܕܚܠܦ
ܡܛܠ ܒܝܫܐ ܕܒ̈ܝܫܬܗܘܢ: ܡܛܠ ܒܝܫܐ ܗܢܐ ܐܬܚܪܪ ܒܠܝܗܘܢ
ܡܢ ܐܠܗܐ.
7, 27 ܚܙܝ ܗܢܐ ܕܐܫܟܚܬ ܐܡܪ ܐܢܐ ܩܘܗܠܬ.

479 ܕܡܢ - 487 ܐܠܗܐ *B*.
479 ܕܡܢ] ܡܢ *B*.

ܚܙܝ ܠܟ ܗܢܐ ܡܢܘ ܕܒܟܠܝܠܬܐ ܡܫܝܚܬܐ ܓ̣ܒܝܬ
ܘܐܫܬܡܠܝܬ ܠܡܕܒܪܗ.
ܚܙܐ ܠܚܙܐ ܠܡܫܡܫܘ ܡܫ̈ܡܫܢܘܬܐ.
ܟܝܢܐ ܠܟ ܘܐܡܝܢܘܬܐ ܘܡܬܠܠܐ ܕܚܙܐ ܒܟ ܚܙܐ: ܐܫܬܡܠܝܬ
ܕܡܕܒܪܢܐ ܗܘ ܘܠܦܫܐ ܕܬܪܝܢܘܬܐ. ܟ̈ܠܗ ܓܝܪ ܕܡܢ
ܬܪܝܢܘܬ ܡܬܬܠ̈ܝܢ ܡܢ ܕܒܟ ܚ̈ܘܫܒܐ ܐܚ̈ܪܢܐ ܢܬܬܕܢܝܢ
ܘܢܬܦܢ̈ܘܢ: ܒܕܡܘܬ ܒܥܪܐ ܡܬܒܝܢ̈ܝܢ ܘܡܬܦܠܓܝܢ. ܘܫܘܪܗܘܢ
ܘܫܢܬܗܘܢ ܦܠܝܫܐ ܠܡܬܚܙܝܐ. ܡܛܠ ܕܒܠܒܐ ܚ̈ܘܫܒܐ ܐܚ̈ܪܢܐ 156va
ܕܕܠܗܘܢ: ܒܠܗܘܢ ܚ̈ܘܫܒܐ ܫܦ̈ܝܪܝܢ ܐܝܟ ܠܬܪܝܢܘܬܐ
ܕܐܘܠܕܬ ܐܝܟ. ܡܛܠ ܗܢܐ ܐܢܫܝܢ ܕܡܠܝܐܝܬ ܟܠ ܚܟܡܬܐ
ܟܡܠ ܠܗܘܢ: ܟܠ ܟܝܢܐ ܕܡܫ̈ܡܫܢܘܬܐ ܡܫ̈ܡܫܢܝܬܐ ܦܠܚܝܢ.
ܕܒܗܝܢ ܘܡܢܗܝܢ ܢܗܘܘܢ ܡܦܫ̈ܩܝܢ ܘܕ̈ܝܢܝܢ ܚ̈ܘܫܒܝܗܘܢ.
7, 28 ܘܬܘܒ ܟܠܬ ܢܦܫܝ ܘܠܐ ܐܫܬܡܠܝܬ.
ܟܝܬ ܠܟ ܕܗܝ ܗܕܐ ܠܘܬ ܡܫܝܚܐ ܐܫܟܪܢܗ. ܟܕ ܦܪܟ
ܐܢܐ ܠܟܠܝܗܘܢ ܘܠܐ ܐܫܬܡܠܝܬ. ܡܛܠ ܕܐܬܪܟܬ ܐܝܟ
ܕܠܝܠܝܐ ܡܢ ܟܠܗ ܐܫܬܟܚܬܐ ܚ̈ܝܝܢ ܕܝܢ ܟܠܝܗܘܢ
ܟܡܠܘܬܗܘܢ ܠܡܫܬܡܠܝܘܬܐ ܕܬ̈ܪܝܢܘܬܗܘܢ. ܘܟܕ ܡܟܝܠ ܫܒܩ
ܗܘܝܬ. ܢܦܠܐܝܬ ܟܠ ܟܝܢܐ ܡܬܪܐ ܕܟܢܫܐ ܡܬܟܢܫܘ.
ܐܢܫܐ: ܚܙ ܡܢ ܐܠܦܐ ܐܫܬܡܠܝܬ.
ܚܙ ܠܐܠܐ ܠܟ ܟܐܢܫܐ ܐܫܬܡܠܝܬ ܕܟܡܠ ܠܗ ܟܠ ܢܦܫܗ
ܒܫܡܫܬܐ ܘܒܝܕܥܬܐ.
ܘܐܢܬܬܐ ܒܟܠܗܝܢ ܠܐ ܐܫܬܡܠܝܬ.

505 ܘܟܕ – 514 ܕܡܬܢܪ *B*.
506 ܗܘܝܬ, *B* ܕܟܢܫܐ] ܕܒܐ̈ܫܐ *B*.

ܒܒܢܝܢܫܐ ܕܝܢ ܕܟܡ ܡܫܠܡܘܬܐ ܐܦ ܠܐ ܚܕܐ ܒܢܫܘܬܐ
156vb | ܠܓܒܝܬܐ ܐܫܟܚܬ. ܡܛܠ ܕܒܒܢܝܢ ܦܪܝܫܐ ܗܘ ܘܓܒܝܠܐ.
ܘܡܫܬܡܠܝܐ ܕܐܬܦܪܫܬܐ ܒܢܫܬܐ. ܘܠܝܬ ܒܡܫܠܡܘܬܐ ܒܢܝܢܐ
ܕܡܢܬܪ. ܐܠܐ ܚܕܐ ܬܪܝܢܬܐ ܕܡܠܝܐ ܦܪܝܫܘܬܐ ܐܫܟܚܐ
ܘܡܫܠܡܐ ܒܠ ܒܠܗܘܢ ܦܓܠܐ ܐܡܢܝܢܝܬ. ܘܡܢܐ ܠܡ ܐܡܪ
ܐܢܐ ܒܠ ܒܢܝܢܐ ܕܟܡ ܦܠܓܐ. ܐܫܟܚܬ ܓܒܪ ܐܦ ܒܢܝܬ
ܐܢܫܐ ܚܟܝܡܐ ܫܦܝܠܐ ܦܪܝܫܐ ܕܡܠܝܢ ܦܪܝܫܘܬܐ.
7, 29 ܒܪܡ ܚܙܝ ܗܢܐ ܕܐܫܟܚܬ ܕܥܒܕ ܐܠܗܐ ܠܐܢܫܐ
ܬܪܝܨܐ: ܘܗܢܘܢ ܒܥܘ ܡܚܫܒܬܐ ܦܪܝܫܬܐ.
ܠܦܪܝܫܬܐ ܠܡ ܚܝܬ ܕܢܗܪ ܐܢܘܢ ܐܠܗܐ ܒܐܝܕܝܬܐ ܘܬܘܪ
ܡܢ ܚܪܝܢܘܢ ܘܒܗ ܒܐܝܕܝܬܐ ܕܡܫܠܘ ܡܢܗ. ܐܝܟܢܐ
ܠܡܦܪܫ ܘܕܒܪܝܬܐ ܐܝܟ ܚܝܠܗܘܢ. ܐܬܚܙܝܬ ܘ ܕܝܢ
ܘܒܪܫܝܬܗ ܐܡܠܟܬ ܒܠܝܗܘܢ ܡܫܪܝܢܘܬܐ ܕܒܠܡܕܡ ܦܪܝܫܐܝܬ
ܡܢܝܢ ܠܡܬܦܟܠܘ. ܘܓܪܣ ܕܢܗܘܢ ܘܢܦܪܫܘܢ ܒܝܕܗܘܢ
ܕܐܠܗܐ. ܕܗܒܢܐ ܘܕܗ ܗܘܐ ܕܬܬܦܪܫ ܗܕܐ ܗܒܢܐ ܕܝܢ
ܐܚܪܬܐ. ܘܕܐܠܘ ܗܒܢܐ ܡܬܕܒܪܝܢ ܗܘ̈ܝ ܥܒ̈ܕܬܐ: ܒܠܡܕܡ
157ra | ܒܢܝܢܐ ܐܝܬܝܗܘܢ ܗܘܐ. ܘܠܚܘܫܒܐ ܕܬܪܒܝܬܗܘܢ ܢܛܪ
ܡܢ ܡܕܒܪܢܘܬܐ ܐܚܪܬ ܒܠ ܕܐܠܗܐ ܡܢܗܪܝܢ. ܒܗ ܓܒ
ܡܕܡ ܗܘ ܙܒܢ ܡܫܠܘ ܡܢܗ: ܕܢܕܥܘܢ ܒܒܪܝܬܐ ܗܕܐ
ܡܬܚܝܝܬܐ. ܘܠܗܘܒܐ ܒܗܘܒܬܐ ܕܠܬܘܢ ܡܙܒܢܝܢ. ܘܠܐ
ܡܬܒܠܝܢ ܕܕܠܐ ܫܒܐ ܘܕܠܐ ܡܢܝܢܐ ܘܕܠܐ ܬܚܘܡܐ.

511 ܒܒܢܝܢܫܐ .*B*
513 ܘܡܫܬܡܠܝܐ - ܒܢܫܬܐ < *B*

ܫܠܝܐ ܡܢ ܡܫܒܪܢܘܬܗܘܢ ܡܕܒܪܢܘܬܗ ܚܟܝܡܬܐ ܕܐܠܗܐ.
ܘܠܐ ܐܬܒܝܢܘ. ܐܦ ܠܐ ܡܢ ܬܚܘܝܬܐ ܕܚܟܝܡܐ.

VIII

8, 1 ܡܢ ܢܕܒ ܠܚܟܝܡܐ.
ܫܠܘ ܠܟ ܐܥܒܕ ܠܡܕܪܒܘ ܐܦ ܥܠ ܠܐܢܫܐ ܕܩܠܝܠ ܡܢܗ
ܡܠܟ ܒܐܝܕܥܬܐ. ܥܒܘܕ ܠܗܘ ܕܡܢܗ ܗܘ ܐܬܝܗܒܬ ܐܝܕܥܬܐ
ܠܟܠܗܘܢ ܒܢܝ ܐܢܫܐ.
ܘܫܢ ܢܕܒ ܦܪܘܫ ܕܡܠܬܐ.
ܘܫܢ ܚܕܒ ܠܡܦܫܪ ܐܘܚ̈ܕܬܗ ܕܚܟܝܡܐ: ܡܢ ܐܝܠܝܢ ܕܒܝ̈ܢܝܢ
ܡܢܗ ܒܚܟܡܬܐ. ܘܒܗ ܛܒ ܗܘ ܕܒܝܢ ܘܗܐ ܕܡܢܬܪ ܡܢ
ܚܕ ܒܢܝܐ ܐܝܟ ܬܪ̈ܝܢܗܘܢ. ܠܐ ܐܥܒܕ ܗܟܝܠ ܠܡܕܪܒܘ
ܐܘܚ̈ܕܬܗ ܕܚܟܝܡܐ. ܒܗܝܐ ܢܬܢܐܢܬ | ܠܐ ܡܒܝܢ ܠܡܫܬܒܠܘ 157rb
ܚܟܡܬܐ ܕܐܠܗܐ: ܗܕܐ ܕܒܕܡܘܬ ܐܘܚܕܬܐ ܒܗܘܢ ܒܒ̈ܕܐ
ܓܢܪܐ ܘܠܐ ܡܬܚܙܝܢܐ: ܘܡܒܝܢܐ ܘܠܐ ܡܫܬܡܥܐ. ܐܝܟܢܐ ܗܟܝܠ
ܕܩܠܝܠ ܥܠ ܢܐܪܒ ܒܐܝܕܥܬܐ ܡܢ ܒ̈ܕܝܐ: ܒܠܘܬܐ ܗܝ ܥܠ
ܢܬܕܝܢ ܒܐܝܕܥܬܐ ܡܢ ܐܝܠܝܢ ܕܗܕܝܘܛܝܢ ܡܢܟ. ܒܗܝܐ
ܢܬܢܐܢܬ ܒܠܘܬܐ ܗܝ ܒܕ ܢܬܕܝܢ ܡܢܟ ܗܘ ܐܝܢܐ
ܕܡܢܗ ܗܘ ܡܟܠܟ ܐܦ ܗܢܐ ܡܕܡ ܕܩܠܝܠ. ܚܟܡܬܐ ܓܝܪ
ܥܪܝܬܐ ܗܕܐ ܐܝܬܝܗ̇. ܐܝܕܐ ܕܡܫܬܟܠܐ ܚܝܠܗ̇ ܘܠܐ ܛܒܝܢܐ
ܠܒܥܝܗ̇. ܗܕܐ ܕܗܟܐ ܕܐܝܬܝܗ̇ ܟܢ ܠܐ ܥܒܘܕܐ ܠܟ ܠܡܬܒܥܝܘ
ܗܪܟܐܢܬ ܒܐܝܠܝܢ ܕܥܒܝܪ ܡܫܬܒ̈ܩܢ ܡܢ ܐܠܗܐ. ܐܠܐ

ܐܝܠܝܢ ܕܡܬܠܝܢ ܡܢ ܚܝܠ: ܢܩܒܠܘܢ ܠܫܘܒܚܐ ܕܐܠܗܐ. ܘܐܝܠܝܢ ܕܡܬܬܠܝܠܝܢ ܢܕܝܠܝ. ܡܛܠ ܕܫܘܒܚܐ ܕܒܪܢܐ ܬܝܗܪ ܐܦ̈ܝܗܝ. ܘܕܚܝܪܝܢ ܐܦ̈ܝܗܝ ܒܬܝܐ.

ܐܝܟܢܐ ܠܡ ܕܡܒܝܐ ܡܬܬܒܠ ܚܝܠܗ ܘܠܐ ܠܓܒܐ ܡܫܘܚܬܗ: ܟܚܕܘܬܐ ܐܡܝܢܬܐ | ܢ̈ܘܡܬܗ ܡܛܪ. ܐܝܟܢܐ ܕܝܢ ܕܒܝܫܘ̈ܬܐ 157va
ܕܡ̈ܫܢ ܡܢ ܚܝܠܗ ܒܐܝܕܒܬܐ ܡܬܒܕܠ: ܒܒܝܢܐ ܦܪܝܫܐ ܡ̈ܒܝܫ ܠܗ: ܘܫܘܝܬܐ ܢܬܪܬܐ ܠܘܬ ܡܕܒܪܢܐ ܚܝܒܐ.

8, 2 ܦܘܡܗ ܕܡ̈ܠܟܐ ܛܪ.

ܢܛܪ ܡܢ ܚܘ̈ܫܒܝܟ. ܠܗܘ ܐܝܟܢܐ ܕܫܠܝܛ ܠܗ ܗܒ. ܐܦ ܦ̈ܠܛܬܐ ܕܗܠܝܢ ܕܙܕܩ ܕܢܬܒܪܝܢ. ܡܠܟܐ ܗܝ ܓܝܪ ܕܦ̈ܠܛܬܐ ܡܢ ܡ̈ܠܟܐ ܡܫܡܠܝܢ ܠܡܫܡܫ: ܒܗ ܠܐ ܡܬܪܚܝܢ ܚܠܝ ܠܡܬܒܕܠܘ ܒܗ. ܒܗܠܝܢ ܕܝܢ ܕܡܢ ܐܠܗܐ ܡܠܟܐ ܕܒܠ ܡܬܦܩܕܝܢ. ܚܒܡܬ ܡܫܘܚܠܝܢ: ܗܘ ܕܐܦ ܠܐ ܫܡܗ ܒܒܠܝܢ ܫܠܝܛ ܠܝ ܕܢܫܡܗ: ܘܡܛܠ ܕܡ̈ܘܡܬܐ ܒܠ ܗܕܐ ܡܬܪܚܝܢ ܐܡ̈ܪ.

ܘܒܠ ܡ̈ܘܡܬܐ ܕܐܠܗܐ ܠܐ ܬܬܒܗܠ.

ܠܐ ܠܡ ܫܠܝܛ ܠܟ ܕܒܗ ܙ̈ܒܢܐ ܐܝܬ ܠܡܫܪܝܘ ܡܠܟܟ: ܫܡܗ ܬܫܬܐ ܠܡܫܒܚܬܐ. ܗܘ ܕܝܢ ܕܒܠܒܗ ܫܡܗ ܡܠܟܟ ܠܐ ܫܪܝܪܐ: ܐܝܟܢܐ ܡܫܪܚ ܐܝܬ ܕܡܫܒܠܘܬܟ ܬܕܘܢܝܗܝ. ܒܠ ܗܠܝܢ ܕܡܝܬܝܢ ܡܬܬܒܪܝܢ ܐܘ ܐܝܟܢܐ ܬܬܫܪܪ ܕܦܪܫ ܐܝܬ ܦ̈ܠܛܬܐ ܢܛܪ ܡܢܗ ܒܗܘ | ܕܒܠܒܕܘܗܝ ܠܡܫܡܫ ܡܕܡ ܠܐ ܫ̈ܥܪ ܐܝܬ 157vb

35 ܘܒܠ + ܡܛܠܬ P.

ܘܠܡܐܡܪ ܠܐ ܡܬܬܪܝܪ ܐܢܬ. ܐܠܐ ܦܪܝܫܐܝܬ ܐܘ ܓܒܪܐ ܒܫܘܥܒܕܐ ܦܪ̈ܝܫܐ ܕܠܘܩܒܠ ܐܠܗܐ ܢܗܠܟ. ܘܗܝܢܐ ܡܫܝܠ ܐܒܒܕ.

8, 3 ܡܢ ܡܕܡܕܡܗ ܗܠ. ܘܠܐ ܬܩܘܡ ܒܫܬܩܐ ܒܝܫ.

ܥܠܐ ܠܟ ܡܢ ܫܘܥܒܕܐ ܕܐܝܟ. ܘܒܒܪ ܡܢ ܗܒܠܬܟ ܕܡܕܡܢܬܐ.

ܘܠܐ ܐܠܟ ܠܟ. ܡܛܠ ܕܢܕܒ ܕܒܡܫܝܠܘܬܐ ܕܬܪܒܝܬܐ

ܐܬܫܥܒܕܬ ܐܢܬ̈ ܘܕܠܐܠܝܬ ܠܒܝܬܘܬܐ ܕܠܬܗ ܫܡܪܒ ܠܟ.

ܘܒܠܗܝܢ ܐܝܠܝܢ ܕܢ̈ܕܒ ܕܒܕ̈ܬ ܠܟ ܡܘܕܒ ܠܟ.

ܡܛܠ ܕܒܠ ܕܢܝܟܐ ܢܒܒܕ.

ܥܠܝܟ ܠܗ ܒܪ ܐܝܟ ܐܢܫܐ ܕܕܝܠܗ ܗܝ ܐܢܕܒܬܐ. ܕܠܟܠ ܐܝܫ ܐܢܫܐ ܕܢ̈ܟܐ ܢܦܠܢܗ.

8, 4 ܐܢܫܐ ܕܡܠܠ ܫܠܒܐ ܥܠܝܟ.

ܐܒܝܢܐ ܠܟ ܕܐܦ ܫܠܒܐ ܗܢܐ: ܒܠ ܐܝܠܝܢ ܕܡܠܟܝ ܘܥܠܝܟ
ܒܠܝܗܝܢ ܡܪܐܝܬ ܡܬܚܫܫ: ܝܬܝܪ ܡܢ ܗܒܢܐ ܕܝܢ: ܐܠܗܐ
ܒܠ ܐܝܠܝܢ ܕܗܘ ܒܒܕ ܐܢܬ̈. ܐ̱ ܒܪ ܫܠܒܐ ܒܕ ܦܪܒ
ܒܪܒܝܐ ܘܐܫܬܠܟ ܒܠ ܐܝܠܝܢ ܕܐܒܘܬܗ | ܐܝܬܝܗܘ̱: ܠܝܬ 158ra
ܕܡܫ̈ܟܢ ܐܘ ܡܬܠܐ ܦܘܡܕܝܗ: ܒܡܐ ܝܬܝܪܐܝܬ ܐܠܗܐ: ܗ̇ܘ
ܕܠܐ ܗܘܐ ܐܝܟ ܕܒܪܒܝܐ ܐܘ ܐܝܟ ܕܒܢ̈ܕܫܐ ܐܫܬܠܟ:
ܐܠܐ ܐܝܟ ܒܒܕܐ ܫܒܝܚܐ: ܒܒܠܝܢ ܒܠ ܒܒܕ̈ܘܗܝ ܡܪܐ
ܐܝܬܘܗܝ.

ܘܫ̇ܠܘ ܕܢܡܪ ܠܗ ܡܝܐ ܚ̇ܒܕ ܐܢܬ.

ܫ̇ܠܘ ܠܟ ܕܠܫ̇ܠܒܐ ܡܡܪܘ ܕܢܡܪ ܡܝܐ ܒܚ̇ܕ ܐܢܬ. ܚܕ ܒܡܐ ܝܬܝܪܐܝܬ ܠܐܠܗܐ. ܐܠܐ ܚܠܦ ܗܠܝܢ ܐܬܦܢܝܐ ܓܝܕ ܢܛܘܪܘܬ ܦ̈ܘܡܕܝܗ. ܕܡܢ ܒܕܠܝܐ ܕܒܠ ܐܠܗܐ ܬܬܚܫܟ. ܡܛܠ

8, 5 ܕܢܛܪ ܦܘܩܕܢܐ ܠܐ ܢܕܥ ܡܠܬܐ ܒܝܫܬܐ.
ܗܘ ܠܡ ܕܕܢܛܪ ܦܘܩܕܢܐ ܡܬܦܨܐ ܡܢ ܟ̈ܠܗ ܥ̈ܒܝܕܬܐ
ܕܐܝܟ ܗܠܝܢ ܡܣܬܪ ܗܘ. ܠܡ̈ܪܘܡܐ ܓܝܪ ܕܡܢ ܐܠܗܐ
ܡܬܬܦܩܕܝܢ ܕܢܛܪܘܢ: ܗܘ ܕܐܦ ܘܠܐ ܕܢܬܬܕܝܢܘܢ. ܦ̈ܩܕܐ ܕܝܢ
ܘܢܡܘ̈ܣܐ، ܕܚܝܠܐ ܡܢ ܕܢܗܘ ܠܡ̈ܪܘܡܐ ܕܐܠܗܐ ܕܡܬܬܫܠܡܝܢ: ܘܕܗ̈ܢܐ
ܕܡܬܡܟܟܝܢ ܡܢ ܒ̈ܢܝܐ ܘܪ̈ܫܝܥܐ ܕܡܙܠܚܝܢ: ܡܥܒܪܝܢ ܠܗܘܢ
ܠܡܬܒܥܠܘ ܒܢܡܘܣܗ ܕܐܠܗܐ ܘܒܡܥܒܕܢܘܬܗ: ܡܛܠ ܕܠܝܬ
158rb ܒܗܘܢ ܒܝܢܐ | ܠܡܦܪܫ ܒܝܢܐ ܕܕܝܢܐ ܘܕܬܒܥܬܐ.
ܘܒܝܢܐ ܠܡ ܕܕܝܢܐ ܢܕܥ ܠܒܗ ܕܚܟܝܡܐ. 8, 6 ܡܛܠ
ܕܠܟܠ ܨܒܘ ܐܝܬ ܒܝܢܐ ܘܕܝܢܐ.
ܐܝܠܝܢ ܠܡ ܕܒܐܝܕܝܥܬܐ ܘܒܡܟܝܟܘܬܐ ܦܠܓܝܢ ܦܘܪܫܢܬܐ: ܡܟܟܝܢ
ܠܒܝܢܐ ܘܣܝܪܝܢ ܠܢܡܘܣܐ. ܘܠܐ ܡܬܒܥܠܝܢ ܥܒ̈ܝܫܬ
ܒܝܨܝܪܘܬ ܪܘܚܐ ܕܐܠܗܐ. ܡܛܠ ܕܡܫܬܒܠܝܢ ܕܡܒܝܢܐ ܕܕܦ
ܗܘܐ ܕܬܗܘܐ. ܡܢ ܗܘ ܕܒܢ̈ܝܫܗܘܢ ܕܒ̈ܢܝ ܐܢܫܐ ܨ̈ܒܐ ܘܠܐ
ܒܡܫܡ ܒܪܫܗܘܢ. ܕܠܡܥܕܡ ܐܬܪܐ ܢܬܪܡܒ ܠܗܘܢ ܠܬܢܒܘܬܐ.
ܒܝܒܝܢܐ ܕܢܨܝܪܘܬ ܪܘܚܐ: ܕܕܠܡܐ ܢܦ̈ܩܒܘܢ ܢܗܒܘܢ ܡܢ
ܡܘܬܐ ܠܚ̈ܛܐ: ܘܡܢ ܬܫܢܝܩܐ ܠܒܘܫܐ. ܐܦ ܕܝܢ ܟܠ
ܡܨܝܪܬ ܪܘܚܐ ܕܐܠܗܐ ܒܗܘܢ: ܘܠܒܘܫܡܘܬܐ ܕܐܠܗܐ
ܕܠܬܗܘܢ ܢܥܒܪܘܢ: ܢܬܢܐܝܬ ܒܠܝܗܘܢ ܚܒܝܢ ܠܗ ܠܕܝܢܐ.
ܠܐ ܗܒܠ ܪ̈ܚܝܩܝܢ ܐܦ ܐ̈ܢܫܝܢ ܐܠܝܢ ܘܒ̈ܢܝܐ ܕܣܛܝܢ:
ܠܡܒܥܐ ܒܢܨܝܪܘܬ ܪܘܚܐ ܕܠܘܬܗ.
8, 7 ܡܛܠ ܕܠܝܬ ܕܝܕܥ ܡܐ ܕܗܘܐ ܘܡܐ ܕܢܗܘܐ ܡܢ
158va | ܒܬܪܗ ܡܢܘ ܡܚܘܐ ܠܗ.
ܠܝܬ ܠܝ ܬܘܒܠܢܐ ܒܠ ܗܠܝܢ ܣܛ̈ܢܐ. ܘܐܦ ܠܐ ܥܒܪܐ

ܒܬܪ ܕܡܕܪܢ ܠܝ ܡܘܬܐ: ܕܬܘܒ ܢܦܩܢ ܢܦܫܐ ܡܫܠܡ̈ܬܐ
ܘܕܢܬܪܐܝܬ ܠܡܪܪ ܡܠܬܗ: ܡܢܬܐ ܬܫܢܝܬܐ ܡܢ ܗܠܝܢ
ܕܒܢܝܢܟ ܟܕ̈ܢ ܘܐܡ̈ܪܐ.
8, 8 ܠܝܬ ܐܢܫ ܕܫܠܝܛ ܒܪܘܚܐ ܠܡܟܠܐ ܪܘܚܐ. ܘܠܝܬ
ܦܘܠܚܢܐ ܒܝܘܡܐ ܕܡܘܬܐ. ܘܠܐ ܡܫܘܙܒ ܪܘܫܥܐ ܠܡܪ̈ܘܗܝ.
ܡܕܝܢ ܠܐ ܢܒܥܐ ܒܠܚܘܕܝܬ ܪܘܚܐ ܕܐܠܗܐ ܕܠܗ̇. ܘܢܬܦܪܩ
ܕܢܦܫܐ ܡܫܠܡ̈ܬܐ. ܒܕܠܐ ܡܕܪܢ ܠܝ ܝܘܡܐ ܪܗܝܒܐ. ܘܒܕܝܢ
ܕܠܝܬ ܒܗ ܦܘܪܫܐ. ܘܡܬܠܐ ܕܠܝܬ ܒܗ̇ ܙܒܢܝܢ. ܗܝܕܝܢ
ܡܢ ܠܝܬ ܠܡܬܚܒܫܘ ܐܘ ܠܡܬܟܠܝܘ. ܡܛܠ ܕܠܝܬ ܒܪܘܚܐ
ܠܡܟܠܐ ܪܘܚܐ. ܫܡܥ ܪܘܚܐ ܚܠܦ ܡܘܬܐ ܗܘ. ܐܟܢܐ
ܡܢ ܕܪܘܚܐ ܒܕ ܠܐ ܡܬܚܙܝܐ ܗܘܢܝܗ̇ ܦܓܪܐ: ܗܟܢܐ ܐܦ
ܡܘܬܐ ܒܝܕ ܡܕܒܪܢܘܬܗ ܗܘ ܕܐܠܗܐ ܡܬܚܙܝܐ ܠܝ: ܘܒܕ
ܠܒܢܐ ܡܢ ܚܙܬܐ ܦܓܪܐ ܗܘܢܝܗ. ܫܡܥ ܕܝܢ | ܐܦ ܠܝܘܡܐ 158vb
ܕܡܘܬܐ ܕܝܠܗ ܠܝܘܡܐ ܕܩܪܒܐ. ܐܟܢܐ ܡܢ ܕܒܝܘܡܐ ܕܩܪܒܐ
ܠܝܬ ܐܢܫ ܕܒܠ ܚܝܠܘܗܝ ܬܒܠ: ܗܟܢܐ ܐܦ ܒܝܘܡܐ ܕܡܘܬܐ
ܗ̇ܘ ܕܝܢ
ܕܠܐ ܡܫܘܙܒ ܪܘܫܥܐ ܠܡܪ̈ܘܗܝ.
ܚܠܦ ܕܢܗܘܪ ܕܠܐ ܡܕܡ ܡܘܬܪܐ ܠܗܘܢ ܦܓܥܬܐ ܥܘ̈ܠܐ
ܠܚܠ̈ܒܐ. ܒܝܘܡܐ ܕܡܘܬܐ ܢܬܬܐ.
8, 9 ܘܢܬ ܒܠ ܗܢܐ ܚܙܝܬ. ܘܝܗܒܬ ܠܒܝ ܠܡܕܝܢ ܒܠ
ܥܒܕܐ ܕܡܬܥܒܕ ܬܚܝܬ ܫܡܫܐ.
ܘܗܠܝܢ ܡܢ ܢܦܫܐ ܕܒܢܝܡܘܬܐ ܐܡܪܬ ܐܢ̈ܫ. ܡܛܠ ܕܝܗܒܬ

92 ܪܘܚܐ[ܐ] + ܘܠܝܬ ܫܘܠܛܢܐ ܒܝܘܡܐ ܕܡܘܬܐ *P*.

ܠܟܢ ܠܡܥܒܕ ܘܠܡܫܬܡܠܘ ܒܗܠܝܢ ܕܟܝܬ ܒܒܢܝ̈ܢܫܐ ܡܫܬܪ̈ܝܢ.
ܘܐܝܟܢܐ ܕܐܫܬܠܛ ܒܪܢܫܐ ܒܒܪܐܢܫܐ ܠܡܒܐܫܘ ܠܗ.
ܘܐܡܪܬ܆ ܠܡ ܕܗܢܐ ܟܠ ܗܢܐ ܕܠܐ ܒܒܐܝܢܘܬܐ ܡܫܬܠܛ ܗܘܐ
ܠܡܒܠܘ ܒܗ: ܢ̇ܒܕ ܗܘܝܬ ܕܐܝܟܢܐ ܗܘ ܕܒܥܝܪܘܬ ܪܘܚܐ.
ܘܕܠܐ ܗܘܐ ܛܒ ܡܢ ܠܘܬ ܩ̈ܒܪܐ. ܐܠܐ ܢܦܩ ܡܢ
ܢܦܩ: ܠܘܬ ܐܝܟܢܐ ܕܬܒܥܬܐ ܡܬܦܪܥ. ܒܗ ܡܬܚܫܒܝܢ
ܚ̈ܝܘܗܝ ܘܠܐ ܪ̈ܚܡ. ܐܝܟܐ ܕܐܢ ܐܝܬ ܪܘܚܐ.
8, 10 ܘܗܝܕܝܢ ܚ̇ܙܝܬ | ܩ̈ܒܝܪܐ ܕܡܒܝܪܝܢ ܘܐܬܝܢ. 159ra
ܘܚܙܝܬ ܕܐܝܟܢܐ ܐܝܟܢܐ ܕܚ̈ܝܘܗܝ ܩ̈ܒܝܪܐ ܒܒܝܫܬܐ ܡܠܐ:
ܘܒܡܕܝܢܬܐ ܕܗܠܝܢ ܕܡܢ ܩܕܡܝܗܘܢ ܐܫܬܠܛ. ܒܗ ܡܫܒܚܐ
ܡܒܝܠ ܠܬܒܥܬܐ ܘܠܕܝܢܐ ܕܡܫܪ̈ܝܗܘܢ.
ܘܡܢ ܐܬܪܐ ܕܩܘܕܫܐ ܐܙܠܘ. ܘܐܬܛܥܝܘ ܒܡܕܝܢܬܐ ܕܗܟܢܐ
ܥܒܕܘ.
°ܘܡܢ ܐܬܪܐ ܠܡ ܕܚ̈ܝܐ ܒܬܪ ܕܢ̇ܦܠܐ ܕܒܐܝܢܘܬܐ. ʾܐܫܬܕܝܘ°
ܠܐܬܪܐ ܘܠܬܫܢܝܩܐ ܕܫܘܠܗܘܢ ܕܕ̇ܝܢ ܗܘܐ ܘܗܘ ܠܗܘܢ
ܒܫܘܪ̈ܝܗܘܢ.
ܘܐܦ ܗܢܐ ܗܒܠܐ.
ܠܫܐܢܐ ܓܝܪ ܦܓܥܐ ܫܒܝܐ ܕܐܝܕܐ ܚܙܬܐ ܒܒܝܫܬܐ ܕܠܒܠܗܝܢ
ܐܬܬܓܪܘ ܠܗܘܢ.
8, 11 ܡܛܠ ܕܠܐ ܡܬܥܒܕ ܦܬܓܡܐ ܡܢ ܥܒܕ ܒܝܫܬܐ
ܒܥܓܠ ܠܫܘܠܡܐ.
ܡܛܠ ܗܢܐ ܕܠܐ ܡܬܟܠܝܢ ܕܠܐ ܡܫܬܪ̈ܝ ܡܢܗܘܢ ܡܕܡ

123 DS VIII 47 — ܐܫܬܕܝܘ ʾ] ܐܫܬܪܝܘ °
129 פִּתְגָּם ἀντίρρησις LXX — ܦܬܓܡܐ ʾ] ܬܬܥܒܕܐ P
130 — ܠܫܘܠܡܐ < P.

ܒܗܢܐ ܟܠܗܐ: ܕܠܐ ܒܪܫܝܬܗ ܣܘܟܠܐ ܕܗܘܡ ܒܪܫܐ
ܕܢܠܦܘܗܝ ܐܝܬ ܠܗܘܢ.
ܡܛܠ ܗܢܐ ܐܬܡܠܝ ܠܒܐ ܕܒܢܝܢܫܐ ܒܗܘܢ ܠܡܥܒܕ ܕܒܝܫ.
ܗܝ ܠܡ ܗܕܐ ܕܠܐ ܡܬܒܥܝܢ ܒܕܝܢܐ ܕܥܬܝܕ: ܘܠܐ
ܙܕܩܝܢ | ܠܡܦܩܘ ܟܠ ܟܠܗܘܢ ܐܟܝܠܐ ܕܬܒܥܬܐ: ܗܦܟ ܣܝܠܬ ܐܝܟܢ 159rb
ܠܒܢܝܢܫܐ. ܕܕܠܐ ܕܚܠܐ ܢܥܒܕܘܢ ܟܠ ܒܝܫܢ. ܡܢ ܓܝܪ
ܕܐܟܝܠܐ ܕܕܝܢܐ ܐܬܛܒܪ ܡܢ ܬܪܥܝܬܐ: ܒܦܪܗܣܝܐ ܡܟܝܠ
ܘܒܫܘܠܛܢܐ ܒܝܫܬܐ ܡܣܬܒܪܢ ܐܝܟ ܓܝܪ ܒܝܫܬܐ ܠܡܫܦܪܐ ܐܦ
ܠܡܪܒܐ: ܐܡܬܝ ܕܠܝܬ ܠܗܝܢ ܙܢܝܐ ܕܬܒܥܬܐ ܕܕܝܢܐ.
ܘܬܪܥܝܬܐ ܕܚܪܬܐ ܠܐ ܚܟܡܐ: ܒܠ ܡܕܡ ܫܦܝܪ ܠܗ ܠܡܣܒܪ. ܐܝܟܢܐ
ܕܐܦ ܠܐ ܡܢ ܡܦܪܬ ܙܘܢܐ ܐܬܚܙܝ ܕܠܐ ܠܚܢ ܒܝܫܬܢ. ܐܠܐ
8, 12 ܡܢ ܕܢܛܪ ܚܒܕ ܒܝܫܬܐ ܡܐܐ ܘܡܓܪ ܠܗ.
ܣܝܡ ܠܡ ܒܣܦܪܐ ܦܓܪܝܐ ܡܬܚܫܚܝܢ: ܒܕ ܠܐ ܡܕܡ
ܙܕܩܝܢ ܠܡܪܬ ܡܢ ܡܦܪܬ ܙܘܢܐ ܕܠܘܬܗ ܐܠܐ ܗܘ ܐܟܝܠܐ
ܕܐܬܝܗܒ ܠܝ ܠܬܝܒܘܬܐ: ܡܠܐܐ ܢܦܫܝܗܝ ܠܒܝܫܬܐ
ܦܓܪܢܝܬܐ. ܡܢ ܟܠ ܦܪܘܦ ܕܝܢ. ܕܢܛܪ ܒܬܕ
ܕܢܗܘܐ ܛܒ ܠܕܚܠܘܗܝ ܕܐܠܗܐ ܕܢܕܚܠܘܢ ܡܢ ܩܕܡܘܗܝ.
ܐܝܟܐ ܕܝܢ ܒܕ ܡܬܚܫܒܐ | ܒܪܢܬܐ: ܛܘܒܐ ܢܣܒ ܐܝܢܐ ܠܐܝܠܝܢ 159va
ܕܒܕܚܠܬܐ ܕܐܠܗܐ ܐܬܒܠܝܘ ܡܢ ܕܠܡܥܒܪ ܒܝܫܬܐ ܒܝܬܝܢܐ
ܕܚܝܝܗܘܢ.

8, 13 ܘܛܒܬܐ ܠܐ ܬܗܘܐ ܠܪܫܝܥܐ.
ܠܘܗ ܕܝܢ ܐܝܠܝܢ ܕܕܚܠܬܐ ܕܕܝܢܐ ܡܢ ܩܕܡ ܥܝܢܝܗܘܢ
ܒܠܝ: ܘܕܠܐ ܡܢܦܩ ܒܠ ܒܝܫܢ ܗܟܐ ܗܘܐ: ܚܪܬܐ
ܒܝܫܬܐ ܘܕܡܠܝܐ ܡܢܕܘܢܘܦ ܒܝܕ ܦܘܪܥܢܗܘܢ ܡܬܒܬܕܐ

ܠܗ. ܘܐܓܪܐ ܕܕܚܠܬܐ ܘܕܪܚܡܬܐ ܡܩܒܠ ܠܗ.
ܘܠܐ ܢܓܪ ܝܘ̈ܡܬܐ ܐܝܟ ܛܠܠܐ.
ܘܠܐ ܠܗ ܢܓܪ̈ܢ ܝܘ̈ܡܬܗ. ܐܠܐ ܒܕܡܘܬܐ ܕܛܠܠܐ ܘܠܠܐܝܬ
ܚ̈ܝܘܗܝ ܢܬܦܣܩܘܢ ܘܠܠܝܐ ܕܒ̈ܝܫܬܗ ܒܬܘܕܐܝܬ ܢܕܪܟܘܢܗܝ.
ܡܛܠ ܕܠܐ ܐܝܬܘܗܝ ܕܕܚܠ ܡܢ ܐܠܗܐ.
ܘܡܛܠ ܕܠܐ ܙܕܩܐ ܠܗܘܢ ܡܕܡ ܒܚ̈ܝܝܗܘܢ ܕܚܠܬܐ ܕܐܠܗܐ:
ܡܛܠ ܗܢܐ ܐܕܪܟܝܢܘܗܝ ܒܝܫ ܡܘܬܐ ܒܚ̈ܛܗܝܗ: ܘܢܦܠ
ܒܡܩܒܪܐ ܕܢܦ̈ܫܗܘܢ. ܡܕܡ ܡܘܬܐ ܕܝܢ ܥܒܝܕ ܗܘܐ
ܠܡܦܪܘܬ ܢܦܫܗ ܕܐܠܗܐ. ܟܠ ܥܒܪܐ ܕܬܝܒܘܬܐ. ܡܢ ܒܬܪ
ܕܝܢ ܡܘܬܐ: ܐܦ ܗܘ ܡܒܝܠ ܕܠܐ ܥܒܪܐ | ܕܬܝܒܘܬܐ 159vb
ܐܝܬܘܗܝ. ܒܗ ܠܐ ܥܒܪܬ ܠܗ ܐܦ ܠܐ ܚܕܐ. ܐܠܐ ܗܕܐ
ܒܠܚܘܕ ܕܢܗܘܐ ܠܗܘܢ ܒܪܫܐ ܕܡܢ ܒܬܪ ܡܐܬܝܬܗ ܕܡܘܬܐ.
ܗܕܐ ܗܝ ܚܙܬܐ ܕܒܠܗܘܢ ܦ̈ܓܪܐ. ܡܕܡ ܕܝܢ ܡܐܬܝܬܗ
ܕܡܘܬܐ ܠܐ ܗܘܐ ܗܟܢܐ. ܐܠܐ
8, 14 ܐܝܬ ܗܒܠܐ ܕܗܘܐ ܥܠ ܐܪܥܐ.
ܗܪܟܐ ܠܡ ܒܗܠܝܢ ܚ̈ܝܐ ܠܐ ܗܘܐ ܠܘܬ ܟܠ ܐܢܫ ܐܝܟܢܐ
ܕܨܒܐ ܗܘ ܡܫܬܡܫܝܢ ܨܒ̈ܝܢܐ.
ܡܛܠ ܕܐܝܬ ܙܕ̈ܝܩܐ ܕܡܛܐ ܠܘܬܗܘܢ. ܐܝܟ ܥܒܕܐ ܕܪ̈ܫܝܥܐ:
ܘܐܝܬ ܪ̈ܫܝܥܐ ܕܡܛܐ ܠܘܬܗܘܢ ܐܝܟ ܥܒܕܐ ܕܙܕ̈ܝܩܐ.
ܘܐܫܒܚܬ ܕܐܦ ܗܢܐ ܗܒܠܐ.
ܘܗܢܝܢ ܠܡ ܗܠܝܢ ܟܠܗ ܒܪܢܫܘܬܐ ܦܣܝܩܬܐ ܠܒܢ̈ܝ ܐܢܫܐ
ܗ̇ܘܝܢ. ܘܕܠܐ ܒܦܪܢܣܬ ܢܬܒܥܘܢ ܚܠܦ ܙܕܝܩܘܬܐ
ܒ̈ܢܝܢ ܠܗܘܢ. ܡܢ ܒܬܪ ܕܢܚܝܢ ܕܗܠܐ ܒܒܝܫܘܬܐ ܙܒ̈ܢܬܐ
ܡܫܬܡܫܝܢ: ܘܙܕܝܩܐ ܡܬܡܟܟ ܘܪܫܝܥܐ ܡܬܬܪܝܡ ܒܡܫܝܚܘܬܗ

ܪܒܐ ܬܪܒܝܬܗܘܢ ܡܢܟܐ. ܗܕܐ ܕܝܢ ܓܕܫܐ ܠܗܘܢ ܒܕܠܐ ܓ̈ܠܝܢ
ܐܘ | ܡܬ̈ܪܒܝܢ ܡܕܡ ܐܚܪܢ ܠܒܪ ܡܢ ܗܢܐ ܒܠܚܘܕ. ܘܠܐ 160ra
ܡܬܬܒܠܝܢ ܕܐܟܠܢܐ ܕܒܠܚܘܕ ܒܠܗ ܐܬܪܐ ܗܘ ܘܒܗܢܐ ܐܓܘܢܐ
ܕܒܥ̈ܬܐ: ܕܐܬܝܗܒ ܠܐܪܘܬܐ ܠܡܚܣܢܘ ܒܗ ܚܝܠܗ ܒܗܘܢ
ܒܗܘܒ̈ܢܐ. ܐܬܪܐ ܕܝܢ ܘܒܢ̈ܝܐ ܕܒܠܒ̈ܠܐ ܘܕܡܘ̈ܒܠܐ ܐܚܪܢܐ
ܗܘ. ܗܢܘ ܕܝܢ ܗ̇ܘ ܕܒܬܪ ܕܢܦܠܐ. ܡܐ ܕܪܕܐ ܐܘܡܪ:
ܘܐܓܘܢܐ ܐܓ̇ܬܠܡ.

8, 15 ܥ̇ܒܕܬ ܐܢܐ ܠܗ ܫܕܘܬܐ.

ܘܥ̇ܒܕܬ ܐܢܐ ܠܗ̇ ܕܫܕܘܬܐ ܡܢܬܐ ܐܢ̈ܕܐ ܕܡܛܬܗ ܒܒܠܚܐ
ܗܢܐ ܡܦܒܠ. ܒܕ ܡܬܚܫܒ
ܕܠܝܬ ܕܦܠܓ ܠܒܪܢܫܐ ܬܚܝܬ ܫܡܫܐ: ܐܠܐ ܠܡܐܟܠ ܘܠܡܫܬܐ.
ܘܠܡܚܕܐ.

ܗܕܐ ܕܝܢ ܕܐܡܪ ܠܡܐܟܠ ܘܠܡܫܬܐ. ܠܐ ܗܘܐ ܕܒܠ ܡܐܟܠܐ
ܘܡܫܬܝܐ ܘܕ̇ܐ ܠܝ ܕܢܗܘܐ ܒܠܗ̇ ܒܦܠܚܘܬܗ. ܐܠܐ ܡܛܠ
ܕܠܘܩܒܠ ܗ̇ܢܘܢ ܕܒܪܢܫܬ ܡܢܝܢܐ ܐܚܕܝܢ: ܦ̇ܠܐ ܠܡܐܡܪ:
ܐܢܒܠܐ ܕܒܬܪ ܡܠܡܠ ܫ̇ܢܝܢ: ܒܠ ܗܕܐ ܡܒܠ ܒܡܝܒܬܐ
ܥ̇ܒܕܐ ܕܒܘܗܡܐ ܘܕܫܕܘܬܐ. ܕܢܫܐ: ܕܡܫܬ̈ܪܝܢ ܐܢܘܢ
| ܗ̇ܢܘܢ ܐܝܠܝܢ ܕܗܘܢܝܐ ܕܒܝܢܐ ܡܬܠܝܢ ܐܝܟ ܕ̇ܠܝܬܐ. 160rb
ܣܬܪ ܡܢ ܗ̇ܢܘܢ ܕܒܪܢܫܬ ܢܒ̈ܥܐ ܐܦ ܡܢ ܢ̈ܫܝܐ ܕܐܒܢܐ
ܚ̇ܠܝܢ ܫ̈ܢܝܗܘܢ: ܒܕ ܐܝܬ ܠܗܘܢ ܡܢܝܢܐ ܠܡܗܘܦܘ
ܒܠܗܘܢ ܘܠܐ ܠܡܬܢܚܡܘ ܒܗ. ܘܠܡܛܪܗ ܘܠܐ ܗܘܐ ܠܡܒܪ ܢܗܘܬܗ.
ܗ̇ܠܘ ܓܝܪ ܕܠܐ ܢܒܕ ܗܕܐ ܕܕܠܐ ܦ̈ܘܡܐ ܐܬܝܗܘܢ. ܗ̇ܢܘܢ
ܕܐܦ ܡܢ ܢܦܫܗܘܢ ܚ̇ܠܝܢ ܦ̈ܘܢܝܗܘܢ. ܕܡܢܝܢܗܘܢ ܠܐ
ܢܦܪ. ܟܠ ܓܝܪ ܗ̇ܢܘܢ ܒܠܗܘܢ ܡܢ ܕܒܢܝܢ ܠܐ

ܡܪܝܚܝܢ: ܒܠ ܐܝܟ̈ܢܐ ܐܢܫܝܢ ܕܦܫܛܝܢ ܐܝܕܝܗ ܡܢܗܝܢ ܠܡܪܝܚܘ. ܫܘܝܢ ܓܝܪ ܕܠܦܫܛܘܢ ܦܫܝܢ ܡܛܠ ܪܘܚܬܐ ܕܡܬ̈ܝܠܝܢ: ܠܟܠܗ ܠܐ ܦܫܝܢ ܡܛܠ ܣܘܬܪܢܐ ܕܒܝܫܬܗܘܢ ܫܘܝܢ ܕܒܠܒܒܘܬܐ ܠܘܬ ܒܠ ܐܢܫܕܝܢ ܡܛܠ ܡܠܝܢܐ: ܘܒܠܦܫܗܘܢ ܐܝܟ ܕܒܒ̈ܠܒܠܒܐ ܚܙ̇ܝܢ ܡܛܠ ܕܒܝ̈ܫܬܗܘܢ.

8, 16 ܡܛܠ ܗܢܐ ܝܗܒܬ ܠܒܝ ܠܡܕܥ ܚܟܡܬܐ. ܘܠܡܚܙܐ
ܒܝܢܝܐ ܕܐܬܥܒܕ ܥܠ ܐܪܥܐ.

ܝܗܒܬ ܠܗ ܠܒܝ ܠܡܬܒܠܘ | ܒܗܘܢ ܒܗܠܝܢ: ܘܒܝܓܬܐ 160va
ܘܫܘܦܐ ܣܬܪܐ ܕܐܝܕܐ ܠܗܘܢ. ܒܕ ܡܕܡ ܠܐ ܚܙܪ ܡܢ ܢܝܚܐ. ܫܘܝܢ ܕܝܢ ܒܒܠܠܝܐ ܘܬܒܥܐ ܦܪܝܫܐ ܢܩ̈ܝܫܘܬܗܘܢ ܡܩܪ̈ܒܝܢ. ܒܕ ܠܐ ܡܬܪܚܝܢ ܠܡܫܬܦܩܘ ܐܝܕܐ ܒܠ ܡܬ̈ܝܠܝܢ. ܐܠܐ ܐܝܟ ܕܡܢ ܡܪ̈ܝܐ ܡܫܬ̈ܐ ܒܠܠܝܐ ܘܐܝܡܡܐ: ܡܕܐܬܐ ܕܬܘܦܬܐ ܫܢܬܗܘܢ ܡܬܬܚܪܝܢ.

ܡܛܠ ܕܒܐܝܡܡܐ ܘܒܠܠܝܐ ܫܢܬܐ ܒܥܝܢܘܗܝ ܠܐ ܚܙܐ. ܘܗܒܝܐ ܦܬܓܡܐ ܠܗܘ ܠܗ ܠܐܢܫܐ ܕܗܒܢܐ ܗܘ. ܐܝܒܢܐ ܕܠܐ ܒܠܠܝܐ ܐܦ ܠܐ ܒܐܝܡܡܐ: ܢܝܚ ܐܘ ܢܥܒܕ ܡܢ ܦܬܓܡܐ. ܐܠܐ ܒܐܝܡܡܐ ܒܝܕ ܥܝܢܐ ܕܗܘܦܪ̈ܢܐ ܡܨܝܢܐ: ܘܒܠܠܝܐ ܒܝܕ ܚܘܫܒܐ ܘܡܪ̈ܢܝܬܐ ܦܓܪ̈ܢܝܬܐ: ܒܠܗ ܝܘܡܐ ܕܚܝܘܗܝ ܒܕܘܐܒܐ ܢܛܪ. ܒܕ ܡܬܚܠܠ ܐܦ ܡܢ ܢܝܚܐ ܘܕܘܪܐ ܕܢܦܫܐ ܫܠܝܬܐ ܠܠܐܒ̈ܐ. ܒܗܢܐ ܗܒܝܠ ܒܕ ܚܙܪ ܗܘܐ: ܠܚܟܡܐ ܗܘܬ ܠܗ ܕܢܦܠܘܛ ܠܫܘܝܢ ܕܒܡܕܡ ܕܐܬܝܗܒ ܠܗܘܢ ܡܢ ܐܠܗܐ ܥܦܪ ܡܬܚܫܚܝܢ. ܒܕ ܠܗܘܕܡ ܢܗܒܝܢ ܦܪ̈ܝܫܘܬܗܘܢ ܡܢ ܒܥܒܪܬܗܘܢ | ܐܝܟ ܘܕܗܘ ܕܒܝܢܐ. ܘܗܕܝܢ 160vb
ܐܦ ܠܐܢܫܝܢ ܕܒܢܝܢ ܡܢܗܘܢ ܡܬܦܫܝܢ ܐܝܟܢܐ ܕܫܒܘܬܐ

ܐܡܝܢܬܐ ܢܗܘܘܢ ܦܩܝܕܝܢ ܡܢ ܟܠܡܐ ܕܦܩܕܬܟܘܢ. ܐܝܠܝܢ ܚܢܢ ܕܒܡܬܪܗܘܢ ܗܠܝܢ ܡܬܚܫܚܝܢ. ܠܐ ܡܢ ܠܢܦ̈ܫܐ ܘܒܘ̈ܕܐ ܕܝܢܟܐ ܗܠܝܢ ܥܒܕܝܢ ܡܬܝܠܕܝܢ. ܐܦ ܠܐ ܡܢ ܒ̈ܣܡܐ ܕܡܬܝܕܝܢ.

8, 17 ܘܢܗܘܬ ܐܝܟ ܟܠ ܒ̈ܢܝܐ ܕܐܠܗܐ.

ܬ̈ܬܝܢ ܐܘܪ̈ܚܝ ܥܡܠ ܒܡܬܠܗ ܣܓܝܐܐ ܥܠܝܡܘܗܝ. ܘܬܡܝܗܐܝܬ ܡܢ ܗܕܐ ܠܗܕܐ ܡܥܠܐ ܒܗ ܥܒܕܗ ܠܐ ܦܩܘ. ܥܡܠ ܗܟܝܠ ܕܢܐܡܪ ܟܠ ܕܒܪܐ ܐܢܫܐ. ܘܟܠ ܡܕܒܪܢܘܬܐ ܕܐܠܗܐ ܕܒܟ̈ܕܘܗܝ ܡܬܝܢܐ. ܘܗܟܢܐ ܒܚ̈ܕܕܐ ܓ̇ܡܪ ܠܗܝܢ ܒܗ̇ ܒܡܠܬܗ. ܐܝܟܢܐ ܕܐܠܐ ܐܝܟ ܢܬܒܡܐ °ܣܬܝܬܐܝܬ° ܒܝܢܬܗ: ܘܡܠܝܠܐܝܬ ܢܕܪܘܟ ܕܐܝܟܢܐ ܡܥܠܐ ܡܢ ܗ̇ܝ ܠܗ̇ܝ. ܘܬܘܒ ܠܗ̇ ܒܗ ܠܗ̇ ܗ̇ܦܟ ܒܬܪ ܡܠܝܠ. ܒܚܢܐܝܬ ܐܟܕ ܡܢܗ ܗܘܒܠܐ ܥܪܝܐ ܕܐܝܬ ܒܟ̈ܠܗܘܢ. ܡܢ ܕܐܡ̣ܪ ܗܟܝܠ ܠܗܘܒܠ ܗ̇ܢܘܢ ܕܒܗܝܠܐ ܡܬܒܠܝܢ ܘܒܢܦܫܗܘܢ ܡܣܒܠܝܢ: ܘܡܠܟ ܕܐܝܟܢܐ ܘܕܗ̇ ܠܗ ܕܢܬܚܫܒ. ܠܐܝܠܝܢ ܕܒܬܘܪܐ
| ܐܘܕܕܒ ܠܗ ܡܢ ܐܠܗܐ. ܥܪ̇ ܡܟܝܠ ܕܢܬܡܗ ܘܢܥܒܕ 161ra
ܠܣܒܒܬܐ ܘܐܣܝܒܘܬܐ ܕܐܠܗܐ: ܗ̇ܝ ܕܒܟܠ ܒ̈ܢܝ ܓܢܪܐ ܠܕܡܬܒܠܝܢ.

ܢܝܬ ܠܡ ܟܠ ܒܒ̈ܢܐ ܕܒܒܢ ܐܠܗܐ.

ܘܡܢܐ ܐܕܪܟܬ ܐܘ ܐܫܟܚܬ ܐܘ ܣܓܝܐܐ ܥܠܝܡܘܗܝ ܦܫܡ ܠܝ. ܠܐ ܚܢܢ ܘܟܘܪܢܐ ܗܘܬ ܬܪܥܝܬܐ ܕܢܦܫܬ ܒܒܠܬܐ ܕܢܚܡܬܐ ܐܡܪ ܠܝ ܐܦ ܗܘ ܕܐܕܪܟܬܗ̇.

ܠܐ ܠܡ ܢܬܡܗܐ ܒܪܐܫܝܬܐ ܢܬ ܒܒܕܐ ܕܐܬܒܒܕ ܬܚܝܬ ܫܡܫܐ.

ܠܐ ܠܡ ܐܫܟܚܬ ܠܡܕܪܟܘ. ܘܗܕܐ ܠܘ ܡܛܠ ܕܐܢܐ ܡܣܟܠ
ܗܘܝܬ ܡܢ ܐܚܪ̈ܢܐ. ܐܠܐ ܐܦ ܠܐ
ܟܠ ܕܡܛܠ ܒܪܢܫܐ ܕܢܕܥܐ ܠܐ ܡܫܟܚ. ܘܟܠ ܕܢܐܡܪ
ܚܟܝܡܐ ܠܡܕܥ ܠܐ ܢܫܟܚ ܠܡܫܟܚܘ.
ܟܠܗܘܢ ܠܡ ܗ̇ܠܝܢ ܕܒܟܡܬܐ ܕܚܟܡܬܐ ܢܬ̈ܝܗܘܢ ܕܪܫܘ: ܠܐ
ܗܦܟܘ ܠܡܕܪܟܘ ܐܝܟܢܬܐ ܘܚܟܡܬܐ: ܗܕܐ ܕܡܢ ܫܘܪܝܐ
ܐܠܗܐ ܒܝܕܘ̈ܬܐ ܗܠܝܢ ܕܡܬܚܝܢ ܗܢ. ܘܕܬܫܬܪܪ ܠܟܘܢ
ܕܠܐ ܗܘܐ ܡܢ ܡܣܝܠܘܬܐ ܐܘ ܡܢ ܒܛܝܠܘܬܐ ܒܫܠܝܢ ܡܠܝ:
ܘܠܐ ܐܫܟܚܬ ܕܐܕܒ ܚܠܗܝܢ. ܗܐ ܡܕܝܢ ܐܝܢܐ | ܒܡܠܬܝ 161rb
ܒܛܝܠܘܬܝ ܕܒܠܝܗܝܢ.

IX

9, 1 ܡܛܠ ܕܝܬ ܒܠ ܗܠܝܢ ܝܗܒܬ ܒܠܒܝ. ܘܠܒܝ ܚܙܐ ܝܬ
ܒܠ ܗܢܐ.
ܒܠܗܘܢ ܐܠܡ ܙ̈ܕܩܐ ܘܒܒܠܗܘܢ ܥܒ̈ܕܝܐ ܐܬܒܪܬ ܠܡܒܥܐ
ܚܟܡ̇ܬܗ ܕܐܠܗܐ. ܘܐܦ ܒܠܗܘܢ ܕܡܒ̈ܥܐ ܕܒ̈ܢܝܢܫܐ ܝܗܒܬ
ܠܒܝ ܠܡܒܥܝܐ. ܘܗܕܐ ܐܫܟܚܬ ܠܡܕܪܟܘ.
ܕܙܕ̈ܝܩܐ ܘܚܟܝ̈ܡܐ ܘܥܒܕ̈ܝܗܘܢ ܒܐܝܕܐ ܕܐܠܗܐ. ܐܦ ܪܚܡܬܐ
ܐܦ ܣܢܐܬܐ: ܠܐ ܝܕܥ ܒܪܢܫܐ.
ܠܐ ܠܡ ܝܕܥ ܡܢܐ ܗܘܐ ܒܪܢܫܐ ܠܡܬܒܥܠܘ. ܠܐ ܠܐܝܕܐ
ܢܪܕܡ ܘܠܐ ܠܐܝ̈ܕܐ ܢܦܠ: ܐܠܐ ܚܠܦ ܕܐܝܕܐܬܐ ܒܐܝܠܐ

ܕܗܘܝܘ ܡܢ ܟܪܘܝܘ ܠܐ ܦܫܠ. ܘܐܠܘ ܠܐ ܗܘܐ
ܕܡܫܡܫܢܘܬܐ ܕܐܠܗܐ ܦܘܪܫܢܐ ܣܓܝܐܐ ܒܥܠܡܐ ܐܬܝܗܒ:
ܘܬܕܡܘܪܬܐ ܗܘܐ ܕܢܦܩܐ ܡܢ ܚܕܐ ܡܫܝܚܐ. ܕܗܕ ܡܥܪܝܐ
ܐܝܟܢܐ ܕܬܦܘܫ ܚܝܐ ܡܢ ܗܘܐ: ܬܪܥܐ ܘܬܬܬܚܪ
ܒܝܕܥܬܐ ܠܡܣܒ ܦܠܓܐ ܡܢ ܒܢܝܬܐ: ܡܛܠ ܗܝܐ ܕܗ ܥܪܝܬ
ܐܝܕܥܬܐ ܕܟܠ ܚܕ ܡܢ ܒܢܝܢܫܐ ܕܬܪܟܐ: ܥܒܕܠܐ ܣܓܝܐܐ
ܘܡܫܬܠܛܐ ܠܗܬ ܒܢܝ̈ | ܐܢܫܐ ܡܬܡܟܝܢ ܗܘܘ. ܡܛܠ ܕܟܠ 161va
ܚܪܘܬܐ ܕܐܢܫ ܥܘܠܝܗ̇ ܡܣܝܐ ܗܘܬ: ܒܥܒܕܠܐ ܐܢܫܐ
ܕܠܘܥܗ̇ ܦܪܬ ܠܗ̇ ܕܬܬܠܒ ܒܗ̇. ܘܟܕ ܟܠ ܐܢܫ ܐܝܕܥܬܗ
ܐܘ ܥܒܝܕܬܗ ܒܗ ܕܢܒܪܗ ܫܦܝܪ ܗܘܐ: ܦܘܪܫܢܐ ܒܥܠܡܐ
ܒܝܬ ܒܢܝܢܫܐ ܡܬܝܠܕ ܗܘܐ. ܘܡܟܝܢܐ ܐܝܟܢܝܬ ܘܟܬܪܬ
ܢܟܠܐ ܕܒܢܝ̈ ܐܢܫܐ ܒܥܘܠܡܐ ܣܓܝܐܐ ܕܒܥܠܡܐ ܐܬܝܠܕܘ.
ܠܗ ܕܝܢ ܠܐܠܗܐ ܬܕܐܬܐ ܡܬܐܡܪܐ ܗܘ̈ܝ ܘܠܝܢ ܕܒܐܒܝܢܝܢ
ܡܢܗ ܡܬܝܗ̈ܒܢ ܗܘ̈ܝ. ܒܕܘܕܐ ܕܝܢ ܣܘܢܝܐ ܡܢܗ ܕܥܘܪܢܐ
ܥܢܝ ܗܘܐ. ܒܐܝܠܝܢ ܕܡܬܝ̈ܗܒܢ ܗܘ̈ܝ ܕܢܗܘ̈ܢ. ܡܛܠ ܗܝܐ
ܢܗܘܐ ܐܬܪܐ ܒܡܬܝܒܘܬܐ: ܕܟܠ ܡܕܡ ܢܩܘܐ ܫܠܝܗ ܐܝܟ
ܨܒܝܢܗ. ܬܘܒܐ ܕܝܢ ܘܪܝܬܐ: ܚܕܐ ܗܝ ܠܟܠ ܡܕܡ. ܡܛܠ
ܕܡܟܝܢܐ ܐܬܝܗܒܬ ܠܗ ܕܟܪܝܐ. ܟܠ ܡܕܡܝܢܘܢ.
ܟܠ ܐܝܟ ܕܠܟܠ. 9, 2
ܠܗܠܝܢ ܠܗ ܡܕܡܝܢܐ ܘܠܗܠܝܢ ܕܟܬܝܒܢ: ܗܝ ܕܗ ܗܝ ܝܪܬܐ
ܬܪܝܢ ܠܗܘܢ ܘܕܝܢܐܝܬ | ܢܚܫܒ ܠܗܠܝܢ: ܐܡܪ: 161vb
ܟܠ ܐܝܟ ܕܠܟܠ.
ܩܘܝ ܠܟܠ ܡܕܡ ܚܕܐ ܝܪܬܐ ܬܪܝܢ. ܗܕ ܠܐ ܦܪܫ
ܡܕܡܐ ܚܕ ܠܪܫܝܥܐ ܘܠܙܕܝܩܐ. ܠܛܒܐ ܘܠܒܝܫܐ ܘܠܕܡܕܡܝܢ

ܘܠܕܠܐ ܡܕܒܚ. ܐܝܟ ܛܒܐ ܐܦ ܚܛܝܐ ܐܝܟ ܕܝܡܐ ܐܦ ܗܘ̇ ܕܡܢ ܡܘ̈ܡܬܐ ܕܚܠ.

ܠܬܘܕܝܬܐ ܠܢ ܗܢܐ ܕܡܘܬܐ: ܥܘܢܝܬ ܥܠ ܟܠܗ ܒܢܝܢܐ ܦܪܣܗ ܐܝܟܢܐ ܓܝܪ ܕܟܕ ܒܪܐ ܗܘܐ: ܥܘܢܝܬ ܠܟܠܗܘܢ ܐܝܬܝ ܠܗ̇ܘܝܐ. ܟܕ ܛܒ ܗܘ ܒܐܝܕܥܬܗ ܡܦܪܫ ܗܘܐ ܗܘܟ̈ܝܢܗܘܢ: ܐܦ ܡܛܠ ܕܐܝܬܗܘܢ ܠܗܘܝܐ: ܘܗܟܢܐ ܬܘܒ ܐܦ ܠܓܙܪ ܕܝܠܗ ܕܡܘܬܐ: ܥܘܢܝܬ ܥܠ ܟܠܗܘܢ ܦܪܣܗ. ܐܠܐ ܓܝܪ ܗܘܟ̈ܝܢܐ ܡܦܪܫ ܗܘܐ ܘܡܢ ܒܪܐ ܗܘܐ. ܐܝܟܢܐ ܡܬܒܪܐ ܗܘܐ ܓܒܝܐ ܘܢܛܝܪܐ ܐܘ ܗܘ̇ ܐܝܢܐ ܕܛܒܐ ܘܡܕܒܚ ܘܕܡܢ ܡܘ̈ܡܬܐ ܠܐ ܕܚܠ. ܘܡܢܐ ܕܟܠܝܘܕ ܘܕ̈ܝܢܐ ܡܬܥܒܕܝܢ ܗܘܘ ܘܛܒ̈ܐ ܘܕܒ̈ܝܫܐ: ܐܝܟܢܐ ܗܘܬ ܛܒܥܬܗ ܕܟܠܗܕܐ. ܐܝܟܢܐ ܕܝܢ ܡܬܦܪܫܐ ܗܘܬ ܛܒܥܬܗܘܢ

162ra | ܐܘ ܘܕܝܠܝܬܗܘܢ ܕܗ̇ܘܝܢ ܕܡܬܥܒܕܝܢ ܗܘܘ: ܡܢ ܕܪ̈ܫܝܐ ܘܚ̈ܠܐ ܒܝܢܬܗܘܢ ܠܐ ܫܡܝܢ. ܐܝܟܢܐ ܕܝܢ ܕܒܢܝܐ ܡܬܦܪܫܐ ܗܘܐ ܕܒܢ̈ܝܐ: ܡܢ ܕܛܒܐܐ ܠܝܬ ܗܘܐ. ܐܝܟܢܐ ܕܝܢ ܡܬܟܠܡ ܗܘܐ ܗܘ̇ ܐܝܢܐ ܕܕܚܠ ܡܢ ܡܘ̈ܡܬܐ. ܡܢ ܕܗ̇ܘ ܐܝܢܐ ܕܠܐ ܕܚܠ ܠܝܬ ܗܘܐ. ܐܟܢܐ ܗܟܝܠ ܕܐܠܘ ܥܘܢܝܬ ܘܕ̈ܝܢܐ ܒܡ ܢܛ̈ܝܪܐ ܠܐ ܐܬܒܪܝܘ: ܛܒܝܐ ܒܠܗ ܕܒܪܝܬܐ ܗܕܐ ܡܬܢܛܪܐ ܗܘܐ ܠܗ: ܡܟܝܠܐ ܬܘܒ ܐܠܐ ܥܘܢܝܬ ܥܘܠܝܐ ܕܒܢܝܐ ܠܐ ܡܫܬܠܚܝܢ ܗܘܘ. ܒܟܠܗܘܬܐ ܪܒܘܬܐ ܒܬܪ̈ܝܗܘܢ ܒܠܚܘ̈ܕ ܒܗܝܐ ܘܒܗ̇ܘ ܡܫܬܒܚܝܐ ܗܘܬ. ܡܢ ܕܡܢܗܘܢ ܕܟܝ̈ܢ ܐܢܫܐ ܐܝܬܝܗܘܢ ܗܘܘ ܡ̈ܝܘܬܐ. ܡܢܗܘܢ ܕܝܢ ܠܐ ܡ̈ܝܘܬܐ. ܡܢܗܘܢ ܕܝܢ ܡܬܚ̈ܠܦܢܐ. ܡܢܗܘܢ ܠܐ ܡܬܚ̈ܠܦܢܐ. ܡܢܗܘܢ ܕܝܢ ܡܛܠ ܐܓܪܐ ܕܛܒ̈ܬܗܘܢ. ܡܢܗܘܢ

ܕܝܢ ܡܫܟܚܝܢ ܠܡܣܟܬܐ ܘܡܢ ܠܕܝܠܐ ܘܐܝܟܢܐ ܐܢܫ ܗܘܐ
ܡܚܝܠ ܬܘܚܡܐ ܕܙܟܘܬܐ ܘܕܚܝܒܘܬܐ. ܕܗܠܝܢ ܕܙܟܝܢ ܘܕܗܠܝܢ
ܕܚܝܒܝܢ: ܐܠܘ ܬܘܚܡܐ ܕܡܘܬܐ | ܒܡܫܝܚܐ ܠܝܬ ܗܘܐ. 162rb
ܘܒܕܡܐ ܠܐܝܒܐ ܢܦܩ ܗܘܐ ܕܗܢܐ ܒܝܕ ܢܡܘܣܗ:
ܘܢܬܬܚܝܒ ܡܢ ܒܗܠܗ. ܘܒܕܡܐ ܠܐܝܒܐ ܢܦܩ ܗܘܐ ܦܫܝܛܐ
ܒܦܫܝܛܘܬܗ ܘܢܬܒܠܐ ܡܢ ܒܝܠܐ. ܟܠܢܐ ܗܝ ܡܕܝܢ:
ܕܬܘܚܡܐ ܡܬܩܒܠܐ ܗܘܐ. ܥܒܝܪ ܐܬܬܣܝܡ ܡܢ ܒܒܘܕܐ
ܢܒܝܡܐ ܬܘܚܡܐ ܥܒܝܪܐ: ܕܠܐ ܡܬܒܥܪ ܠܟܠܗܘܢ ܒܢܝ ܐܢܫܐ.
ܐܦ ܠܐܝܢܐ ܡܛܠ ܦܠܓܘܬܗܘܢ ܡܬܚܙܐ ܕܠܐ ܒܐܝܢܝܬ:
ܘܐܦ ܒܬܪܒܝܬܗܘܢ ܡܬܒܕܠܝܢ ܠܡܐܡܪ.
9, 3 ܗܕܐ ܒܝܫܬܐ ܒܟܠ ܡܐ ܕܐܬܥܒܕ ܬܚܝܬ ܫܡܫܐ.
ܡܛܠ ܕܓܕܫܐ ܚܕ ܓܕܫ ܠܟܠܗܘܢ.
ܗܕܐ ܠܡ ܢܛܪ ܡܢ ܟܠ ܡܕܡ ܒܝܫܬܐ ܪܒܬܐ ܚܫܝܒܐ
ܠܒܢܝ ܐܢܫܐ: ܗܕܐ ܕܫܘܝܐܝܬ ܡܘܬܐ ܥܠ ܟܠ ܡܬܦܪܫ.
ܡܛܠ ܕܦܓܪܝܢ ܒܡܕܒܪܢܘܬܗܘܢ ܚܫܝܒܐ: ܕܐܬܚܝܒܘ ܠܗܝܢ ܒܡܘܬܐ
ܓܒܪܘܬܗܘܢ ܘܒܢܫܬܗܘܢ ܕܒܢܝ ܐܢܫܐ. ܒܕ ܠܝܬ ܡܚܝܠ ܕܓܠܐ
ܐܘ ܩܕܡ ܒܪܘܚܐ ܢܠܦ ܦܘܪܣܢܗܘܢ ܕܗܪܟܐ | ܠܐ ܐܢ 162va
ܕܗܢܐܝܬ ܐܬܕܒܪܘ ܘܠܐ ܐܢ ܦܫܝܛܐܝܬ. ܘܒܡܡܫ ܒܪܘܚܐ
ܕܐܝܟ ܗܢܐ
ܘܐܦ ܠܒܐ ܕܒܪ ܐܢܫܐ ܐܬܡܠܝ ܒܝܫܬܐ. ܘܐܦ ܦܗܝܘܬܐ
ܒܠܒܗܘܢ ܒܚܝܝܗܘܢ.
ܡܛܠ ܗܢܐ ܠܡ ܐܬܡܗܕܘ ܠܒܝܫܬܐ ܦܓܥܬܐ ܐܝܟ ܐܢܠܝܢ
ܕܒܕܝܢܐ ܕܒܝܬ ܠܐ ܦܪܫܝܢ. ܘܦܗܘ ܒܚܘܫܒܝܗܘܢ ܒܬܪ
ܦܪܝܫܘܬܐ. ܒܕ ܦܠܛܝܢ ܒܬܪ ܒܝܬܐ ܘܡܝܬܘܬܐ: ܘܡܬܠܒܫܝܢ

ܢܒܥܐ ܕܠܐ ܕܢܠܡܘܢ ܐܝܟ ܐܢܠܝܢ ܕܠܐ ܡܬܠܠܝܢ
ܡܢܗܘܢ ܬܘܒ. ܠܐ ܕܝܢ ܡܚܝܐ ܕܢܦܩܘ ܢܘܟܪܗܘܢ ܠܒܪܐ.
ܡܢ ܒܠܦܪܘܩ ܓܝܪ
ܚܪܬܗܘܢ ܠܘܬ ܡܝ̈ܬܐ.
ܚܪܬܐ ܓܝܪ ܡܢ ܟܠ ܦܪܘܩ ܡܩܒܠܝܢ: ܗ̇ܝ ܕܟܠ ܟܠܗ ܒܢܝܢܐ
ܡܢ ܐܠܗܐ ܓܝܪܐ. ܐܝܟܢܐ ܕܠܐ ܡܟܝܠ ܐܝܬ ܦܘܪܫܐ ܐܘ
ܬܝܒܘܬܐ ܠܡܐܣܝܘ ܡܟܠܬܐ ܕܐܫܬܪܝ ܡܛܠ ܕܓܒܪܐܝܬ ܡܢ
ܟܠܗ̇ ܡܬܡܨܝܢܘܬܐ ܐܫܬܘܚܕܘ. ܘܡܦܩܝܢ ܡܟܝܠ ܢ̇ܦܩܘܢ ܒܪܢܫܐ
| ܕܒܝ̈ܫܢܗܘܢ. ܒܗܠܝܢ ܕܝܢ ܕܚ̈ܝܝܢܗܘܢ ܠܐ ܗܘܐ ܡܟܝܢܐ. 162vb
ܐܠܘ ܓܝܪ ܓܒܘ ܐܝܬ ܗܘܐ ܠܗܘܢ ܐܬܪܐ ܠܬܝܒܘܬܐ.
9, 4 ܡܛܠ ܕܟܠ ܕܡܫܬܘܬܦ ܠܟܠ ܚ̈ܝܐ ܐܝܬ ܬܘܟܠܢܐ.
ܒܗ̇ ܠܡ ܓܝܪ ܒܚ̈ܝܐ ܐܝܬܝܗܘܢ ܗܘܘ: ܐܝܬ ܗܘܐ ܣܒܪܐ
ܒܠܗܘܢ: ܕܢܩ ܢܬܦܠܓܘܢ ܡܢ ܒܝ̈ܫܬܐ ܠܛܒ̈ܬܐ. ܡܛܠ ܕܐܦ
ܗܕܐ ܒܫܘܪܬܗܘܢ ܗܢܐ ܗܘܬ. ܗܟܢܐ ܕܝܢ ܒܬܪ ܡܘܬܐ
ܠܗܘܢ ܣܒܪܐ ܘܦܘܪܫܢܐ ܐܢܫ̈ܐ ܡܢܗܘܢ ܐܫܬܩܠ.
ܡܛܠ ܕܟܠܒܐ ܕܚܝ ܛܒ ܗܘ ܡܢ ܐܪܝܐ ܕܡܝܬ.
ܒܗܢܐ ܠܡ ܗ̄ ܢܗܘܐ ܚܠܝܨ ܐܢܫ: ܘܦܪܝܫ ܠܗ ܠܡܗܦܟ
ܠܛܒ̈ܬܐ: ܘܢܛܪܘܢ ܘܡܢ ܡܘܬܐ ܢܬܬܚܕ ܒܠܗ̇ ܡܬܡܨܝܢܘܬܗ
ܡܟܝܠ ܕܠܐ ܚܫܝܘ ܐܝܬܝܗ̇. ܗ̄ ܕܝܢ ܢܛܪ ܘܡܫܝܚܐ
ܘܕܡܕܡ ܠܐ ܦܩܕܐ ܒܐܬ̈ܪܘܗܝ ܢܬܚܪ ܡܢ ܒܬܪܗ ܒܚ̈ܝܐ:
ܐܝܬ ܗܘ ܣܒܪܐ ܟܠ ܗܢܐ ܐܦܢ ܢܗܘܐ ܕܗܟܢ ܡܚܝܠ.
ܕܡܫܟܚ ܕܢܦܢܐ ܢܦܫܗ ܡܢ ܕܒܝܫܐ ܕܟܬܝܒ.
9, 5 ܡܛܠ ܕܚ̈ܝܐ ܢܕܥܝܢ | ܕܡܝܬܝܢ. 163ra
ܡܛܠ ܕܒܗܢܐ ܕܚܝ ܐܝܬ ܒܗ ܝܕܥܬܐ ܠܡܦܪܫ ܒܝܬ ܛܒܬܐ

ܠܒܝܫܬܐ ܘܒܝܬ ܡܘܬܐ ܠܝܘ̈ܢܐ.

ܘܡܝ̈ܬܐ ܠܐ ܝܕܥܝܢ ܡܕܡ.

ܐܝܠܝܢ ܕܝܢ ܕܡܝܬܘ: ܡܢ ܟܠܡܕܡ ܡܫܬ̈ܕܪܐ ܐܝܬܝܗܘܢ. ܒܗ ܐܦ ܠܐ ܗܠܝܢ ܒܗܘܢ ܡܦܣܝܢ. ܘܗܕܐ ܒܡܪܢܝܫܘܬܐ ܕܐܠܗܐ ܐܬܝܗܒܬ. ܕܚܝܐ ܗܘܐ ܓܪ ܡܫܝܚܐ ܠܪܫܝܥܐ ܗܕܐ: ܕܝܗܘܢ ܙܕܩܝܢ ܡܫܒ̈ܠܢܘܬܗܘܢ ܕܒܐܠܗܐ. ܡܛܠ ܗܝܐ ܡܪܫܝܐ ܐܠܗܐ: ܟܠܠ ܐܝܟ ܒܗ ܚܕܡ ܕܚܝܐ ܡܢ ܐܚܪܝܬܐ ܕܦܘܪ̈ܥܢܗܘܢ: ܕܠܐ ܢܬܝܢܘܢ ܒܚܝܐ ܡܕܡ ܕܚܝܐ: ܡܛܠ ܗܢܐ ܠܐ ܡܦܣܝܢ ܐܘ ܝ̇ܕܥܝܢ ܡܕܡ.

ܘܠܝܬ ܠܗܘܢ ܬܘܒ ܐܓܪܐ.

ܘܠܐ ܐܦ ܬܘܒ ܗ̇ܘܝܢ ܠܡܦܠܚ ܦܠܚ̈ܬܐ ܐܘ ܒܝ̈ܫܬܐ. ܗ̇ܝ ܕܐܓܪܐ ܚܠܦ ܦܘܠܚܢܐ ܕܦܠܚ̈ܬܐ ܗܢܘ̇.

ܡܛܠ ܕܐܬܛܥܝ ܕܘܟܪܢܗܘܢ. 9, 6 ܐܦ ܪ̈ܚܡܬܗܘܢ ܐܦ ܣܢܐܬܗܘܢ. ܐܦ ܚܣܡܬܗܘܢ ܡܢ ܟܕܘ ܐܒܕܬ. ܘܡܢܬܐ ܬܘܒ ܠܝܬ ܠܗܘܢ ܠܥܠܡ ܒܟܠ ܡܐ ܕܡܬܥܒܕ ܬܚܝܬ ܫܡܫܐ.

ܠܐ ܠܡ | ܠܚܝܕܕܘ ܐܦ ܠܐ ܠܡܣܦܩܐ ܡܟܝܠ ܡܫܟܚܝܢ. 163rb

ܐܟܚܕܐ ܓܪ ܒܝܕ ܡܘܬܐ ܐܘܒܕܘ ܠܟܠܗܘܢ ܨܒ̈ܝܢܝܗܘܢ ܘܠܟܘܠܗ̇ ܪ̈ܚܡܬܗܘܢ ܘܣܢܐܬܗܘܢ. ܘܠܟܘܠܗ̇ ܚܫܚܘܬܐ ܕܠܘܬ ܨܒܘܬܐ ܟܠܗܝܢ ܕܥܠܡܐ ܐܝܬ ܗܘܐ ܠܗܘܢ. ܘܡܢ ܕܚܙܝ ܚܪܬܐ ܕܡܘܬܐ: ܘܕܠܐܢܫܐ ܚܝ̈ܠܐ ܥܪܒܝܢ ܚܝܝܢ ܟܠܗܘܢ ܒܢ̈ܝ ܐܢܫܐ. ܒܗ ܠܓܒܪ ܡܬܠܠܝܢ ܚܝܝܢ ܡܢ ܟܠܗܝܢ ܗܠܝܢ ܕܡܬܚܙܝܢ. ܦ̇ܢܐ ܠܗ ܕܐܝܟ ܕܒܡܠܟܘܬܐ ܢܦ̇ܪܐ ܡܠܝ ܚܝܦܘܬܐ ܘܦܝܫܬܐ ܕܐܝܬ ܠܝ ܟܠ ܚܕܘ̈ܝܬܐ ܒܗ ܐܡܪ. ܐܝܟ ܕܒܦܪܨܘܦ ܓܒܪܐ ܚܕ ܠܟܠܗ ܟܝܢܐ ܐܢܫܝܐ.

9, 7 ܬܐ ܐܟܘܠ ܒܚܕܘܬܐ ܠܚܡܟ: ܘܐܫܬܝ ܒܠܒܐ ܛܒܐ
ܚܡܪܟ. ܡܛܠ ܕܐܨܛܒܝ ܐܠܗܐ ܒܥܒܕܝܟ.
ܡܢܐ ܠܡ ܐܡܝܪܐ ܠܟ ܨܒܬܐ ܡܬܪܬܐ. ܘܡܟܠܐ ܦܪܢܣܐ
ܕܒܘܠܒܐ ܕܢܦܫܐ ܐܘ ܓܒܪܐ: ܒܗ ܡܕܡ ܡܬܪܐ ܟܠ ܚܫܚܬܟ
ܕܬܗܒ ܡܢ ܦܘܪܥܢܐ ܠܐ ܡܨܝܐ ܐܢܬ. ܐܬܚܫܚ ܗܕܝܢ ܒܠܒܐ
ܛܒܐ. ܒܗܠܝܢ ܕܐܠܗܐ **ܝܗܒ** ܠܟ. ܘܠܐ ܒܗ ܢܦܫ ܐܢܬ
ܟܠ | ܡܬܪܬܐ ܕܠܐ ܡܬܒܥܝܢ ܠܟ: ܐܦ ܡܢ ܠܢܫܐ ܕܥܬܝܕܝܢ 163va
ܠܟ. ܒܗܠܝܢ ܕܡܬܝܗܒܢ ܬܬܦܠܠ. ܡܛܠ ܕܗܢܐ ܓܝܪ ܨܒܐ ܠܐܠܗܐ.
ܕܗܠܝܢ ܕܐܬܝܗܒܢ ܕܢܫܬܡܫܟ. ܗܘ ܢܦܫ ܡܬܦܠܠܟ. ܟܠ
ܕܥܒܕܐ ܕܝܢ ܛܒܐ ܕܡܬܪܬܐ: ܒܥܒܕܝܟ ܕܫܠܟ ܐܨܛܒܝ
ܕܢܬܒܥܘܢ. ܗܠܝܢ ܕܝܢ ܠܗܬܗ ܥܦܝܦܐܝܬ ܡܛܒ ܠܟ. ܐܬܒܥܘܢ
ܒܚܕܘܬܐ ܕܠܒܐ. ܘܐܢܬ ܐܝܟܢܐ ܕܡܬܬܚܝܒ ܐܢܬ: ܕܒܐ
ܠܡܦܪܢܣܘܬܗ ܕܠܘܬܟ. ܗܠܝܢ ܓܝܪ ܕܐܢܬ ܬܐܨܦ ܒܠܗܝܢ
ܠܐ ܦܩܕ ܗܘܝܬ: ܗܘ ܫܒܩ ܘܐܢܬ، ܠܒܘܫܟ. ܕܕܘܒܪܐ
ܕܒܪܐ ܕܝܢ ܢܐܘܬܟ ܡܬܢܕܝܢ: ܒܕܡܘܬ ܦܘܪܥܢܐ ܒܟܠ
ܕܟܝܢܝ ܬܦܪܥ ܠܗ. ܗܘ ܓܝܪ ܕܐܢܬܘܢ ܠܐ ܦܩܕܬܐ:
ܐܨܛܒܝ ܕܒܥܒܕܝܟ ܕܫܠܟ ܢܬܦܪ.
9, 8 ܒܟܠ ܙܒܢ ܢܗܘܘܢ ܡܐܢܝܟ ܚܘܪܝܢ.
ܢܗܘܪܐ ܕܝܢ ܦܘܪܥܢܐ ܚܠܦ ܕܘܒܪܐ ܫܦܝܪ. ܚܘܪܐ ܕܝܢ ܕܐܡܪ
ܒܠ ܕܟܝܢܘܬܐ ܕܕܘܒܪܐ ܛܒܐ ܡܫܬܒܚ.
ܘܡܫܚܐ ܡܢ ܪܫܟ ܠܐ ܢܚܣܪ.

147 ܒܟܠ - 165 ܦܘܪܥܢܗ *B*.
149 ܡܫܬܒܚ ܛܒܐ *B*.

ܡܫܝܚܐ ܕܝܢ ܠܦ̈ܘܩܕܢܐ ܕܒܬܘܠܘܬܐ ܦܐܪܐ. ܗ̇ܠܝܢ
| ܕܒܐܡܝܢܘܬܗܘܢ ܡܪܒܝܢ ܠܢܦܫܐ ܡܢ ܟܠܗ̇ ܚܪܘܬܐ ܕܠܐ 163vb
ܚܒܠܬܐ: ܘܪ̈ܒܘܬܐ ܘܡܫܝܢܘܬܐ ܕܒܗܝܢ ܠܗ: ܠܘܬ ܒܢܝܢܐ
ܐܠܗܝܐ:
ܡܫܝܚܐ ܠܟ ܡܢ ܐܪܥ ܠܐ ܢܚܘܪ.
ܘܠܐ ܠܟ ܚܕ ܒܢ̈ܝ ܬܒܒܪ ܓܘܪܥ ܡܢ ܚܘܒܗ ܕܡܫܝܚܐ
ܐܠܗܝܐ.
9, 9 ܘܚܢܝ، ܚܟܡܐ ܒܟ ܐܝܬܝܬܐ ܕܪܚܡܬ ܒܠ ܡܢ̈ܝܢ ܚܟܡ
ܗܒܠܢ.
ܗܪܟܐ ܐܝܬܝܬܐ ܠܚܟܡܬܐ ܦ̈ܪܐ ܒܝܕܗ. ܚܟܡܐ ܠܟ ܕܝܢ
ܚܟܡܬܐ ܙܕܩ ܕܢܗܘܘܢ ܡܬܝ̈ܢ ܒܟܬܒ̈ܝܢ: ܡܢ ܟܠܗ ܒܢܝܢܐ
ܐܢܫܐ ܕܒܝܬܗ. ܗܝ ܕܝܢ ܗܕܐ ܕܚܟܡܬܐ ܥܠܝܗܘܢ: ܕܚܠܦ
ܚܟܡܬܐ ܐܦ ܚܠܦ ܗܒܠܘܬܐ ܐܝܬܝܬܐ ܢܦܫܗ. ܐܝܟܢܐ ܕܐܦ
ܒܡ̈ܠܘܗܝ ܐܡܪ: ܕܐܝܬܝܬܐ ܚܟܝܡܬܐ ܒܢܬ ܒܝܬܐ: ܘܦ̇ܟܠܬܐ
ܒܐܝ̈ܕܝܗ̇ ܗܦܟܬܗ: ܘܬܘܒ ܒܕܘܟܬܐ ܐܚܪܬܐ ܒܕ ܓܒܪܐ
ܠܢܦܫܗ ܗܕܪܐ ܗܢܝܐܐ ܕܐܝܬ ܠܚܟܝܡܐ ܡܛܠ ܚܟܡܬܗ: ܗܟ݂ܢ
ܠܗ̇ ܒܕܘܒܪܘܬ ܐܝܬܝܬܐ ܛܒܬܐ ܕܢܫܟܚ̇ ܓܒܪܐ ܚܟܝܡܐ: ܗܕܐ
ܠܟ ܕܝܩܝܪܐ ܗܝ ܡܢ ܟܐ̈ܦܐ ܛܒ̈ܬܐ ܕܕܡܝܗ̇ ܠܘܬ ܠܗܝܢ:

151 ܕܝܢ + ܬܘܒ B.
152 ܚܪܘܬܐ] ܦܪܘܬܐ B.

164 - 165 Spr (Prov) 14, 1.
167 - 170 Spr (Prov) 31, 10 - 12.

164ra ܘܬܟܝܠ ܒܠܝܗ̇ ܠܒܗ | ܕܒܥܠܗ̇: ܘܐܦܠܐ ܠܐ ܚܣܪ ܠܗ̇: ܕܒܕܬ ܠܗ̇ ܛܝ̈ܒܬܐ ܘܠܐ ܒܛܝܠܬܐ: ܒܗ ܫܪܒܐ ܕܐܘܪܬ ܚܨ̈ܝܗ̇ ܒܒܫܝܢܐ: ܘܫܪܪܬ ܕܪ̈ܥܝܗ̇: ܘܛܥܡܬ ܕܛܒܐ ܗܝ ܐܬܓܘܪܬܗ̇: ܘܠܐ ܕܥܟ ܗܘܐ ܫܪܓܗ̇ ܒܠܠܝܐ ܟܠܗ̇: ܒܗ ܫܪܓܐ ܡܢܗ ܒܠܝܗ̇ ܘܢܗܪ ܠܗ̇ ܛܒܥܐ: ܘܒܟܠܗ̇ ܥܒܕܝܗ̇: ܘܩܘܝܐܐ ܕܒܢ̈ܝܗ̇ ܡܛܠ ܣܒܝܬܐ. ܗܒܝܠ ܗܒܝܠ ܡܢ ܟ̈ܠܐ ܗܠܝܢ ܘܕܐܝܟ ܗܠܝܢ ܢ̇ܠܦܢ ܣܠܩ: ܕܐܝܟܢܐ ܕܛ̈ܠܝܐ ܕܐܢܫ ܒܡ ܐܢܬܬܗ ܠܥܕܐ: ܟܕ ܡܫ̈ܒܚ ܠܥܕܘܬܐ ܕܒܝܠܢܝܗ̇ ܘܠܒܘܫܝܐ ܕܒܫܬܡܫܬܗ̇. ܥܒܝܕ ܟܠ ܣܒܝܬܐ ܪ̈ܒܐ ܕܢܫܢ̈ ܘܠܐ ܟܠ ܐܢܬܬܐ. ܗܐ ܓܝܪ ܟܕ ܐܡܪ ܢܫ̈ܬܐ ܣܘ̈ܪܐ. ܠܐ ܟܠ ܢܫ̈ܬܐ ܐܡܪ: ܐܠܐ ܟܠ ܕܘܟ̈ܝܐ ܛܒ̈ܐ ܘܕܒ̈ܝܐ. ܦܪܢܘܬܐ ܗܝ ܓܝܪ ܗܕܐ ܕܢܦܫܐ ܗܘܐ ܟܠ ܓܒܬܐ ܕܠܒܘܫܐ ܗܢܐ ܕܡܢ ܠܒܪ. ܗܢܐ ܕܠܩܒܠܐ ܐܦ ܒܠܒܕ ܡܢ ܟ̈ܠܗܘܢ ܢܝܫܘܬܐ ܕܐܝܟ ܗܕܐ ܦܪܝܫܐ ܒܗܘܢ. ܠܣܒ̈ܪܐ ܕܝܢ ܐܦ ܠܐ ܡܬܒܥܐ ܫ̇ܢܝܢ: ܕܟܠ ܠܒܘܫܐ ܐܝܬ ܠܗܘܢ | ܢܝܫܘܬܐ 164rb ܕܐܢܟܝܐ ܢܓܒܗܘܢ. ܗܟܝܠ ܬܘܒ ܘܡܫܝܚܐ. ܠܒܘܪܝܐ ܗܘ ܕܗܘ̇ܐ ܠܒܫܐ ܡܢ ܐܡܝܢܘܬܐ ܕܒܠܒܘܫܐ ܦ̈ܪܐ. ܘܥܦܪ ܦ̈ܪܐ ܠܒܘܫܐ ܡܫܝܚܐ. ܒܟܝܢܗ. ܐܦ ܓܝܪ ܒܕܘܟܬܐ ܐܚܪܬܐ ܗܟܝܠ ܐܡ̇ܪ ܕܫܪܓܐ ܗܘ ܓܝܪ ܦܘܩܕܢܐ ܘܢܡܘܣܐ ܢܘܗܪܐ. ܐܟܢܐ ܗܟܝܠ ܕܟܝܕ ܡܫܝܚܐ ܡܬܓܒ ܚܠܦ ܠܡܬܟܫܦܘ ܒܝܘܡܗ ܕܫܪܓܐ: ܐܦ ܒܢܟܝܐ ܕܠܠܝܐ: ܗܟܝܠ ܟܝܕ ܢܛܪܘܬ ܢܡܘܣܐ

170 - 172 Spr (Prov) 31, 17 - 18.
173 - 174 Spr (Prov) 31, 28 - 29.

ܡܚܝܠ ܕܕܠܐ ܡܬܬܘܠܘܦ ܢܗܘܐ: ܐܦ ܒܪܘܚܐ ܕܒܬ̈ܫܬܐ
ܝܕܥ ܠܝ. ܐܚܘܢܐ ܕܝܢ ܬܘܒ ܕܐܢ̱ܐ ܐܢܬ ܒܝ ܗܕܡܐ
ܕܡܢ ܒܢܝܫܘܬܐ ܚܝܝܬܬܐ ܠܐ ܡܫܬܒܒ ܠܚܫܝܫܬܐ ܕܝܫܘܥ
ܐܝܟ ܣܒ̈ܘܗܝ: ܡܬܬܠܝܢ ܡܫܝܚܐ ܘܒܗ ܡܙܒܒܝܢ ܠܗ
ܕܢܬܒܒܕ ܠܦܘܠܚܢܐ ܕܘܕܘ̇ ܠܗ: ܗܒܢܐ ܐܦ ܢܦܫܐ ܒܛܝܠܬ
ܡܢ ܕܘܒ̈ܪܐ ܕܡܬܪܘܬܐ: ܒܝܕ ܢܗܘܐ ܡܬܪܒܝܐ ܠܡܐܬܐ
ܠܦܘܪܢܐ ܕܘ̇ܠܝܬܐ. ܬܘܒ ܕܝܢ ܐܦ ܒܬ̈ܠܬܐ ܒܕ ܙ̇ܒܢܐ
ܕܢܦܘܐ ܕܒܒܠ ܘܒܝ ܐܡܝܢ ܗܘ ܢܗܘܐ ܣܝ: ܐܝܟܐ
ܕܫܒܝܬܐ ܡܬܠܒܢܐ ܐܡ̇ܪ. ܕܠܐ ܕܒܟ ܗܘܐ | ܫܪܓܐ ܠܠܠܝܐ 164va
ܒܠܗ. ܐܝܟ ܕܐܡ̇ܪܬ ܗܒܝܠ ܕܢܫ̈ܬܐ ܕܕܘܒ̈ܪܐ ܐܝܟ̱ ܘܡܫܝܚܐ
ܢܗܘܐ. ܗܒܢܐ ܡܕܝܢ ܐܦ ܒܦܘܡܐ ܕܒܡ ܐܢܬܬ ܛܠܝܘܬܐ
ܒܠܝܠܐ ܗܘ ܐܡܝܠܐ ܕܒܡ ܣܒܡܬܐ: ܕܒܡ̇ ܛ̇ܠܝܟ ܠܝ ܣܒܝܒܐ
ܫܠܝܡܘ̱ ܕܢܬ̇ܦܡ.

ܡܛܠ ܕܗܝ ܗܝ ܡܬܠܬܟ ܒܣܬ̈ܐ ܘܒܒܠܝ̈ܟ ܕܐܢܬ ܚ̇ܡܠ ܐܢܬ
ܬܣܝܬ ܫܡܫܐ.

ܗܕܐ ܠܡ ܕܒܚ̇ܕ݀ ܠܝ ܕܣ̈ܬܐ ܛ̈ܒܐ ܢܣܐ: ܒܕ ܡ̇ܒܪܝ ܣܝܠ
ܡܢ ܪܦܬܐ ܗܪܡܬܐ. ܗܕܐ ܕܝܢ ܐܦ ܠܘܝܐ ܠܝ. ܡܢ ܒܠܗ
ܒܡܠܝ ܕܡܠܝܠܝܢ ܬܣܝܬ ܫܡܫܐ. ܘܗܕܐ ܐܬܝܬ̇ ܠܝ ܡܝܢܐ
ܫܪܝܪܐ ܕܠܐ ܡܬܚܦܟ. ܘܠܒܫܐ ܫܦܝܪܐ ܕܒܠܝܘܡ ܡܬܚܕܬ.
ܘܢܘܗܪܐ ܐܡܝܢܐ ܕܠܐ ܡܬܚܠܦ. ܐܠܐ ܢܘܡ ܡܢ ܢܘܡ ܘܫܒ
ܡܢ ܫܒ. ܒܠ ܢܘܗܪܗ ܡܘܣܦ. ܡܐ ܠܡ ܕܠܗܕܐ ܢܘܦܩ ܐܢܬ
ܘܒܒܝܢܬ̇ ܣܝ ܐܢܬ.

198 - 199 Spr (Prov) 31, 18.

9, 10 ܟܠ ܡܐ ܕܡܫܟܚܐ ܐܝܕܟ ܠܡܥܒܕ ܥܒܕ:

ܠܐ ܓܝܪ ܡܨܝܐ ܕܒܫܝ̈ܘܠܬܐ ܬܥܒܕܝܢܟ: ܐܦ ܠܐ ܕܒܥ̈ܠܝܐ ܕܠܐ
ܘܬܪ̈ܬܢ ܬܪܥܝܬܐ ܠܟ: | ܐܠܐ ܐܝܬ ܐܝܟ ܚܝܠܟ ܥܠܟ ܒܝܘܡܪܐ 164vb
ܕܡܝܘܪ ܒܡܒܝ̈ܠܐ. ܕܓ̈ܒܪܐ. ܡܛܠ ܕܗܫܐ ܐܝܬܘܗܝ، ܠܟ ܙܒܢܐ
ܕܢܗܒ ܠܝܥܒܝܠܘ ܡܕܝܢ ܐܬܒܥܪ ܒܐܝܠܝܢ ܕܦܩܕ ܐܢܬ:
ܦܘܩܕܢܐ ܓܪܡܐ ܘܓ̈ܒܪܐ:
ܡܛܠ ܕܠܝܬ ܥܒܕܐ ܘܡܚܫܒܬܐ ܘܐܝܕܥܬܐ ܘܚܟܡܬܐ ܒܫܝܘܠ.
ܕܐܢܬ ܐ̇ܙܠ ܐܢܬ ܠܬܡܢ.
ܡܛܠ ܕܠܝܬ ܠܟ ܠܡ ܫܘܠܛܢܐ ܡܢ ܒܬܪ ܬܫܘܡܐ ܕܡܘܬܐ.
ܕܬܪܗܛ ܐܘ ܬܬܟܫܦ ܠܟ ܓ̈ܒܪܬܐ ܒܥܡܠܐ ܕܡܬܪܬܘܬܐ. ܡܘܬܐ
ܓܝܪ ܗܟܢܐ ܗܘ ܕܐܝܟܢܐ ܬܫܘܡܐ ܕܕܘܪܫܐ ܘܫܘܠܡܐ
ܕܒܠܗܘܢ ܪܗܛܐ ܕܒܬܪ ܐܝܢܐ. ܚܝ ܗܒܝܠ ܐܚܪ ܐܝܟܢܐ
ܕܡܢ ܫܘܪܝܐ ܕܥܠܡܐ ܗܢܐ ܐܘܕܥܬܟ. ܕܐܝܟܢܐ ܕܠܘ ܒܟ̈ܠܐ
ܕܗܢܐ ܥܠܡܐ ܢܗܘܪ ܐܢܫ: ܐܠܐ ܒܗܘܢ ܒܒ̈ܝܫܐ ܘܒܗܘܢ
ܒܫ̈ܡܥܐ. ܐܝܟܢܐ ܥܠܡ ܠܢܦܫܗ ܫܪܝܐ ܕܗܢܐ ܥܠܡܐ.
ܡܛܠ ܓܝܪ ܕܠܟܠ ܐܝܟܢܐ ܕܟܠ ܐܝܬܬܐ ܐܡܪ: ܠܡܦ̈ܝܫܐ
ܐܬܚܒܪܬ ܕܐܦ ܟܠ ܐܝܬܬܐ ܐܡܪ. ܠܗ ܠܢܦܫܐ ܕܪܡܐ ܠܗ
ܒܗ ܡܫܡܫܢ ܚܝܠ ܚܘܝܠܢ ܕܟܠ ܚܟܡܬܐ ܐܡܪ ܘܡܛܠ
ܕܒܡܝܬܘܬܗ ܦܘܪܫܐ | ܗܘܬ ܡܠܟܐ ܡܛܠ ܡܫܝܚܘܬܗ̇ ܕܢܠܗ̇ 165ra
ܕܡܠܬܐ: ܕܗܝܟ ܦܪܝܐ ܐܝܬܘܗܝ، ܗܘܐ ܐܡܟܢܗ̇. ܐܬܬܠܝ
ܚܝܠ ܠܡܢܬܗ ܬܫܒ̈ܘܚܬܐ ܡܫܒ̈ܚܬܐ. ܕܡܢܐ ܕܦܪܐ ܐܝܬܬܐ. ܐܘ
ܠܡܠܬܐ ܐܘ ܠܚܟܡܬܐ ܡܫܡܗ: ܒܗ ܕܝܢ ܒܢܝܫܗ ܒܗ
ܓܬܝܢ ܚܝܠ. ܐܫܟܚܝܢ ܕܒܡ̈ܠܘܗܝ ܐܚ̈ܝܬܐ ܦ̈ܓܪܐ ܠܡܫܡܥܘ
ܡ̈ܠܘܗܝ، ܘܡܕ̈ܡܝܬܐ. ܒܗ ܐܡܪ.

ܡܛܠ ܕܠܝܬ ܒܒ̈ܪܝܐ ܘܡܫܟܚܬܐ ܘܐܬܕܒܪܬܐ ܘܫܒܚܬܐ ܒܥܘܠ.
ܕܐܝܬ ܥ̇ܘܠ ܐܝܬ ܠܗܘܢ.
ܐܝܟܢܐ ܡܟܝܠ ܦܩܕ ܟܠ ܒ̈ܪܝܐ ܘܟܠ ܐܬܕܒܪܬܐ ܘܫܒܚܬܐ
ܕܢܐܦ ܐܢܫ. ܒܡܕܐ ܡܠܬܗ ܕܡܫܟܐ ܐܦ ܕܒܡܠܬܐ ܠܥܠܬܐ.
ܢܕܝܟܐ ܗܝ ܕܠܐ ܦܩܕ ܗܘܐ. ܐܠܐ ܦܩܕ ܟܠ ܢܫ̈ܬܐ
ܕܢܗܘܘܢ ܚܘ̈ܪܝܢ. ܘܦܩܕ ܟܠ ܐܝܬܝܬ ܠܛܝܒܘܬܐ ܕܪܚܡܢ
ܕܢܬܟ̇ܫܦ ܒܗ̇. ܗܪܟܐ ܕܝܢ ܓܠܝܗ̇ ܠܐܘܟܝܟܐ ܕܡܠܬܗ ܟܕ
ܐܡ̇ܪ.
ܡܛܠ ܕܠܝܬ ܒܒ̈ܪܝܐ ܐܦ ܠܐ ܡܫܟܚܬܐ ܘܐܬܕܒܪܬܐ ܒܥܘܠ
ܕܐܝܬ ܥ̇ܘܠ ܐܝܬ ܠܗܘܢ.
ܡܕܝܢ ܥܡ̇ܪ ܗܘ ܗ̇ܝ ܕܡܕܡ ܕܩ̈ܪܐ ܐܝܬ ܠܡܟܟܕ ܒܝܠܦ
ܒ̇ܟܕ. ܟܕ ܠܐ | ܢܬܬܐ ܙܒܢܐ ܕܬܒܪܐ ܘܠܐ ܬܫܟܚ. ܐܦ 165rb
ܚܢܪ ܓܒܝܢܐ ܠܛܒܬܐ ܥܒܝܕ ܠܝ ܗܕܝܢ. ܐܠܐ ܚܝܠܐ
ܠܡܟܪ̈ܗ ܠܝܬ ܠܝ. ܬܚܘܡܐ ܗܘ ܚܢܪ ܕܛܒ̈ܬܐ ܘܕܒܝܫܬܐ
ܕܡܢ ܚܐܪܘܬܗ ܡܬܠܠܝ ܡܘܬܐ. ܗܟܢܐ ܗܘ ܕܟܠܗܘܢ ܒܢ̈ܝܠܐ
ܘܪܗܛܐ ܕܡܫܟܚܬܐ ܕܒܢ̈ܝ ܐܢܫܐ. ܬ̇ܬܐ ܗܝ ܕܚܝܠܬܐ
ܕܗܘܪܕܐ. ܕܠܐ ܡܥܐ ܒܟܪ ܠܗ̇ ܪܘܫܢܐ. ܡܦܪܗܣܢܐ ܕܢܝܘܬܐ.
ܘܡܢ̈ܪܬܐ ܒܠܬ̈ܠܐ ܠܡܗܪܘܡܘܬܐ. ܡܣܕܝܢܐ ܘܡܟܝܢܘܢܐ. ܚܪܬܐ
ܕܒܠܗܘܢ ܒܢ̈ܝ ܐܢܫܐ. ܗܪܟܐ ܕܒܠܝܫ. ܘܗܢܝܐ ܕܡܢ ܟܠ
ܐܢܫ. ܕܢ̇ܥܐ ܒܐܝܢܐ ܕܠܐ ܢܗܒ ܒܐܩ̈ܐ. ܐܘܪܚܐ ܕܠܝܬ
ܒܗ̇ ܥܒ̈ܠܐ ܗܝ̈ܢܐ. ܐܕܫܐ ܕܫܪ ܗܘ ܠܛܒܗ ܠܟܠܝܫ.
ܬܪܒܐ ܕܠܝܬ ܒܗ ܕܘܪܒܬܐ ܕܓ̈ܠܐ ܕܟ̈ܠܘܠܐ ܘܕܢܩ̈ܘܦܐ:
ܐܠܐ ܐ̱ܦ ܕܢܫܘܒ ܒܠܗܘܕ ܕܘܪ̈ܒܬܗ ܒܡܟܠܐ ܘܒܡܦܘܩܐ
ܢ̈ܫܝܢ. ܒܐܬܪܐ ܕܡܘܬܐ ܗܕܐ ܥܒܝܕܬܐ ܥܒܝܕܢܐ. ܗܢܐ

ܢܝܪܐ ܕܟܠ ܟܠ ܡܬܚܫ. ܒܥܠܡܐ ܕܝܢ ܠܐ ܗܘܐ ܗܟܢܐ. ܘܫܡܠ ܕܢܗܪ ܕܐܝܟܢܐ.

9, 11 ܘܗܦܟܬ ܐܢܐ ܠܡ ܘܚܙܝܬ ܬܚܝܬ ܫܡܫܐ. | ܕܠܐ 165va
ܠܩܠܝܠܐ ܪܗܛܐ.

ܕܠܐ ܗ̇ܢܘܢ ܕܩܠܝܠܘܬܗܘܢ ܡܛܝܢ ܕܪ̈ܗܛܬܐ ܡܫܬܐܠܬܐ ܢܐܣܪܘܢ ܐܘ ܢܩܛܠܘܢ ܐܠܦ̈ܝܢ. ܗܟܢܐ ܐܦ ܓܢܒܪ̈ܝܗܘܢ ܟܠ ܡܕܡ ܥܒܕܬܐ ܒܐܝ̈ܕܝܗܘܢ.

ܘܠܐ ܠܓܢܒܪ̈ܐ ܩܪܒܐ.

ܘܠܐ ܗ̇ܢܘܢ ܕܒܬܘܟܠܢܐ ܕܟܠ ܚܝܠܗܘܢ ܠܩܪܒܐ ܡ̇ܕܢܚܝܢ. ܗܟܢܐ ܐܦ ܡܫܟܚܬܗܘܢ ܒܟܠ ܙܒܢ ܡܚܝܠܝܢ.

ܘܠܐ ܠܚܟ̈ܝܡܐ ܠܚܡܐ.

ܘܠܐ ܗ̇ܢܘܢ ܕܚܟܡܬܐ ܡܫܬܒܚܝܢ. ܠܬܪܘܣܐ ܚܕ ܦܓܪܗܘܢ ܒܠܚܘܕ ܡܨܝܢ ܒܠܒܕ ܡܢ ܡܗܘܬܐ ܘܦܘܫܩܬܐ ܕܐܠܗܐ ܐܚܝܕܬ ܟܠ.

ܘܠܐ ܠܡܣ̈ܬܟܠܢܐ ܥܘܬܪܐ.

ܘܠܐ ܗ̇ܢܘܢ ܕܒܡܣܟܠܢܐ ܗܘ ܒܬܪܝܢ ܐܫܟܚܘ ܕܐܦ ܒܥܘܬܪܐ ܘܐܝܬܪܐ ܐܢܫܐ ܢܣܒܘܢ ܠܗܘܢ. ܟܕ ܐܠܗܐ ܠܐ ܢܦܩ ܗܕܐ.

ܘܠܐ ܠܝ̈ܕܘܥܬܢܐ ܫܘܒܚܐ.

ܘܠܐ ܗ̇ܢܘܢ ܕܒܐܝܕܥܬܐ ܟܠ ܡܗܝܪܝܢ ܘܡܣܬܟܠܝܢ: ܐܫܟܚܘ ܕܫܘܒܚܐ ܐܢܫܐ ܐܦ ܓܢܒܪ̈ܝܗܘܢ ܢܐܬܐ ܒܐܝ̈ܕܝܗܘܢ. ܡܢ ܠܒܠ ܒܡܠܬܗ ܡܫܘܐ ܗܘܐ. ܕܬܫܘܡܫܐ ܕܟܠܗܘܢ ܒܢ̈ܝ ܐܢܫܐ
ܐܝܬܘܗܝ ܡܘܬܐ. ܒܗ ܠܝܬ ܐܢܫ ܕܢܫܟܚ | ܕܢܦܪܘܩ ܡܢܗ 165vb
ܒܝܕ ܡܢ ܦܘܪ̈ܫܢ: ܐܠܐ ܠܪ̈ܕܝܐ ܘܠܦ̈ܫܝܛܐ. ܠܚܟ̈ܝܡܐ ܘܠܣܟܠܐ. ܠܥܬܝܪ̈ܐ ܘܠܡܣܟ̈ܢܐ. ܚܕ ܫܘܠܡܐ ܕܡܘܬܐ ܕܟܠܐ

ܕܢܫܬܐ ܡܕܝܢ ܠܗܘܢ. ܒܗ ܠܝܬ ܠܗܘܢ ܦܘܪܫܢܐ ܠܗܢܐ
ܡܢ ܗܢܐ. ܒܬܪܟܢ ܕܝܢ ܐܡܪ. ܕܫܒܩܬ ܠܟܘܢ ܘܢܝܚܬ
ܕܒܠܒܐ ܠܐ ܗܘܐ ܗܟܢܐ. ܐܦ ܠܐ ܫܘܐܝܬ ܓܢܒ ܟܠ
ܐܢܫ ܐܝܟ ܡܕܡ ܕܫܘܐ ܥܒܝܕ ܠܘܬܗ. ܒܡܐ ܕܒܢܝܢ ܕܝܢ
ܐܦ ܕܠܘܩܒܠܐ ܡܫܬܒܚܝܢ ܓܢܒ ܐܢܫ ܐܢܫ. ܕܗܠܝܢ ܕܡܬܟܠܝܢ
ܠܐ ܡܕܪܟܝܢ: ܘܗܠܝܢ ܕܝܕܥܝܢ ܒܡܪܟܐ ܠܐ ܪܚܡܝܢ. ܘܗܠܝܢ
ܕܣܒܝܒܝܢ ܓܪܒܝܢ ܒܠ ܠܣܓܐ ܘܗܠܝܢ ܕܡܕܒܠܝܢ ܡܩܒܠܝܢ
ܘܗܠܝܢ ܕܐܝܬܝܗܘܢ ܡܕܒܪܢܐ ܠܝܬ ܠܗܘܢ ܫܘܒܚܐ. ܒܗ
ܕܝܢ ܒܡܕܡܘܬܐ ܠܘܩܒܠ ܗܠܝܢ ܡܫܒܚܝܢ ܘܓܢܒ ܣܒܝܢܐ
ܡܕܪܒܢܘܬܐ. ܘܓܢܒ ܫܦܠܐ ܪܒܘܬܐ. ܘܓܢܒ ܩܒܠܐ ܒܘܬܪܐ
ܘܓܢܒ ܫܦܝܪܐ ܥܢܘܝܐ. ܘܓܢܒ ܡܕܝܢܬܐ ܫܘܠܛܢܐ ܘܫܘܒܚܐ
ܐܢܫܐ. ܗܪܟܐ ܠܟ ܒܗܠܝܢ ܝܬܝܪܐ: ܠܐ ܗܘܐ ܒܠܢܫ ܒܐܢܫܝܬ
| ܘܐܝܟܢܐ ܕܫܘܐ ܐܝܬ ܠܘܬܗ. ܐܬܪܐ ܗܘ ܓܝܪ ܗܢܐ 166ra
ܒܠܗܐ. ܕܒܡܕܡܘܬ ܐܝܟܢܐ ܐܬܬܗܝܒ ܠܒܪܐ ܕܒܢܝ ܐܢܫܐ.
ܘܐܝܢܐ ܕܬܗܘܐ ܒܗ ܣܒܘܬܐ ܘܪܒܘܬܐ. ܘܫܦܠܘܬܐ
ܘܣܠܝܩܘܬܐ. ܪܒܢܐ ܗܘ ܬܘܒ ܕܡܦܪܬ ܪܘܚܐ ܕܐܬܝܗܒ
ܠܒܢܝ ܐܢܫܐ: ܕܒܗ ܢܣܒܘܢ ܣܒܠܐ ܕܣܓܝܐܘܬܗܘܢ. ܘܓܒܝܢܗܘܢ
ܨܒܐ ܕܠܘܬ ܒܪܘܝܗܘܢ. ܘܐܝܢܐ ܕܒܐܬܪܐ ܕܡܕܡܘܬܗ
ܒܠܗܘܢ ܠܣܓܝܐܘܬܐ ܕܢܦܫܬܗܘܢ ܫܘܝܢ: ܕܫܒܝܠܐ ܘܫܘܠܦܐ
ܦܓܝܥܐ. ܢܬܒܥܘܢ ܒܗ: ܠܘܩܒܠ ܦܓܥܬܐ ܓܒܝܢܐ ܕܗܠܝܢ
ܕܐܡܪܢ ܒܗ. ܬܘܒ ܐܬܪܐ ܗܘ ܕܒܝܬ ܡܕܡܘܬܐ ܘܕܢܘܠܕܐ ܘܕܡܕܪܫܐ:
ܘܠܐ ܡܓܝܐ ܕܐܝܟܐ ܕܐܝܬ ܡܕܡܘܬܐ ܘܢܘܠܕܐ ܘܡܕܪܫܐ. ܠܐ ܢܗܘܐ
ܐܝܬ ܒܗ ܡܫܒܚܬܐ ܕܡܒܠܝܢ ܘܕܡܬܒܬܝܢ ܡܢ ܬܕܕܐ. ܡܬܟܒܐ ܕܝܢ
ܕܗܘܐ ܥܒܝܕ ܒܐܬܪܐ ܕܒܝܬ ܢܘܠܕܐ: ܐܦ ܫܦܝܪܐ ܘܡܕܡܘܬܐ. ܘܒܐܬܐ.

ܡܬܒܥܐ ܕܝܢ ܕܢܗܘܘܢ ܥܒܝܕܝܢ ܒܗ: ܐܦ ܡܠܟܐ ܘܕܝܠܬܐ ܘܫܘܕܪܐ. ܡܬܒܥܐ ܕܝܢ | ܐܦ ܡܬܒܥܝܢܐ ܕܪܗܛܐ ܘܡܒܪܝܢܐ 166rb ܕܓܒܪܐ ܘܕܟܠܐ ܣܒܪܬܐ ܦܣܝܩܬܐ ܡܢ ܩܕܡ ܕܢܦܩܝܢ. ܕܠܡܐ ܡܢ ܪܗܛܐ ܦܣܝܩܐ ܐܘ ܡܢ ܕܘܒܪܐ ܕܓܒܪܐ: ܐܘ ܡܢ ܣܒܪܬܐ ܦܣܝܩܬܐ: ܘܡܢ ܗ̇ܝ ܕܟܠܗܘܢ ܐܝܟ ܙܒܢܝܗܘܢ ܐ̇ܬܐ ܒܐܪ̈ܥܝܗܘܢ. ܬܚܝܬ ܡܫܘܠܬܐ ܡܥܝܬܐ ܠܗ̇ܝܢ. ܕܡܛܠ ܠܠܘܬܗܘܢ ܒܥܕ̈ܢܝܗܘܢ ܠܐ ܝܕܥܝܢ. ܡܛܠ ܗܢܐ ܐܝܟ ܗ̇ܘ ܕ̈ܢܘܢܝܢ ܕܐ̇ܚܕܐ ܒܡܨܝܕܬܐ ܐܝܟ ܠܒܗܐ ܒܠ ܗܢܐ ܒܢܝܬ ܡܪܕܘܬܐ: ܘܠܐ ܡܕܡ ܡܢ ܐܢܫܝܢ ܕܡܫܬܪܐ ܒܗ ܠܘܬ: ܘܠܐ ܡܢ ܡܙܝܢ ܠܡܥܕܠܗ. ܐܠܐ ܐܦ ܢܗܘܐ ܠܣܒܝܒܐ ܠܢܦܫܐ: ܐܡܪܝܢ ܕܫܡܝܐ. ܘܐܦ ܬܘܒ ܠܐ ܢܗܘܐ: ܐܡܪܝܢ ܕܠܥܘܪܢܗ. ܘܐܦ ܬܘܒ ܢܪܟܐ ܡܪܟܒܬܐ ܐܡ̈ܪܝܢ ܫܢܝ ܕܫܡܝܐ. ܘܐܦ ܬܘܒ ܠܐ ܢܥܒܐ: ܐܡܪܝܢ ܫܢܝ ܕܗܒܝܐ ܦܣܩ ܗܘܐ. ܘܗܒܝܐ ܬܘܒ ܐܦ ܥܪܒܐ ܕܫܒܝܚܐ ܘܕܢܕ̈ܒܬܢܐ. ܗܝ ܒܕ ܗܝ ܡܠܬܐ ܐܡܪܝܢ ܫܢܝ. ܡܛܠ ܕܗ̇ܘ ܡܕܡ ܕܕܠܐ ܒܫܪܘܬ | ܗܘܐ ܠܘܬ ܡܢ ܐܠܗܐ: ܟܕ ܗܘ ܘܫܡܝܐ ܐܦ 166va ܢܗܘܐ ܕܡܬܢܝܐ ܠܝ ܒܐܘܟܝܢܐ ܕܕܠܐ ܒܐܝܢܬܐ.

ܙ̇ܒܢܐ ܗܘܬ ܕܝܢ ܐܘ ܐܝܟ ܬܘܪܓܡܗ: ܕܒܡܬܠܠܐ ܦܣܝܩܐ ܐܝܢܘܟ. ܕܗܠܝܢ ܕܕܠܐ ܒܐܝܢܘܬܐ ܡܬܝܢܝܢ ܠܝ ܕܡܬܬܒܪ̈ܢ ܙܢܐ ܐܝܟ ܡܢ ܐܠܗܐ: ܢܚܬܬܐ ܦܣܝܩܬܐ ܘܒܦܠܝܠܘܬܐ ܘܒܐܝܢܘܬܐ ܐܝܬ ܒܗܝܢ: ܐܦ ܗܘ ܕܝܢܐ ܢܝܫܬܐ ܡܢܝܢ. ܠܡܬܒܥܘ ܒܗܝܢ ܢܦܬܐܬ. ܐܝܟܐ ܕܝܢ ܕܝܢܐ ܢܝܫܬܐ ܢܦܪܐ: ܒܠܒܕ ܒܕܘܘܢܐ ܡܬܝܢܐ.

ܐܠܐ ܡܛܠ ܕܢܫܡܥ ܐܝܢܐ ܕܗܪܟܐ ܡܢܝܦ ܗܘܐ ܐܬܟܢܝ

ܠܗ: ܡܬܪܬܐ ܐܬܚܙܝܬ ܠܝ ܕܐܪܥܐ ܦܫܝܛܐ ܕܪܡܐ ܠܝ:
ܘܥܠ ܡܕܒܪܢܘܬܐ ܕܐܠܗܐ ܢܚܝܡܬ ܒܟܘܠ ܐܦܠܠ. ܡܢ ܗܟܝܠ
ܕܝܘܡܝ ܕܠܐ ܗܘܐ ܥܘܝܩܬ ܐܬܝܗܒܢ ܒܗܢܐ ܒܠܗܐ ܙܒܢ̈ܬܐ
ܙܢܐ ܟܠ ܐܝܟ: ܡܛܠ ܬܠܠܬܐ ܗܦܟ̈ܬܐ ܗܠܝܢ ܕܡܕܒܠܝܢ
ܐܡܪܝ. ܡܘܦ ܠܡܠܬܗ ܥܘܠܦܢܐ ܥܘܢܐ ܕܗܠܝܢ ܒܠܗܘܢ
ܦܬܓܡܐ ܒܗ ܐܡܪ.
166vb ܘܒܢܐ ܚܕ | ܘܦܩܕܐ ܚܕ ܦܩܕ ܠܟܠܗܘܢ.
ܗܠܝܢ ܠܗ ܒܠܗܘܢ ܥܘ̈ܠܦܢܐ ܕܝܠܗ ܡܠܝܢ ܗܪܟܐ ܐܬܚܙܝܘ
ܠܐ ܗܘܐ ܥܘܠܡܐ ܕܓܘܐ ܠܟܠܚܕ ܚܕ ܡܢܗܘܢ ܡܟܝܠ ܐܠܐ ܚܕ
ܬܫܘܡܫܐ ܕܡܘܬܐ ܡܟܝܠ ܠܟܠܗܘܢ ܥܒ̈ܕܠܐ ܘܠܟܠܗܘܢ ܐܘ̈ܪܚܬܐ
ܕܒܠܡܐ ܘܒܗ ܦܫ ܗܕܐ ܦܠܢܐ ܗܝ ܘܐܢܕܝܢܐ ܠܟܠܗܘܢ ܐܢܫܐ.
ܐܠܐ ܗ̇ܝ ܕܠܟܠܬܝ ܡܟܝܠ ܥܘܠܡܐ ܕܝܢܘܗܝ: ܡܚܫܒܐ ܗܝ
ܘܡܢܘܚܬܐ ܡܢ ܟܠܗܘܢ ܒܢ̈ܝ ܐܢܫܐ.
9, 12 ܡܛܠ ܕܠܐ ܢܗܒ ܒܪܢܫܐ ܘܒܢܘ. ܐܝܟ ܢܘ̈ܢܐ
ܕܡܬܬܚܕܝܢ ܒܡܨܝܕܬܐ. ܘܐܝܟ ܨܦܪ̈ܐ ܕܡܬܬܚܕ̈ܝܢ ܒܦܚܐ: ܗܟܢܐ
ܡܬܬܚܕܝܢ ܒܢ̈ܝ ܐܢܫܐ ܒܙܒܢܐ ܒܝܫܐ ܕܢܦܠ ܥܠܝܗܘܢ ܡܢ ܫܠܝ.
ܐܠܐ ܠܡ ܘܒܗ ܦܫ ܗܟܢܐ ܒܢܘܦܪܐ ܕܝ̈ܢܝܗܘܢ ܠܐ ܡܦܩܝܢ
ܐܠܐ ܢܦܩ ܡܢ ܢܦܩ ܗܘܒܢܐ ܕܡܘܬܐ ܩܪܝܒ ܠܗܘܢ: ܘܒܗ ܠܐ
ܡܦܩܝܢ ܒܪܒܢܐ ܕܡܐܬܝܬܗ. ܠܐ ܙܕܩ ܠܡܦܩ ܬܫܘ̈ܒܚܐ
ܠܐܪ̈ܓܝܫܘܬܗܘܢ ܢ̈ܫܒܐ ܒܢ̈ܝ ܐܢܫܐ: ܘܐܦ ܠܐ ܠܡܦܩܕ ܡܢ
ܐܪ̈ܓܫܬܐ ܒܬ̈ܫܒܬܐ ܕܐܢܫ̈ܝܢ ܠܗܘܢ: ܐܠܐ ܦܩܕܘܗܝ ܠܡܘܬܐ
| ܘܦܩ̇ܕܬܐ ܐܕܪܟ ܐܢܘܢ ܠܐ ܡܬܒܥܐ: ܘܦܫܡ ܘܥܕܐ ܡܢܗܘܢ 167ra
ܒܡܦܩܐ ܕܦܬܪܗ ܒܠܗܝܢ ܪ̈ܢܝܚܘܬܗܘܢ ܘܐܪ̈ܓܫܬܗܘܢ. ܘܠܐ
ܥܒܡ ܠܗܘܢ ܐܦ ܠܐ ܚܕ ܗܒܪܐ ܕܒܘܝܐܐ: ܐܠܐ ܡܢ ܫܠܝ

ܢܦܠ ܥܠܝܗܘܢ ܘܐܢܫ ܐܢܘܢ ܒܦܚܐ ܐܝܟ ܨܦܪܐ ܠܡܛܠܬܐ:
ܘܢܦܠܘ ܒܬܚܘܡܗ ܐܝܟ ܢܘܢܐ ܒܡܨܝܕܬܐ: ܡܛܠ ܕܝܢ ܬܫܘܝܬܐ
ܨܒܪ ܕܡܕܢܚܬܐ ܕܐܬܫܒܥܬ ܡܢ ܡܠܟܐ ܒܒܠܕܒܒܐ. ܕܢܫܘܐ
ܕܡܟܐ ܒܡܕܝܢܐ ܗܘܐ ܠܫܒܝܐ ܡܢ ܫܒܝܬܗ. ܢܛܪ ܡܢ
ܕܠܡܠܟܐ ܒܡܫܟܢܐ ܕܡܢܝܢܗ. ܡܛܠ ܓܝܪ ܕܫܘܝ ܕܒܕܡܘܬ
ܓܘܫܐ ܡܢ ܥܠܝ ܥܒܐ ܠܝ ܡܘܬܐ: ܘܡܕܢܚܬܐ ܕܦܓܪܝ
ܐܡܪ ܥܠܝ: ܒܗ ܡܘܬܒ ܠܝ ܒܫܒܥܐ ܕܒܘܪܗܢܐ: ܥܦܪ
ܪܒܒ ܬܫܘܝܬܐ ܕܡܕܢܚܬܐ ܘܕܒܠܝܡܐ ܡܫܒܚܐ ܕܒܓܘܗ: ܗܘ
ܕܐܬܦܪܥ ܘܒܫܒܝܡܘܬܗ ܡܕܢܚܬܗ ܡܢ ܥܒܝܐ ܘܐܒܕܢܐ ܦܨܝ
ܗܘܐ ܕܒܗ ܒܕܡܘܬܐ ܐܦ ܚܢܢ ܢܬܛܒܪ. ܒܗ ܡܫܘܚܝ ܚܝܝ
ܢܦܫ ܒܥܠܝܗܘܢ ܕܘܒ̈ܪܐ ܥܦܝ̈ܐ. ܕܠܐ | ܢܬܥܒܕ ܒܛ̈ܠܠܬܐ 167rb
ܘܡܫܘܕܝܐ ܡܢ ܙܢܘܗ ܕܡܚܪܬܘܬܐ ܘܕܡ ܡܘܬܐ: ܘܡܕܢܚܬܐ
ܕܦܓܪܝ ܡܢ ܕܢܚܬܐ ܕܠܐܠܝܬ ܒܐܒ̈ܕܘܗܝ ܬܫܬܠܡ. ܐܦ
ܕܝܢ ܢܬܛܠܠ ܠܝ ܒܠ ܐܝܕܒܬܐ: ܘܙܝܢܐ ܕܕܘܒ̈ܪܐ ܛܒ̈ܐ
ܢܠܒܫ ܒܠ ܦܓܪܝ: ܠܐ ܡܛܠ ܡܢ ܙܒ̈ܢܐ ܒ̈ܬܫܐ ܡܛܠܝܠܝ:
ܐܦ ܠܐ ܡܢ ܡܘܬܐ ܡܙܕܒܢܝ. ܐܠܐ ܡܢ ܐܬܪܐ ܠܐܬܪܐ
ܡܫܢܝܢܝ ܒܠ ܫܒܪܐ ܕܦܘܪܩܢܐ: ܘܠܐ ܒܠ ܫܒܪܐ ܕܡܫܟ
ܒܪܫܐ.

9, 13 ܘܐܦ ܗܕܐ ܚܙܝܬ ܚܟܡܬܐ ܬܚܝܬ ܫܡܫܐ ܘܪܒܐ
ܗܝ ܒܥܝܢܝ.
ܐܦ ܗܕܐ ܚܙܝ ܕܢܦܩܬ ܢܬܒܕܪ ܠܗܠܝܢ ܕܒܬܪܝ: ܐܬܬܐ ܗܝ

374 ܘܐܦ – 395 ܢܒܩܐ *B*.
374 ܐܦ *B*.
376 – 377 < *B*.

ܕܚܟܡܬܐ ܘܕܪܒܘܬܐ ܕܬܪܒܝܬܐ. ܘܥܡܠ ܕܢܦܫܗ ܬܘܣܦܬܗ.
9, 14 ܡܕܝܢܬܐ ܙܥܘܪܬܐ ܘܒܢܝ̈ܐ ܐܢܫܐ ܕܒܗ̇ ܙܥܘܪ̈ܝܢ.
ܡܕܝܢܬܐ ܠܦܓܪܐ ܦܪܐ. ܒܥܘܬ̈ܐ ܕܝܢ ܠܗܘܢܐ ܘܠܚܟܡܬܐ
ܕܠܒܫܐ.
ܐܬܐ ܥܠܝܗ̇ ܡܠܟܐ ܪܒܐ ܘܚܕܪܗ̇ ܘܒܢܐ ܥܠܝܗ̇ ܘܠܩܘ̈ܡܐ.
ܡܠܟܐ ܕܝܢ ܪܒܐ ܠܣܛ̈ܢܐ ܘܠܒܝܫܐ ܕܒܝ̈ܫܬܐ ܦܪܐ | ܥܠܝܗ̇ 167va
ܕܟܠ ܙܒܢ̈ܝܢ ܐܣܟܠܝܢ ܚܕ̈ܝܢ ܠܒܢ̈ܝ ܐܢܫܐ.
9, 15 ܘܐܫܬܟܚ ܒܗ̇ ܓܒܪܐ ܡܣܟܢܐ ܚܟܝܡܐ.
ܗܘ ܗܪܟܐ ܫܐܠ ܠܒܘܬܪܐ ܕܓܒܢܐ ܡܢ ܚܟܡܬܐ. ܡܣܟܢ ܕܝܢ
ܘܥܬܝܪ ܒܚܟܡܬܐ. ܐܦ ܓܝܪ ܢܗܘܐ ܕܒܕܝܢܐ ܒܗܘܢ ܡܣܟܢܘܬܐ.
ܘܫܘܒ ܗܘ ܡܣܟܢܐ ܡܕܝܢܬܐ ܒܚܟܡܘܬܗ.
ܗܐ ܚܙܝ ܬܘܣܦܬܐ ܕܗܟܢ: ܕܢܦܫܐ ܒܥܘܕܪܢܐ ܕܗܘܐ ܡܢ
ܚܟܡܬܐ ܠܦܓܪ̈ܗ̇. ܐܝܟܢܐ ܕܒܟܕܐ ܢܗܘܐ ܠܟܠ ܡܢ ܥܝܕܘܢܐ
ܒܐܒܕܢܐ ܕܒܝ̈ܫܬܐ. ܘܒܐܝܕܝ ܡܣܟ̈ܢܐ: ܬܠܡܝ̈ܕܐ ܘܐܚ̈ܐ ܡܬܝܚܝܢ:
ܕܢܦܫܐ ܕܝܢ ܕܥܠܝܗ̇ ܕܗܕܐ ܕܚܟܡܬܐ ܡܢܛܪܐ ܘܡܫܬ̈ܟܚܝܢ
ܒܥܘܕ̈ܪܢܗ̇: ܐܝܟ ܠܐ ܒܓܒܠ ܠܗ: ܐܡܪ.
ܘܐܝܟ ܠܐ ܒܗܕ ܠܓܒܪܐ ܗܘ ܡܣܟܢܐ.

383 ܘܚܕ̈ܝܢ B.
384 ܘܐܫܬܟܚ] ܘܐܫܟܚܬ B.
385 ܫܐܠ + ܠܗ B.
386 ܐܦ > B.
387 ܒܚܟܡܘܬܗ] ܒܚܟܡܬܗ B.
390 ܒܐܒܕܢܗ B.
391 ܥܠܝܗ̇ B.

ܠܐ ܠܡ ܐܝܟ ܙܒܢܐ ܕܠܝܬ ܗܘܐ ܠܡܪܢ: ܒܗ ܡܟܗܪ ܟܠ
ܢܦܩܐ. ܫܪܝܐ ܗܘ ܠܗ ܓܝܪ ܠܟܠܢܫ ܬܘܟܠܢܐ. ܕܟܠ
ܚܟܡܬܐ. ܐܝܟ ܕܝܢ ܠܐ ܦܠܚܐ ܐܝܟ ܟܬܪ ܣܓ̈ܝܐܐ. ܘܐܦ
ܠܐ ܟܠ ܒܬܪ ܘܬܪܐ ܡܬܬܟܠ ܐܝܟ: ܒܗ ܫܦܝܪ ܐܝܟ ܘܡܚܣܢܐ
167vb | ܐܝܟ ܟܠ ܚܟܡܬܐ ܐܠܐ ܡܛܠ ܕܚܒܝܒ ܐܝܟ ܒܡܕܪܝܫܗ
ܘܚܠܝܗ: ܫܦܬ ܐܦ ܠܬܪܝܨܘܬ ܚܘ̈ܫܒܝܗܘܢ ܕܡ̈ܠܟܐ ܒܠܚܘ̈ܕܐ.
9, 16 ܘܐܡܪܬ ܐܢܐ. ܛܒܐ ܗܝ ܚܟܡܬܐ ܡܢ ܓܢܒܪܘܬܐ
ܘܚܟܡܬܗ ܕܡܣܟܢܐ ܡܫܝܛܐ ܗܝ. ܘܦܬܓ̈ܡܘܗܝ ܠܐ ܡܫܬܡܥܝܢ.
ܡܝܬܪܐ ܗܝ ܠܡ ܒܒܢ̈ܝܐ ܚܟܡܬܐ ܡܣܟܢܬܐ: ܡܢ ܓܢܒܪܘܬܗܘܢ
ܒܬܫܪܬܐ ܐܘ ܫܦܝ̈ܢܐ.
9, 17 ܡ̈ܠܝ ܚܟܝ̈ܡܐ ܒܢܝܚܐ ܡܫܬܡܥܝܢ: ܛܒ ܡܢ ܩܥܬܐ
ܕܫܠܝܛܢܐ.
ܘܡ̈ܠܐ ܡܫܝ̈ܠܬܐ ܕܒܢܝܚܐ ܡܢ ܡܣܟܢ̈ܘܬܐ ܡܫܬܡܥܝܢ. ܝܬܝܪ̈ܢ
ܐܝܟ̈ܢ ܡܢ ܩܥܬܐ ܕܡܘܠܕ ܠܗ̇ ܚܘܬܪܐ ܦܪܝܩܐ ܡܢ
ܫܠܝܛܢܐ.
9, 18 ܛܒܐ ܗܝ ܚܟܡܬܐ ܡܢ ܡܐܢ̈ܝ ܩܪܒܐ.
ܘܠܐ ܒܠܚܘܕ ܡܢ ܩܠܐ ܕܫܠܝܛܢܐ ܡܝܬܪܐ: ܐܠܐ ܐܦ ܡܢ
ܣܘܓܐܐ ܕܚܝܠܐ ܘܕܙܝܢܐ ܕܩܪܒܝܢ.
ܘܚܛܝܬܐ ܚܕܐ ܡܘܒܕܐ ܛܒ̈ܬܐ ܣܓܝܐܬܐ.
ܡܕܐ ܗ̇ܝ ܣܓܠܬܐ ܕܒܝܬ ܕܡܬܚܙܝܐ ܒܚܛܝܬܐ: ܡܢ ܒܠܥܡ
ܒܡܕ̈ܝܢܝܐ ܬܫܬܠܚ ܘܐܢܠܐ ܡܢ ܕܘܝܕ ܠܐ ܬܪܦܐ ܠܗ̇. ܡܛܠ

395 ܢܦܩܐ + ܕܠܐ ܫܪ̈ܝܢ *B*.

ܕܗܝ ܠܡܘܒܠ ܢܦܫܗ̇ ܒܟܠܗܘܢ | ܗܘ̈ܦܟܝܗ̇ ܡܫܬܒܚܐ. ܘܐܦ 168ra
ܢܗܘܐ ܕܕܪܓܐ ܘܫܘܠܛܢܐ ܕܫܒܝܚ ܘܡܝܬܪ ܟܠ ܟܠܢܫ ܡܠܟܘܬܐ
ܬܘܒܠ. ܗܝ ܒܝܬ ܕܘܟ̈ܬܐ ܕܡܠܟܝܢ ܡܠܟܘܬܐ. ܠܟܠܗ ܫܘܒܚܐ
ܘܐܝܩܪܐ ܕܫܘܠܛܢܐ ܠܓܒܪܐ ܡܘܟܐ ܠܗ.

X

10, 1 ܒܕܡܘܬܐ ܠܡ ܕܕܒ̈ܒܐ ܡܝ̈ܬܐ ܕܡܣܪܝܢ ܬܘܡܢܐ
ܕܡܫܚܐ ܡܒܣܡܐ.

ܐܦ ܠܐ ܓܒܪ ܝܬܝ̈ܪܘܬܐ ܕܫܦܝܪ ܘܟܠܝܠܐܝܬ ܡܢ ܐܢ̈ܫܝ،
ܣܟܠܘܬܐ ܐܬܬܠܝ: ܟܕ ܢܓܕ ܘܢܦܠ ܒܗܘܢ ܡܕܡ ܕܐܝܬܘܗܝ،
ܗܘܟܠܗܘܢ: ܡܢܝܢ ܠܡܘܡܐ ܒܬܘܡܝܗܘܢ ܡܕܡܢܐ. ܐܠܐ
ܫܘܚܠܦܐ ܕܕܠܡܘܒܠܐ ܡܦܟܠܝ. ܗܟܢܐ ܐܦ ܫܘܠܛܢܐ ܘܐܝܩܪܐ
ܐܘ ܗܕܪܐ ܕܡܠܟܘܬܐ. ܟܕ ܢܓܕ ܘܠܡܟܠܐ ܢܬܡܘܒܠ: ܗ̇ܘ
ܡܕܡ ܕܠܝܬ ܠܗ ܡܬܗܢܐ. ܦ̇ܪܫ ܕܝܢ ܘܡܦܪܟܠ ܠܟܘܠܐ
ܘܟܠܝܠܘܬܐ ܫܦܝܪܬܐ ܕܗ̇ܢܘܢ ܕܡܕܡܗܘܢ. ܡܛܠ ܗܢܐ
ܠܟܐ ܗܝ ܣܟܠܘܬܐ ܡܢ ܚܟܝܡܘܬ ܬܫܒܘܚܬܐ.
ܠܟܐ ܗܝ ܠܡ ܗ̇ܝ ܕܢܬܚܟܡ ܝܬܝܪ ܡܢ ܗ̇ܝ ܕܢܫܬܠܛ.
ܘܡܝܬ̈ܪܢ | ܐܢܝܢ ܗܘܟ̈ܢܐ ܕܣܟܠܘܬܐ: ܡܢ ܗܘܟܡܬ ܡܘ̈ܠܟܐ 168rb
ܕܫܘܠܛܢܐ.

10 ܠܟܐ] ܢܣܒܪܐ *P*.
ܚܟܝܡܘܬ] ܚܟܝܡܬ *P*.

10, 2 ܡܛܠ ܕܠܒܗ ܕܚܟܝܡܐ ܒܝܡܝܢܗ.
ܣܘܟ̈ܠܢܗܝ ܓܝܪ ܕܚܟܝܡܐ ܗܢܝܐ ܦܫܝܛܝܢ ܘܕܠܝ̈ܠܝܢ ܠܡܣܟܢܐ.
ܐܝܟ ܝܡܝܢܐ ܠܒܪܕܐ.
ܘܠܒܗ ܕܣܟܠܐ ܒܣܡܠܗ.
ܘܣܘܟ̈ܠܢܐ ܕܝܢ ܕܣܟܠܐ ܡܬܚܒܪܝܢ: ܗܢܝܐ ܒܥܩܝܢ ܠܡܣܟܢܐ
ܘܡܙܕܘܕܝܢ ܐܝܟ ܣܡܠܐ ܠܒܪܕܐ. ܘܐܦ ܒܐܘܪܚܐ
10, 3 ܘܐܦ ܒܐܘܪܚܐ ܡܐ ܕܐܙܠ ܣܟܠܐ: ܠܒܗ ܚܣܝܪ ܗܘ.
°ܐܘܪܚܐ° ܗܪܟܐ ܠܣܘ̈ܥܪܢܐ °ܩܪܐ°. ܐܦ ܠܟ ܟܠ ܕܘܒ̈ܠܬܐ ܕ̈ܚܝܠܬܐ
ܐܡܬܝ ܕܢܬܪܥܒ ܣܟܠܐ: ܐܝܟܢܐ ܕܢܦܩܘܢ ܢܬ̈ܚܙܐ ܠܗܝܢ ܡܣܟܢܐ
ܒܘܢܐܝܬ ܘܕܠܐ ܒܐܢܕܚܬܐ ܒܠ ܡܕܡ ܕܠܡܘܒܠܗ ܡܬܚܫܒ.
ܘܒܠ ܕܡܬܪܥܒ ܣܟܠܘܬܐ ܗܘ.
ܐܝܢܐ ܠܟ ܕܡܕܡ ܢܬܝܪܐ ܒܠܗܘܢ ܠܐ ܡܬܪܥܒ. ܡܕܝܢ
ܟܠܝܐ ܗܝ. ܕܣܟܠܘܬܐ ܡܬܪܥܒ: ܘܒܝܘܪܬ ܣܟܠܘܬܗ ܐܦܠܐ
ܡܫܘܚܬܗ ܢܣܒܐ ܠܗ ܕܝܢܐ. ܐܠܐ ܐܝܟܢܐ ܠܗ ܡܣܒܪܢܘܬܐ
ܕܦܩܕ | ܠܡܣܠܝܢܐ: ܘܠܝܬܝܬ ܪܥܘܬܐ ܡܬܝܚܒ. ܐܝܢܐ ܕܝܢ 168va
ܫܠܝܛ ܐܝܢܐ ܐܘ ܒܪܢܫܐ. ܕܬܬܬܒܠ ܒܚܝܠܘܬܟ.
10, 4 ܘܐܦ ܪܘܚܐ. ܕܫܠܝܛܐ ܬܣܩ ܥܠܝܟ: ܐܬܪܟ ܠܐ
ܬܫܒܘܩ.

30 ܘܐܦ - 36 ܬܫܒܘܩܬܐ B.

19 ܒܐܘܪܚܐ ܡܐ ܕܐܙܠ ܣܟܠܐ˺] ܣܟܠܐ ܡܐ ܕܐܙܠ ܒܐܘܪܚܐ P.
21 ܠܣܘܥܪܢܐ˺] ܠܣܘܟ̈ܠܢܐ° DS X 11 s. o. I 150 160

ܐܢܗܘ ܠܡ ܕܪܓܬܐ ܕܫܘܠܛܢܐ ܬܘܒ ܠܟ: ܠܒܘܟ ܘܕܝܢܐ ܠܐ ܬܫܒܘܩ. ܠܐ ܠܡ ܬܠܒܐ ܫܠܝܟ ܘܬܥܒܪ ܡܢ ܬܪܥܝܬܟ: ܗܿܝ ܕܒܕܡܐ ܠܐܝܟܐ ܦܩܕ ܐܝܬ ܠܡܕܒܪܘ. ܡܒܕܐ. ܗܘ ܝܗܒ ܡܫܒܪܢܘܬܐ ܠܬܢܝܬܐ. ܕܪܗܛܐ ܕܡܠܐ ܬܫ̈ܘܠܬܐ ܬܟܬܒ ܠܟ. ܒܕ ܚܒܒܐ ܠܟ ܒܫܡܥܐ ܕܡܠܐ ܬܫܒܘܚܬܐ. ܠܫܘܠܡܐ ܕܝܢ ܕܡ̈ܠܐ ܓܒܪܐ ܒܗ ܢܫܕܐ ܡܢܬܢܐ ܠܟ. ܘܡܢܐ ܕܡܫܒܚܬ ܐܬܚܫܒܬ ܡܢܝ: ܒܫܒ̈ܝܠܐ ܕܠܐ ܕܝܢܝ ܡܗܠܟܝܢ. ܘܦܓܥܝܐ ܐܝܠܝܢ ܕܠܐ ܦܪܝܢ ܡܬܟܬܫܝܢ ܥܡܝ. ܥܡܝ ܕܝܢ ܐܝܟ ܥܒ̈ܕܐ: ܡܢܗ ܡܢ ܥܘܪܢܐ ܢܦܘܩ ܒܫ̈ܡܥܐ ܕܐܝܟ ܗܠܝܢ. ܒܕ ܠܐ ܢܗܘܠܝܢ ܠܗܘܢ ܐܬܪܐ ܕܟܠܝܢ | ܢܫܬܠܛܘܢ. 168vb
°ܘܐܘܡܢܘܬܐ° ܠܠܒܝܢ ܡܬܦܪܫܝܢ ܥܡܝ ܡܕܡ ܕܠܒܝܢ °ܒܪܗܠܝ° ܡܛܠ ܕܐܘܡܢܘܬܐ ܓ̇ܒܝܐ ܥܛ̈ܫܐ ܦܓ̈ܥܐ.
ܒܗܿ ܠܡ ܒܗܕܐ ܕܡܠܝܿ ܡܢ ܥܘܪܢܐ ܕܐܝܟܠܐ ܠܬܐܫܐ ܕܝܘܟܢ ܥܡܝ: ܡܢ ܥܛ̈ܫܐ ܦܓ̈ܥܐ ܘܕ̈ܘܕܐ ܡܬܚܫܒܝܢ. ܠܬܢܝܐܬ ܕܠܐ ܦܿܘܠܝܢ ܒܠܬܐ ܕܠܚܘܬܐ. ܠܐ ܠܐܝܠܝܢ ܕܡܝܢ ܡܬܕܒܪܝܢ. ܘܠܐ ܠܦܿܘܩ ܕܫܘܠܛܢܐ ܕܡܕܒܪܢܘܬܐ ܐܫܠܡܘ ܠܟ.
10, 5 ܐܝܬ ܒܢܫܬܐ ܕܢܝܚ ܬܘܢܝܬ ܫܡܫܐ: ܐܝܟ ܠܒܢܝܢ ܕܢܦܠܬ ܡܕܡ ܫܠܝܛܐ.

32 ܐܢܗܘ – 33 ܬܫܒܘܩ > *B*.
35 ܬܟܬܒ] ܬܟܒܒ *B*.

43 ܕܐܘܡܢܘܬܐ ܓ̇ܒܝܐ] ܕܡܪܦܝܢܘܬܐ ܒܒܕܐ *P*.

ܟܕ ܫ ܠܡ ܒܡܐ ܕܒܢܝ̈. ܡܛܠ ܕܫܬܐܣܬܗ ܠܐ ܓܠܝܐ ܗܘܬ
ܡܠܘܬܗ ܕܡܠܟܐ ܡܢܢ ܫܠܝܛܐ: ܫܘܠܛܢܐ ܢܣܒ ܠܗ ܥܠ
ܒܠܗܘܢ ܕܫܬܐܣܬܗܝ، ܘܫܪܝ ܡܢܗ ܠܫܘܒܚܐ ܕܢܦܫܗ ܡܢܢ
ܫܠܝܛܐ: ܫܘܒܚܐ ܓܝܪ ܐܝܬܝܗ̇ ܗ̇ܝ، ܕܗܠܐ ܒܡܪܝܐ ܫܬܐܣܬܐ
ܫܘܠܛܢܐ ܒܐܝ̈ܕܝ، ܐܝܟ ܢܦܫܐ. ܘܠܐ ܗܘܐ ܕܗ̇ܝ، ܐܝܬܝܗ̇
ܡܠܘܬܐ. ܐܠܐ ܢܬܪܐܬ ܕܗ̇ܘ ܐܝܢܐ ܕܒܠ ܗܘܐ ܐܫܠܛܗ.
| ܘܒܕ ܚܝܬ ܕܐܝܟ ܗܕܐ ܗܟܢ ܐܬܕܒܪܬ.

169ra

10, 6 ܕܢܬܒ ܡܠܟܐ ܒܪܘܡܐ ܒܫܝܢܐ. ܘܒܬܝ̈ܐ ܒܡܘܟܟܐ ܢܬܒܘܢ.
ܒܫܬܐ ܠܡ ܕܫܠܝܛܘܬܐ ܡܬܕܒܪܐ ܐܬܚܫܒܬ ܠܝ ܕܐܝܬܝܗ̇ ܗܕܐ:
ܕܫܘܠܛܢܐ ܘܕܡܕܒܪܢܘܬܐ ܒܐܝ̈ܕܝ، ܡܠܟܐ ܐܬܝܗܒ: ܟܢ ܓܝܪ
ܡܢ ܒܢܝ̈ܢܫܐ ܗܕܐ ܬܬܡܒܪ: ܡܢ ܠܐ ܫܠܝܛܘܬܗܘܢ ܘܫܠܝܛܘܬܐ
ܐܬܡܒܪܬ. ܟܢ ܕܝܢ ܡܢ ܐܠܗܐ ܬܗܘܐ: ܠܡܕܒܪܢܘܬܐ ܗܘ ܗܘܬ
ܕܗ̇ܢܘܢ ܕܒܠܗܘܢ ܐܫܬܠܛ.

10, 7 ܚܙܝܬ ܥܒ̈ܕܐ ܒܠ ܪ̈ܟܫܐ: ܘܫܠܝ̈ܛܢܐ ܕܡܗ̇ܠܟܝܢ ܐܝܟ
ܥܒ̈ܕܐ ܒܠ ܐܪܥܐ.

ܚܝܬ ܠܡ ܗܕܐ ܕܐܬܡܒܪܬ. ܕܫܠܝ̈ܛܢܐ ܡܬܥܒܕܝܢ ܘܥܒ̈ܕܝܗܘܢ
ܡܬܒܠܝܢ. ܗܕܐ ܕܝܢ ܗ̇ܘܝܐ ܐܡܬܝ، ܕܒܡܘܬܪܐ ܘܫܘܠܛܢܐ
ܕܐܬܝܗܒ ܠܗܘܢ. ܠܐܠܗܐ ܢܗܘܒܗ ܠܐ ܚܫܒܘ ܐܘ ܐܝܕܥܘ.
ܡܛܠ ܗܢܐ ܡܒܟܝܢ ܐܝܟܢ ܐܠܗ̇ܐ. ܕܚܠܦ ܕܗ̇ܘ ܕܐܘܪܒ
ܠܗܠܝܢ ܘܡܟܝܢ ܠܗܠܝܢ ܕܢܠܗ ܗܘ ܒܡܬܪܐ ܘܐܝܩܪܐ. ܘܠܟܢ
ܕܝ̈ܒܐ ܢܣܒ ܠܗ. ܐܝܬ ܕܝܢ ܐܡܬܝ، ܕܕܐܝܟ ܗܕܐ ܟܕܫܐ:
ܐܦ ܡܢ ܢܒܠܐ | ܕܢܠܗܘܢ ܕܒܢܝ̈ܫܐ ܕܚܕ ܒܠ ܚܕ. ܘܡܢ 169rb
ܒܢ̈ܫܬܐ ܘܦܫ̈ܝܐ. ܕܠܫ̈ܕܕܐ ܛܦܪܝܢ ܕܠܗܘܢ ܗܪܒܐ ܡܦܪܫܐ
ܘܡܚܘܪܐ: ܕܠܐ ܛܦܢ ܠܐܠܗܐ ܥܒ̈ܕܝܗܘܢ. ܘܒܢ̈ܫܬܐ ܕܠܫ̈ܕܕܐ.

ܡܫܟܠܝܢ ܒܗ ܐܚܪ̈ܢ.

10, 8 ܕܚܦܪ ܓܘܡܨܐ ܒܗ ܢܦܠ ܘܕܬܪܥ ܣܝܓܐ ܢܟܬܝܘܗܝ
ܚܘܝܐ. 10, 9 ܘܕܡܫܩܠ ܟܐ̈ܦܐ ܢܬܟܐܒ ܒܗܝܢ. ܘܕܡܨܠܚ
ܩܝܣܐ ܬܒܪܗ ܢܗܘܐ. 10, 10 ܐܢ ܢܦܠ ܦܪܙܠܐ.

ܗܢܝܢ ܠܟ ܒܗ ܗܢܝܢ ܒܒ̈ܝܫܬܐ ܕܠܚ̈ܒܪܘܗܝ ܡܫܟܠܝܢ ܐܢܬܘܢ. ܐܦ ܟܠܟܘܢ ܗܦܟܝܢ. ܒܗ ܠܐ ܡܢܝܢ ܐܢܬܘܢ ܠܡܥܕܘ ܡܢ ܡܛܠ ܒܪܢܫܐ ܕܢܠܦܘܢ. ܒܗܢܐ ܘܒܠܒ̈ܝ ܓܝܪ ܒܗܝܢ ܒܗ ܒܗܝܢ ܒܒ̈ܝܫܬܟܘܢ ܡܬܬܢܕܝܢ ܐܢܬܘܢ. ܘܗܢܘܢ ܒܗ ܗܢܘܢ ܦܫ̈ܥܟܘܢ ܡܙܠܓܝܢ ܠܟܘܢ. ܘܗܢܝܢ ܒܗ ܗܢܝܢ ܡܙ̈ܕܥܬܐ ܕܦܪܫܬܟܘܢ ܠܚܘ̈ܝܐ: ܐܦ ܠܟܘܢ ܡܢ ܐܘ̈ܝܐ ܡܬܦ̈ܪܫܝܢ. ܫ̈ܒܝܠܐ ܓܝܪ ܕܟܬܒܘ ܒܒ̈ܝܫܬܐ: ܘܠܐ ܬ̈ܓܝܫܝܢ ܗܘ ܕܠܫܡܥܘܢ ܗܘ ܡܟܬܒܝܢ ܗܘܘ ܠܗܝܢ. ܫ̈ܒܝܠܐ ܕܫܡܥܘܢ ܫܦܝܐ ܠܡܙܠ: ܒܗ ܠܐ ܡܦܫܝܢ | ܗܘܘ ܕܒܗ ܡܬܡܙܠܝܢ 169va ܘܗܠܝܢ ܒܠܗܝܢ ܕܒܪ̈ܢܫܐ ܡܬܬ̈ܠܝܢ ܗ̈ܘܝ: ܫܢܝܬܗܝܢ ܡܢܦܫܐ ܗܘܬ ܡܢ ܡܘܠܕܢܝܗܝܢ. ܐܢܕܐ ܓܝܪ ܩܠܝܬܐ ܐܘ ܒܐܝܢܬܐ ܡܢܝܐ ܕܒܪ̈ܢܫܐ ܬܬܦܪܫ.

ܗ̇ܘ ܕܐܩ̈ܦܐ ܕܠܗ ܘܦܠܛ̈ܐ ܫ̈ܡܨܐ.

ܗ̇ܘ ܠܟ ܕܐܦ ܠܗ ܠܚܝܠܐ ܡܫܠܐ ܡܢ ܓܒܗ: ܘܠܫ̈ܒܝܠܐ ܦܪܢܣܝܬ ܟܠܠ ܡܢ ܚܛ̈ܐ: ܐܝܟܢܐ ܡܢܝܐ ܕܡܕܡ ܒܐܝܢܬܐ ܐܘ ܓܒܫܐ ܢܗܘܐ ܒܗ. ܗܠܝܢ ܕܝܢ ܕܒܚܟܡܬܐ ܐܡܝܠܝܢ. ܢܘܬܪܐ ܦܘܕܝܐ ܕܝܢ ܚܟܡܬܐ ܗܝ ܐܢܬܘܢ ܠܟܘܢ: ܕܡܢ

78 ܬܒܪܗ ܢܗܘܐ] ܠܐܐ ܒܗܘܢ P.
ܢܦܠ] ܗܘܐ P ἐκπέσῃ LXX

ܚܙܐ ܟܘܢܪܐ ܕܐܝܟ ܗܢܐ ܠܒܫܘܢ ܠܟܘܢ.
ܝܘܬܪܢܐ ܠܟܫܝ̈ܪܐ ܚܟܡܬܐ.
ܟܫܝ̈ܪܐ ܗܪܟܐ ܠܐܢܫܝܢ ܕܟܠܝܠ ܠܗܘܢ ܟܠ ܚܟܡܬܐ ܦܪܐ.
ܐܟܘܬܐ ܕܦܪܐ ܟܠ̈ܝܠܐ ܠܐܢܫܝܢ ܕܟܠ ܗܕܐ ܠܐ ܟܠܝܠ
ܠܗܘܢ. ܠܦܘܬ ܠܡ ܕܟܬܪ ܢܦܠܐ ܪܫܝܢ: ܝܘܬܪܢܐ
ܕܟܫܝܪܘܬܗܘܢ ܐܝܬܝܗ̇ ܚܟܡܬܗܘܢ.

10, 11 ܘܐܢ ܢܟܘܬ ܚܘܝܐ ܕܠܐ ܠܘܚܫܬܐ: ܠܝܬ ܝܘܬܪܢ
ܒܠܚܘܫܐ.
ܚܘܝܐ ܗܪܟܐ | ܠܪܘܚܐ ܦܪܐ. ܠܘܚܫܬܐ ܕܝܢ ܠܚܟܡܬܐ 169vb
ܗ̇ܝ ܕܒܕܡܘܬ ܠܘܚܫܬܐ ܠܢܚܫܐ ܐܡܪܐ. ܘܡܕܡܟܐ ܠܗ
ܠܪܘܚܐ. ܐܝܟܘ ܠܡ ܕܟܠ ܐܢܫܐ ܕܟܠܝܠ ܗܘ ܡܢ ܚܟܡܬܐ
ܠܒܪ ܪܘܚܐ. ܠܝܬ ܝܘܬܪܢ ܒܐܝܩܘܬܐ ܕܡܢ ܠܒܪ
ܡܬܦܪܟܐ ܠܗ. ܡܛܠ ܕܟܫܠܘܬܗ ܢܦܩ ܠܗ ܫܘܠܛܢܐ ܠܪܘܚܐ
ܥܠ ܟܠܗܘܢ ܗ̈ܕܡܘܗܝ. ܘܡ̈ܠܐ ܕܡܢ ܚܟܡܬܐ ܥܒܕ. ܡܢ
ܢܛܪܘ ܢܫܟ ܠܗܝܢ: ܒܕܠܝܬ ܒܗ ܡܟܝܠ ܐܬܪܐ ܠܡܦܩܠܘ
ܒܚܘܝܐ. ܐܦ ܕܝܢ ܬܘܪܓܐ ܕܡܢ ܚܟܝܡܐ ܠܐ ܡܦܩܠ. ܐܠܐ

10, 12 ܡ̈ܠܝ ܦܘܡܗ ܕܚܟܝܡܐ ܛܝܒܘܬܐ.
ܗܠܝܢ ܓܝܪ ܕܡܢ ܚܟܝܡܐ ܡܬܡ̈ܠܠܢ ܐܦ ܠܐ ܢܬܬܓ̈ܪܢ
ܛܝܒܘܬܗ ܐܝܬܝܗܝܢ. ܘܐܦ ܒܕ ܠܐ ܢܬܦܩܠ ܡܘܠܗܘ
ܐܝܬܘܗܝ.
ܘܣܦ̈ܘܬܗ ܕܣܟܠܐ ܡܒܠܥܢ ܠܗ.
ܣܟܠܐ ܕܝܢ ܗܠܝܢ ܕܠܦܘܡ ܒܪܘܚܐ ܦܬܝܟ ܠܗ ܕܢܒܥܐ

102 δάκῃ LXX ܢܟܘܬ] ܢܟܘܬܐ P

ܒܗܢ: ܗܠܝܢ ܐܢܬܘܢ ܡܫ̈ܬܒܚܢܘܬܗ̇.

10, 13 ܪܫ ܩ̈ܠܝ ܦܘܡܗ ܫܒܠܘܬܐ: ܘܐܪܚܬܐ ܕܦܘܡܗ ܦܘܪܫܢܐ ܒܢܫܐ.

| ܗܘ ܠܡ ܫܘܪܢܐ ܕܦܬ̈ܓܡܘܗܝ: ܕܠܡܘܒܠܐ ܕܓܝܢܗ ܐܢܬܘܢܗܝ. 170ra ܚܪܬܐ ܕܝܢ ܕܡ̈ܠܘܗܝ ܐܢܬܗ̇ ܡܘܦܪܢܐ ܕܗܘܒ̈ܠܘܗܝ ܘܦܘܪܫܢܐ ܕܒ̈ܢܝܬܗ̇: ܘܠܐ ܒܐܒ̈ܗܬܐ ܠܗܘܒܠ ܢܦܫܗ ܡܠܠ. ܐܠܐ ܒܡܫܝܚܘܬ ܡܠܠܗ ܠܗܝܢ ܒܠܝܫ ܦܪܘ ܘܡܫܘ̇ܐ ܫܒܠܘܬܗ. ܕܐܦ ܢܗܘܐ ܕܒܗܢܐ ܗܘܬ: ܗܘ ܒܝܕ ܡ̈ܠܘܗܝ ܓܠܐ ܠܗ̇. ܠܐ ܠܒܢ ܘܠܕܘܒ̈ܪܐ ܕܫܒܠܘܬܐ ܐܘ ܒܢ̈ܝ ܐܢܫܐ. ܘܠܐ ܬܘܪܒܢ ܕܠܒܢ ܫ̈ܒܝܒܢ ܐܒܗ̈ܬܐ: ܒܪܘܚܐ ܕܐ̈ܝܬܝܬܐ ܦ̈ܢܝܬܐ. ܘܠܐ ܢܗܘܕܒܢ ܐܝܢܐ ܕܒܬܘܪܐ ܡܫܝܚܐ: ܗ̇ܘ ܕܒܕ ܗܠܝܢ ܘܒܬܠܡܝܕܘܗܝ ܠܐܚ̈ܪܢܐ.

10, 14 ܠܐ ܢܕܒ ܒܪܐܝܫܐ ܡܢ ܕܗ̇ܘܐ. ܘܡܢܐ ܕܢܗܘܐ ܡܢ ܒܬܪܗ ܡܢܗ ܡܫܘܐ ܠܗ.

ܠܐ ܢܕܒܝܢ ܐܢܬܘܢ ܐܝܟܢܐ ܕܫ̈ܒܝܒܢ. ܡܢܐ ܡܫܝܚ ܐܢܬܘܢ ܠܫ̈ܒܒܢ ܡܢ ܢܡ̈ܣܒܢ. ܐܘܪܚܐ ܓܝܪ ܐܚܪܬܐ ܐܚܪܢܐ ܡܕܡܝܢܢ. ܘܢܣܒ ܡܢ ܢܣܒ ܠܫܘܠܛܢܐ ܕܐܘܪ̈ܚܬܢ ܡܪܟܒܢ ܐܢܬܘܢ. ܘܡܢܐ ܕܠܫܘܠܛܢܐ ܕܗܕܐ ܡܫܠܛܬܘܢ. | 170rb ܬܬܗܦܟܘܢ ܘܬܫܬܒ̈ܚܘܢ ܬܘܒ ܒܒܕܐ ܐܬܢܒܝܘܢ ܠܐ ܡܫܬܟܚܝܢ ܐܢܬܘܢ: ܠܐ ܡܕܝܢ ܬܐܠܘܢ ܦܪܢܣܐܝܬ ܒܒܘܫܐ ܢܬܝ̈ܪܐ: ܐܢܬܘܢ ܕܡܢ ܒܬܪ ܗܠܝܢ ܢܬܝ̈ܪܐ ܐܢܬܘܢ ܠܒܠܗܘܢ ܠܫ̈ܒܝܒܢ. ܚܪܬܐ ܓܝܪ ܕܡܠܠܢ ܘܕܒܪܘܬܢ. ܡܢ ܒܬܪ ܡܫܬܐ ܡܢܗ

130 DS X 71 ܘܡܠܐ ܡܫܝܚܐ ܡܠܟ̈ܐ > ܐܘ

ܡܫܘܐ ܠܟܘܢ ܡܕܡ: ܣܟܠܘܬܐ ܗܝ ܕܟܠ ܐܢܫܝܢ ܕܠܐ ܥܠܝܠܝܢ ܚܝܠ ܢܐܦ: ܘܣܟܠܐ ܦܘܡܐ ܕܕܠܐ ܢܘܬܪܢ ܠܢܦܫ ܢܬܬܪ.

10, 15 ܒܥܡܠܗܘܢ ܠܡ ܕܣܟܠܐ ܡܠܐܐ ܠܗܘܢ. ܡܛܠ ܕܠܐ ܝܕܥ ܠܡܐܙܠ ܠܡܕܝܢܬܐ.

ܡܕܝܢ ܐܝܟܢ ܠܡ ܣܟܠܐ ܠܡܠܐܐ ܒܥܒ̈ܕܬܐ ܕܠܐ ܢܘܬܪܢ: ܡܛܠ ܕܠܐ ܡܬܪܥܝܢ ܐܘ ܪܢܝܢ ܒܗ̇ܝ ܕܒܬܝܕܐ ܠܗܘܢ ܚܪܬܐ. ܗ̇ܝ ܕܒܕܡܘܬ ܡܕܝܢܬܗܘܢ ܫܪܝܪܬܐ ܡܫܡܫܐ ܠܡܐܙܠܬܗܘܢ. ܐܦ ܗ̇ܢܘܢ ܕܝܢ ܐܝܟ ܐܢܫܝܢ ܕܐܡܟܠܝܢܐܝܬ ܒܬܝܕܝܢ ܕܠܗ̇ ܢܐܙܠܘܢ. ܡܢ ܛܝܒܘ ܒܠ ܡܕܡ ܕܢܫܒܩܘܢ ܙܕܩ ܗܘܐ.

10, 16 ܘܝ ܠܟܝ ܡܕܝܢܬܐ ܕܡܠܟܟܝ ܛܠܝܐ.

ܡܕܡ ܡܠܝܠ | ܒܗ ܦ̈ܬܐ ܕܢܣܘܐ ܕܡܬܝܪܐ ܗܝ ܫܒܝܚܬܐ ܡܢ 170va
ܐܢܫܐ: ܘܡܫܒܚ ܒܗ̇ ܒܡܕܒܪܐ ܛܘܪ ܡܢ ܒܘܬܪܐ ܒܐܒܢܐ ܕܡܐܪܦܐ: ܡܕܝܢܬܐ ܕܡܬܚܫܒܐ ܡܢ ܒܥܠܕܒܒܐ ܐܝܬܝ ܠܬܚܘܝܬܐ. ܗܪܟܐ ܕܝܢ ܒܗ ܒܟܐ ܕܢܣܘܐ ܒܠ ܦܘܪܢܣܐ ܥܦܪܐ ܕܢܦܫܐ: ܘܒܢ̈ܝܐ ܛܠܝ̈ܐ ܕܠܬܪܒܝܬܐ ܫܒܝܚܬܐ ܠܢܦܫܝܢ ܡܕܝܢܬܐ ܕܡܬܦܪܢܣܐ ܡܢ ܪ̈ܘܪܒܢܝܗ̇ ܒܝܕܥܐ ܡܢܬܐ ܠܡܫܒܚܬܐ ܒܗ ܗܟܢ ܠܘܩܕܡ ܒܫܘܪܝܐ ܕܡܠܟܘܬܗ ܐܝܟ ܕܠܬܚܘܝܬܐ ܕܣܟܠܘܬܐ: ܡܕܝܢܬܐ ܕܡܢ ܐܢܫܝܢ ܕܡܫܠܛܝܢ ܒܗ̇ ܒܝܫܐܝܬ ܡܬܦܪܢܣܐ. ܛ̈ܠܝܢ ܓܝܪ ܡܕ̈ܒܪܝܢ ܐܝܬܝ ܠܬܚܘܝܬܐ: ܗܠܝܢ ܕܐܝܬܝܗܝܢ ܕܡܘܬܐ ܕܢܦܫܐ ܣܟܠܬܐ ܘܕܢܦܫܐ ܫܒܝܚܬܐ. ܒܗ ܗܟܢ ܠܪ̈ܘܪܒܢܐ ܕܒܝܗܘܢ ܚܠܦ ܚ̈ܝܐ ܡܫܬܠܛܐ: ܗܠܝܢ ܕܟܠ ܒܠ ܚܕܐ ܚܕܐ ܡܢܗܘܢ ܡܫܠܛܝܢ. ܠܗܝܢ ܕܝܢ ܠܠܦ̈ܬܐ ܒܕܡܘܬ ܡܕܝ̈ܢܬܐ. ܓ̈ܒܝܬܐ ܕܝܢ ܕܟܠ ܚܕܐ ܚܕܐ ܡܢܗܘܢ

ܐܝܟ ܕܟܬܝܒܐ ܕܐܝܬ ܠܢܒܝܐ. ܗܠܝܢ ܕܝܢ ܟܬܝܒܐ | ܕܒܗܘܢ 170vb ܡܫܬܠܡܐ. ܪܓܬܐ ܕܢܒܝܐ: ܐܝܟ ܪܘܪ̈ܒܢܐ ܡܫ̈ܡܫܢܐ ܕܡܠܟܐ. ܠܘܩܕܡ ܗܒܝܠ ܥܙܪ ܕܢܐܡܪ ܟܠ ܢܒܝܐ ܐܝܟܐ ܕܐܝܟ ܚ̈ܝܐ ܗܢ̈ܝܐ ܡܬܦܪܢܣܐ. ܒܗ ܗܟܢ ܠܗ ܒܕܡܘܬ ܡܕܝܢܬܐ ܕܡܠܟܐ ܕܠܐ ܙܕܐ. ܘܪܘܪ̈ܒܢܐ ܫ̈ܠܝܛܢܐ ܡܕܒܪܝܢ ܠܗ. ܘܐܡܪ. ܗ̇ܝ ܠܒܢ ܡܕܝܢܬܐ ܕܡܠܟܐ ܓܠܠܐ. ܥܡܝܪ ܗܡ ܗ̇ܝ ܕܓܠܠܐ ܡܛܠ ܕܐܡܝܢܐܝܬ ܢ̈ܩܐ ܘܒ̈ܢܝܐ ܪ̈ܡܐ ܠܓܠܝܘܬܐ ܢܨܝܒܝܢ. ܐܝܟ ܐܢܫ ܢܐܡܪ. ܗ̇ܝ ܠܒܢ ܢܒܝܐ ܕܡܢ ܪܓܬܐ ܕܓܠܝܘܬܐ ܐܝܟ ܕܡܢ ܡܠܟܢ ܡܬܦܩܕܬܝ ܘܪܘܪ̈ܒܢܝܢ ܒܝܦܪܐ ܢܒܠܝܢ. ܘܕܠܐ ܒܕܒܢܘܗܝ ܒܟܠ ܐܒܢ̈ܝ ܢ̈ܫܒܢ ܡܬܬܒܢܝܢ. ܗ̇ܝ ܕܒܝܦܪܐ ܠܦܘܬ ܕܒܠܠܐ ܘܒܐܢܫܡܐ ܡܢܗܘܢ ܡܢܕܥܬܐ. ܘܟܕܢܐ ܕܦܘܠܚܢܐ ܒܓܠܠܐ ܕܒܕܡܘܢ ܡܒܠܝܢ ܠܗ.

166 ܠܘܩܕܡ – 194 ܡܫܪ̈ܝܬܢ B.
168 ܐܙܕܐ B.
169 ܗ̇ܝ ܠܒܢ – 190 ܚܙܪܘܬܗܝܢ E.
172 ܡܠܟܐ E.
173 ܘܪܘܪ̈ܒܢܝܟ E.
174 ܘܕܠܐ – ܡܬܬܒܢܝܢ < E ܒܕܒܢܘܗܝ] ܒܒܢܝܢܘܗܝ B.
175 ܡܢܕܥܬܐ + ܐܢܬ̇ܝ ܘܕܠܐ ܒܕܒܢܘܗܝ ܒܟܠܐܒܢ̈ܝ ܢ̈ܫܒܢ ܡܬܬܒܢܝܢ E.
176 ܠܗ] ܠܒܢ E.

ܘܒܥܕܗܘܢ ܕܡ ܠܠܝܐ ܠܐ ܡܫܠܡ. ܐܠܐ ܘܡܦܘܪܐ ܡܫܬܪܐ.
ܘܒܠܠܝܐ ܠܐ ܡܫܠܡ. ܠܝܘܡܐ ܕܝܢ ܕܒܝܬܐ ܕܐܝܟ ܗܕܐ:
171ra ܕܡܕܝܢܐ ܒܬܪ ܓ̈ܝܣܬܗ ܕܟܝܢܐ: | ܥܒܕ ܕܡܢ ܢܒܝܡܐ
ܥܠܝܗܘܢ. ܠܡܕܝܢܬܐ ܘܪ̈ܘܒܝܢܗ ܚܣ̈ܘܦܗ. ܘܡܢ ܕܫܠܡ
ܬܚܘܝܬܐ ܕܩ̈ܛܠܐ: ܗܢܝܢ ܡ̈ܠܠ ܐܦ ܬܚܘܝܬܐ ܕܡܕܝܢܬܐ
ܐܚܪܬܐ. ܘܠܩܘܕܡ ܒܗ ܒܥܘܪܝܐ ܕܡܠܬܗ ܡܢ ܗ̇ܝ ܡܦܪܫ
ܠܗ̇ ܒܗ ܐܡܪ.

10, 17 ܛܘܒܝܟܝ ܡܕܝܢܬܐ ܕܡܠܟܟܝ ܒܪ ܚܐܪ̈ܐ: ܘܪ̈ܘܪܒܢܝܟܝ
ܒܥܕܢܗܘܢ ܐ̈ܟܠܝܢ ܒܓܢܒܪܘܬܐ. ܘܠܐ ܢܒܗܬܘܢ ܒܡܫܬܝܐ.
ܛܘܒܝܟܝ ܢܦܫܐ ܕܚܐܪܘܬܐ ܡܠܟܐ ܒܟܝ. ܘܪ̈ܘܪܒܢܝܟܝ
ܒܡܫܬ ܪ̈ܘܒܢܐ ܡܫܡܫܝܢ ܠܛ̈ܘܒܢܝܟܝ. ܘܒܠ ܡܕܡ ܒܥܒܕܗ
ܘܒܥܕܢܗ ܚܒܪܬ ܐܝܟ ܢܦܠܟܝ. ܡܛܠ ܗܢܐ ܠܐ ܬܒܗܬܝܢ

177 ܘܒܥܕܗܘܢ] ܘܒܚܠܡܗܘܢ *E* ܕܡ ܠܠܝܐ] ܘܠܠܝܐ *B*
ܡܫܬܠܡ *E*.
178 ܘܒܠܠܝܐ] ܘܒܪܡܫܐ *E*.
179 ܓ̈ܝܣܬܐ *E*.
180 ܕܪ̈ܘܒܝܢܗ *E* ܚܣܘܦܗ *E*.
181 ܕܒܠ ܩ̈ܛܠܐ *EB*.
182 ܘܠܩܘܕܡ – 183 ܠܗ̇ < *B* ܕܡܦܪܫ ܠܗ̇ܝ *E*.
184 ܡܕܝܢܬܐ < *E* ܘܪ̈ܘܪܒܢܝܟܝ *E*.
185 ܒܡܫܬܝܗܘܢ *E*.
186 ܛܘܒܝܟܝ + ܐܡܪ *E*.
188 ܚܒܪܬ – ܢܦܠܟܝ] ܡܚܒܪ ܒܟܝ *E* ܚܒܪܬܝ *B*
ܘܡܛܠ *EB* ܗܢܐ] ܗܕܐ *E*.

185 οὐκ αἰσχυνθήσονται LXX   ܘܠܐ ܢܒܗܬܘܢ < *P*

ܒܒ̈ܢܝܢ: ܒܕܡܘܬܐ ܕܢܦ̈ܫܬܐ ܐܚ̈ܪܢܝܬܐ ܗܠܝܢ ܕܒ̈ܢܝܬܗܘܢ
ܦ̈ܢܝܩܬܐ ܥܡܠ ܚܐܪܘܬܗܘܢ.

10, 18 ܒܥܛܠܘܬܐ ܢܬܡܟܟ ܬܛܠܝܠܐ. ܘܒܫܦܠܘܬ ܐܝ̈ܕܝܐ
ܢܕܠܦ ܒܝܬܐ.

ܬܛܠܝܠܐ ܘܒܝܬܐ ܗܪܟܐ ܩܪܐ ܠܦܓܪܐ ܗܘ ܕܒܕܘܒ̈ܪܐ ܒܢ̈ܝܫܐ
ܕܢܦܫܐ: ܠܟܠ ܢܦ̈ܩܘܢ ܘܠܟܠ ܒ̈ܥܝܢ ܡܫܬܪܓܠ. ܐܝܟܐ
171rb ܟܝܢ ܕܒܝܬܐ ܠܐ ܒܢ̈ܐ | ܐܣܛܘܬܐ ܘܪܘܝܘܬܐ: ܐܝ̈ܕܝܐ
ܡܣܠܝܘܬܐ ܘܡܫܪܝܘܬܐ ܕܗܕ̈ܡܐ ܕܠܐ ܡܬܚܐ ܘܢܝܚܘܬܐ
ܐܡܝܠܬܐ. ܐܝܠܝܢ ܒ̈ܢܝܐ ܘܒܢ̈ܬܐ ܕܠܐ ܡܬܝܒܐ ܪ̈ܚܡܬ
ܡ̈ܢܝܢܐ. ܐܝ̈ܕܝܐ ܦܫܝܛܬܐ ܕܠܐ ܒܐܒܝܢ: ܕܠܐ ܡܬܝܒܐ
ܢܦܬܐ ܕܟܠ ܒܥܘ̈ܕܝܬܐ. ܐܝܠܝܢ ܒ̈ܢܝܐ ܢܫ̈ܝܢܐ ܕܠܐ ܒܪܝܐ
ܢܟܠܬܐ.

10, 19 ܠܓܚܟܐ ܥܒܕܝܢ ܠܚܡܐ ܘܚܡܪܐ ܘܡܫܚܐ: ܕܢܚܕܘܢ
ܚ̈ܝܐ.

ܠܐ ܗܘܐ ܕܒܗ ܡܬܚܫܚ ܚܠ ܟܣܦ ܢܟܠܐܝܬ ܘܕܠܐ
ܒܕܘܟܐ: ܢܬܬܪ ܠܝ ܒ̈ܢܝܐ ܚ̈ܝܠܐ. ܐܦ ܠܐ ܬܘܒ ܕܒܗ
ܚܠܦܝܢ ܢܦܫ ܡܢܗܘܢ ܡܛܠ ܪ̈ܓܬܐ ܕܡ̈ܝܠܐ: ܢܬܬܪ ܠܝ
ܚܘܪܢܐ ܐܡܝܠܐ ܕܚܝ̈ܠܬܐ. ܠܓܚܟܬܐ ܒܢ ܒܐܝܬܐ ܘܠܒܘܣܡܐ
ܬܪܥܐ ܐܬܦܬܚܘ ܠܒ̈ܢܝ ܐܢܫܐ. ܗܢܘܢ ܕܝܢ ܐܘ ܐܬܚܠܠܘ
ܐܣܛܝܬ: ܐܘ ܐܬܓܠܝܘ ܡܢܗܘܢ ܦܟܠܐܝܬ ܡܛܠ ܪܚܫܬ

189 ܕܒ̈ܢܝܬܐ *E*.
190 ܥܡ̈ܠ *E*.

201 ܠܓܚܟܐ] ܠܚܕܘܬܐ *F*.

ܡܠܝܠܐ. ܗܠܝܢ ܠܡ ܠܡܫܒܚܘܢ ܗܘܘ ܐܘ ܒܢ̈ܝܢܫܐ: ܐܠܐ
ܠܐ ܠܡ ܙܕܩܝܢ ܠܡܬܦܢܝܘ | ܒܗܘܢ. ܟܠ ܡܥܢܐ. ܡܛܠ 171va
ܕܟܣܦܐ ܡܥܢܐ ܠܟܠ.

ܫܒܘܩ ܐܢܘܢ ܠܡ ܒܪ̈ܢܫܝ ܡܡܘܢܐ. ܘܐܝܕܐ ܗܝ ܡܫܡܠܝܘܬܐ
ܬܪܝܨܬܐ ܠܐ ܣܒܪܝܢ. ܐܝܬ ܕܝܢ ܒܪ ܢܫܐ ܐܝܬ. ܠܐܢܫܝܢ
ܕܕܐܝܟ ܗܠܝܢ ܐܢܘܢ ܕܡܢ ܟܠ ܨܒܝܢ ܡܠܝܠܝܗܘܢ ܦܫܝܢ:
ܘܒܠܠܬܗܘܢ ܢܦܩ ܘܬܠܬ: ܡܪܫܡܢܘܬܐ ܕܝܢ ܐܦ ܠܐ ܟܠ
ܒܠܒܗܘܢ ܗܘܐ: ܠܐ ܬܬܪܓܝ ܠܡܬܒܥܠܘ ܒܡܕܒܪܢܘܬܐ
ܕܐܠܗܐ. ܘܟܕ ܢܫܐ ܐܝܬ ܦܫܝܩܘܬ ܡ̈ܠܠܬܗܘܢ.

10, 20 ܒܡܕܥܟ ܠܡܠܟܐ ܠܐ ܬܨܘܐ.

ܠܢܗܘܒܐ ܠܡ ܕܒܝ̈ܬܐ ܠܐ ܬܬܒܥܠ. ܠܐ ܓܝܪ ܢܕܥ ܐܝܬ
ܒܠܬܐ ܕܗܠܝܢ ܕܡܬܒܪ̈ܝܢ. ܕܠܡܢܐ ܗܟܢܐ ܗܘܝܢ.

ܘܒܡܫܟܢܝ ܡܥܕܒܟ ܠܐ ܬܨܘܐ ܠܥܬܝܪܐ.

ܐܦ ܠܐ ܠܡ ܒܣܘ̈ܥܪܢܐ ܒܗܢ̈ܐ ܕܢܥܒܟ ܡܢ ܠܘܬܗ ܬܬܒܥܠ.

ܡܛܠ ܕܟܘܦܐ ܕܥܡܝܢܐ ܢܦ̇ܩ ܩܠܟ.

ܡܛܠ ܕܗܟܢܐ ܩܠܝܠܐܝܬ ܡܬܒܣܪܐ ܬܪܥܝܬܟ ܘܡܕܡܝܟ

213 ܐܝܬ[1] - XI 28 ܕܐܣ̈ܪܝܢܐ *B*.
214 ܕܕܐܝܟ - ܐܢܘܢ < *B*.
215 ܕܝܢ < *B*.
217 ܘܟܕ - ܡ̈ܠܠܬܗܘܢ < *B*.
218 ܘܒܡܕܥܟ *B*.

211 ἐπακούσεται LXX. יַעֲנֶה ܡܥܢܐ[ܐ] ܡܛܠܒܐ *P*
218 ܘܐܦ < ܐ.

ܕܐܠܗܐ ܡܬܓܠܝܐ. ܐܝܟ ܐܝܕܐ ܕܒܝܕ ܦܘܫܩܐ ܡܕܡ | ܦܪܘ 171vb
ܐܬܓܠܝܬ ܠܐܕܘܗܝ.
ܘܡܪܐ ܒܡܘܦܐ ܚܙܐ ܦܬܓܡܝܟ.
ܗܝ ܕܚܙܐ ܗܕܐ ܗܝ. ܕܒܝܕ ܡܫܡ ܒܪܫܐ ܚܙܐ °ܕܒܝܫܐܝܬ°
ܐܬܕܒܪܬ. ܘܡܢ ܕܘܗ̇ܪ ܢܒܝܐ ܩܕܠܐ: ܗܦܟ
ܕܡܬܕܒܠܝܢ ܒܐܠܗܐ ܡܛܠ ܒܢ̈ܫܬܐ ܕܐܢ̈ܫܐ: ܡܪܬܐ ܠܗܘܢ
ܕܒ ܡܚܘܐ. ܕܐܦ ܠܗܘܢ ܐܝܬ ܗܘ ܫܘܠܛܢܐ ܠܡܗܘܐ ܘܕܩ̈ܬܐ
ܟ ܒܫܪܪܐ ܘܕܩ̈ܬܐ ܪܫܝܢ. ܘܠܘ ܒܡܕܠܐ ܘܪܦܝܢܐ
ܕܒܐܠܗܐ. ܒܕ ܠܐ ܬܟܒ ܡܕܡ ܕܠܐ ܡܢܝܢ ܒܫܠܠܐ ܐܠܐ
ܡܢ ܗܘ ܡܕܡ ܕܫܒܝܩ ܠܗܘܢ ܒܕ ܐܡܪ.

XI

11, 1 ܫܒܪ ܠܝܡܝܟ ܒܠ ܐܦܪ ܡܬܐ. ܡܛܠ ܕܠܝܡܝܟܘܬ ܫܒܝ̈ܬܐ
ܬܫܒܚܢܘܗܝ.
ܐܝܬ ܠܟ ܒܐܝܠܝܢ ܕܫܦܡ ܐܝܬ ܚܙܐ ܡܪܚܡܘܬܟ. ܒܕ

229 ܐܬܕܒܪܬ] ܐܬܚܫܒܬ *B* ܕܘܗܪ *B*.
234 ܗܘ < *B* ܕܫܒܝܩ + ܗܘ *B*.
1 ܫܒܪ – ܕܠܝܡܝܟܘܬ] ܕܠܘܡܟܝܬ *B*.

1 ܕܠܝܡܝܟܘܬ[ܕܠܘܡܟܝܬ *P*.

ܠܥܠܡ ܐܝܬ ܠܗ ܗܘܐ ܕܠܐ ܡܫܬܚܠܦܢܘܬܐ. ܡܛܠ ܕܒܗܢܐ ܡܢ
ܠܫܘܠܡܗܘܢ ܘܒܬܪܗ. ܐܡܪܐ ܕܟܬܒܐ ܦܠܓܐ ܢܦܠܘܢ ܗܘ ܠܟ.
11, 2 ܗܒ ܡܢܬܐ ܠܫܒܥܐ ܐܦ ܠܬܡܢܝܐ.
172ra ܗܿܝ ܕܫܒ̈ܥܐ ܒܠ ܘܕܩܘܬܐ ܡܫܠܡܢܘܬܐ ܐܡܪܗ | ܗܿܝ ܕܗܿܘܝܐ
ܒܥܘܡܪܐ ܒܠܚܗ̇ ܕܫܢ̈ܝܢ: ܗܠܝܢ ܕܒܠ ܫܒܥܐ ܢܩܦܝܢ ܡܬܕܪܝܢ

4 ܡܫܬܚܠܦܢܘܬܝ B.
5 ܠܟ] ܠܝ B.
7 ܡܫܠܡܢܘܬܐ] ܡܫܠܡܢܝܘܬܐ B.

6 - 19 Zwei monophysitische Theologen, Jakob von Edessa, + 708, gelehrsam wie Hieronymus (Baumstark, aaO, S. 248), und Barhebraeus, + 1286, vielseitig wie Albert der Große (Baumstark, aaO, S. 312), haben diesen Vers unter dem Einfluß der Theologie des Johannes von Apamea ausgelegt: Jakob von Edessa in der 10. Kohelet-Scholie der Severuskatene (Br M 853 Add 12 144, fol 117rb und Vat Syr 103, fol 241v):

ܗܒ ܡܢܬܐ ܠܫܒܥܐ ܠܟܠܗܘܢ ܫܒ̈ܝܢ ܕܒܥܠܡܐ ܗܢܐ ܐܡܪ. ܗܿܢܘܢ
ܕܡܬܬܪܒܝܘܬܐ ܕܫܒܥܐ ܢܩܦܝܢ ܡܬܬܒܠܝܢ ܘܡܬܡܫܚܝܢ. ܘܐܦ
ܠܬܡܢܝܐ: ܗܿܘ ܕܝܢ ܠܥܠܡܐ ܗܿܘ ܕܒܬܪ. ܒܗ ܒܥܠܡܐ ܫܒ̈ܝܢ
ܚܒܪ ܐܝܬ ܦܠܓܘܬܐ ܒܗ ܠܫܡܐ. ܒܗܢܐ ܕܡܫܝܚܐ ܐܝܬ: ܘܢܦܩܝ ܠܗܠܝܢ
ܕܡܬܩܝܡܝܢ ܡܢ ܒܥܠܡܐ. ܘܡܪܝܒ ܐܝܬ ܒܩܒܪ ܐܝܬ ܠܡܬܩܝܢܘ ܕܒܗܢܐ
ܥܠܡܐ ܫܒܥ ܢܩܦܬܐ. ܠܥܠܡܐ ܗܿܘ ܠܡܬܚܕܬܢܐ ܕܒܬܪ. ܗܿܘ ܕܒܗ
ܗܿܘܐ ܦܘܪܥܢܐ ܠܟܠܢܫ. ܒܘܣܡܐ ܐܘ ܫܘܢܩܐ.

BH 19, 22: ܠܬ̈ܡܢܝܐ ܒܠܡܐ ܚܕ. ܬܡܝܢܝܐ
ܚܢܢ ܐܪܙ ܒܠܡܐ ܚܕܬܐ.

ἡ ὀγδόη καὶ πρώτη ἀρχὴν ἔχουσα τοῦ μέλλοντος αἰῶνος Olympiodor PG 93, col 605 C.

ܘܟ݁ܪ݁ܙܢ. ܗ̇ܘ ܕܝܢ ܕܡܫܝܚܐ: ܥܠ ܙܕܩ̈ܘܬܐ ܗܠܝܢ ܕܐܦ
ܡܢ ܒܬܪ ܡܘܬܐ ܡܫܬܪ̈ܝܢ. ܐܝܟ ܦܘܩܕܢܗ ܕܗ̇ܘ ܕܡܝܬ:
ܒܠܗ ܠܡ ܙܒܢܐ ܕܫ̈ܢܝܢ ܦܪܫܘܗܝ ܒܗ ܒܕܡܘܬܐ ܕܫܒܥܐ
ܫܘ̈ܡܝܢ ܕܗ̇ܘܝܢ ܒܠܫܡܗܘܢ ܗ̇ܦܟܝܢ ܘܡܬܒ̈ܪܟܝܢ: ܐܦ ܐܢܬ
ܒܒܠܒܝܢ ܠܗܘܢ ܒܗ ܠܙܕܩܘܬܐ ܗ̇ܦܟܬ ܐܢܬ ܘܡܫܢܬ.
ܒܗ ܠܐ ܐܡ̇ܪܬ ܕܐܬܡܠܠ ܢܡܘܣܐ. ܫܘܒܚܬܐ ܓܝܪ ܙܕܩ̇ ܠܟ
ܕܬܫܒܘܚܬܗ̇ ܠܙܕܩܘܬܐ ܕܥܠ ܗܘܝܘ ܡܬܦܪܥܐ ܘܠܐ ܡܣܦܩܐ
ܫܘܒܚܬܐ ܕܫܡܝܐ ܫܒ̈ܚܬܟ ܗܠܝܢ. ܠܡ ܗܒܢܐ ܗܒܪ.
ܡܛܠ ܕܠܐ ܬܗܒ ܗܢܐ ܒܫܢܬܐ ܬܗܘܐ ܥܠ ܐܪܥܐ.
ܠܐ ܠܡ ܢܗ̇ܒ ܐܢܬ ܐܦܠܐ ܐܢ ܒܒܠܒܘܢ ܫܢ̈ܝܢ ܗܢܪܐ
ܕܡܫܬ̈ܠܝܢ ܐܢܬܝܢ.
11, 3 ܡܛܠ ܕܐܢ ܢܫܠܡ ܒܢ̈ܝܐ ܡܛܪܐ ܥܠ ܐܪܥܐ
ܠܬܐܪ̈ܒܢ.
ܗܒܪܐ ܛܒܐ ܕܥ̈ܠܠܬܐ ܫܡܢ ܒܫܪܬܗܘܢ: ܗܟܢܐ ܐܦ | ܡܛܪܐ 172rb
ܕܙܕܩܘܬܐ ܗܒܪܐ ܕܥ̈ܠܠܬܐ ܪܘܚܢ̈ܝܬܐ ܡܛܝܒ ܠܟ. ܐܦ ܠܐ
ܓܝܪ ܒ̈ܢܝܐ ܡܛܠܬܗܘܢ ܒܗ̈ܬ ܒܥܘܢܐ ܘܥܠ ܐܪܥܐ ܡܬܥܠܝܢ.
ܐܠܐ ܡܛܠ ܗܘܢܩܢܐ ܐܢܫܢܐ ܒܦܘ̈ܥܠܐ ܒܗ̈ܬ. ܘܥܠ ܐܪܥܐ

14 ܐܡ̇ܪ ܐܢܬ B.
15 ܕܬܫܒܘܚܬܗ̇ B.
16 ܫܘܒܚܬܐ + ܗ̇ܘ B.
17 ܬܗܘܐ < B.
21 ܠܬܐܪ̈ܒܢ + ܐܒܠܐ ܓܝܪ ܕܒ̈ܢܝܐ ܕܡܢ ܐܪܥܐ ܡܬܥ̈ܠܝܢ ܕܥܠ ܐܪܥܐ ܠܬܐܪ̈ܒܢ B.

21 ܠܬܬܐܪ̈ܒܢ ܐ] ܠܐܪ̈ܒܢ P.

ܐܬܒܥܝ ܠܗ ܠܡܬܪܗܘܢ. ܗܘ ܚܢܢ ܡܕܡ ܕܒܥܠܡܐ ܗܘ:
ܕܒܠܗ ܗܘ ܒܠܡܐ. ܘܐܦ ܢܬܒܥ ܘܡܕܡ ܡܬܚܙܐ ܟܐܕܝܬ
ܠܬܒܥܐ: ܡܛܠ ܦܘܪܫܢܐ ܗܘ ܕܐܣܬܪܐ. ܒܗ ܚܢܢ ܒܥܠܡܐ
ܐܡܚܝܢܗܝ ܠܡܬܪܐ. ܘܒܗ ܒܕ ܒܗ ܡܫܡܠܝܢ ܠܗ. ܘܐܝܬ
ܕܐܬܝܢ ܒܬܠܬܐ: ܗܟܢܐ ܐܦ ܡܫܠܡܝܢ. ܫܒܥ ܕܝܢ
ܡܢܝܢܐ ܗܘܝܢ ܠܫܡܫܬܐ ܕܐܫܬܡܫܬ. ܘܡܢܐ ܕܐܝܬ ܓܒܝܢ
ܦܪܫܢܘܬ. ܗܢܕܝܢ ܒܐܬܪܗ ܘܒܕܘܒܪܗ ܠܡܬܪܐ ܥܒܕܝܢ
ܫܒܥ. ܒܕܡܘܬܐ
ܕܐܦ ܢܦܠ ܩܝܣܐ ܒܬܝܡܢܐ ܐܘ ܒܓܪܒܝܐ: ܐܬܪ ܕܢܦܠ
ܩܝܣܐ ܬܡܢ ܢܗܘܐ.
ܐܚܝܢܐ ܠܗ ܕܩܝܣܐ ܐܘ ܐܝܠܢܐ ܕܐܬܪܒܝ ܡܢ ܐܪܥܐ: ܐܦ
ܠܬܚܘܪ ܡܢ ܒܗܪܐ ܕܪܘܚܐ ܐܬܪ | ܕܐܬܪܒܝ ܬܡܢ ܢܦܠ: 172va
ܘܐܦ ܒܬܝܡܢܐ ܠܬܚܘܬ ܐܘ ܒܓܪܒܝܐ: ܗܟܢܐ ܐܦ ܕܗܒܐ
ܘܩܝܡܐ ܕܡܢ ܐܪܥܐ ܒܐܬܪܝܢ ܐܬܒܠܝ. ܡܢܐ ܕܐܪܦܝܢܗܝ
ܬܘܒ ܠܗ ܒܗ ܠܐܪܥܐ ܕܡܢܗ ܗܘܐ ܫܩܠ. ܐܦ ܗܘ
ܒܕܡܘܬܗ ܕܠܐ ܕܝܢ ܠܦܬܝܐ ܘܒܬܪܐ ܠܐ ܢܦܪܘܫ ܠܗܝܢ:
ܕܐܡܬܝ ܢܬܒܪܘܢ ܗܢܝܢ: ܐܡܪ.
11, 4 ܕܢܛܪ ܠܪܘܚܐ ܠܐ ܙܪܥ. ܘܕܚܙܐ ܠܥܢܢܐ ܠܐ
ܢܚܨܕ.

26 ܘܗܘ - 27 ܒܥܠܡܐ] ܗܟܢܐ ܘܐܦ ܐܢܬ B.
27 ܘܐܦ] ܕܐܦ B.
43 ܕܢܛܪ - 50 ܕܒܬܪܝܢ B.

34 ἐν τῷ βορρᾷ, LXX   ܒܓܪܒܝܐ[ܒܐܬܪܐ ܕܓܪܒܝܐ P

ܘܗ̇ܘ ܠܡ ܕܐܝܟܢܐ ܡܦܪܫ ܠܗ ܕܠܐܠܗܘܬܗ، ܘܕܩ̈ܘܫܬܐ ܠܡܦܪܘ. ܠܐ
ܦܪ̇ ܓܒܝܠܘ. ܡܛܠ ܕܡܟܕܒܝܢ ܐܝܟ ܓܒ̈ܝܠܐ ܕܒܬܪ ܐܢܫܐ.
ܕܟܡ ܙܒ̈ܢܐ ܢܬܠܩܘܢ ܘܗܠܝܢ ܕܡܫܡܠܝܐ ܪ̈ܒܐ ܗܘܐ ܒܗܘܢ:
ܠܡܣܪ ܠܐ ܪ̈ܒܐ ܒܗܘܢ. ܘܕܦ̇ ܡܕܝܢ ܕܒܗܘܢ ܕܙܒܢܝܐ
ܓܒܐ ܗܘܐ ܠܝ ܠܘܬ ܘܕܩ̈ܘܫܬܐ: ܒܪܫܝܬܗ ܠܚܒܕܐ ܢܬܪܗܒ.
ܒܗ ܠܐ ܡܫܡܠܝܢ ܠܙܒ̈ܢܐ ܕܒܬ̈ܪܝܢ. ܐܦ ܓܝܪ ܐܚ̈ܪܢܐ
ܒܙܒܢܐ ܕܙܕܩ̇ ܠܘܬ ܙܪܥܐ ܕܐܪܥܐ ܡܫܬܪܗܒܝܢ. ܒܗ ܠܐ
ܡܫܡܠܝܢ ܠܡܣܪܐ | ܫܘܠܡܐ ܫܦܝܪܐ ܕܫܘܬܐ: ܥܡ ܡܫܬܠܡ 172vb
ܐܘ ܠܐ. ܡܛܠ ܕܥܡ ܗܕܐ ܠܡܦܪ ܣܕ ܡܢ ܐܚ̈ܪܢܐ ܒܗ
ܡܬܬܗܘܐ ܘܣܓܪ̇ ܠܙܒ̈ܢܐ: ܙܒܢܐ ܕܙܕܩܐ ܡܛܪ: ܘܡܢ ܒܠܠܬܐ
ܕܣܓܕܐ ܡܬܓܠܐ. ܘܒܗ ܙܕܩܐ ܫܡܝܫ ܘܐܪܥܐ ܦܠܝܚܐ: ܐܠܐ
ܡܛܠ ܕܙܒܢܐ ܕܝܠܗ ܕܙܕܩܐ ܒܒܪ. ܠܐ ܡܓܝܐ ܡܟܝܠ
ܠܡܙܕܩ ܙܕܩ̇. ܡܕܝܢ ܐܦ ܣܝܡ ܐܝܟ ܐܝܠܝܢ ܕܒܠ ܙܒ̈ܢܐ
ܕܒܬܪܝܢ ܠܐ ܫܠܛܝܢ: ܒܠ ܐܡܬܝ ܕܢܬܪܥܒ ܓܒܬܐ
ܘܐܝܬ ܒܣܝܠܝ ܠܡܦܪܥܗ̇: ܠܐ ܢܬܒܠܐ ܒܗ ܣܪܝܢܝ ܠܙܒ̈ܢܐ
ܕܒܬܪܝܢ. ܐܝܬ ܓܝܪ ܫܦܝܪ ܡܛܒܬ ܠܦܫܩ ܠܙܕܩ̈ܬܐ. ܐܠܐ
ܠܐ ܢܕܒ ܐܝܬ ܥܡ ܡܟܬܪ ܐܝܬ ܒܣܒ̈ܪܐ ܒܗ ܙܒܢܐ ܐܢܫܝܐ:
ܐܘ ܒܒܪ ܦܝܝܫ ܫܒܬܪ ܠܘܬܟ.
11, 5 ܡܛܠ ܕܠܐ ܢܕܒ ܐܝܬ ܡܢܝܐ ܬܗܘܐ ܐܘܪܝܐ ܕܪܘܝܐ.

47 ܢܫܬܠܩܘܢ B.
63 ܡܛܠ – 65 ܕܪܘܝܐ B.

63 ܬܗܘܐ 8aI^{c} [ܗ, P.

ܡܛܠ ܕܠܐ ܠܡ ܝܕܥ ܐܢܬ ܒܚ̈ܘܠܦܐ ܕܥܠܡܐ ܡܬܗܦܟܝܢ
ܘܕܢܣܒܠ ܡܠܠܘܬܗܘܢ. ܡܟܝܠܐ ܠܗܘܢ ܐܘܪܚܐ ܕܪܘܚܐ
| ܘܕܢܬܢܐܪܬ ܢܓܙܪ ܡܠܬܗ: ܒܐܦ ܬܘܢܬܗ ܒܗ ܐܡܪ. 173ra
ܐܝܟܢܐ ܕܒܛܢܬܐ ܕܒܛܢܐ. ܗܟܢܐ ܠܐ ܬܕܥ ܥܒ̈ܕܘܗܝ ܕܡܪܝܐ
ܟܠ ܕܥܒ̇ܕ.

ܡ̇ܒܕ ܗܘ ܒܬܒܐ ܐܠܗܐ ܕܠܒ̈ܢܐ ܡܫ̈ܬܐ ܐܝܠܝܢ ܕܡܫܦܝܢ
ܡܢܝ. ܒܫ̈ܒܠܐ ܕܒܛܢܬܐ ܢܦܫܗ ܐܝܟ. ܐܝܟܢܐ ܓܝܪ ܕܗ̇ܝ
ܕܒܛܢܐ ܠܐ ܝܕܥܐ ܕܐܝܟܢܐ ܐܒܢܐ ܕܡܬܠܕ̇. ܒܕܡܐ ܕܒ̈ܥܒܐ
ܘܫ̈ܠܝܐ ܢܕܪܒܘܢ̇. ܗܟܢܐ ܐܦ ܠܐ ܚܙܝ ܡܢܝܢ ܐܝܠܝܢ
ܠܡܬܒܠܘ ܒܗܠܝܢ ܕܒܬ̈ܪܝܢ ܠܡܓܒܪ ܠܝ: ܡܛܠ ܕܒܢܝܫܐ
ܘܐܦ ܒܡܘܒܪܢܐ ܢܕܪܘܢ ܠܝ. ܘܐܝܟܢܐ ܬܘܒ ܕܗ̇ܝ ܕܠܐ
ܡܦܩܐ: ܠܐ ܐܢ ܕܒܙܪܐ ܘܠܐ ܐܢ ܢܒܬܬܐ ܐܝܬܘܗܝ ܗ̇ܘ
ܕܡܬܝܠܕ ܡܢܗ̇. ܗܟܢܐ ܐܦ ܠܐ ܚܙܝ ܡܢܝܢ ܠܡܬܒܠܘ:
ܠܐ ܐܢ ܠܛܒ ܡܬܚܠܦܝܢ ܒܠܝܢ ܙܒ̈ܢܐ ܘܠܐ ܐܢ ܠܒܝܫ.
ܠܐ ܐܢ ܠܚܘܠܡܢܐ ܘܠܐ ܐܢ ܠܒܘܪܗܢܐ ܠܐ ܐܢ ܠܒܘܬܪܐ
ܘܠܐ ܐܢ ܠܡܣܒܢܘܬܐ. ܠܐ ܐܢ ܠܚܝ̈ܐ ܘܠܐ ܐܢ ܠܡܘܬܐ.
ܡܕܝܢ ܙܕܩ ܠܝ ܐܝܟ ܐܝܠܝܢ ܕܡܫܦܝܢ ܕܡܢ ܥܠܡ ܫܘܠܡܐ
ܠܡܪܕܝܬܗܘܢ | ܦܩܘ: ܕܡܢ ܫܘܪܝܐ ܕܐܘܪܚܝܢ ܒܕܘܒܪ̈ܐ ܛܒ̈ܐ 173rb
ܕܦܐܝܢ ܠܐܠܗܐ ܢܓܙܪ. ܫܘܪܝܐ ܕܝܢ ܕܐܘܪܚܝܢ ܐܝܬܘܗܝ
ܫܘܪܝܐ ܕܚܝ̈ܝܢ.

65 ܕ̈ܢܫܬܒܠ *B*.

68 ܕܥܒ̇ܕ ܐ] ܕܢܒܕܒ *P*.

11, 6 ܟܠ ܒܨܦܪܐ ܙܘܕ ܘܪܒܝܢ ܘܒܪܡܫܐ ܠܐ ܡܫܟܚ ܐܢܬ.
ܐܝܬ ܠܗ ܡܢ ܝܘܒܠܐ ܕܛܠܝܘܬܟ. ܫܪܐ ܒܕܘܒܪܐ ܛܒܐ. ܘܒܒܝܠܐ ܬܘܒ ܕܗܝܡܢܘܬܐ ܠܐ ܬܬܒܪ ܡܢ ܪܘܚܟ. ܨܦܪܐ ܐܝܟ ܕܐܡܪܬ ܠܛܠܝܘܬܐ ܦܪܐ. ܪܡܫܐ ܕܝܢ ܠܗܝܡܢܘܬܐ. ܘܡܦܩܪ ܦܪܐ ܗܒܠܐ ܘܒܫܡܫܬܐ ܪܒܬܐ. ܒܕܡܘܬ ܨܦܪܐ ܚܪ ܦܐܝܐ ܘܐܪܝܚܐ ܛܠܝܘܬܐ: ܠܡܪܝܐ ܒܦܘܠܚܢܐ ܕܛܒܬܐ. ܐܦ ܗܝܡܢܘܬܐ ܕܝܢ ܕܡܨܠܬܐ ܒܡܫܠܡܐ ܕܚܒܪܐ ܛܒܐ: ܒܕܡܘܬ ܪܡܫܐ ܕܡܬܚܫܚ ܠܠܐܝܐ: ܒܗ ܡܫܘܬܐ ܡܢ ܕܥܠܡܐ ܡܬܬܢܝܚܐ. ܐܝܬ ܠܗ ܡܢ °ܛܠܝܘܬܟ° ܫܪܐ ܒܕܒܪܬܐ °ܘܒܗܝܡܢܘܬܐ° ܠܐ ܬܫܬܒܩ ܐܢܬ.
ܡܛܠ ܕܠܐ ܝܕܥ ܐܢܬ ܐܝܢܐ ܢܟܫܪ ܗܢܐ ܐܘ ܗܢܐ: ܘܐܢ ܬܪܝܗܘܢ ܐܟܚܕܐ ܛܒܝܢ.
ܠܐ ܠܡ | ܬܟܝܠ ܐܝܬ ܐܢ ܒܬܪܝܗܘܢ ܐܝܬ ܠܢ ܚܝܠܐ 173va
ܠܡܥܒܪ ܛܒܬܐ. ܒܪ ܚܪ ܒܝܒܠܐ ܕܛܠܝܘܬܐ: ܦܘܡ

84 ܟܠ – 104 ܬܬܪܥܐ *E*.
84 ܟܠ – 95 ܗܢܐ[2] *B*.
86 ܝܒܠܐ + ܘܡܣܟܐ *EB*.
87 ܕܗܝܡܢܘܬܟ *E* ܨܦܪܐ – 89 ܪܒܬܐ < *B*.
92 ܠܠܐܝܐ] ܠܬܦܢܝܬܐ ܡܢ ܠܥܘܠܬܐ *E*.
93 ܒܕܒܪܬܐ] ܒܕܒܪܢܘܬܐ *E*.
95 ܐܝܢܐ + ܡܢܗܘܢ *E*.
96 ܐܟܚܕܐ *E*.

95 ܢܟܫܪ + ܐܘ *P*.

ܐܢܬ ܒܠ ܝܕܥܬ ܠܡܥܒܪ. ܒܐܝܠܐ ܕܝܢ ܕܫܒܘܩܬܐ ܠܗ
ܡܢܐ ܐܢܬ. ܐܦ ܕܝܢ ܒܬܪ̈ܝܗܘܢ ܙܒܢ̈ܐ ܗܝ ܗܕܐ ܬܫܒܘܚ:
ܗܐ ܡܬܚܙܝܢܬ ܛܒܐ ܗܝ ܪܒܘܬܐ. ܘܐܬܓܠܝܬܐ ܗܝ
ܥܒܝܪܬܐ ܕܛܒ̈ܬܐ: ܕܡܢ ܡܬܘܐ ܠܐ ܡܬܥܠܝܐ. ܐܠܐ
ܕܥܠܬܐ ܗܝ ܕܠܡܐ ܠܐ ܬܫܡܫ ܒܡܫܝ̈ܢܘܬܟ. ܘܒܪܚܡܬܐ
ܕܡܬܓܠܝܢܘܬܐ ܕ̈ܟܝܢܬܐ ܬܬܦܪܫ: ܘܒܣܝܒܪܢܐ ܕܢܟܝܢ ܬܬܪܒܐ.
11, 7 ܚܠܐ ܢܘܗܪܐ. ܘܫܦܝܪ ܠܥܝ̈ܢܐ ܠܡܚܙܐ ܫܡܫܐ.
ܐܙܕܗܪ ܠܟ ܕܠܡܐ ܬܬܢܟܒ ܡܢ ܒܘ̈ܣܡܐ ܘܦܘ̈ܢܩܐ: ܘܢܘܡܐ
ܕܡܘܬܟ ܢܒܪ ܡܢ ܒܠܟ. ܡܛܠ ܕܡܒܪ ܗܘ ܒܠܡܐ ܒܝܕ
ܪ̈ܓܝܓܬܗ ܡܫ̈ܬܝܬܐ: ܠܡܣܒ ܡܢ ܒ̈ܢܝ ܐܢܫܐ ܒܡܘܕܥܐ
ܕܚܪܬܗܘܢ.
11, 8 ܡܛܠ ܕܐܦ ܫܢ̈ܝܢ ܣܓ̈ܝܐܢ ܢܚܐ ܒܪܢܫܐ: ܘܒܟܠܗܝܢ
ܢܚܕܐ. ܢܬܕܟܪ ܝܘ̈ܡܝ ܚܫܘܟܐ. ܡܛܠ ܕܣܓ̈ܝܐܐ | ܢܗܘܘܢ. 173vb
ܡܛܠ ܕܐܦ ܒܗ ܚܝ̈ܐ ܢܣ̈ܝܢܐ ܢܬܢܗܘܢ ܠܐܢܫ. ܘܕܘ̈ ܠܗ
ܗܕܐ ܠܡܬܒܥܠܘ: ܕܟܠܡܕܡ ܗܘ ܘܐܬܐ ܠܗ ܒܡܕܝܢܬܗ ܕܒܟܠܡܐ.

99 ܕܝܢ > *E*.
100 ܐܦ ܕܝܢ > *E*.
101 ܗܝ[2] > *E*.
103 ܕܕܠܡܐ *E*.
104 ܘܒܣ̈ܝܒܪܢܐ *E*.
105 ܚܠܐ – 109 ܕܚܪܬܗܘܢ *B*.
106 ܦܘ̈ܢܩܐ ܘܒܘ̈ܣܡܐ *B*.
109 ܕܚܐܪܘܬܗܘܢ *B*.

110 ܘܒܟܠܗܝܢ[ܐ]]ܒܟܠܗܝܢ *P*.
111 ܢܬܕܟܪ]ܘܢܬܕܟܪ *P*.

ܘܠܒ̈ܘܬܢ ܐܝܟ ܢܘܗܪܐ ܕܡܬܘܬܗ̇ ܡܢ ܢܘܗܪܐ ܕܢܝܚܘܗܝ.
ܡܕܝܢ ܠܐ ܟܝ ܒܒܢܝܢܐ ܢܦܫ̈ܬܐ ܢܬܬܟܪ: ܘܠܐ ܟܝ ܒܝܕܥܬܐ
ܘܐܣܝܘ̈ܬܐ ܢܬܪ. ܘܠܐ ܟܝ ܒܡܘܒܠܐ ܐܠܝܨܐ ܡܢ ܒܠܒܙ
ܢܬܦܠܘ ܙܕܩ ܠܡܫܩܠ ܐܝܟ ܡܕܡ. ܡܛܠ ܕܙܒܢܐ ܗܘ
ܙܒܘܪܐ ܐܝܟ ܫܠܡܐ ܡܟܬܪ̈ܢ ܠܗܿ.
ܟܠ ܕܐܬܐ ܗܟܢܐ.
ܡܛܠ ܕܐܝܟ ܕܡܢ ܥܠܬܐ ܡܢܗܘܢ ܒܬܪ ܡܠܠ ܡܬܬܒܥ̈ܝܢ
ܚܢܢ. ܒܗ ܡܬܒܥܝܢ ܚܢܢ. ܕܒܠܒܒܟ ܕܝܠܟ ܗܘ ܢܩܘܬܐ
ܘܦܠܓܘܬܐ ܡܠܐ ܐܝܟ ܫܠܡܐ ܕܟܠܐ. ܙܕܩ ܡܕܝܢ ܐܝܟ
ܕܐܡܪܬ: ܕܡܢ ܦܠܓܘܬܐ ܢܦܪܐ ܒܕܘܟܪ̈ܐ ܦܬ̈ܐ ܕܡܒܝܢܐ
ܒܒܠܗܘܢ ܙܒܢ̈ܝ ܡܦܬ̈ܟܐ ܘܠܒ̈ܢܝܐ ܢܬܒܣ.
11, 9 ܒܢܘܗܪ ܒܠܒܘܬܟ ܚܕܝ ܒܠܒܟܐ ܘܢܛܐܒ ܠܒܟ.
ܒܡܗ ܠܡ ܕܫܘܪܝܐ ܕܝܠܝܟ ܥܙܪܐ ܐܦ ܐܝܬ ܒܡܬܪܘܬܐ
ܗܝܕܝܢ ܚܪ ܐܦ ܠܒܟ ܡܬܟܠܐ ܚܕܘܬܐ ܒܒܗܕܝܠܐ ܕܒܠܒ̈ܝܟ
ܦܬ̈ܐ. | ܠܝܬ ܚܪ ܡܕܡ ܕܟܠܐ ܠܬܪܥܝܬܐ ܚܘ̈ܫܒܐ 174ra
ܕܒܪܝܬܐ: ܐܝܟ ܒܡܗܕܝܢܐ ܕܗܘܪ̈ܓܝܢܐ ܡܕܡ̈ܝܐ.
ܘܗ̇ܠܝܟ ܒܡܘ̈ܚܬܐ ܕܠܒܟ: ܘܒܚܙܘܐ ܕܥܝܢܝܟ.
ܐܫܬܐ ܠܡ ܠܫܒܕܐ ܚܘ̈ܫܒܝܟ ܦ̈ܬܐ ܒܗ ܦܩܕ ܐܝܬ: ܘܡܛܘܪ
ܠܫܒܕܐ ܗܠܝܢ ܕܫܢܝ ܐܝܬ ܒܡܫܕܒܪܢܘܬܟ ܕܐܣܬܡܝܢ ܦܬ̈ܝܐ.
ܘܕܒ ܕܠܕܝܢܐ ܘܦܩܕ ܒܪܘܚܐ. ܒܬܝܗ ܐܝܬ ܠܦܠܚ ܠܘܩܒܠ
ܦܘܪܥܢܐ ܕܐܣܬܕܒܪܢܟ. ܡܛܠ ܕܝܢ ܕܬܪ̈ܥܝܬܐ ܦܬ̈ܝܐ ܕܡܠܝܢ
ܒܡܝܢܐ: ܡܢ ܬܪܝܢ ܒܢ̈ܝ ܡܢ̈ܝܐ ܡܬܝ̈ܢܢ ܠܡܗܪ ܒܝ̈ܫܬܐ:

125 ἡ καρδία σου LXX ܠܒܟ] ܠܒܝ *P*.

ܐܘ ܡܢ ܪܘܓܙܐ ܘܒܥܠܕܒܒܘܬܐ ܦܠܝܓܝܢ ܕܐܬܝܗܘܢ ܛܠ̈ܝܐ
ܕܫܒܠܘܬܐ: ܐܘ ܡܢ ܪܓܬܐ ܕܒܣܪܐ ܘܙܢܝܘܬܐ ܦܠܝܓܝܢ
ܕܐܬܝܗܘܢ ܦܐܪ̈ܐ ܕܛܠܝܘܬܐ: ܡܛܠ ܗܢܐ ܡܢ ܬܪܝܗܘܢ ܡܠܟܬ
ܠܟ ܕܢܦܩܐ ܒܗ ܐܡܪ.
11, 10 ܐܥܒܪ ܪܘܓܙܐ ܡܢ ܠܒܟ: ܘܐܦܪܘܫ ܒܝܫܬܐ ܡܢ ܒܣܪܟ.
ܥܒܝܪ ܕܝܢ ܠܫܒܠܘܬܐ ܒܥܡ ܪܘܓܙܐ | ܥܡܗ: ܘܠܪܓܬܐ ܕܒܣܪܐ 174rb
ܒܥܡ ܒܝܫܬܐ. ܠܫܒܠܘܬܐ ܓܝܪ ܐܫܠܝܡܬ ܢܦܫ ܪܘܓܙܐ.
ܘܠܪܓܬܐ ܒܝ̈ܫܬܐ ܣܘ̈ܪܚܢܐ. ܐܪܝܡ ܠܟ ܡܢ ܗܠܝܢ ܒܗ ܐܝܟ
ܒܟ ܚܝܠܐ ܘܐܝܕܥܬܐ ܕܒܗܘܢ ܬܬܒܥ. ܕܠܐ ܡܢ ܫܪܝܐ
ܕܛܠܝܘܬܟ ܒܚܛ̈ܐ ܕܐܝܟ ܗܠܝܢ ܬܬܝܕ.
ܡܛܠ ܕܛܠܝܘܬܐ ܘܠܐ ܝܕܥܬܐ ܗܒܠܐ.
ܐܡܠܐ ܓܝܪ ܕܡܢ ܗܠܝܢ ܬܪ̈ܬܝܢ ܡܬܕܒܪ: ܒܐܝܠܐ ܡܢ ܦܓ̈ܪܐ
ܘܚܘ̈ܫܝܐ ܕܠܐ ܢܦܠ. ܟܠ ܕܝܢ ܠܐ ܫܦܝܪ ܕܚܝܠܐ ܕܝܕܥܬܐ
ܬܪܘܨ ܡܢ ܗܠܝܢ ܚܛ̈ܐ ܡܫܟ̈ܢܐ: ܫܒܠܘܬܐ ܘܪܓܬܐ: ܒܒܘܗܕܢܐ
ܕܒܪܘܝܟ. ܘܕܝܠܐ ܕܒܬܪܗ. ܐܥܒܕܐ ܠܢܦܫܟ ܡܢܗܘܢ.

140 ܐܥܒܪ - XII 163 ܢܘܠܡܢܐ B.
142 ܠܫܒܠܘܬܐ - 143 ܣܘ̈ܪܚܢܐ > B.
144 ܕܝܕܥܬܐ ܕܒܗܘܢ B.
146 ܡܛܠ - XII 118 ܐܡܝܢ E.
ܗܒܠܐ + ܗܝ E.
147 ܗܠܝܢ > E ܬܪ̈ܬܝܗܘܢ E ܡܬܕܒܪ + ܕܛܠܝܘܬܐ
ܐܡܪܝܢ ܘܠܐ ܝܕܥܬܐ E.
148 ܕܠܐ] ܠܐ E ܕܝܢ + ܠܟ E ܦܣܩ ܐܢܬ EB.
149 ܒܒܘܗܕܢܗ B.
150 ܘܕܕܝܠܐ B.

XII

12, 1 ܘܥܗܕ ܠܒܪܘܝܟ ܒܝܘܡܝ ܛܠܝܘܬܟ. ܦܩܕ ܗܘ ܚܢܢ ܕܢܗܘܐ ܕܐܠܗܐ ܒܠܚܘܕ ܕܒܪܝܟ. ܡܢ ܒܠܗܘܢ ܡܠܦ̈ܢܐ ܘܡܒܥ̈ܐ ܕܢܦܫܬܐ. ܒܕܠܐ ܢܐܬܘܢ ܝܘ̈ܡܐ ܒܝܫ̈ܬܐ. ܘܢܡܛܘܢ ܫܢ̈ܝܐ ܕܬܐܡܪ ܠܝܬ ܒܗܝܢ ܨܒܝܢ. ܒܕܠܐ ܠܡ ܢܐܬܐ ܙܒܢܐ ܕܒܘܪܗܢܐ | ܐܘ ܕܫܒܘܩܬܐ: ܐܡܬܝ 174va ܕܠܐ ܨܒܝܢܐ ܠܒܐ ܐܦ ܠܐ ܗܢܝܐ ܦܩܕ ܐܢܬ ܕܬܥܒܕ ܒܟܒܕܐ. ܡܛܠ ܕܐܙܕܠܗܝ ܠܗ ܚܝܠܐ. ܘܢܡܪܘ ܗܕ̈ܡܐ ܡܫܬܪ̈ܝܢܐ.

12, 2 ܒܕܠܐ ܢܚܫܟ ܫܡܫܐ ܘܢܘܗܪܐ ܕܣܗܪܐ ܘܕܟܘ̈ܟܒܐ.

1 ܘܥܗܕ - 137 ܗܒܠܐ *FEDC*.
ܒܗܕ *FEDC* ܠܒܪܘܝܟ] ܠܒܪܝܟ *E*.
2 ܚܢܢ < *F* ܒܠܚܘܕ < *E*.
3 ܡܠܦ̈ܢܐ *C* ܘܡܒܥ̈ܐ < *DC*.
4 ܢܐܬܘܢ *B* ܒܝܫ̈ܬܐ *B* ܘܢܡܛܘܢ - 5 ܨܒܝܢ < *E*
ܕܠܝܬ *FB*.
6 ܐܘ ܕܫܒܘܩܬܐ] ܘܕܫܒܘܩܬܐ *EDB*.
7 ܠܒܐ] ܥܒܘܪܐ *E* ܦܩܕ] ܡܦܩ *D* ܘܐܦܠܐ *E*.
8 ܒܟܒ̈ܕܐ *B* ܠܗ + ܙܒܢܐ *E* ܘܐܢܡܪܐ *CB* ܗܕ̈ܡܐ
+ ܒܠܗܘܢ *E*.
9 ܘܢܘܗܪܐ < *E* ܘܟܘ̈ܟܒܐ *A*.

°*ܫܡܫܐ ܚܠܦ ܡܢܗܪܐ ܗܘ. ܣܗܪܐ ܕܝܢ ܒܕܡܘܬ ܠܒܐ. ܟܘ̈ܟܒܐ ܕܝܢ ܒܕܡܘܬ ܢܦ̈ܫܬܐ. ܪܫܐ ܓܝܪ ܘܡܕܒܪܢܐ ܕܢܦ̈ܫܬܐ ܘܡܦܪܫܢܐ ܕܟܠ ܓܒܘ: ܡܘܢܐ ܡܬܐܡܪ°*. ܐܝܟܢܐ ܕܐܦ ܫܡܫܐ ܐܝܬܘܗܝ ܡܦܪܫܢܐ ܕܙܒܢ̈ܐ ܘܡܫܘܚܢܐ ܕܟܠ ܡܕܡ. ܐܦ ܠܒܐ ܕܝܢ ܗܝܠܐ ܗܘ ܕܬܪܒܝܬܐ. *ܘܒܘܪܐ ܕܒܗ ܡܬܒܢ̈ܝܢ ܓܒܘ̈ܬܐ*. ܐܝܟܢܐ ܕܐܦ ܣܗܪܐ ܡܫܘܚܢܐ ܗܘ ܘܡܦܪܫܢܐ ܕܓܒ̈ܘܬܐ. *ܐܠܐ °ܐܝܟܢܐ ܕܡܫܚܠ ܢܘܗܪܗ ܕܣܗܪܐ ܡܢ ܕܫܡܫܐ. ܗܟܢܐ ܡܫܚܠ ܚܝܠܐ ܘܦܘܪܫܢܐ ܕܠܒܐ ܡܢ ܕܡܘܢܐ°*. *ܫܘܚܪ ܕܝܢ ܐܚܪ̈ܢ ܒܦܘܫܩܐ ܕܣܗܪܐ ܠܒܐ: ܡܛܠ °ܕܡܫܬܚܠܦܢܐ ܗܘ ܐܦ ܗܘ

10 ܫܡܫܐ < D   ܫܡܫܐ + ܗܪܟܐ E   ܗܟܢ EDB
ܒܕܡܘܬ] ܒܕܡܘܬ E.
11 ܕܝܢ < E   ܓܝܪ < A.
13 ܐܦ – 17 ܕܡܘܢܐ < B.
15 ܕܐܦ ܣܗܪܐ] ܕܣܗܪܐ ܐܦ ܗܘ E.
17 ܕܦܘܪܫܢܐ FDC   ܡܘܢܐ A.
18 ܠܠܒܐ EDB   ܕܡܫܬܚܠܦܢܐ B.

10 - 12 IM 213, 28 - 214, 3.
11 IM 214, 2 ܪܫܐ[ܐ] + ܠܡ*
IM 214, 2 ܘܡܦܪܫܢܐ[ܐ]]ܘܡܫܘܚܢܐ*
12 IM 214, 3 ܡܬܐܡܪ[ܐ] + ܐܝܬܘܗܝ*
14 IM 214, 5 - 6.
IM 214, 5 ܘܒܘܪܐ[ܐ]]ܒܪܗ ܐܦ ܗܘ ܒܘܪܐ ܗܘ
15 - 17 IM 214, 3 - 5.
16 IM 214, 3 ܐܝܟܢܐ[ܐ]]ܐܝܟ*
17 - 21 IM 214, 6 - 11.
17 IM 214, 6 ܘܫܘܚܪ ܕܝܢ[ܐ]]ܫܘܚܪ*

ܒܦܘܠܓܐܬ ܐܦܝ̈ܣܩܘܦܐ ܕܡ̈ܫܡܫܢܐ.° ܘܐܝܟܢܐ° ܕܢܦܩܝܢ | ܠܗ ܠܗܢܐ 174vb
ܦܘܠܓܐ ܕܟܗ̈ܢܐ: ܡܒܥܐ ܠܢܦܩܝܢ ܘܫܕܪܝܢ ܠܗ ܠܠܒܢܐ
ܡ̈ܫܡܫܢܐ.° ܐܝܟܢ° ܕܝܢ ܕܡܫܡܫܢܐ ܢܕܚܫ ܗܘܪܐ ܥܡ ܟܗ̈ܢܐ
ܡܬܢܩܦܝܢ°x. ܘܐܝܟܢ°x ܕܡܪܕܝܬܐ ܕܦܘܪܫܢܐ ܡܢ ܡܘܬܐ: ܠܠܒܢܐ
ܬܗܘܐ: ܒܪܫܝܬܗ ܡܬܬܕܢܝܢ ܘܡܬܢܩܦܝܢ ܒܠܗܘܢ ܡ̈ܫܡܫܢܐ°x.
ܘܢܬܗܦܟܘܢ ܒܢ̈ܝܢܐ ܒܬܪ ܡܦܪܐ.
°xܒܢ̈ܝܢܐ ܦܪܐ ܠܒܪܢܘܬܐ ܕܕܡ̈ܒܐ ܕܡܢ ܒܐܒܐ ܡܬܝܠܕܐ ܒܪܒܢܐ
ܕܒܢܝ̈ܢܐ: ܘܡܬܗܦܟܐ ܒܝܕ ܢܫܐ ܠܡܬܝܠܘ ܡܪܕܝܬܐ ܚܠܝܨܬܐ

19 ܒܦܘܠܓܐܘܬ FEDCB ܐܦܝܣܩ̈ܦܐ E ܠܗ < DC.
20 ܘܫܕܪܝܢ > E ܠܗ] ܐܦ B ܡ̈ܫܡܫܢܐ ܠܠܒܢܐ D.
21 ܡ̈ܫܡܫܢܐ] ܦܘܠܓܐ ܕܡ̈ܫܡܫܢܐ E ܕܝܢ > F ܢܕܚܫ
— 22 ܘܐܝܟܢ < B.
23 ܡܬܬܕܢܝܢ FDC.
25 ܦܪܐ < E ܠܒܪܢܘܬܐ + ܗܝ E ܒܡ̈ܒܐ E
ܡܬܝܠܕܝܢ D ܒܪܒܢܐ] ܒܒܕܢܐ E.
26 ܘܡܬܗܦܟܐ] ܗܝ ܡܬܗܦܟܐ E ܢܫ̈ܐ EC.

19 IM 214, 7 ܒܦܘܠܓܐܬ ܐܦܝܣܩ̈ܦܐ ܐ] ܒܦܘܠܓܐܘܬ x
19 - 20 IM 214, 8 ܠܗ - ܦܘܠܓܐ ܐ] ܠܢܘܗܪܐ ܟܗ̈ܢܐ ܦܘܠܓ̈ܐܐ x
20 IM 214, 8 ܠܗ ܐ < x
21 IM 214, 8 ܘܡ̈ܫܡܫܢܐ ܐ + ܦܘܠܓ̈ܐܐ x
IM 214, 8 ܥܡ ܟܗ̈ܢܐ ܐ] ܘܟܗ̈ܢܐ x
22 IM 214, 10 ܘܐܝܟܢ ܐ] ܗܟܢܐ ܐܝܟܢ x
22 - 23 IM 214, 10 - 11 ܒܪܫܝܬܗ ܡܬܬܕܢܝܢ ܐ > x
23 IM 214, 11 ܘܡ̈ܫܡܫܢܐ ܐ + ܒܠܠܠܐ x

ܕܕܡܟܐ. ܗܠܝܢ ܕܟܕ ܒܕܡܘܬ ܛܘ̈ܦܐ ܕܡܛܪܐ ܒܠ ܦܛ̈ܪܐ
ܢܬ̈ܠ[ܗ×]: ܦܐ̈ܪܐ ܕܐܬܢܒܘܬܐ ܠܐ ܡܬܝ̈ܠܝܢ. ܡܛܠ ܕܡܛܪܐ ܗܘ
ܕܕܠܐ ܒܙܒܢܗ ܒܚܝܕܐ ܢܚܬ.

12, 3 ܒܝܘܡܐ ܕܢܬܬܙܝܥܘܢ ܢܛܘ̈ܪܝ ܒܝܬܐ.

[×ܗܒ]ܢܛܘ̈ܪܝ ܒܝܬܐ ܕܝܢ ܠܗ̈ܘܡܐ ܩܪܐ[ܗܒ]. ܗܠܝܢ ܕܒܝܕ ܒܐܒ̈ܝܗܘܢ
ܦܓܪ: ܕܬܘܒ ܠܐ ܦܫܩܝܢ ܚܝܠ ܠܡܛܪ ܒܚܝܠܝ[×]. ܘܐܬܪܘܗܝ
ܚܙ ܡܢܝ ܒܝ̈ܬܐ ܢܫ̈ܝܐ.

ܘܢܬܕܘܕܘܢ ܓܒ̈ܪܝ ܚܝܠܐ.

ܓܒ̈ܪܝ ܚܝܠܐ ܗܪܟܐ [×ܗ]ܠܫ̈ܪܝܢܐ ܩܪܐ. ܗܠܝܢ ܕܒܕܡܘܬ ܒܪ̈ܘܡܐ
ܠܒܢܝܢܐ ܒܪ̈ܢܫܐ | ܒܠ ܓܘܫܡܐ. ܒܝܕ ܕܒܕܕܗܘܢ ܕܝܢ 175ra
ܘܡܣܒܠܐ ܕܓܘܫܡܗܘܢ: ܦܘܕܝܢ ܒܠ ܡܘܬܐ[×ܗ]. ܓܒ ܡܛܠܠ ܒܠ ܚܕ

27 ܦܛ̈ܪܐ EB.
28 ܢܬܠܝܢ D ܦܐܪܐ A ܗܘ < E.
29 ܒܙܒܢܗ] ܒܙܒܢܝܢܗ E ܒܚܝܕܐ] ܒܠ ܐܘܪܚܐ A.
30 ܒܝܘܡܐ] ܒܙܒܢܐ FDC.
31 ܕܝܢ < FDC ܩܪܐ] ܐܡܪ E ܒܐܒ̈ܝܗܘܢ]
ܒܐܒ̈ܝܗܘܢ DC ܒܐܒܐ ܡܫܝܢܐ ܕܡܢܗ ܠܗܘܢ E.
32 ܘܐܬܪܘܗܝ B.
33 ܒܝ̈ܬܐ] ܒܝ̈ܬܐ B.
35 ܡܪ̈ܝ ‒ ܗܪܟܐ] ܗܪܟܐ ܕܝܢ ܡܪ̈ܝ E.
36 ܠܒܢܝܢܐ E ܒܠ ܓܘܫܡܐ] ܓܘܫܡܐ F ܓܘ̈ܫܡܐ E.
37 ܕܓܘܫܡܗܘܢ DC ܦܘܕܝܢ] ܗܘܝܢ FDC ܒܐܠ FDC.

27 IM 214, 20
31 BH 20, 1; DS XII 20
36 DS XII 23

ܦܛ̈ܪܐ[ܐܗ] ܐܒܪܐ[×]
ܒܐܒ̈ܝܗܘܢ[ܐ] ܒܕܘܪܗܐ[ܗ]
ܕܒܕܕܗܘܢ[ܐ] ܘܒܡܘܕܝܢܗܘܢ ܘܕܕܘܕܗܘܢ[ܗ]

ܚܕ ܡܢܗܘܢ ܡܢ ܐܬܪܗ: ܕܗܘܐ ܠܗ ܐܒܘܐ ܕܥܒܪܝܗ.

ܘܐܬܛ̈ܠܠ ܛܠܝܬܐ ܡܛܠ ܕܐܚܪ.

ܗܘܪܒܐ °*ܛܠܝܬܐ ܐܝܥ⁾ܠܥܬ̈ܝܐ⁽ܐܝܥ ܦܪܐ. ܗܠܝܢ ܕܒܐܒܘܐ ܕܗܝܡܢܘܬܐ ܒܗ

ܢܩ̈ܠܝ ܡܡܪ̈ܝ ܘܦܘ̈ܕܝ ܒܠ ܡܫܘܠܛܘܬܗ ܕܦܘܪܢܐ*°.

ܢܫ̈ܬܩܢ ܚ̈ܝܘܬܐ ܒܒܩ̈ܬܐ.

ܗܘܪܒܐ *°ܚ̈ܝܘܬܐ ܒܝ⁾ܠܚ̈ܝܘܬܐ⁽ܒܝ ܦܪܐ: ܗܠܝܢ ܕܒܢܐ ܡܕܝܢܬܐ ܕܗܝܡܢܘܬܐ°:

ܒܠ ܚܘܒܐ ܕܡܘܬܐ ܡܡܪ̈ܝ ܘܡܫܒ̈ܚܝܢ*.

12, 4 ܘܢܬܬܚܕܘܢ ܬܪ̈ܥܐ ܒܫܘ̈ܩܐ: ܒܫܦܠܘܬܐ ܕܩܠܐ ܕܛܚܢ̈ܬܐ.

38 ܡܢܗܘܢ > *D*.

39 ܕܐܚܪ̈ܝ *EB*.

40 ܗܘܪܒܐ > *E* ܛܠܝܬܐ ܗܘܪܒܐ *F* ܦܪܐ] ܐܦܪܐ *E*.

41 ܦܘ̈ܕܝ *B* ܡܥܘ̈ܕܝܢ *E* ܡܫܘܠܛܘܬܗ] ܡܫܘܠܛܘܬܐ ܘܥܒܪܝܢ *E*

ܕܦܘܪܢܐ] ܒܦܘܪܢܐ *B*.

42 ܘܢܫ̈ܬܩܢ *EB*.

43 ܗܘܪܒܐ > *E* ܚ̈ܝܘܬܐ + ܕܒ ܕܒܒܩ̈ܬܐ ܗܘܪܒܐ *E* ܦܪܐ]

ܡܫܪ̈ܗ *E* ܡܕܝܢܬܐ + ܗܘ *E* ܘܗܝܡܢܘܬܐ *DC*.

44 ܕܡܘܬܐ] ܘܡܘܬܐ *FDC* ܗܘ ܕܒܡܘܬܐ *E* ܡܫܒ̈ܚܝܢ *FE*.

40 Jakob von Edessa in der Severus - Katene: ܥܬ̈ܝܐ; de dentibus dictum putant Hieronymus, aaO, S. 357; οἱ ὀδόντες Olympiodor PG 93, col 613 D 10.

41 DS XII 28 - 29 ܒܗ ܢܩ̈ܠܝ]ܐ ܡܬ̈ܠܝ ܘܢܩ̈ܠܝ °

43 ܒܢܐ ܡܕܝܢܬܐ ܕܗܝܡܢܘܬܐ]ܐ ܕܒܢܝܢ ܗܝܡܢܘܬܐ

DS XII 33 ܒܥ̈ܠܝ °

44 TK 336, 14.

ܬܪ̈ܥܐ ܘܫܘ̈ܩܐ ܠܡܦܩܢܐ ܕܡܠܬܐ ܦܘܡܐ. ܗ̇ܘ ܕܡܠܠܢܘܬܐ
ܡܟܝܠ ܡܫܬܡܥܢܐ: ܐܝܟ ܕܢܦ̇ܠ ܫܘ̈ܩܐ. ܡܛܠ ܕܐܘܪܚܗܘܢ ܥܦܘܪܐ
ܐܬܥܒܠ ܡܢ ܦܘܡܗ. ܡܢ ܬܪܝܢ ܚܕ ܟܪ̈ܬܝ ܡܬܐܠܨܐ ܡܠܬܐ.
ܗܢܘܢ ܕܡܠܠܢܘܬܐ ܠܐ ܬܫܒܘܩ. ܡܢ ܡܫܠܡܘܬܐ ܕܫܒܩܘܬܐ:
175rb ܘܡܛܠ ܙܘܟܟܐ ܕܫܢ̈ܐ ܕܢܩܪ ܡܢ | ܕܘܟܪ̈ܢܘܗܝ. ܡܢ ܚܕ ܬܪ ܐܝܟ ܕܐܢܫܐ
ܢܦܫ ܠܥܢܝܐ ܘܢܬܠ ܩܠܐ ܠܝܬ ܠܗ. ܡܬܕܘܕܐ ܠܗ̇ ܡܠܬܐ
ܘܐܦ ܗܘ ܕܝܢ ܠܥܢܝܐ ܗ̇ܕܝܢ ܢܩܝܪܐܝܬ ܡܬܗܦܟ. ܡܛܠ
ܕܪܗܛܐ ܕܡܬܢܝܚܘܬܐ ܢܦܪ ܠܗ ܡܢ ܒܘܪܗܢܐ. ܘܫܠܝܐ
ܕܫܡܝܡܘܬܐ ܦܪ ܠܗ ܡܢ ܫܝܒܘܬܐ.
ܘܢܩܘܫ ܠܩܠܐ ܕܨܦܪ̈ܐ.

46 ܕܡ̈ܠܐ B ܦܘܡܐ] ܐܡܪ E ܕܡܠܠܢܘܬܐ] ܒܡܠܠܢܘܬܐ FCB ܕܒܡܠܠܢܘܬܐ D.
47 ܡܫܬܡܥܢܐ] ܡܫܬܡܥܢܐ E ܕܢܦ̈ܠܝ E ܡܛܠ] ܐܝܟ DCB ܘܐܝܟ F ܕܐܘܪܚܗܘܢ A.
48 ܚܕ] ܕܝܢ E ܟܪ̈ܬܝ + ܗܢܘܢ F.
49 ܗܢܘܢ > F ܕܡܠܠܢܘܬܐ B ܕܒܡܠܠܢܘܬܐ E ܠܐ > E ܬܫܒܘܩ FE ܡܫܠܡܘܬܐ + ܟܠܗ F.
50 ܘܡܛܠ] ܘܡܢ E ܕܢܩ̈ܪ FE ܕܘܟܪ̈ܢܘܗܝ] ܕܘܟܪܢܗ A ܕܘܟܪ̈ܢܘܗܝ ܩܝܡܝܢ ܕܡܬܐܠܨܝܢ ܦܪ̈ܩܝ ܗ̈ܘ ܘܡܢ ܢܩܫܗ ܕܠܥܢܝܐ E.
51 ܕܢܦܫ B ܕܢܦܫ ܗܘ E ܘܩܠܐ ܕܢܬܠ B.
52 ܐܦ FDCB ܒܗ ܘܐܦ E ܕܝܢ > E.
53 ܕܪܗܛܐ > F ܕܡܬܬܢܝܚܘܬܐ E ܕܡܬܬܢܝܚܘܬܗ F ܐܢܦܪ A.
55 ܕܨܦܪ̈ܐ F.

46 BH 20, 3.
47 DS XII 35 ܡܟܝܠ ܡܫܬܡܥܢܐ] ܡܫܬܡܥܢܐ ܡܠܬܐ

°xܘܒܕܡܘܬܐ ܠܗ ܕܦܪ̈ܚܬܐ ܟܠܒܕ ܡܢ ܦܘܪܫܢܐ ܕܡܠܬܐ ܫܪܪܐ
ܕܢܡܠܠ°x.

ܘܢܬܡܟܟܘܢ ܟܠ ܒܢ̈ܬ ܙܡܪܐ.

xܒܢ̈ܬ ܙܡܪܐ ܕܝܢ ܐܢܬܝܢ °ܐܕܢ̈ܐ ܘܪܓܫܬܐ ܕܡܫܬܡܥܢܐ. ܬܒ̈ܪܐ ܠܗ ܗܘܘܢ ܕܒܗܘܢ ܒܬܪ ܗܘܐ ܠܗ ܙܡܪܐ ܘܫܡܥܐ ܐܢܫܝܐ ܡܢ ܟܠ ܕܘܟ x ܐܬܬܚܝܕܘ°. ܘܠܐ ܡܟܝܠ ܡܫܟܚܝܢ ܕܢܪܓܫ. ܠܐ ܒܙܡܪܐ ܐܦ ܠܐ ܒܐܝܩܪܐ.

12, 5 ܐܦ ܡܢ ܪܘܡܐ ܢܚܘܢ ܘܢܬܬܙܝܥ ܒܐܘܪ̈ܚܬܗ.

°xܪܘܡܐ ܦܪܐ ܠܒܘܢܝܐ ܘܡܟܐ ܠܗ ܕܐܬܒܥܝܢ ܘܢܚܬܐ ܕܢܓܠܝܢ ܗܘ ܡܢ ܙܡܟܐ: ܗܢܝܢ ܢܬܬܐܝܡܘܢ ܣܘ̈ܥܪܢܘܗܝ ܕܐܢܬܘܢ ܐܘܪ̈ܚܬܗ°x.

56 ܕܦܪ̈ܚܬܐ *FE* ܦܘܪܫܢܐ + ܕܢܠܗ̇ *F*.
57 ܕܢܡܠܠ + ܡܕܘܕܐܝܬ *E*.
58 ܟܠ < *DCB*.
59 ܒܢ̈ܬܐ ܕܙܡܪܐ *E* ܕܝܢ < *E* ܘܪܓܫܬܐ *DC*
ܕܡܫܬܡܥܢܐ] ܕܡܫܡܥܢܝܬܐ *EB* ܘܡܫܡܥܢܝܬܐ *DC*.
60 ܗܘܘܢ] ܗܠܝܢ *EDCB* ܠܗ < *F*.
61 ܡܟܝܠ] ܗܟܝܠ *B* < *F*.
63 ܘܐܦ *FDC* ܢܚܘܢ] ܢܚܙܐ *FB* ܢܕܢܚ *E*.
64 ܦܪ̈ܐ + ܗܪܟܐ *E* ܘܢܚܬܐ + ܐܢܫ *E*.
65 ܣܘ̈ܥܪܢܐ ܕܢܠܗ *F*.

63 ܢܚܘܢx] ܢܕܚܠܘܢ° mlt MSS 𝔊𝔖ʰ𝔎Σ יִרָאוּ ὄψονταυ LXX
DS XII 47 48 ܢܕܚܠ° P prps יִירָא
64 DS XII 51 ܠܒܘܢܝܐx] ܒܘܢܝܐ ܕܢܒܙܐ°

175va | ܘܢܒܒ ܟܠܗܘܝ ܫܥܪܐ.

ܘܐܦ ܡܢ ܣܝܒܐ ܠܢܫܐ ܕܫܠܝܬܐ: ܡܢ ܒܡܬܐ ܘܪܝܫܐ ܡܚܝܠܐ
ܠܬܠܠ.

ܘܢܦܪܚ ܫܓܕܐ.

°ܫܓܕܐ ܕܝܢ ܦܪܐ ˣܠܬܬܐ ܕܡܣܬܪܩ ܗܫܘܢ ܒܠ ܡܩܘܬܐ°ˣ. ܐܒܝܠܐ
ܚܢܪ ܕܗܘܐ ܐܝܠܢܐ ܒܗ ܡܬܚܡܬ ܦܪܒܗ: ˣܡܩܕܡ ܘܦܫܗ
ܒܠ ܝܒܢܐ ܕܦܪܒܐ ܕܒܠܗܘܢ ܐܝܠܢܐ: ܗܒܢܐ ܗܠܝܢ ܒܢܗ
ܗܫܕܘܬܗܝܢ ܡܩܕܡܢ ܘܡܚܘܝܢ: ܒܠ ܣܘܒܠܐ ܘܫܪܝܐ ܕܒܠܗܘܢ
ܗܕܡܐˣ.

ܘܢܒܫܢ ܡܚܝܐ.

°ˣܡܚܝܐ ܦܪܐ ܠܒܘܪܗܢܐ ܡܫܝܚܐ. ᵓܘܠܒܢ̈ܝܒܐᵓ ܕܒܠ ܗܕܡܐ ܐܫܬܠܛܘ.

67 ܘܐܦ + ܠܡ DCB ܢܫܝܐ E ܣܝܒܐ ܠܢܫܐ A
ܡܚܝܠܐ] ܕܡܚܝ̈ܠܐ C ܕܡܚ̈ܝܠܬܐ F + ܕܥܕܫ ܠܗ E.
69 ܫܓܕܐ + ܗܘ ܠܘܬ ܐܪܙܐ E ܦܪܐ] ܡܫܡܗ E.
71 ܡܬܚܡܬ FDC ܦܫܗ E.
72 ܝܒܢܐ ܕܦܪܒܐ] ܦܪܒܐ E.
73 ܗܫܕܘܬܗܝܢ E.
76 ܡܚܝܐ + ܦ̈ F ܠܒܘܪܗܢܐ - ܐܫܬܠܛܘ] ܠܒܢ̈ܝܒܐ
ܘܠܒܘ̈ܪܗܢܐ ܡܫܝܚܐ ܦܘܩܠ ܕܦܪܢܣ ܠܗ ܠܡܦܪܢܣ ܡܕܒܪܢܘܬܐ
ܘܡܫܬܠܛܝܢ ܠܗܕܡܐ E.

66 Doppelübersetzung in P (J. Göttsberger, Koh 12, 5 nach der Peshitto, in: Biblische Zeitschrift VIII, S. 7 - 11).

70 DS XII 61 ܦܪܐ] ܡܫܡܗܕܒ°
ܐܒܝܠܐ ܚܢܪ ܕܗܘܐ ܐܝܠܢܐ ܒܗ ܡܬܚܡܬ ܦܪܒܗ: ܡܩܕܡ ܘܦܫܗ
ܒܠ ܝܒܢܐ ܕܦܪܒܐ ܕܒܠܗܘܢ ܐܝܠܢܐ] ܐܝܟ ܫܓܕܐ ܐܘܒܢܬ ܠܘܪܐ
DS XII 56 - 57 ܕܡܩܕܡ ܦܪܒܗ ܠܫܪܒܐ ܕܐܝܠܢܐ°

76 BH 20, 9.

ܕܢܣܒܠܘܢ ܒܠܒܗܘܢ ܫܘܦܪ̈ܢܗܘܢ ܒܕܡܘܬܐ ܕܡܚܙܝܐ ܕܟܠ ܡܘܒܠܬܐ
ܕܦܐܪ̈ܐ ܐܫܬܠܛ ܠܡܢܣܒܠܘ*°.
ܘܬܒܛܠ ܫܘܫܠܬܐ.
*°ܘܐܦ ܢܫܫܐ ܠܡ ܡܢ ܠܗܘ ܡܢ ܦܓܪܐ ܬܒ̈ܪܐ ܠܟܘܡ. ܒܕܡܘܬ
ܫܘܫܠܬܐ. ܡܢ ܠܗ ܦܪܟܗ̇*°.
ܘܬܬܒ̇ܕܪ ܥܦܪ.
*ܘܫ̈ܢܝܐ ܠܡ ܒܠܒܗܘܢ ܢܬܒ̇ܕܪܘܢ. ܘܐܒܢܐ ܕܥܦܪ ܒܢ̈ܝ
ܪܢܫܗ̇ ܗܘܕܐ ܡܢ ܪܘܫܡܐ ܒܠ ܦܪܟܗ̇: | ܗܒܢܐ ܐܦ ܗܘ̈ܕܡܐ ܡܢ 175vb

77 ܒܠܒܗܘܢ ܫܘܦܪ̈ܢܗܘܢ] ܒܠܗ ܫܘܦܪܐ ܘܡܠܝܡܘܬܐ ܕܦܠܝܢ *E*.
78 ܐܫܬܠܛܘ *DCB* ܡܫܬܠܛ *E*.
79 ܘܬܒܛܠܝܢ *E*.
80 ܐܦ *FDC* ܠܡ - ܠܗܘ < *FE* ܡܢ ܠܗܘ ܡܢ < *D*
ܡܢ[1] < *C* ܡܢ[2] + ܠܗ *FE* ܦܓܪܐ + ܠܡ *E*.
81 ܫܘܫܠܬܐ + ܕܢܦܫܐ ܒܟܠܟܠ ܟܠܟܠ *E* ܠܗܘ ܒܦܪܟܗ̇ *DC*
ܦܪܟܗ̇] ܒܡܟܐ ܕܦܪܟܗ̇ *E*.
82 ܘܐܬܒ̇ܕܪ, *E* ܥܦܪ + ܥܦܪ ܢܒܝܬܐ ܐܝܬܝܗ̇ ܐܠܒܐ
ܒܘܢܝ: ܐܫ̈ܢܐ ܒܒ̈ܢܝ ܫܘܢܐ. ܐܫܢܐ ܫܘܪ ܫܘܢܐ. ܐܫܢܐ
ܬܗܘ ܫܘܢܐ. ܐܒܪ ܐܠܒܒܪ. ܒܥܦܪ ܕܝܢ ܡܕܡܐ ܠܗܝܢ.
ܕܐܝܬܝܗܘܢ ܒܥܦܪܐ ܫܠܝܠܐ ܕܬܬܐ: ܒܕܡܠܐ ܒܠܓܝܬܐ. ܗܒܢܐ
ܐܦ ܫܓܝܬܐ ܒܠܗ̇ ܘܦܘ̈ܪܫܐ ܕܗܕܐ ܒܠܓܝܬܐ *F*.
83 ܘܫ̈ܢܝܐ] ܘܐܦ ܠܫ̈ܢܬܐ *E* ܒܠܗܝܢ ܢܬܒܕ̈ܪܢ *E*
ܘܐܒܢܐ + ܠܡ *A* ܒܢܝ ܪܢܫܗ̇ < *E*.
84 ܗܘ̈ܕܡܐ] ܦܓܪܐ *E*.

ܡܕܡܘܬ ܫܘܫܠܬܐ ܡܢ ܠܗ ܦܪܟܗ̇ܐ]ܒܕܡܘܬ ܦܪܟܐ ܕܫܘܫܠܬܐ° 80
DS XII 69.

ܪܘܫܡܐ ܒܝܕ ܪܓܫܗܘܢ ܢܬܠܘܢ ܬܘܣܦܬܐ ܕܪܫܝܗܘܢ.*
ܡܛܠ ܕܐܙܠ ܒܪܐ ܐܢܫܐ ܠܒܝܬ ܥܠܡ.
ܡܛܠ ܕܡܛܠܐ ܒܪܢܫܐ ܠܚܪܬܐ ܗ̇ܝ ܕܒܝܬ ܪܘܚܬܗ ܚܬܕ ܠܗ.
ܘܐܬܟܪܒܘ ܒܫܘ̈ܩܐ ܡ̈ܪܩܕܢܐ.
ܘܫܡܠܘ ܠܗ ܠܡܚܟܐ ܘܠܡܪܩܕܘ ܟܠ ܐܪ̈ܙܐ ܕܐܬܡܟܪܬ:
ܐܝܟ ܗ̇ܘ ܕܡܒܪܢܐ ܗܝ ܠܗܘܢ: ܒܕ ܓܒ ܗܝ ܗܝ ܚܪܬܗܘܢ.
12, 6 ܒܕܠܐ ܢܬܦܣܩ ܚܒܠ ܟܣܦܐ.
ܣܟܠܐ ܕܟܣܦܐ ܦܪܐ ܠܫܡܠܝܬܐ ܕܟܣܦܐ: ܗ̇ܝ ܕܒܕܡܘܬܗ̇
ܢܒܠܐ ܕܢܡܘ̈ܣܐ ܒܫ̈ܒܕܐ ܐܚܝ̈ܢ. ܒܕܠܐ ܠܗ ܢܬܦܠܓ
ܢܒܠܐ ܗܢܝܐܐ ܕܢ̈ܘܪܐ.

85 ܪܓܫܗܘܢ] ܪܓܫܐ ܕܡ̈ܠܝ ܒܠܗܘܢ ܒܪܘܚܢܐ *E* ܢܬܠ *E* ܕܪܫܝܗ *E*.
86 ܕܐܙܠ *F*.
87 ܠܚܪܬܐ *D* ܗ̇ܝ] ܗ̇ܘ *F* ܠܗ + ܠܡܘܬܐ ܐܝܟ ܐܝܢܐ ܘܠܥܪܝܐ ܕܒܐܪܥܐ *E*.
88 ܘܐܬܟܪܒܘ *B*.
89 ܘܫܡܠܘ ܠܗ < *F* ܘܫܡܠ *B* ܠܗ < *B*.
90 ܗ̇ܘ] ܐܪ̈ܙܐ *E*.
92 ܚܒܠ ܟܣܦܐ *FDCB* ܟܣܦܐ[2] ܕܢܩܒܐ *E* ܗ̇ܝ] ܒܗ̇ܝ *E* ܒܕܡܘܬܗ̇ + ܕܫܡܠܝܬܐ ܢܒܥܬܐ *E*.
93 ܕܢܡܘ̈ܣܐ] ܕܢܡܘܣܬܐ *D* ܕܫ̈ܒܕܐ *E* ܒܕܠܐ] ܕܠܐ *DC* ܠܗ < *FE*.
94 ܗܢܝܐܐ] ܗܢܝܐ *FDC*.

90 DS XII 74 ܢܡܒܪܢܐ ܠܗܘܢ[a]] ܢܒܕܡܘܬܗ[o]
92 DS XII 82 ܕܟܣܦܐ[2a]] ܕܢܩܒܐ[o]
93 DS XII 83 ܕܢܡܘ̈ܣܐ[a]] ܕܫ̈ܒܕܐ[o]

ܘܢܬܬܣܝܡ ܚܘܪ ܕܗܟܐ.
ܚܘܪ· ܕܗܟܐ ܕܝܢ ܚܠܦ ܫܘܦܪܐ ܐܚܪ̈ܐ. ܒܕܠܐ ܠܡ ܬܪܥܝܢ
ܘܬܬܠܐ ܢܝܚܘܬܗ ܘܫܘܦܪܗ ܕܡܫܝܚܐ.
ܘܬܬܒܪ ܡܘܠܬܐ ܒܠ ܡܒܘܥܐ.
ܗܪܟܐ ܡܒܘܥܐ ܠܚܝܘܠ ܦܪ̈ܐ. ܗ̇ܝ ܕܒܕܡܘܬ ܡܒܘܥܐ ܒܬܪܥܝܬ
ܒܪܟܢܐ ܕܡܬܦܫܛ ܠܗ̇ ܡܕܡ ܕܡܒܠܬ ܫ̇ܦܝܢܐ. ܡܐܢܐ ܕܝܢ
ܕܒܠܗܘܢ ܕܡܒܘܥܐ ܡܬܬܪ̈ܝܢ ܐܝܬܝܗܘܢ ܦܝܪ̈ܐ. ܘܠܫܡܝܐ ܗܘܬ
ܕܢܐܡܪ ܕܒܠ ܡܒܘܥܐ ܡܐܢܐ ܐܬܬܒܪ. | ܡܛܠ ܕܒܐܬܪܐ 176ra
ܕܒܢܝܢܐ ܕܬܬܢܝܚܐ ܡܫܬܡܥܐ. ܗܫܐ ܚܘܫ̈ܒܐ ܡܬܠܝ. ܘܫܦܝܪ
ܐܡ̣ܪ ܕܐܦ ܡܐܢܐ ܐܬܬܒܪ. ܒܬܪܗ ܓܝܪ ܕܡܐܢܐ. ܐܦ

96 ܒܕܠܐ] ܒܕ ܠܐ *F*.
97 ܘܬܬܠܐ *E*.
98 ܘܬܬܒܪܝ *F*.
100 ܒܠܡܕܡ *F* ܕܡܒܠ ܡܦܝܢܐ *D*.
101 ܕܡܒܘܥܐ > *D* ܘܠܫܡܝܐ ܗܘܬ] ܘܠܫܡܝܐܬ *E*.
102 ܕܢܐܡܪ] ܡܬܐܡܪ *E* ܒܠ *FDC* ܢܬܬܒܪ *FDCB* ܡܬܬܒܪ *E*.
103 ܕܒܢܝܢܐ + ܡܫܬܡܥܐ *FDC* ܡܫܬܡܥܐ > *FC*]ܡܫܬܡܥܐ + ܡܫܬܡܥܐ *B* ܚܘܫ̈ܒܐ] ܚܘܫܒܐ *C*.
104 ܕܐܦ] ܚܠܦ *F* ܡܬܬܒܪ *E* ܢܬܬܒܪ *F* ܒܬܪܗ] ܒܬܪܗ *D*.

96 DS XII 87 ܬܪܥܝܢ]ܪܥܝܢ
97 DS XII 87 ܢܝܚܘܬܗ ܘܫܘܦܪܗ]ܫܘܦܪܗ

ܢܦܫܬܗ ܕܡܡܠܠܐ ܒܓܠܠܐ ܗܝ. ܘܬܬܪܗܛ ܓܠܓܠܐ ܥܠ ܒܐܪܐ. ܘܡܦܪܢ ܐܦ ܗܪܟܐ ܐܡܪ ܓܠܓܠܐ: ܗ̇ܝ ܕܒܥܝܢ ܡܬܗܦܟܐ ܠܡܣܩܘ. ܘܒܥܝܢ ܬܘܒ ܡܬܗܦܟܐ ܠܡܚܬ. ܒܐܪܐ ܕܝܢ ܠܚܒܠ ܦ̈ܪܐ. ܗ̇ܝ ܕܠܗ̇ ܒܕܡܘܬ ܓܘܒܐ ܬܚܬܝܐ ܢܚܬܝܢ ܒܢ̈ܝ ܐܢܫܐ. ܐܝܟ ܐܡܬܝ ܕܓܠܓܠܐ ܥܠ ܒܐܪܐ ܡܬܚܣܝܐ. ܠܘ ܡܫܬܐ ܒܠܚܘܕ ܢ̈ܦܠܝܢ: ܐܝܟ ܐܦ ܗܕܪܐ ܕܡܫܘܬܐ.

12, 7 ܘܢܗܦܘܟ ܥܦܪܐ ܠܐܪܥܐ ܐܝܟ ܕܗܘ̣ܐ. ܘܪܘܚܐ ܬܗܦܘܟ ܠܘܬ ܡܪܝܐ ܕܝܗܒܗ̇. ܘܢܬܡܠܐ ܠܗ ܓܪ ܕܝ̇ܠܗ ܡܕܡܝܐ ܕܟܠ ܚܒܠܝ. ܗ̇ܘ ܕܐܡܪ ܥܦܪܐ ܐܢܬ ܘܠܥܦܪܐ ܬܗܦܘܟ: ܪܘܚܐ ܕܝܢ ܠܐ ܗܘܐ ܡܒܠܝܐ.

105 ܢܦܫܬܐ F ܒܓܠܠܐ E.
106 ܘܬܬܪܗܛ FE ܒܐܪܐ] ܒܪܐ C ܒܝܪܐ D.
107 ܡܦܪܢ E ܘܡܦܪܢ ܗܝ F ܗ̇ܝ ܕܒܥܝܢ] ܓܠܓܠܐ ܓܪ ܒܥܝܢ E.
108 ܠܡܣܩܘ] ܠܡܚܬ D ܬܘܒ ܡܬܗܦܟܐ > E.
109 ܦܪܐ C ܦ̈ܪܐ] ܡܦ̈ܪܗ E ܬܚܬܝܐ > FDCB.
110 ܒܝ̈ܪܐ D.
111 ܡܬܚܬܝܐ ܗܘ DCB ܢ̈ܦܠܝܢ] ܢܦܠ C ܬܚܝܢ F ܗܕܪܐ] ܗܒܠܐ F > E.
112 ܡܫܘܬܐ E.
113 ܢܗܦܘܟ E.
114 ܬܗܦܘܟܝܢ E ܕܢܗܒܗ E.
115 ܕܢܬܡܠܐ FDC ܡܕܡܝܐ > D.
116 ܠܐ] ܠܘ F.

115 - 116 Gen 3, 19.

ܐܠܐ ܬܬܦܩܘܢ ܠܘܬ ܡܪܝܐ ܕܢܡܘܣܗ̇: ܗ̇ܘ ܕܠܘܬ ܡܪܝܐ ܫܠܦ
ܗ̇ܘ ܕܢܗܘܪ ܕܠܐܝܒܐ ܕܐܠܗܐ ܡܦܩ. ܡܛܠ ܕܡܬܐܬܝܐ
I ܘܡܬܐܠܨܬܐ ܕܢܟܫܐ. ܬܪܬܝܢܘܢ ܒܥܝܢ ܐܢܝܢ ܡܢ ܒܢ̈ܝܢܫܐ. 176rb
ܡܢ ܒܬܪ ܕܐܫܬܒܪ ܗܕܐ ܚܪܬܐ ܕܚܝܠܬܐ ܕܚܘܒܠܗ ܕܒܝܢܝ:
ܫܪܝܐ ܕܗܕܡ̈ܐ: ܘܚܘܒܠܐ ܕܒܣ̈ܪܬܐ: ܫܘܦܪܐ ܕܒܝܬܘܗܝ: ܚܝܠܐ
ܕܐܬܡܟܝܢ: ܐܝܕܒܬܐ ܕܐܬܟ̈ܬܠܬ: ܒܢܝܐ ܕܐܫܬܬܩܘ: ܦܪ̈ܘܩܐ
ܕܐܘܦܝܘ: ܐܪ̈ܝܟܬܐ ܕܒ̈ܙܪ: ܢܫ̈ܐ ܕܐܬܛܠܠܘ ܐܝܟ ܠܡܝܐ:
ܡܠܝܠܘܬܐ ܕܐܬܦܪܢܬ ܒܦܪ̈ܢܐ ܕܫ̈ܪܝܢ: ܢܝܚܘܬܐ ܕܐܫܬܪܝܬ ܡܢ
ܡܘܬܐ: ܒܢܝܢܐ ܕܐܬܦܬܪ ܒܕܡܐ ܠܫܬܐܣ̈ܘܗܝ: ܐܢܝܢܐ ܪ̈ܝܫܐ
ܕܐܬܒܕܪ ܡܢ ܐܪܒܥ ܕܢ̈ܝܢܐ: ܡܫܚܐ ܕܐܬܗܦܟ ܠܡܪ̈ܐܐ: ܦܐܪܐ
ܕܐܬܩܛܦ ܡܢ ܐܝ̈ܠܢܝ ܡܘܬܐ: ܗܝܟܠܐ ܕܐܬܒܙܪ ܒܡܒܙ̈ܪܬܐ
ܕܫܘܠ: ܒܦܐ ܕܐܬܚܝܕܬ ܠܬܘܠܒܐ ܘܠܡܬܪܬܐ: ܙܪܥܐ ܫ̇ܢܝܐ
ܕܐܫܬܕܝ ܒܚܩܠܐ ܕܥܒܠܐ. ܗܕܝܪܐ ܘܢܘܗܪܐ ܕܐܫܬܕܝ ܠܒܝܬ
ܚܫܘܟܐ: ܡܫܝܚܐ ܕܒܠܥܐ ܕܐܫܬܕܝ ܠܗܝܢܐ ܘܠܙܕܝܩܐ: ܡܒܝܢܐ

117 ܬܬܦܩܘܢ *FE* ܗ̇ܘ - 118 ܕܠܐܝܒܐ] ܐܝܟ ܐܒܐ ܢܗܘܪ ܠܐܝܒܐ *E*.
118 ܕܢܗܘܪ] ܕܡܬܢܗܘܪ *F* ܡܦܩ + ܠܗ *E* ܕܡܛܠ *D*.
121 ܫܪܝܐ - 135 ܐܡܪ < *B*.
122 ܐܝܕܒܬܐ *F* ܕܐܬܟܬܠܬ] ܕܐܫܬܟܠܬ *FC* ܕܐܬܟܠܬ *D* ܦܪ̈ܘܩܐ *C*.
123 ܕܒ̈ܙܪ *F*.
124 ܒܦܪ̈ܢܐ] ܒܦܪ̈ܢܐ *FDC* ܕܫ̈ܪܝܢ] ܕܐܫܬܪܝܘ *F* ܕܐܫܬܪܝܬ] ܕܐܫܬܪܝܬ *F*.
125 ܠܫ̈ܬܐܣܘܗܝ *F*.
130 ܡܒܝܢܐ *FDC*.

176va ܕܐܘܬܬܪ: | ܠܝܘܒܐ ܕܐܬܒܢܪ: ܡܠܝܠ ܬ̈ܓܠܐ ܕܐܬܒܪܘܠ
ܒܡܢܝܕܬܗ ܕܡܘܬܐ: ܐܝܠܐ ܓܕܝܠ ܡ̈ܢܝܬܐ ܕܐܬܒܠܒ ܡܢ ܬܝܢܝܐ:
ܫ݁ܠܝܚܐ ܕܝܘܡܐ ܕܒܠܒܬܗ ܓܡܪܬܐ: ܪܓܫܬܐ ܕܝܘܡܐ ܘܕܒܫܐ ܕܗܘܼܐ
ܕܠܐ ܪܓܫܬܐ: ܠܝܘܡܐ ܗܘܬ ܕܒܬܪ ܬܫܒܘܚܬܐ ܕܐܝܟ ܗܕܐ:
ܗܒܠܐ ܢܐܡܪ ܗܘܐ: ܐܝܟ ܕܐܦ ܐܡܪ.

12, 8 ܗܒܠ ܗ̈ܒܠܝܢ ܐ̇ܡܪ ܩܘܗܠܬ. ܗܒܠ ܗ̈ܒܠܝܢ ܟܠܡܕܡ
ܗܒܠܐ.

ܬܠܬ ܙܒܢ̈ܝܢ ܒܗ ܗܘܪܒܐ ܡܠܬܗ. ܒܕ ܐ̇ܡܪ ܗܒܠܐ ܡܢ ܚܫܐ
ܦܝܐܐ. ܠܝ ܕܝܢ ܡܬܚܙܝܐ ܠܝ. ܕܗܘܪܒܐ ܫ̇ܠܡ ܡܠܬܗ
ܚܟܝܡܐ ܥܠܝܗܘܢ. ܘܫܘܠܡܐ ܒܓܒ ܕܗܘ̇ܐ ܠܫܘܪܝܗ: ܥܡܠ ܕܝܢ
ܗܘܪܒܐ ܕܝܘܡܐ. ܕܡܢ ܐܢܕܐ ܒܠܬܐ ܐܫܬܟܚ ܚܟܝܡܐ. ܒܕ
ܐ̇ܡܪ.

12, 9 ܝܬܝܪ ܕܗܘܼܐ ܩܘܗܠܬ ܚܟܝܡܐ ܘܡܠܦ ܗܘܐ ܐܝܕܥܬܐ.

133 ܕܝܡܐ > *FD*.
134 ܘܒܬܪ *DC* ܕܕܐܝܟ *DC*.
135 ܐܡܪ] ܐܝܬܝ, ܘܐܡܪ *B*.
137 ܗܒܠܐ - 159 ܡܠܬ̈ܐ > *B* ܗܒܠܐ + ܥܠܡ ܦܘܫܩܐ
ܕܦܘܫܩܐ ܕܡܢ ܩܘܗܠܬ *C* + ܠܝܬ ܓܝܪ ܡܕܡ ܕܡܒܬܪ
ܠܗܢܐ. ܐܠܐ ܐܠܗܐ ܒܠܚܘܕ. ܕܠܗ ܫܘܒܚܐ ܠܥܠܡܥܠܡܝܢ
ܐܡܝܢ. ܐܫܬܠܡ ܒܬܒܐ ܗܢܐ ܡܠܐ ܢܘܬ̈ܪܝܐ ܘܦܫܝܩܬܐ ܕܝ̈ܢܐ
ܒܠ ܐܢ̈ܕ, ܡܢܝܠܐ ܘܦܠܓܐ ܢܘܣܝ ܬܘܡܒܐ: ܒܬܒܗ ܕܝܢ
ܠܡܘܬܪܢܐ ܕܒܢܝܘܗ, ܐܡܝܢ ܕܢܬܗܢܘܢ ܒܗ ܘܢܐܠܦܘܢ
ܘܢܬܪ̈ܕܘܢ ܠܐܘܪܚܐ ܕܡܫܝܚܐ ܠܡܠܟܘܬܐ ܕܫܡܝܐ ܡܪܝܐ ܢܥܒܠܐ
ܒܥܘܡܗܘܢ ܒܟܠ ܓ̈ܒܝܬܐ ܡܢ ܠ̈ܘܬܗ ܕܝܠܕܬ ܐܠܗܐ ܘܕܒܠܗܘܢ ܡܕܢܚܐ
ܐܡܝܢ *F*.

ܢܛܪܬ ܠܗ ܕܐܬܡܟܪܬܗ ܚܒܝܒܐ. ܟܠ ܕܗܘܬ ܠܝ ܒܬܘܠܘܬܐ ܟܠ ܡܠܦܢܘܬܐ ܕܫܡ̈ܝܢܝܐ. ܘܒܡܠܐ ܕܐܝܟ ܗܢܐ ܡܒܠܬ ܒܠܝ: ܡܛܠ ܢܘܗܪܐ ܕܐܚܪ̈ܝܐ. ܠܐ | ܗܘܐ ܕܝܢ ܒܗ ܫܩܠ ܐܢܐ. 176vb ܕܪܟܐ ܕܡܠܦܢܘܬܐ ܕܠܐ ܡܢܐ ܐܢܐ.

ܬ̈ܬܝ ܚܙܝ ܘܟܬܘܒ ܘܐܬܬܢܝܬ ܡ̈ܠܬܐ ܫܡ̈ܝܢܝܐ.

ܬܝ ܠܗ ܘܟܬܘܒ ܘܐܬܬܢܐ ܡ̈ܠܬܐ ܫܡ̈ܝܢܝܐ. ܗܘܬ ܠܝ ܠܗ ܒܬܘܠܘܬܐ ܠܡܕܒܪ ܚܝܠܐ ܕܦܬܓܡ̈ܐ ܕܐܚܪ̈ܝܐ. ܫ̇ܠܘܢ ܕܐܝܟ ܕܒܢܘܗܪܐ ܒܝܕ ܡܠܬܗܘܢ ܠܩܕܡܐ ܐܘܪܚܐ ܕܐܠܗܘܬܐ ܡܣܦܩ ܗܘܘ. ܘܐܦ ܐܢܐ ܐܝܟ ܒܗܢܐ ܕܐܬܡܚܝܬ ܐܬܚܝܠܬ ܠܡܕܒܪ ܘܠܫܠܡܐ ܠܐܚܪ̈ܝܐ.

12, 10 ܫ̇ܦܝܪ ܒܙܒܢܗ ܡܘܗܒܬ ܠܡܫܡܫܘ ܦܬܓܡ̈ܐ ܕܓܒܝܢܐ. ܒܬܘܠܘܬܐ ܠܗ ܫܡܝܥܬܐ ܗܘܬ ܠܝ. ܕܐܝܟܢܐ ܐܫܡܥ ܦܬܓܡ̈ܐ ܕܡܠܝܢ ܒܘܕܪܢܐ ܠܫ̈ܘܒܚܝܗܘܢ.

ܘܒܬܪ ܒܡܘܫܚܬܐ ܦܬܓܡ̈ܝ ܡܘܫܚܬܐ.

ܘܟ̇ܬܒܬ ܡܠܝܐܝܬ ܗ̇ܘ ܡܕܡ ܕܒܫܪܪܐ ܐܫܡܥܬܗ ܕܡܕܒܪ.

12, 11 ܟ̈ܠܝ ܣܒ̈ܝܪܬܐ ܐܝܟ ܙܘ̈ܕܬܐ.

ܢܩܒ ܐܢܐ ܕܝܢ °ܕܡ̈ܠܐ ˣܕܡܟܣܢܘܬܐ ܕܡܠܝ ܐܘ ܡܢ ܐܚܪ̈ܝܐˣ ܐܬܐܡܪ: ܠܐܝܠܝܢ ܕܒܐܪ̈ܝܢܝܬܗܘܢ ܗܟܢܐܝܬ ܡܬܕܒܪܝܢ: ܐܝܟ ܡܣ̈ܘܬܐ ܘܐܝܟ ܙܘ̈ܕܬܐ ˣܡܬܚܫ̈ܒܝܢ°ˣ ܘܢܩܒ ܐܢܐ ܕܝܢ ܗܠܝܢ | ܬܪܝܢܬܐ ܗܝ ܡܠܦܢܘܬܐ. ܒܕܠܐ ܡܕܡ ܠܡܦܠܓܘ ܢܠܦܢܐ. 177ra

159 ܘܬܘܒ ܡܠ̈ܝ B.

160 ܡ̈ܠܐ B.

162 ܘܢܩܒ - ܗܠܝܢ < B.

ܘܐܝܟ ܣܟܐ ܕܡܟܬܒܢ. ܡܪ̈ܝ ܐܩܒܠܬܐ.
ܐܝܟ ܣܟ̈ܐ ܚܢܢ ܕܡܟܬܒܢ. ܗܟܢܐ °*ܡܫܪܪܝܢ ܒܡܠܐ* ܘܒܪܘܫܡܐ°.
ܐܠܐ ܒܪ ܡܢ ܗܟܢܐ ܢܕܥ ܐܢܐ ܕܕܠܐ ܦܐܪ̈ܐ ܐܝܬܝܗܘܢ
ܒܫܡܥܐ ܕܡܠܦܢܘܬܐ: ܠܐ ܗ̇ܘ ܡܕܡ ܕܐܬܬܚܝܒ ܠܝ ܡܢ ܐܠܗܐ
ܠܡܠܦܢܘܬܐ ܐܕܢܚܬܗ̇ ܡܕܡܝܢܗܘܢ. ܘܒܪ ܢܕܥ ܐܢܐ ܕܕܒ̈ܩܐ
ܣ̈ܠܦܐ ܐܝܬܝܗܘܢ: ܗ̇ܘ ܡܕܡ ܕܐܘܕܕܡ ܠܝ ܡܢ ܪܒܝܐ
ܕܫܪܪܐ: ܐܝܟ ܕܠܡܪ̈ܥܐ ܐܪܡܝܬܗ ܡܕܡܝܢܗܘܢ ܒܪ ܠܐ ܦܪܫܬ
ܗܢܐ ܡܢ ܗܢܐ. ܐܠܐ ܫܘܐܝܬ ܡܕܡ ܟܠܢܫ ܐܕܝܫܬ ܟ̈ܠܝ.
ܠܐ ܗܘܐ ܒܪ ܡܘܪܟ ܐܢܐ ܡܠܦܢܘܬܝ ܒܣܝܓܘܬܐ ܕܡܠܠܐ.
ܐܠܐ ܒܢܒܘ̈ܝܬܐ ܡܕܡ ܕܐܝܬܘܗܝ ܡܕܒܪܢܐ ܐ̈ܡܪܬ.
12, 12 ܝܬܝܪܐܝܬ ܒܪܝ ܐܙܕܗܪ ܠܡܥܒܕ ܦܬܓܡ̈ܐ ܣܓܝ̈ܐܐ.
ܘܦܩܕ ܠܗ ܐܙܕܗܪܬ ܡܢ ܣܓܝܐܘܬܐ ܕܡ̈ܠܐ: ܕܠܡܐ ܢܐܒܕ ܠܗ
ܒܡܕܪܫܐ ܕܒܡ̈ܠܐ ܡܣܬܟܠ ܗܘܐ ܒܐܪܒܥܬܐ ܕܦܬܓܡ̈ܐ. ܐܦ
ܠܐܢܫܐ ܕܒܥܐ ܠܡܥܒܕ ܡܢ | ܒܬܪ ܡܕܡ ܕܐܝܬܘܗܝ ܡܕܒܪܢܐ. 177rb
ܗܟܢܐ ܦ̇ܠܟ ܐܢܐ ܠܗ ܠܡܥܒܕ. ܡܛܠ
ܕܠܝܬ ܣܘܦ ܘܡܠܠܐ ܣܓܝܐܐ ܠܐܘܬܐ ܗܘ ܕܒܣܪܐ.
ܡܛܠ ܕܣܓܝ̈ܐܢ ܐܝܟ ܡܢ ܡܥܒܕܢܘܬܐ ܕܝܠܗ ܐܢܫܐ: ܗܠܝܢ
ܕܒܢ̈ܫܡܐ ܐܡܝܢܐܝܬ ܡܬܩ̈ܠܢ. ܘܐܢ ܠܚܡܐ ܕܠܒܠܗܘܢ ܙ̈ܩܐ
ܕܢܫ̈ܡܐ. ܕܗ̇ܘܝܢ ܒܝ ܢܬܬܒ: ܠܐܘܬܐ ܣܓܝܐܬܐ ܘܗܪܢܘܬܐ
ܠܐܢܫ. ܘܡܢ ܗܟܢܐ ܠܐܢܫܐ ܕܦܩܕ ܒܟܬܒܐ ܟܠܗܝܢ. ܘܡܛܠ
ܕܡܢܐ ܗܝ ܕܢܬܐܡܪ ܒܦܘܫܩܐ ܢܝܫܐ ܕܣܓܝ̈ܐܘܬܐ. ܐܡܪܬ
12, 13 ܐܚܪܝܬܗ ܕܦܬܓܡܐ ܒܟܠܗ.
ܗܐ ܠܟ ܒܐܚܪܝܬܐ ܕܦܬܓܡ̈ܐ ܣܟܐ ܕܟܠܗ̇ ܡܠܦܢܘܬܝ ܚ̇ܬܡ ܐܢܐ.
ܒܪ ܫ̇ܡܪ ܐܢܐ ܚܢܢ ܒܡܕܪܫܐ ܕܐܝܠܝܢ ܕܠܡܥܒܕ ܦ̇ܩܕ ܠܗ
ܟܘܠܠ ܠܗܘܢ: ܒܦܬܓܡܐ ܐܒܘ̈ܐ ܒܠܗ ܚܝܠܐ ܕܡܠܬܝ ܡܣܝܟ
ܐܢܐ. ܐܢܒܠܐ ܕܠܐ ܬܗܘܐ ܠܗܘܢ ܒܠܬܐ ܠܡܫܬܐܠܘ ܡܢ ܩ̈ܠܝ:

ܐܚܪܝܬ ܒܠ ܥܡܕ: ܡܢ ܒܠܥܘܗܝ ܠܡ ܗܕܐ ܩܠܝܠ ܐܝܟ
177va ܕܡܬܥܡܟܝܢ | ܐܢܕܐ ܕܐܦ ܐܝܬܝܗ̇ ܡܟܕܪܢܝܬܐ ܠܟ ܡܢ ܩ̈ܠܝܠ
ܣܓ̈ܝܐܬܐ.
ܡܢ ܡܕܡ ܡܪܝܐ ܕܝܠܗ. ܦܩܘܕܝܗܝ ܛܪܘ. ܡܛܠ ܕܗܘܝܘ:
ܕܡܢ ܐܘܡܢܐ ܚܕ ܐܬܝܗܒ ܟܠ ܐܢܫ.
ܗܒ ܠܡ ܠܐܠܗܐ ܕܝܠܗܬܐ. ܘܐܝܡܪܐ ܗ̇ܘ ܕܡܬܬܝܪܒ ܠܗ ܡܢ
ܟܠ. ܛܪܘ ܐܦ ܢܡ̈ܘܣܐ ܘܦ̈ܘܩܕܢܐ ܕܟܝܗ ܐܬܬܗܝܒܘ. ܡܛܠ
ܕܝܗܒ ܠܡܒܥܬܐ ܕܗ̇ܘܝܐ ܥܘܝܢܐ ܠܘܬ ܟܠܢ ܡܢܗ ܐܬܬܒܪܬ.
ܘܕܗ̇ ܡܕܡ ܕܥܘܝܢܐ ܘܫܘܠܛܢܐ ܡܢ ܟܠܢ ܢܛܝܪ.
ܠܐ ܒܝܕ ܩ̈ܠܝܠ ܐܠܐ ܒܝܕ ܣ̈ܓܝܐ.
12, 14 ܡܛܠ ܕܟܠ ܣ̈ܓܝܐ ܚ̇ܕ ܡܪܝܐ ܒܕܝܢܐ. ܟܠ ܟܠ
ܕܒܗܐ ܘܟܠ ܟܠ ܕܝܠܗ. ܐܢ ܕܛܒ ܘܐܢ ܕܒܝܫ.
ܡܛܠ ܕܠܒܘܪܝܐ ܠܡ ܣܘܬܝܐ ܕܕܝܢܗ ܠܐܢ̈ܫܝܢ ܒܠܒܗܘܢ
ܫܒ̈ܝܢܝܢ: ܘܗܒܠܐ ܦܘܪܥܢܐ ܢܗܒ ܠܘܡܒܠ ܫܒ̈ܝܢܐ ܐܢ
ܛ̈ܒܐ ܘܐܢ ܒܝ̈ܫܐ. ܒܕ ܠܐ ܡܨܝܐ ܕܡܕܡ ܠܡܛܒܐ ܐܘ
ܠܡܣܒܐ ܡܢ ܡܕܡܘܗܝ. ܒܫ̈ܠܝܢ ܚܝܪ ܘܒܠ̈ܝܢ ܕܐܠܗ. ܒܒ̈ܝܫ
ܐܠܝܫܐ: ܐܝܟ ܢܗܘܪܐ ܦ̈ܪܝܫ ܘܕܒܝ̈ܫܝܢ ܡܕܡܗܘܢ. ܘܠܐ
| ܡܨܝܐ ܕܡܕܡ ܠܡܛܒܐ ܐܘ ܠܒܪܢܫܘܗܝ: ܗ̇ܝ ܕܝܠܗ ܘܗ̇ܝ 177vb
ܕܒܗܐ. ܟܠ ܣ̈ܓܝܐ ܘܫܘ̈ܥܒܕܐ ܕܒܥܒܐ ܢܗܪ. ܠܐ ܠܡ ܒܠܚܘܕ

200 ܡܛܠ 214 ܐܡܝܢ *E*.
204 ܐܘ ܠܡܣܒܐ] ܘܠܡܣܒܐ *E*.
208 ܠܐ + ܗܘܐ *E*.

198 DS XII 168 ܠܐܝܢܘ] ܠܝܬܝܗܘܢ

ܡܘܕ̈ܝܢ ܚܢܢ: ܐܠܐ ܐܦ ܙܕܩܐ ܘܫ̈ܦܝܪܐ ܕܟܠܢܫ ܚܕ ܡܢ. ܗܠܝܢ ܡܟܝܠ ܕܠܟܘܪܗܢܐ ܕܐܝܟ ܗܘܐ ܠܒ̈ܢܝܢ: ܢܕܟܘܢ ܠܢܦܫܗܘܢ ܡܢ ܟܘܠܗܝܢ ܟܬ̈ܡܬܐ. ܕܠܐ ܬܬܕܝܢ ܡܢ ܕܬܘܒܐ ܐܝܟܢ ܒܝܘܡܗ ܕܕ̇ܝܢܐ: ܘܢܬܦܠܛܘܢ ܡܢ ܗܘ̇ ܫܘܢܩܐ ܫܪܝܪܐ: ܘܢܝܬܐ ܗܝܡܢܘܬ ܦܓ̈ܪܐ ܕܐܠܗܐ ܡܫܝܚܐ. ܕܠܗ ܫܘܒܚܐ ܠܥܠܡܝܢ ܐܡܝܢ ܀

210 ܠܟܘܪܗܢܐ *E*.

211 ܒܘܠܗܝܢ] ܒܠ *E* ܒܬ̈ܡܬܐ *E* ܬܬܕܝܢܝ *E*.

214 ܠܥܠܡܝܢ] ܠܥܠܡܥܠܡܝܢ *E* ܐܡܝܢ + ܫܠܡ ܦܘܫܩܐ ܕܩܘܗܠܬ ܕܒܪܟܐ ܠܡܕܪܫܐ ܘܪܘܡ ܐܠܗܐ ܡܪܝ ܡܫܝܚܐ ܐܡܝܢ ܠܗܬ ܬܐܘܕܝܬܐ ܦܬܟܪܐ *B*.

WÖRTERVERZEICHNIS

Die römischen Zahlen bezeichnen die Kapitel des Koheletbuches und die arabischen die Zeilen der Edition. A ist das Zeichen für den ersten Brief. Durch die Gliederung nach Kapiteln soll der Vergleich mit anderen Koheletkommentaren erleichtert werden. Die alphabetische Ordnung folgt dem Lexicon Syriacum von C. Brockelmann (Halle 1928 Neudruck Hildesheim 1982). Die beiden syrischen Übersetzungen des Koheletbuches sind zusammengestellt in dem Buch: W. Strothmann, Konkordanz des syrischen Koheletbuches nach der Peshitta und Syrohexapla. GOF I 4, 1973.

I 51	ܐܐܪ
III 177 V 333 334 VII 237	ܐܒܐ
A 171 IV 100	ܐܒܗ̈ܐ
III 53 227 IV 78 169 V 314 VII 87 95 278 310 VIII 239 IX 119 XII 175	ܐܒ݂ܕ
III 50 318 V 318 VI 58 VII 82 92 93 153 177 IX 122 412	ܐܘܒܕ
V 345 IX 364	ܐܒܕܢܐ
VI 169 VII 60	ܐܒܠܐ

133 136 153 V 29 114 141 171 174 177
187 193 201 220 224 228 281 288 290
322 416 VI 16 27 33 39 76 115 147 VII
37 37 181 191 196 254 291 494 496 526
VIII 181 184 204 253 IX 66 165 186 X 84
84 129 182 230 XI 28 61 XII 146 150 153
160

ܐܚܪܝܐ I 105 108 III 15 IV 233 V 405 VI 230
VII 424 IX 234 XII 185

ܐܚܪܝܬܐ XII 185 186 190

ܐܚܪܢܐ I 7 76 III 57 58 62 V 227 X 189

ܐܚܪܢܐܝܬ II 220 220

ܐܫܬܚܪ IX 101

ܐܫܬܘܚܪ V 82

ܐܝܠܐ IX 414 XII 132

ܐܝܠܢܐ II 54 57 63 64 66 III 21 257 IV 99 XII 71
72 125

ܐܟܠ II 290 292 308 III 140 V 272 346 355 375
VI 49 55 VIII 190 IX 130 X 173 185

ܐܟܘܠܐ V 254 255

ܡܐܟܘܠܬܐ V 276 VII 468

ܡܐܟܠܐ VII 27 VIII 192

ܐܘܟܠܐ VII 31

ܐܟܦ VII 378

ܐܟܝܦܘܬܐ II 196

ܐܟܪܐ XI 50 53

ܐܠܗܐ A 185 194 206 II 86 89 221 230 232 299
III 26 115 148 155 156 180 183 204 205
226 229 232 233 266 269 273 IV 12 43 50
240 240 241 V 1 3 6 7 12 13 17 23 29 42
43 44 56 77 82 85 87 88 91 95 96 97 101
102 103 107 110 113 114 119 121 130 133
136 143 143 145 146 148 157 163 167 168
170 287 299 358 359 377 380 386 390 391

133 158 196 204 222 289 292 III 98 152
154 179 186 203 228 IV 82 118 123 127
157 181 189 V 81 84 130 159 164 216 234
351 398 417 VI 7 15 67 69 76 78 103 138
145 157 181 182 203 208 212 225 243 VII 2
22 45 128 140 141 159 166 231 304 305 309
327 331 348 368 385 411 432 445 478 515
VIII 34 62 91 105 109 192 194 235 240 249
IX 30 67 129 148 164 177 178 179 187 198
199 227 228 229 235 243 261 285 318 320
322 336 337 377 392 400 X 75 166 168 171
183 234 XI 7 14 42 66 88 123 XII 4 17 96
102 104 107 118 135 135 136 138 142 173
208

ܐܬܐܡܪ I 4 IV 11 120 191 V 37 XII 12 161 184

ܡܐܡܪܐ A 1 221

ܐܡܪܐ XII 170

ܐܢܦܐ III 90 96 V 36 IX 298 301 X 25

ܐܢܫ A 78 91 112 117 190 I 177 II 55 119 162
168 282 283 295 297 III 140 142 153 156
303 331 339 IV 59 186 209 V 35 180 208
377 VI 180 240 VII 283 312 399 401 402
484 VIII 92 103 171 237 IX 17 97 175
225 239 281 287 327 392 393 394 X 55
171 X 112

ܐܢܫ ܐܢܫ I 183 II 87 VII 481 IX 288

ܐܢܫܐ A 60 II 275 300 VI 124 VII 394 507 508
517 518 VIII 11 IX 342

ܐܢܫܝܐ A 106 111 112 I 48 154 IV 26 212 219
V 139 195 VI 15 195 VII 54 VIII 235
IX 96 129 162 276 279 295 XI 25 116 XI
25 116 XII 60 180

ܐܢܬܬܐ V 311 312 316 350 VII 457 458 510 IX
158 160 163 164 167 176 178 227 228 232

IX 200 241	ܐܢܬܬ ܛܠܝܘܬܐ
III 24 VIII 89 95 IX 88	ܐܣܝ
V 229 X 44	ܐܬܐܣܝ
III 88 VI 120 VII 86 123 X 42 43 107	ܐܣܝܘܬܐ
X 195	ܐܣܛܘܬܐ
X 208	ܐܣܛܐܝܬ
VII 238	ܐܣܛܘܟܣܐ
A 16 56 212 III 102 IV 91 VII 301 477	ܐܣܟܡܐ
IX 242 324 XII 19	
XII 164	ܐܣܟܘܦܬܐ ܐܣ̈ܟܘܦܬܐ
IX 169	ܐܣܠܐ
A 104 IV 56 III 42 VII 473 VIII 236 IX	ܐܣܪ
170 X 105 XII 93	
III 57 59	ܐܬܐܣܪ
III 58 VI 117	ܐܣܘܪܐ
IV 205	ܐܣܝܪܐ
III 268 VII 46 55 VIII 21 21 X 91	ܐܦܐ ܐܦ̈ܐ
II 149 169 294 III 223 VII 112 XI 1	ܠܒ ܐܦ̈ܝ
IV 211	ܐܪܓܘܢܐ
XII 47	ܐܘܪܓܢܘܢ
I 150 160 164 II 8 III 90 324 IV 126	ܐܘܪܚܐ
V 227 366 413 415 VI 6 9 11 15 VII 34	
261 VIII 233 IX 196 255 341 X 20 21	
133 134 XI 63 65 81 82 130 XII 63 65 151	
IX 97	ܐܪܝܐ
X 127 XII 172	ܐܘܪܝ
XII 176	ܐܪܝܟܘܬܐ
II 5 VIII 84	ܐܪܝܟܐ
VII 168	ܐܪܟ
I 45 47 51 II 59 152 III 10 11 23 252	ܐܪܥܐ
256 257 V 206 207 VI 226 VII 218 227	
399 VIII 170 210 X 65 XI 17 20 24 25	
36 39 40 51 XII 113 126	
V 229	ܐܫܬܐ ܐܫ̈ܬܘܬܐ

ܐܫܕ II 143 XI 26

ܐܬܐܫܕ V 267 XI 21

ܐܬܐ ܐܬܐܘ̈ܬܐ V 21 VI 145 VII 481 IX 251 376 XII 70

ܐܬܐ A 123 142 154 I 36 37 42 103 II 8 223 253 III 26 49 90 91 92 94 148 189 IV 20 26 27 114 152 158 220 223 234 V 65 67 94 98 108 119 227 325 340 VI 78 87 VII 96 155 156 275 291 VIII 106 IX 195 234 247 266 279 312 353 XI 30 XII 4 6 26 28

ܐܬܝ A 28 66 84 106 197 I 76 II 50 135 III 44 322 V 13 125 303 VI 79 109 VII 125 359 394 VIII 90 117 IX 39 130 143 193 232 253 381 X 153 156 159 196 198 XI 119 131

ܐܬܬܝ III 185

ܡܐܬܝܬܐ V 342 VIII 167 168 IX 350 XII 118

ܐܬܪܐ A 143 145 152 154 I 52 66 69 II 58 151 III 3 4 190 198 199 253 V 57 59 203 VI 110 112 160 VII 261 VIII 79 121 123 124 182 184 IX 25 91 259 296 301 304 307 371 X 30 41 110 XI 32 34 37 XII 38 102 109

ܒܐܪܐ XII 106 110

ܒܐܫ III 181 194 195 200 212 VII 111

ܡܒܐܫܘܬܐ III 234

ܒܝܫܐ ܒܝܫܬܐ A 193 194 196 201 I 138 152 II 236 274 287 III 121 188 328 IV 35 124 151 V 31 296 314 317 332 340 VI 45 91 92 129 VII 149 187 245 252 253 269 272 513 VIII 44 65 127 134 155 IX 347 352 370 X 120 193 XII 204

ܒܝ̈ܫܐ III 221 IV 50 51

367 VI 51 53 97 IX 140 140 202 242

ܒܘܣܡܐ II 245 319 IV 102 250 266 289 335 VI 96 155 VII 28 VIII 81 196 230 IX 143 200 X 206 XI 106

ܒܣܝܡܘܬܐ II 11 100 VIII 82

ܡܒܣܡܢܐ II 67 X 2

ܒܣܪ III 298 IV 123 V 27 244

ܒܣܪ IV 25 V 240 IX 394

ܒܣܪܐ II 16 III 254 IV 69 V 125 XI 137 140 141 XII 179

ܒܥܐ I 70 74 115 II 13 166 III 50 181 V 203 227 VI 127 214 VII 439 449 455 501 519 VIII 254 IX 3 X 151 154 XII 154

ܐܬܒܥܝ I 124 V 196 VI 126 IX 64 136 306 308 309

ܒܥܬܐ A 208 I 75 84 118 119 126 126 204 II 32 212 III 54 64 65 VII 447 VIII 248 256

ܒܥܠܐ IX 169 173

ܒܥܠܕܒܒܐ V 163 VII 9 121 165 177 VIII 208 X 153

ܒܥܠܕܒܒܘܬܐ VIII 207 XI 137

ܒܥܝܪܐ III 229 260

ܒܨܐ I 121 182 II 164 III 302 VII 307 452 489 IX 5

ܒܨܬܐ A 105 I 150 VII 430

ܒܨܪ III 110 162 164 VII 117

ܐܬܒܨܪ IV 171

ܒܨܝܪܘܬܐ A 78 IV 16

ܒܨܝܪܐ II 119 III 182 235 IV 12 208 245 V 269 VI 232 VIII 6 7 227

ܐܬܒܣܡ I 15 140 143 155 II 139 186 190 283 III 268 IV 3 12 V 217 VI 152 178 VII 25 VIII 149 237 IX 329

453 456 461 VIII 4 78 176 IX 16 21
55 65 71 73 126 223 251 254 280 297
300 344 347 383 X 126 207 XI 108

ܒܪܐ IX 37 41 42 51 X 199

ܐܬܒܪܝ I 44 63 V 176 280 IX 11

ܒܪܘܝܐ III 85 VII 443 IX 10 301 XI 150 151
XII 1

ܒܪܝܬܐ A 49 I 151 VII 529 IX 52

ܒܟܠ ܒܪ̈ܝܢ VIII 244

ܓܐܪܐ V 224

ܓܘܒܐ XII 109

ܓܒܐ A 130 III 280 290 IV 192 VII 262
IX 14 18

ܓܒܝܬܐ III 218 VII 222 260

ܓܒܠ VI 204 204

ܓܒܝܠܬܐ VI 203 VII 215 244

ܓܒܪܐ I 72 II 116 171 238 269 290 305
IV 130 V 164 VI 32 55 64 VII 144 192
342 VIII 21 41 IX 133 167 267 289 384
393

ܓܒܪܘܬܐ IX 400 402

ܓܠܓܠܐ XII 106 107 110

ܓܕܠ XII 132

ܓܘܕܦܐ V 303

ܓܕܫ A 101 I 198 II 199 205 232 275 III 31
IV 142 151 163 163 211 231 232 V 301
315 322 VI 179 190 239 VII 119 156 276
281 312 402 414 VIII 91 IX 69 99 100
191 313 338 X 4 7 51 XI 27 73

ܓܕܫܐ I 102 II 198 199 204 273 III 80 202
238 238 238 IV 198 235 VII 319 VIII 58
180 IX 33 69 338 X 71

ܐܠܗܝ VII 150

II 151 ܦܘܠܐ
III 93 ܦܘܡܐ
V 227 ܦܘ
VI 186 ܦܘܪܐ
IV 97 99 ܦܪܙ
IV 67 71 ܦܘܪܠ
VII 433 ܦܚܡ
VII 419 IX 87 ܦܚܪ
III 160 163 VII 486 ܐܬܦܚܪ
II 154 ܦܚܪܬܐ
VIII 123 IX 40 XII 115 ܦܚܪ ܗ ܚܠܐ
III 30 IV 25 ܦܛܪ
II 9 III 32 VII 46 77 ܦܘܣܚܐ
IX 361 ܦܪܣܐ
II 128 ܦܠܠܐ
A 74 80 V 38 388 IX 242 X 125 201 ܦܠܓܐ
A 104 126 I 27 III 12 IV 6 V 148 VI 5
VII 261 495 VIII 185 X 225 ܐܬܦܠܓ
A 75 102 I 135 163 II 215 219 III 137
IV 102 154 V 13 27 385 VII 482 485
IX 63 239 342 X 26 51 XII 201 205 207 ܦܠܚܐ
V 102 VI 11 VII 496 ܦܠܚܐ ܚܬ
III 270 ܦܠܠܚܐ
V 23 ܡܦܠܚܐ ܐܩ̈ܐ
A 33 49 71 123 I 200 III 45 IV 17 102
V 14 246 VI 47 58 105 122 VII 504
VIII 200 IX 112 385 X 93 106 205 XII 63
183 ܦܠܓ
III 146 IV 31 222 V 279 336 337 VI 97
103 VIII 223 231 IX 82 126 137 331
X 208 XI 55 XII 68 212 ܐܬܦܠܓ
VI 91 92 92 136 VIII 163 IX 357 X 38
76 XI 148 ܦܘܡܟܐ
III 44 138 299 VII 147 VIII 99 215 223 ܦܣܪ

XI 131 XII 7 123
A 119 I 159 160 X 18 ܐܬܦܩܪ
A 43 I 8 161 II 17 IV 167 174 VI 11 ܦܩܪܐܝܬ
VII 523 VIII 177 240 IX 88 XI 101
I 47 III 68 IV 140 V 45 VII 354 IX 126 ܦܩܪ
II 52 ܦܠܛܐ ܦܬ̈ܪܐ
III 282 ܐܬܦܪܢܣ
A 162 163 IV 188 IX 3 XI 135 ܦܐܪܐ
I 18 166 II 127 135 173 IV 66 99 103 ܡܢ ܟܠ ܦܢܝ̈ܢ
V 152 154 156 V 267 320 VI 35 VII 17
89 203 X 214
A 73 VI 181 VII 360 ܦܫܩ
III 314 VI 148 182 183 VII 237 VIII 115 ܐܬܦܫܩ
XI 106
VII 289 X 36 ܦܫܩܐ
VI 183 ܦܫܩܘܬܐ
VIII 101 ܦܫܝܩܐ
I 56 57 67 II 54 64 IV 46 VII 230 232 ܦܫܝܩܐ
233
V 153 154 ܦܬܝܐ
X 55 ܐܦܬܝ
V 25 380 ܐܬܦܬܝ
IV 198 ܦܘܬܠܐ
II 246 XII 211 ܦܬܚ
VI 241 X 40 ܦܓܪ
I 54 XI 34 38 ܦܪ̈ܚܬܐ
VII 29 327 345 ܦܪܚ
VII 463 XI 135 ܐܬܦܪܚ
V 308 VII 26 ܡܦܪܚ ܦܪܚܐ
II 201 ܦܪܗܕ
VII 357 ܦܪܣܐܝܬ
XII 31 ܦܪܣܐ
VII 358 ܐܬܦܪܣ
A 133 IV 160 160 V 279 IX 192 XI 225 ܦܬܓܡܐ

186 414 XI 32 33 XII 10 11 50 61

ܕܒܪ VII 52 VII 403

ܕܒܝܫܘܬܐ IX 149

ܕܒܝܫܐ VII 404 IX 33 44 48 48 144 179

ܕܒܪܐ XI 75

ܐܬܕܒܪ I 185 II 219 XI 111

ܕܡܒܪܢܐ I 107 108 II 218 VII 3 IX 118

ܕܠܝܠܐ VII 66 383 388 X 15

ܕܠܝܠܐܝܬ VI 48 51 VII 42 IX 368

ܕܫ X 91

ܕܦ X 192

ܕܟܐ XII 140

ܕܟܪ A 22 IV 163 VIII 102 IX 168 X 179

ܐܬܕܟܪ II 234

ܕܟܝܐ ܕܟܝܢ A 115 II 233 VII 206 209 VIII 124

ܕܟܘܬܐ I 46 IX 36 40 X 1 160

ܒܕܟܘܬܐ A 84 I 46 II 128 261 III 21 IV 146 V 66
69 80 VII 63 320 467 VIII 158 IX 292 365
X 1 189 XI 11 33 41 XII 56 77 92

ܒܕܟܘܬ A 122 125 I 43 II 152 175 262 III 86
V 76 410 411 VI 160 VII 55 282 495
VIII 10 IX 144 167 297 360 X 105 147
163 167 187 XII 27 35 80 99 109

ܕܟܝܘܬܐ VII 216

ܕܟܝܢ V 273

ܡܕܟܝܢܐ X 105

ܕܟܝܘܬܐ ܕܟܬܒܐ IV 7 19 XII 25 27

ܐܬܕܟܪ III 187 188 189 214 IV 92 VI 24 191
VII 255 X 57

ܕܟܪܐ A 64 VII 246

ܡܬܕܟܪܢܐ VII 87

ܕܢܫ I 52 52 53 XII 21 206

ܐܕܢܫ VI 92

ܐܕܢܫ A 127 VIII 261 XII 168 171

5 6 7 9 10 12 14 14 15 15 17 20 20 24 24
27 27 30 30 33 33 37 37 41 41 42 44 44 49
50 50 55 55 57 60 60 63 63 66 66 70 70 75
86 89 99 215 217 249 250 294 295 301 314
319 321 IV 21 27 42 139 141 147 158 160
201 208 243 V 67 89 89 90 90 92 93 93 127
253 363 385 VI 50 51 52 77 88 100 101 107
113 155 164 223 224 226 229 236 237 237
VII 28 31 74 97 136 137 144 147 147 151
155 235 239 265 271 272 286 288 290 291
295 321 349 350 353 353 394 421 423
VIII 56 58 72 76 80 84 103 111 113 115
118 136 138 145 150 156 182 184 199 222
IX 9 22 90 189 190 215 247 299 338 345
347 350 382 390 X 132 152 187 198 XI 5
11 41 45 47 50 51 54 54 56 57 59 61 69
71 77 86 87 98 99 100 117 XII 6 13 25
29 38 40 72 100 138

A 203 203 206 209 210 211 212 II 242 ܒܐܟ
III 25 25 29 29 31 32 35 36 38 39 53
53 58 59 61 62 64 65 68 69 72 73 113
IV 143 156 159 VII 17 17 162 173 IX 390
XII 107 108

A 108 I 77 79 81 127 II 15 III 28 43 52 ܒܒܠܐܟ
56 71 143 175 266 V 72 VI 127 VII 48 64
234 444 512 VIII 32 59 IX 197 269 XI 13

A 25 109 II 197 III 176 188 196 IV 94 ܒܡܐ ܕܒܠܬܝ
207 215 V 94 118 307 VI 240 241 VII 88
174 IX 287 X 51 81

A 132 II 51 IX 144 383 X 174 XI 124 ܒܒܠ ܕܒܠܬܝ

A 38 82 212 216 I 3 69 76 II 133 180 217 ܘܗܡ
317 III 97 98 IV 120 141 189 V 11 79 188
360 385 VI 72 116 138 141 173 VII 25 26 48
66 328 330 334 354 382 389 427 525 VIII 29

68 77 193 243 IX 135 161 194 X 149 175
XI 14 48 51 80 112 117 122 XII 198

ܐܙܕܕܩ A 194 III 81 275 V 287 376 377 VI 25
168 VII 205 VIII 24 IX 121 XII 169

ܙܕܩ X 175

ܙܕܝܩܐ III 203 227 228 V 157 198 VII 310 332
399 402 406 411 VIII 69 173 174 179
IX 6 33 43 51 61 282

ܙܕܝܩܘܬܐ I 155 III 200 283 V 290 387 VII 112
310 312 319 362 482 483 VIII 177 IX 46
61

ܙܕܩܐ III 198 199 203 V 203 VIII 227 X 156
204

ܙܕܩܬܐ X 231 232 XI 7 9 13 15 23 45 49 60 93

ܙܕܝܩܐܝܬ IX 75

ܙܕܩܐܝܬ III 294

ܐܙܕܗܪ IV 197 199 239 V 49 54 126 VII 414
XI 106 XII 174 175

ܙܗܪ V 41 IX 215 X 229

ܙܗܝܪܘܬܐ V 52 VII 58

ܙܗܝܪܐ VII 197

ܙܗܝܪܐܝܬ VII 89

ܙܘܘܓܐ III 45

ܙܘܕܐ IV 57 V 366

ܐܬܙܝܥ XII 30

ܐܬܬܙܝܥ A 95 182 191 I 138 III 170 VII 185
XII 30 63 65

ܙܘܥܐ A 14 106 110 X 109 XII 181 209

ܙܟܝܐ VII 443

ܙܟܝܘܬܐ XII 53

ܙܟܝ VII 287

ܐܙܕܟܝ IX 268

ܙܠܓܐ VII 162 163 164 168 170 IX 367 369
411 X 152

I 143 IX 59 289 319 320 X 117	ܙܓܐ
IV 174 VII 447 IX 371	ܐܙܕܒܪ
I 168 VII 29 53 IX 59 293 298	ܙܒܘܬܐ
III 279 VII 315 IX 390	ܙܒܢܐ
II 39 254 XI 113	ܙܠܩܘ
IV 28 XII 8	ܐܙܕܠܩܘ
VI 149	ܡܢ ܙܠܩܘܬܐ
II 95 98 130 VII 70 72 74	ܙܡܪܐ
X 196 XI 137	ܙܢܝܘܬܐ
A 60	ܙܢܝܐ
IX 404 407	ܙܟܘܬܐ
I 49 63 XII 39	ܙܓܪ
I 109 190 205 II 36 182 III 2 9 10 134 138 151 301 314 IV 21 42 83 85 243 V 62 239 272 274 282 363 VI 113 223 VII 529 VIII 224 230 248 249 IX 378 378 X 127 XI 113 118 XII 188	ܙܥܘܪܐ
I 162 II 36 253 III 299 IV 28 VI 69 99 100	ܙܥܘܪܘܬܐ
II 29 IV 76 VII 372 522 X 123 XII 173	ܙܥܘܪ ܫܢܬܐ
VII 361	ܐܙܕܥܩ
XII 159 162	ܙܩܘܬܐ
XI 43 57 84	ܙܪܥ
V 213 XI 51 54 55 56 57 XII 128	ܙܪܥܐ
V 205 345	ܐܙܕܪܡ

VII 37 358	ܚܐܦܐ
A 4 93 IV 102 150 V 311	ܚܒܝܒܐ
III 57 58 59 61 62 67 VI 73 VII 375 376 380	ܚܘܒܐ
I 125	ܕ ܠܐ ܚܘܒܐ
XI 70 72	ܚ̈ܒܠܐ
XII 91 92	ܚܒܠ ܒܗܦܐ
V 133 X 8 XII 77 78	ܚ̇ܒܠ

A 59 181 II 142 176 IX 52 XII 48	ܐܬܒܛܠ
A 164 II 144 157 IX 125 XII 129	ܚܒܠܐ
III 174 V 136 VII 425 XII 37 73 103 120 121	ܚܘܒܠܐ
IX 56 57	ܡܬܚܒܠܢܐ
IX 292	ܚܒܠܢܐ
I 151 153 II 104 116 335 IV 61 70 75 145 V 190 VII 227 229 421 521 IX 19 193	ܚܒܪܐ
VII 214	ܚܒܪܬܐ
A 181 V 196 VI 230	ܚܒܫ
IX 358 X 153	ܐܬܚܒܫ
IX 362	ܚܒܫܐ
VII 37	ܐܬܚܓܪ
A 7 132 180 I 95 II 39 41 III 12 123 238 242 251 254 321 340 IV 9 93 97 121 128 145 146 149 157 161 161 169 170 V 24 24 41 97 188 VI 8 36 53 110 112 125 125 VII 8 36 139 207 208 226 230 230 233 233 233 237 238 240 241 251 253 364 379 426 436 478 507 508 511 514 VIII 8 62 166 IX 26 32 129 156 256 271 282 283 338 338 340 355 412 XI 53 XII 194 197	ܚܕ ܚܕܐ
I 104 III 49	ܚܕܚܕ
II 129	ܚܕ ܠܚܕ
I 98 V 182 183 VII 212 220 IX 12	ܚܕ ܡܢ ܚܕ
X 72	ܚܕ ܥܠ ܚܕ
VII 231 492	ܚܕ ܥܡ ܚܕ
A 9 12 14 25 47 I 12 II 232 233 III 72 73 175 176 181 213 236 IV 3 62 140 238 V 190 VI 5 VII 206 208 209 217 237 246 VIII 12 237 IX 306 X 73 74 79 XII 93	ܚܕܕܐ
A 148 I 184 II 30 125 293 315 III 130 133 140 330 337 IV 233 V 375 407 VII 63	ܚܕܝ

64 72 186 VIII 20 191 IX 176 X 201
XI 111 125

ܐܬܚܙܝ — II 20 131 VII 462

ܚܙܘܬܐ — I 200 II 140 146 III 32 36 309
V 407 412 VII 13 21 61 185 288 VIII 24
187 188 196 228 IX 130 141 176 XI 127

ܡܚܙܝܢܐ — IX 253

ܚܙܪ — VII 138 IX 381

ܚܙܝܪܐ — VI 153 VII 112 115 276 280 IX 383

ܚܙܪܬܐ — XII 20

ܚܙܪܬܐ — I 55

ܚܙܬ — A 85 126 I 92 93 97 XI 13

ܐܬܚܙܬ — I 54 II 242 V 134 229 IX 208

ܚܙܬܐ — A 85 126 I 87 97 100 101 105 II 50
136 III 243 V 17 VI 177 IX 22

ܚ̈ܙܬܐ — I 111

ܐܬܬܚܝ̈ܒ — V 91 117 VI 205 IX 141 XII 195

ܚܝܒܘܬܐ — VII 32 IX 59 298

ܚܘ̈ܒܬܐ — XI 14 16 16

ܚܝ̈ܒܐ — IX 60

ܡܚܝܒܢܐ — X 118

ܚܛ — III 60

ܚܘܛܐ — IV 172

ܚܘܝܐ — X 77 102 104

ܚ̈ܘܝ — A 38 69 114 162 169 177 203 204 211
215 II 54 203 291 III 38 40 78 116
120 125 167 218 221 229 235 334 IV 125
179 189 V 37 102 388 397 413 415 VI 9
17 211 233 242 VII 44 346 351 366 384
397 410 VIII 32 87 183 193 196 IX 17
25 124 166 197 229 280 300 326 334 358
360 388 391 X 74 124 131 140 151 154
227 228 228 231 XI 3 XII 73 141

ܬܚܘܝܬܐ — A 200 I 76 IV 156 VII 533 VIII 90

ܚܘܒܐ	II 131
ܡܬܚܒܒܢܐ	VII 530
ܚܒܐ	II 140
ܚ̈ܒܐ	II 140
ܚ̈ܒܝ ܫܡܫܐ	VII 160
ܚ̈ܒܬܐ	VII 42 43
ܚܒܝ	VII 224 489 IX 223 388
ܚܒܘܪ ܕܡܗܐ	XII 95 96
ܚ̣ܛܐ	VII 136 139 145 400 479 VIII 143 IX 34 121
ܐܚܛܝ	V 123
ܚ̇ܛܝܐ	III 308 309 IX 34 42 51
ܚ̇ܛܝܬܐ	II 308
ܚܛܝܬܐ	IV 87 88 VII 187 342 354 405 462 IX 412 413 XII 3
ܚܛܗܐ	III 171 V 248 VI 86 VIII 144 163 X 43 45 206
ܚܛܦ	A 102 108 110 III 311 IV 95 V 226 238 371 VI 40 VII 31 360 IX 208 XI 108 XII 146
ܐܬܚܛܦ	II 134 III 311 336 V 246 VII 166
ܚܛܘܦܐ	V 296 XII 169
ܚܛܘܦܝܐ	III 188 341 V 152 172 VI 187
ܚܝ̣ܐ	A 55 55 I 38 II 3 III 155 175 200 297 IV 30 44 216 VI 64 70 75 101 224 239 VII 39 42 204 225 295 IX 97 XI 110 205
ܐܚܝ	VII 200
ܚܝ̈ܐ	A 214 I 38 69 II 3 34 36 38 234 238 253 III 5 8 11 17 123 131 235 246 300 301 311 312 314 IV 24 29 32 32 42 75 125 213 214 221 V 220 242 252 288 317 363 367 403 406 VI 36 48 59 69 71 72 88 99 105 108 116 144 147 149 154 163

VIII 1 6 9 26 59 73 233 247 255 IX 6
23 65 162 164 166 167 182 201 270
282 290 317 321 359 404 X 15 40 111
113 155 160 179 XII 140 141 143 144
159

ܚܟܝܡܬ ܟܠ III 266 VII 294 IX 333

ܚܟܝܡܘܬܐ IX 364 387

ܚܟܡܬܐ A 86 108 111 121 142 149 152 158 162
170 172 184 186 203 208 I 29 39 115
119 120 134 139 162 171 174 176 191
195 204 II 3 19 21 22 84 114 118 124
134 148 165 167 178 209 212 239 258
261 269 271 303 III 269 IV 185 246
V 61 379 VI 46 141 220 229 236 VII 89
94 96 98 142 160 162 168 171 189 190
194 198 198 200 302 335 384 386 429
450 452 453 498 509 VIII 7 10 15 19
21 32 75 109 209 244 248 256 257 IX 4
160 161 163 166 174 177 198 201 218
229 233 236 238 271 327 359 374 377
379 384 385 386 389 396 398 400 401
402 409 X 4 10 12 14 94 95 98 101
104 106 109 112 151 XI 89

ܚܠܦ A 173 V 400

ܐܬܚܠܦ IV 228 VIII 119

ܚܠܦ̇ VI 10

ܚܠܝܐ V 160 272 XI 105

ܚܠܡܐ V 65 66 71 76 160 161 XI 118 122

ܚܘܠܡܢܐ III 26 92 V 279 VI 201 XI 78

ܚܠܝܡܐ IX 328 329

ܚܠܨ̇ III 7 35 75 89 157 249

ܐܬܚܠܨ A 163 181 I 50 57 III 34 57 68 IV 116
142 202 VII 148 239 IX 94 209 XI 5 47 77

A 52 V 35 307 VII 225 235 236 IX 12	ܫܠܡ
IV 201 XI 52	ܐܫܬܠܡ
III 42 89 106 156 240 IV 215 VI 150 166 VII 33 250 295 448 IX 16 21 302 336 339 X 6 161 XI 52 64	ܫܘܠܡܐ
I 44 III 67	ܗ. ܠܐ ܫܘܠܡ
VII 210	ܡܫܠܡܘܬܐ
I 149 II 151 III 28 86	ܡܫܠܡܐ
I 99 VII 444	ܡܫܠܡܐܝܬ
XII 18	ܡܫܬܠܡܢܐ
XI 102	ܐܫܬܠܝ
VII 2	ܫܠܝܘܬܐ
IX 390	ܫܠܝܐ
IX 351	ܫܠܫܐ
XII 54	ܫܡܝܡܘܬܐ
VII 241	ܫܡܝܡܐ
III 208 VII 408 XI 103	ܫܡܥ
VII 278	ܡܫܡܥܢܘܬܐ
II 16 IX 131 X 201	ܫܡܪ̈ܐ
V 306	ܐܫܬܡܫ
V 349 VII 344	ܫܡܬܐ
XII 26	ܫܢܝܐ
X 37	ܫܥ̈ܪܐ
IX 365	ܫ̇ܥܐ
III 107 XI 94	ܫܦܝ
VIII 64 X 45	ܐܫܬܦܝ
VII 146	ܫܦܝܪܐ
IV 62	ܫܦܩ
IV 72 VII 176	ܫܦܩܐ
V 207	ܗ. ܠܐ ܫܦܩ
III 183	ܫܦܠ
III 184	ܐܫܬܦܠ
V 237 VII 120 484 X 199 204 XII 33	ܫܦܝܠܐ
II 175	ܫܦܪ

ܢܗܪ	I 60 III 113 IV 109 119 V 349 351
	VI 41 VIII 203 IX 150 155 169
ܢܗܝܪܘܬܐ	III 113 V 217
ܢܘܗܪܢܐ	X 206
ܢܗܝܪܐ	I 154 160 167 168 II 28 IV 116 117
	121 V 289 295 297 VI 31 34 36 38
	VIII 212 IX 330 X 20
ܢܗܝܪ ܪܥܝܢܐ	V 305 VIII 69
ܡܢܗܪܢܐ	IV 59
ܢܚ	A 74 V 392 VII 303 469 IX 331 344 X 88
	XI 69 XII 151 176
ܐܬܢܚ	A 138 IX 72 X 38 XII 22 23 205
ܢܝܚܘܬܐ	IX 230
ܐܬܢܝܚ	II 181 III 335 VII 43 285 452 VIII 66
	XII 152
ܢܟܝܦܘܬܐ	II 203 306 III 65
ܢܟܦܐ	I 181 III 126 V 295 VII 380
ܢܟܦܐܝܬ	VII 506 XII 198
ܢܘܟܠܐ	IV 80
ܢܣܒ	X 76
ܢܣܐ	IX 170
ܢܣܝ	XI 44
ܐܬܢܣܝ	XII 128
ܢܣܝܐ	XI 55 XII 29
ܢܦܠܐ	V 211 XII 129
ܢܛܪ	VIII 67
ܐܬܢܛܪ	II 295 III 136
ܢܛܪܘܬܐ	A 198 I 144 148 149 III 13 80 85 86
	106 218 233 274 277 280 287 293 294
	295 IV 45 47 49 V 88 204 221 381 401
	VI 207 VII 205 210 244 251 258 VIII 183
	IX 17 95 144 250 300 302 323 X 186 190
ܒܪ ܢܛܪܐ	X 184
ܐܬܢܛܪ،	III 81

III 72 V 320 X 88 90	ܚܪܝܢܐ
VI 134	ܚܪܒܐ
IX 152	ܚܪܘܬܐ
I 40 III 246	ܚܪܫܐ
A 108 II 280	ܚܫ
I 199	ܐܚܫ
A 172 I 143 163 201 II 276 IV 101 VI 167 VII 8 32 49 53 54 56 VIII 127 X 96 161 166 170 174 XI 145 149 XII 26 138	ܚܫܐ
A 157 II 19 68 221 IV 114 VII 232 IX 70 X 110 149 XI 15 117	ܚܫܒ
A 27 49 137 I 27 170 188 II 17 36 193 292 III 230 IV 146 V 55 75 252 358 VI 237 VII 136 144 316 408 470 VIII 47 189 X 22 23 26 59 146 XI 58 XII 162	ܐܬܚܫܒ
A 14 I 4 5 7 11 15 II 172 265 III 142 145 IV 239 241 245 246 V 2 3 46 53 67 158 161 240 362 VI 116 154 155 159 159 164 168 173 VII 43 45 95 390 410 460 494 496 497 500 527 VIII 28 42 45 221 IX 80 83 226 X 21 24 25 36 40 222 229 XI 104 128 131 XII 11 11 19 21 23 65 181 182 208 209	ܚܘܫܒܢܐ
VII 454	ܚܫܘܒܘܬܐ
IV 82 VII 140 331 499 519 IX 218 236 244 251 269	ܡܚܫܒܬܐ
VII 450	ܚܘܫܒܢܝܐ
II 81 III 291 V 384 VII 294	ܚܫܚ
A 53 III 48 133 144 173 309 IV 82 148 156 V 299 301 304 383 391 VII 341 368 VIII 54 144 200 225 229 242 IX 134 X 203 210	ܐܬܚܫܚ

V 138 209 359 360 365 VI 126 VII 364 IX 133 138 192 X 206 XII 105	ܚܫܝܫܬܐ
IX 100	ܗ̇ ܠܐ ܚܫܝܫܘ
A 144 II 38 40 61 V 20 VI 105 VII 45 167 219	ܚܫܝܫܐ
XII 9 42	ܚܫ̣ܟ
A 200 II 179 191 194 V 70 346 VI 80 80 89 94 136 142 IX 72 XI 111 XII 44 130	ܚܫܘܟܐ
V 200 VII 210 430 X 54 XII 202	ܚܬܝܬܐ
VIII 237 IX 329 X 51	ܚܬܝܬܐܝܬ
VII 436	ܚܬܝܬܘܬܐ
A 90 VII 522	ܐܬܚܬܪ
IX 407	ܚܘܬܪܐ
A 71 III 185 V 40	ܚܬܝܪܐ
VII 47	ܛܐܒ
VII 269 XI 125	ܐܛܐܒ
V 333	ܛܒ̇ܐ
X 116	ܛܒ̣
VI 187	ܛܘܒܐ
A 151 155 I 152 II 225 290 292 303 III 128 137 155 303 310 328 IV 34 36 37 41 43 52 54 80 128 131 138 182 V 3 4 15 19 34 115 318 354 362 366 402 413 414 VI 79 79 95 158 219 VII 1 1 14 23 44 46 49 69 69 73 100 105 106 110 136 141 160 164 170 203 245 252 253 269 271 284 286 334 336 369 386 399 474 479 512 VIII 148 IX 130 135 139 149 171 179 205 217 217 278 301 323 369 X 10 11 155 XI 5 22 49 77 81 92 96 101 105 123 128 131 XII 7 201	ܛܒܐ ܛܒܬܐ ܛܒ
III 221 IV 50 51 IX 33 34 44 XII 204	ܛܒܐ ܛܒ̈ܐ

ܛܠܠܐ	III 11 VI 227 VII 171 171 VIII 157 158
ܬܛܠܠܐ	X 191 193
ܛܠܝܐ	IV 182 VI 228 X 150 169 170
ܛܠܝܘܬܐ	III 95 IV 191 IX 314 X 171 172 XI 86 88 90 93 98 138 145 146
ܛܠܡ	III 194 IV 7 72
ܐܬܛܠܡ	XI 4
ܛܠܘܡܝܐ	IV 1 8 64 VII 95 274
ܐܬܛܠܘܡ	I 60 XII 123
ܛܡܐܐ	IX 42 48
ܛܡ̈ܐ	VII 467 X 73
ܛ	IV 62
ܐܛ	VII 48
ܛܢܢܐ	IV 61 67
ܛܢܐ	III 183 206 V 107 128 231 247 VIII 15 23 IX 352 396 X 33 74
ܐܬܛܡܪ	A 60 I 106 VIII 121 138 IX 118 XII 204
ܛܘܡܪ	V 130 131 X 49 53 54
ܛܡܝܪܐ	III 236 V 128 VI 89 X 46 59 61
ܛܡܘܪܐ	II 55 66 IX 256
ܛܦ	II 129
ܛܘܦ̈ܣܐ	IV 57 V 410 VI 85
ܛܪܘܢܐ	V 185 199 XII 18
ܛܪܦ	VI 185 VII 274
ܛܪܦܐ	IV 68 VI 40 II 65
ܛܘܪܦܐ	A 189 I 122 123 187 II 159 240 241 245 IV 87 316 VI 171 200 VIII 218
ܛܪܡܐ	IX 217
ܐܬܛܪܝ	XII 207
ܐܬܝܒ	X 28
ܝܐܘܬܐ	XII 97
ܝܒܠ	I 12

A 52 II 177 180 V 6 135 IX 175 310	ܢܦܩ
I 84 126 IX 304 305 X 100 XII 163	ܢܘܦܩܐ
I 65 65 II 149 153 VI 187 XII 133 133	ܢܨܚܐ ܢܨ̈ܚܐ
I 20 II 62	ܢܨܚܬܐ ܢܨ̈ܚܬܐ
A 114 VIII 215 217 219 220 X 175	ܐܢܨܚܐ
IX 34	ܐܢܨܐ
VIII 35 IX 35 43 49	ܡܘܨܚܬܐ
X 14 16	ܢܨܚܢܐ
I 54 XI 34 38	ܬܢܨܚܢܐ
I 171 197 197 II 107 110 308 III 162	ܐܘܩܦ
163 299 V 144 152 153 295 VII 329	
344 VIII 199 IX 210	
VIII 216	ܬܘܩܦܬܐ
XII 77	ܡܘܩܦܬܐ
VIII 241 X 207	ܐܬܢܩܦ
A 201 III 176 IV 108 112 115 118 V 221	ܢܩܦܘܬܐ
262 263 264 270 278 300 VI 73 84 90	
118 118 121 IX 81 252 X 200	
IV 118 V 263	ܢܩܦܐ
X 203	ܢܩܦܐܝܬ
II 288 III 117 VIII 185 XI 15 XII 123	ܐܘܩܪ
A 43 I 118 204 II 207 III 3 109 112	ܢܩܫ
117 332 VII 6 30 196 362 364 365 372	
IX 135 138 142 239 X 44 141	
III 105 109 110 118 119 128 IV 105	ܢܩܫܘܬܐ
VI 74 VII 362 366 409 IX 128 182 183	
III 116	ܕ. ܠܐ ܢܩܫܘܬܐ
II 295 III 9 V 348 VI 45 VII 178 193	ܢܩܫܬܐ
474 VIII 211 IX 132 180 206 X 199	
II 314	ܢܩܪ.
VII 80	ܐܘܩܪ.
IV 240 VII 520 528 XII 8 53	ܢܩܪ
II 85 III 286 IX 144 XI 115 XII 198	ܐܬܢܩܪ
I 118 II 84 174 230 231 III 273 IV 191	ܐܢܩܪܐ

166 217 225 VII 27 71 106 166 172 298 384 455 461 520 527 VIII 28 39 54 198 IX 70 359 X 11 152

ܝܬܝܪܘܬܐ VII 96

ܡܢ ܝܬܝܪܘ II 216 281 IV 176 V 361 X 110 149

ܝܬܝܪܐܝܬ A 29 65 136 II 54 133 230 234 238 241 246 280 III 188 208 210 IV 5 10 151 155 V 53 230 274 VI 4 24 130 137 226 VII 25 111 196 200 329 330 407 426 442 VIII 9 14 63 83 90 IX 30 X 45 56 XI 66 XII 174

ܟܡܐ ܝܬܝܪܐܝܬ VIII 9 13 57 63

ܡܝܬܪܐ A 113 199 I 134 II 213 293 III 243 246 IV 32 36 40 77 83 146 V 7 117 VI 142 142 221 VII 21 71 170 202 464 506 514 VIII 7 196 IX 161 391 402 410 416 X 12 151

ܡܝܬܪܐܝܬ VII 204

ܡܝܬܪܘܬܐ A 106 III 244 261 264 283 302 307 IV 192 195 V 91 372 VI 5 9 11 224 VII 2 10 155 191 247 357 365 367 371 379 471 IX 139 195 221 367 XI 126

ܟܐܬܐ VII 69 71 73 IX 307

ܐܬܟܐܒ X 77

ܟܐܒܐ I 194 197 198 201 II 285 V 229 VII 66 123 289 X 194 195 197 199 204 XI 71 XII 25 31 33 76

ܟܐܦܐ A 151 155 III 37 37 IX 168 X 77

ܟܘܪܐ VII 77

ܟܒܪ I 93 185 II 4 221 255

ܡܢ ܟܕܘ III 168 171 IV 29 IX 119

ܟܕ IX 386

ܟܗܢܐ II 140 IV 218 V 54 VII 312

III 232 V 243 VI 317	ܒܕ̣ܪ̇
II 38 VI 232	ܒܪ ܝܐ
A 213 I 173 201 II 145 III 308 314	ܒܪ ܝܘܬܐ
V 164 VI 56 VII 84 VIII 176 XI 129	
XII 25	
V 21 285 332 348	ܒܪ ܝܗܐ
I 161	ܒܪ ܝܗܘܬܐ
III 25 91 91 153 V 215 332 340 VI 201	ܒܘܪܗܢܐ
VII 179 194 275 IX 362 X 42 XI 78	
XII 6 53 76	
I 54 54 54 IV 71 VII 449 IX 3 XI 8	ܐܬܒܪܗܢ
12 XII 88	
XII 36	ܒܪ ܝܟܐ
II 49 50 53 68	ܒܪܟܐ
V 232 325	ܒܪܩܐ
VII 342	ܒܣ̣ܐ
IV 60 VII 374 IX 216	ܐܬܒܣܪ
V 23 XI 95	ܐܒܣܪ
II 270 X 101 139 185	ܒܣܝܪܘܬܐ
V 256 VII 380 X 97 98	ܒܣܝܪܐ
IV 58	ܒܣܪܐ
A 216 I 8 V 30 XII 157 158 174 186	ܒܬ̣ܠ
A 37 XII 177	ܐܒܬܠ
V 33	ܒܬܘܠܐ
A 15 21 48 65 70 89 136 156 159 176	ܒܬܠܐ
215 222 I 14 V 34 36 IX 224 225 226	
XI 69 XII 183	
A 45	ܒܬ̈ܠܐ ܡܗ. ܢ̈ܫܐ
A 64	ܒܬ̈ܠܝ ܡܘܗ. ܒܐ
A 14 46	ܡܒܬܠܢܐ
A 33 37 52 179 XII 180 182	ܡܒܬܠܢܘܬܐ
X 20	ܒ̇ܬܡ
IV 57	ܒܬ̣ܦܐ
I 44 46 51 56 61 64 75 103	ܒ̇ܬܪ

III 47 339 IV 207 V 333 XI 61 62 118
I 203 VIII 177 X 39 XI 144 ܐܬܟܬܫ
VII 15 20 ܬܟܬܘܫܐ

A 128 I 72 87 II 309 III 137 VI 26 ܠܐܐ
XII 183
X 143 145 ܐܠܐܝ
II 312 V 220 276 402 XII 179 182 ܠܐܘܬܐ
VIII 223 XI 92 ܠܐܝܐ
I 115 127 169 176 179 II 1 16 21 27 ܠܒܐ
122 125 204 210 263 279 286 309 III 108
203 228 IV 10 V 47 407 VII 40 47 60
60 92 93 123 185 413 415 423 449 459
VIII 73 107 110 134 209 211 IX 1 1 5
77 78 130 134 141 169 X 14 17 20 XI 125
127 130 140 XII 10 13 17 18 20
XI 124 ܠܒܝܒܐ
V 169 ܠܒܢ
I 201 IX 370 ܐܠܒܫ
II 144 ܠܒܫܐ
IX 180 183 208 ܠܒܘܫܐ
XII 123 ܠܗܓܐ
I 83 VI 40 ܠܗܝܒܐ
VIII 218 ܠܘܐ
III 311 ܠܘܝܬܐ
IV 150 VII 383 IX 206 ܠܘܝܐ
IX 130 270 290 317 X 201 XI 1 ܠܚܡܐ
V 34 38 378 VI 18 VIII 224 XII 101 ܠܚܡ
134
X 102 104 105 ܠܘܚܫܬܐ
X 103 ܠܚܘܫܐ
VII 493 ܠܛܘܫܐ
A 114 120 II 285 V 69 VI 93 VIII 159 ܠܠܝܐ
215 217 219 221 IX 172 189 198 X 175
178

II 181 IV 19 V 148 409 VI 191 IX 183	ܡܫܬܘܕܥ
VII 291	ܐܫܬܘܕܥ
A 124 VI 19 XII 66	ܢܓܕ
I 15	ܐܓܕ
A 125	ܢܓܕܐ
XII 98 99 99 101 102 105	ܡܢܓܕܐ
II 141 III 165 V 36	ܢܗܪ
III 25 28 74 VII 249	ܐܬܢܗܪ
VII 329 VIII 157 158	ܢܗܝܪ
VII 74 113 310 325 331 VIII 114 143	ܐܢܗܪ
I 106 VI 100 188 IX 348 XI 8	ܢܘܗܪܐ
V 89 366 VI 71 108 154 155 165 226 VII 31 XI 112 114 115	ܢܗܝܪܐ
IV 25 V 171 VII 341 345 347 350 353 VIII 82 142 145 IX 299	ܡܢܗܪܬ ܪܘܚܐ
IV 4 V 166 VII 110 146 321 VIII 77 80 85 94 113 164	ܢܗܝܪܘܬ ܪܘܚܐ
V 82 95 97 111 115 115 118 118 119	ܢܕܪ
A 205 V 82 84 95 97 101 103 104 106 107 111 114 115 116 118 118 119 120 121 126 127 129	ܢܕܪܐ
VIII 21	ܐܢܘܪ
A 119 127 199 II 179 VI 97 142 IX 187 188 209 210 214 XI 105 XII 9 16 151 206	ܢܘܪܐ
VII 226 XII 129	ܢܘܪܢܐ
I 127 II 4	ܢܚ
A 94 132 I 73 204 II 4 26 30 255 312 III 151 VII 130 134 IX 62 XI 93	ܐܬܬܢܝܚ
XI 92	ܐܢܝܚ
I 41 204 II 45 127 245 252 315 318 III 128 136 144 145 146 150 IV 77 80 83 84 144 V 250 263 267 270 276	ܢܝܚܐ

280 281 336 VI 39 44 122 123 123 133
155 200 VII 11 20 VIII 198 222 229
IX 136 404 406 X 201 209 XI 115
XII 67

V 262 VI 95 ܢܝܚܐ

III 307 ܡܢܝܚܢܐ

VII 228 IX 345 357 ܢܘܢܐ

IV 71 VII 80 227 ܢܘܪܐ

V 86 ܢܝܪܘܬܐ

I 65 67 II 155 ܢܚܠܐ

III 260 XII 28 29 110 ܢܚܬ

VII 54 ܐܬܢܚܬ

XII 108 ܐܚܬ

XII 101 ܡܚܬܐ

IX 147 148 178 179 199 240 ܢܚܬܐ

A 167 III 216 V 1 3 178 183 194 213
283 302 327 384 VII 49 88 VIII 27
65 66 200 XI 5 43 XII 32 193 196 202
210 ܢܛܪ

IV 225 V 196 199 286 VII 146 322
VIII 68 ܐܬܢܛܪ

XII 30 ܢܛܘܪܐ

XII 30 31 ܢܛܘܪ̈ܝ ܒܝܬܐ

V 360 VI 157 ܢܛܘܪܬܐ

IX 189 ܢܛܘܪܬ ܢܡܘܣܐ

VIII 64 ܢܛܘܪܘܬ ܦܘ̈ܩܕܢܐ

VI 118 IX 156 260 ܢܝܪܐ

A 7 22 26 34 82 135 136 137 176 215
219 222 I 8 11 12 II 215 V 33 36 37
38 352 VIII 237 IX 226 228 233 331
XII 184 ܢܝܫܐ

V 309 311 VII 177 191 X 72 ܢܟܠܐ

IV 88 VII 477 ܢܟܝܠܐ

V 374 VI 18 26 30 35 38 47 89 114 ܢܟܣ̈ܐ

ܡܟܐ A 56 111 I 21 162 V 87 IX 222 250
XII 185 186
ܗ. ܠܐ ܡܟܐ A 8 51 II 139 VI 206 VII 237 439
531
ܒܡܟܡ XII 185
ܡܘܟ̇ܐ IV 104 230 XII 179
ܡܟ̣ܟ IX 165
ܡܘܟܟܐ X 180
ܡܠܐ VI 221 VII 402
ܐܡܠܝ V 402 XI 138
ܡܢܐ IV 182 198
ܡܢܘܬܐ III 47 94 IV 194 X 198 XI 87 88 91
94 99 XII 6 40 43 49 54
ܡܢ A 24 29 37 42 66 73 80 84 176 215
217 218 219 219 222 I 26 49 136 142
147 152 II 35 225 241 283 III 43 148
201 277 285 290 IV 57 V 2 9 98 221
301 VII 3 18 30 34 264 293 VIII 161
258 IX 75 95 117 148 166 246 350 388
X 157 161 167 170 XII 10
ܐܬܡܢ I 61
ܐܬܬܡܢ III 16 156 292 IV 151 V 180 185 188
300 VI 195 VII 13 VIII 68 IX 64 297
XII 196
ܡܢܝܬܐ IV 39 V 317
ܡܡܢ ܒܪܫܐ I 142 III 179 211 213 IV 55 88 V 125
134 142 145 146 155 165 170 182 187
201 249 VI 46 VII 11 102 145 155 326
339 345 347 419 486 486 VIII 79 132
167 IX 89 372 X 81 228
ܡܢܦ̇ܐ IX 354 X 87
ܡ̇ܟܪ IV 190 V 184 213 248 VII 10 20 114
VIII 30 75 119 156 167 IX 58 89
X 147 XI 50 52

187 V 261 VII 114 343 389 449 502 VIII 39 110 141 150 IX 98 249 X 188 231 XI 16 45 53 59 98 99 135

ܐܣܬܒܪ I 193 195 202 II 24 III 35 169 202 208 IV 135 240 242 V 6 8 43 50 51 92 175 VI 162 VII 257 308 315 320 382 525 VIII 18 29 131 139 IX 88 316 326 X 59 61 62 66 220 XI 10 42 XII 89 198

ܣܒܪܐ A 82 169 II 212 217 229 233 III 34 75 97 103 263 V 14 93 386 388 VI 19 22 161 181 184 186 VII 149 258 474 VIII 99 101 120 125 155 172 183 220 IX 39 41 74 112 X 12 15 18 122 XI 74 XII 203 203 209

ܣܓܝܐܐ ܣܓܝ̈ܐܬܐ X 116

ܣܓܡ A 187 I 74 81 87 154 161 162 166 II 65 III 137 267 IV 241 V 122 294 VI 220 VII 300 363 483 VIII 257 IX 101 143 216 X 28 34 XI 3 98 131 148 XII 2 7 32

ܐܣܬܓܡ I 138

ܣܓܪܐ VII 453

ܣܓܠܬܐ A 41

ܣܘܪܕܐ II 145 IX 252 309

ܣܪܚ VII 362 X 8

ܐܣܬܪܚ A 220

ܣܘܪܚܢܐ IV 56 XI 129

ܣܘܪܚܐ A 39 58 62

ܣܪܚܐ VI 120

ܣܪܝ X 1

ܣܘܪܚܐ A 141

ܣܪܡ V 237 338

ܐܣܬܪܡ I 186 VII 279

ܦܪܢܣܐ A 29 160 166 174 182 202 II 28 206
211 243 281 297 306 III 79 127 142
IV 125 V 72 76 136 158 218 221 262
321 344 416 VI 12 21 85 172 211 VII 37
59 410 512 VIII 25 42 66 213 IX 132
207 407 X 128 141 190 XII 182

ܦܪܢܣܬܐ ܦܪ̈ܢܣܬܐ II 15 26 V 342 VI 195 471 IX 81 213

ܦܪܢܣܐܝܬ II 216 III 319 337 V 200 404 VI 23
VII 63 135 VIII 18 41 76 X 93 137

ܦܪܢܣܘܬܐ A 200 II 7 31 239 III 296 317 V 68
69 73 266 291 VI 212 VII 65 514 517
IX 180 XI 121

ܦܪܢܣܘܬ ܢܘ̈ܥܒܐ III 230 IX 399

ܦܪܢܣܘܬ ܒܢܝܢܐ VI 17

ܡܦܪܢܣܘܬܐ VI 146 IX 253

ܦܬܘܐ IV 158 161 164 XI 52

ܦܬܪ III 27 29 XII 32

ܐܬܦܬܪ XII 125 131

ܨܘܒ̇ܐ VII 130

ܨܒ̣ܐ A 2 87 165 172 180 181 I 28 156 II 10
33 52 60 67 88 91 94 113 123 137 157
172 216 III 18 58 99 111 130 135 158
166 167 219 221 297 IV 10 18 95 131
139 141 177 V 15 31 45 240 258 307
365 395 VII 216 223 246 251 254 300
315 399 467 518 VIII 43 49 55 61 62
122 134 143 170 IX 153 170 205 212
246 247 389 X 195 201 XI 68 XII 140
178

ܨܒ̣ܝܐ II 43 72 IV 96 98 V 99 VII 416 417
420

ܨܒ̈ܝܢܐ A 150 163 164 171 172 193 I 36 121
II 70 102 137 236 262 III 84 111 183

III 104 ܡܒܘܒܠܐ
II 313 IV 17 VII 181 321 395 VIII 113 ܐܒܘܠ
VIII 70 IX 47 ܒܘܠܐ
II 313 III 208 IV 64 VII 148 319 ܒܘܠܐ
IX 63 XII 165
VII 408 VIII 12 14 ܒܘܠܘܬܐ
II 70 VI 130 VII 74 VIII 83 X 215 ܒܘܨ
XI 66
X 223 227 ܒܘܩܐ
III 338 IV 9 21 237 V 202 VII 156 ܐܒܝܫ
I 194 II 145 265 III 35 338 IV 170 ܒܫܬܐ
174 V 347 VII 275 280 X 197 XII 67
II 42 IX 253 ܡܒܝܫܢܐ
IV 82 X 96 ܒܘܪܐ
II 193 VI 38 X 23 26 ܒܘܪܐܝܬ
XI 37 ܒܘܙܐ
VI 7 ܒܙܘ
II 118 ܒܙܝܘܐ
A 97 98 127 I 78 81 82 83 II 11 35 ܒܝܢܐ
121 185 186 188 283 III 151 IV 76
77 106 108 111 V 264 VI 37 158 161
161 VII 30 VIII 153 161 217 IX 161
211 328 329 375 402 XI 105 130 XII 43
212
II 118 X 124 ܠܒܝܢ
V 391 VII 33 50 175 190 ܐܒܚܪ
II 32 VII 49 169 X 174 XI 120 ܐܬܬܒܚܪ
VII 221 ܐܬܒܚܪ
V 67 ܒܚܪܘܬܐ
IV 179 VII 366 ܒܒܪ
XI 87 ܐܬܒܒܪ
IX 309 ܡܒܒܪܢܐ
A 99 I 149 151 II 171 IV 115 V 72 ܒܠ
VII 262

ܐܒܠ VII 328 VIII 195 X 181 XI 133 XII 60
200
ܒܠܘܠܐ IX 257
ܡܒܠܐ IX 258
ܒܠܬܐ A 82 93 178 221 II 41 124 164 III 25
72 230 IV 37 38 40 41 43 51 52 53
66 94 242 V 49 51 119 278 283 393
VII 50 187 272 273 441 441 448 455
IX 335 X 46 220 XII 141 189
ܒܠܬ ܩ̈ܛܬܐ VII 41
ܒܠܬ ܒܪ ܢܘܬܐ VIII 176
ܒܠܠܬܐ IV 66 V 99 157 X 215 XI 22 23 54
ܒܠܘܒܐ IV 94 V 296 VIII 106
ܒܠܘܒܘܬܐ III 187 340 IV 66 91 VI 10
ܒܘܠܒܠܐ V 172
ܒܠܐ VIII 154
ܐܬܒܠܝ A 113 X 67 226 227 XI 24 39
ܡܒܠܝܐ A 30 III 264 IV 246 V 189 VII 532
VIII 3 19 IX 306
ܒܠܝܐ V 179
ܫܘܒܠܝܐ V 59
ܒܠܥܐ I 48 67 II 152 320 III 248 284 IV 175
219 V 204 329 371 VI 121 166 189
223 240 VII 4 90 168 404 VIII 182 228
IX 11 19 21 22 54 124 260 286 XI 26
27 28 64 107 113 342 XII 130
ܡܢ ܒܠܥܕܝ I 94
ܒܠܝܥܐ IV 226 IX 363 XI 125
ܒܠܝܥܘܬܐ XI 125 XII 1
ܒܥܐ A 140 IV 230
ܒܥ̈ܘܐ A 40 142 151
ܒܥܘܬܢܐ XII 43
ܒܥ̣ܠ A 187 I 32 35 41 188 II 138 157 248
249 264 267 269 270 279 281 III 19

IV 109 110 119 V 292 341 355 VI 25
124 VIII 254 IX 203 207
ܐܒܛܠ II 176
ܒܛܠܐ A 66 172 182 I 31 117 182 184 186
188 II 19 125 126 137 147 156 169
195 208 211 244 248 249 252 254 259
264 267 269 271 278 281 288 291 293
294 297 317 III 79 108 141 IV 58 80
86 104 105 129 132 180 V 218 246
268 275 331 355 375 VI 22 33 172
VII 9 289 374 VIII 213 IX 62 132
203 207 221 250 X 139 143 XI 93 127
ܒܛܢ VI 37
ܒܛܘܡܐ VII 440 440
ܒܛܝܡܐ II 155 VII 446
ܒܛܪ VII 167 IX 304
ܒܛܝܪܐ I 149 156 III 192 IV 26 213 XI 113
ܒܛܘܪܐ IX 301 379
ܒ̈ܝܐ II 78
ܒܝܢܐ XI 24 43 XII 24 25
ܒ̈ܝܢܝ ܡܛܪܐ X 20
ܐܒܝܢ VII 472 X 176 211
ܐܬܒܝܢ A 196 I 129 137 II 12 243 III 82
IX 213
ܒܝܢܝܐ A 194 196 I 129 II 285 306 308 III 82
IV 24 124 V 28 41 65 72 73 75 161
314 317 321 VI 45 VII 54 55 59 492
499 503 506 511 513 516 VIII 25 210
IX 153 161 176 201 X 58
ܒܘܢ.ܢܐ III 327 328
ܒܗܡ A 186 VII 277
ܐܬܒܗܡ A 64
ܒܗܡܐ I 62 V 305 VII 365 385 388 X 18
ܒܗܪܐ VII 386

A 54 57	ܒܩܘܩܐ
I 23 II 128 III 42	ܒܩܩ
IV 69	ܒܩܩ
III 42	ܒܩܘܩܝܐ
III 255 255 V 57 XII 113 116 116	ܒܩܪܐ
II 167 III 266 V 277	ܐܬܒܚܝ
VII 127	ܒܚܝܢܐ
XII 127	ܐܬܒܚܪ
XII 127	ܡܒܚܪܬܐ
A 32 II 13 32 37 VII 304 307 430 505	ܒܩܒ
III 20	ܒܩܪ
III 21 XI 37 XII 126 131	ܐܬܒܩܪ
III 192	ܒܪܐ
I 52	ܒܪܕ
V 246 328	ܒܪܙܠ
V 325 IX 366 XI 30	ܒܪܙܠܐ
IV 225	ܒܪܙܠܢܝܬ
A 192 VII 163 X 107	ܒܪܝ
IV 63	ܒܪܝܬܐ
III 212 VII 107 156 274 281 395	ܒܪܝܐܝܬ
II 306 IV 165 VI 135 XI 149	ܒܪܩ
XII 35	ܒܪܩܬܐ
XII 131	ܐܬܒܪܩܠ
I 10	ܒܘܪܩܠܐ
VIII 142 259 X 42 XII 75 IV 169	ܒܫܠ
VII 386	ܒܫܠ
III 181	ܐܬܒܫܠ
I 192 II 194	ܐܒܫܠ
VII 81 IX 171	ܒܘܫܠܐ
VII 92 VIII 90	ܒܫܘܠܝܐ
IV 21 55 138 VI 173 VII 19 117 188 X 22 35 85 86 XII 87	ܒܬܪ
III 72 V 180 VIII 155 IX 376	ܐܬܒܬܪ

ܦܘܚܐ III 300 VIII 221 XII 130
ܦܘܚܬܐ IX 77
ܦܚ I 41 II 208 V 201
ܦܚܚܐ VI 133
ܦܚܐ III 107 VI 91 92 92 140 VII 123 187 459 460 467 483 IX 346 356 X 73 83 XI 147
ܦܛܡ I 173 VI 18 VII 314 500 IX 19
ܐܬܦܛܡ VI 229 VII 213 231 254 495
ܦܛܡܐ II 112
ܦܝܠܐ A 150
ܐܦܝܣ I 102 III 143 IV 110
ܐܬܦܝܣ III 151
ܦܝܣ A 26 96 III 21 202 225 270 272 IV 207 V 50 51 92 VI 150 VII 109 210 IX 109 114 348 350 X 87 XI 64 71 75 80
ܐܬܦܟܪ VII 95 XI 104 XII 124
ܦܟܪܐ XII 3 124
ܦܠܐܬܐ II 116
ܦܠܓ V 35 VI 60 VIII 51
ܐܬܦܠܓ IV 171 VI 62
ܐܬܦܠܓܘ V 317
ܦܠܚ V 211 VII 266 IX 116 XI 55
ܦܠܚܐ V 272
ܦܘܠܚܢܐ IV 22 VII 277 367 373 IX 117 194 X 176 XI 90
ܦܠܛ III 161 VII 434
ܐܬܦܠܛ VI 150 152 VII 481
ܦܘܠܛܐ VIII 93
ܦܠܦܠܐ V 39 47 123 125 VI 124 VIII 27 X 112 119 119
ܦܠܝܐ A 75 VII 356 IX 127
ܐܬܦܠܓ III 127 301 321 VIII 63
ܦܠܓ I 30 XII 100

145 XII 12 14 15	
V 233	ܕܠܐ ܥܒܘ
A 133 133 I 148 181 II 3 27 41 44 162 175 III 13 28 52 74 76 85 89 91 97 155 223 298 316 IV 51 72 121 131 132 134 135 V 104 105 107 109 336 337 VI 91 214 230 VII 182 244 258 271 VIII 96 IX 26 122 216 248 265 279 300 312 X 121 164 164 186 XI 31 46 46 48 99 XII 5 7 154	ܥܒܝܐ
A 85 166 I 35 II 59 148 III 301 IV 194 VI 71 VII 6 191 375 XI 91	ܥ̈ܒܬ
A 146 149 162 166 II 47 48 101 117 153 183 185 195	ܥܒܬܐ
II 149	ܬܥܒܝܬܐ
XII 130	ܥܕ̈ܝܐ
VI 40	ܥܗ̇ܐ
VII 91 X 187	ܥܝܒ
A 212 VI 155 VIII 11 244 IX 358	ܥܪ̇
V 162	ܐܬܬܥܝܪ
A 66 XII 121	ܥܘܪܬܐ
IX 156	ܥܘܪܐ
XII 148 149	ܥܬ
X 113	ܐܬܬܥܝܬ
VII 416 417 423 X 218 221	ܥ̇ܙܝ
V 302	ܥܘܫܝܬܐ
VII 459 460 470 IX 346 357 X 83 XII 132	ܡܥܝܕ̈ܬܐ
V 29	ܥܫܫܐ
A 133	ܥ̇ܠ
VII 8 58 197 354 IX 131 X 83	ܐܥܠܠ
V 192	ܡܥܠܠܢܐ
XI 104	ܡܥܠܠܢܘܬܐ

ܡܒܪܐ V 328
ܡܒܘܪܬܐ VI 66 76
ܡܘܒܪ ܚܝܠܐ V 411
ܡܕܝ III 335 V 235 236
ܐܬܡܕܝ II 247
ܡܕܡ II 283 III 172 270 270 IV 31 VI 235 IX 335 376 X 22 XII 41 44 70 71 73
ܠܘܡܕܡ A 122 135 138 VI 185 VII 57 220 257 425 VIII 79 225 X 157 166 182
ܡܕܡܝܐ A 1 53 177 I 90 105 106 107 110 II 71 III 15 97 IV 109 217 228 V 404 VI 230 VII 105 137 141 145 279 289 382 VIII 45 IX 29 235 X 5 32 95 XI 129 XII 115
ܡܕܢܚܘܬܐ XII 71
ܡܡܕܢܚܘܬ ܝܕܒܬܐ VII 441
ܡܢ ܠܡܕܢܚ I 94 100
ܡܕܢܚܐ I 131 VI 188
ܡܢ ܡܕܢܚ VI 176 192
ܡܕܢܚܐܝܬ VII 375
ܡܕܗܐ VII 77
ܡܕܢܥܐ A 45
ܡܕܢܥܘܬܐ V 84
ܡܘܕܥܐ VIII 121
ܡܘܗܠܬ A 2 15 48 65 129 139 159 170 I 25 112 V 354 VII 488 XII 136 143 154 157
ܡܘܝ A 163 175 II 244 299 307 III 18 67 IV 109 201 206 V 143 156 201 333 335 VII 327 338 X 5
ܡܡܘܠܚܘܬܐ VI 150
ܡܡܘܠܚܐ VI 168
ܡܠܐ A 11 II 93 95 97 130 V 74 75 133

251 263 309 311 X 35 127 XI 87
XII 53

ܪܘܚܐ A 189 I 55 55 122 123 187 241
I 159 240 316 II 241 259 260 269
V 341 345 VII 110 110 113 118
119 129 329 VIII 92 92 97 98 X 30
XI 37 43 63 65 133 XII 113 116

ܪܘܚ VI 27 75

ܪܘܝܬܐ X 195

ܪܡ I 157

ܐܬܬܪܝܡ VII 111 VIII 179

ܪܡܬܐ II 155 XII 128

ܪܡ̇ܐ II 155 V 178 178 178 181 183 189

ܪܘܡܐ II 189 X 58 XII 63 64

ܪܡܘܬܐ III 93

ܪܡܘܬ ܪܘܚܐ VII 110

ܪܡܪܡ IV 203

ܪܐܙܐ A 118 128

ܪܚܡ A 114 146 III 58 66 69 315 IV 147
222 235 VII 26 263 319 IX 158 241
X 231

ܐܬܪܚܡ III 56

ܐܪܚܡ VIII 204 205 IX 9

ܪ̈ܚܡܐ IV 54 101 143 147 155 155 159
159 168 178 185 192 203 204
V 310 312 316 352 353 VI 136

ܗ. ܠܐ ܪ̈ܚܡܐ VIII 201

ܪܚܡܬܐ VI 167 VIII 205 IX 6 118 123 354
XI 103

ܪܚܡܬ ܟܣܦܐ V 223

ܪܚܡܬ ܠܒܣ̈ܐ VIII 198

ܪܚܡܬ ܩܢ̈ܝܢܐ V 416 VI 9 20 28 119 VIII 194
X 197 208

ܪܚܡܬ ܪܫܝܥܘܬܐ X 28

ܪܕܐ	A 214 II 21 V 144 VI 117 VII 318
	X 145
ܐܪܕܝ	II 16
ܪܕܝܐ	A 111 III 136 VII 34 466 VIII 140
	X 128 XII 67
ܡܪܕܝܬܐ	VII 474 VIII 221
ܪܕܐ	IX 141
ܐܬܪܕܝ	III 155 VII 330 VIII 181 XI 104
ܪܕܝܐ	XII 169
ܪܕܝܝܐ	A 74 I 3 203 II 278 292 III 308
	IV 68 71 V 170 191 305 VI 178
	VII 108 VIII 69 IX 75
ܬܪܕܝܬܐ	A 110 138 II 309 III 75 209 IV 67
	123 V 2 3 22 59 85 378 VI 45 135
	148 VII 222 493 494 497 514 527
	VIII 46 138 140 180 248 IX 67
	377 X 33 155 224 XI 128 134 XII 14
ܪܗܛ	I 188 III 311 VII 332 IX 414
ܐܬܪܗܛ	III 121 VII 398 403
ܐܪܗܛ	VII 369 XI 39
ܪܗܛܐ	III 275 X 170
ܪܘܙ	III 33 35
ܐܪܘܙ	III 33 36 XII 89
ܡܪܘܙܐ	XII 88
ܐܪܘܚ	III 176 V 148 VII 340
ܪܘܚܐ	III 193 200 203 226 VII 280 310
	321 325 405 412 415 VIII 70 114
	117 118 152 168 173 174 179 VIII 117
	IX 33 42 47 62 110 282
ܪܘܚܢܐ	III 191 198 VII 456 VIII 93 104
	IX 252 XII 165
ܪܘܚܢܘܬܐ	VII 450 IX 63
ܪܘܚܢܐܝܬ	X 75
ܐܪܘܝ	A 206 VII 336 X 230

V 162	ܥܐܕܐ
II 121 169 III 317 VII 142	ܥܐܠ
II 14 172	ܐܥܐܠ
III 93 V 63 XII 189	ܐܬܥܐܠ
IX 361 X 212	ܥܕܐ
IX 364	ܥܒܝܐ
II 97 IV 29 VIII 187 188 243 IX 173 176 385	ܥܒܪ
III 281 VII 453 IX 271 384 415	ܐܬܥܒܪ
A 121 II 140 VII 6 IX 416	ܥܒܝܪܐ
II 91 93 99	ܡܥܒܪܢܐ
II 91 99	ܡܥܒܪܢܝܬܐ
I 19	ܥܒܝܪܘܬܐ
A 101 108 160 III 273 IV 219 VII 19 IX 277 279 291 294 417 XI 116 XII 58 59 60 212 213	ܥܒܘܪܐ
III 274 X 10 36 112 114	ܬܥܒܘܪܬܐ
IX 306	ܥܒܛܐ
A 186 I 163 II 8 VII 7 9 205 207 260 462 517 IX 3 15 17 215 256 302 310 311 341 X 38	ܥܒܝܠܐ
XI 6 7 8 11	ܥܒܕܐ
I 34 118 126 189 II 8 18 22 39 41 251 268 272 309 313 III 85 109 222 309 316 334 337 IV 84 220 V 220 273 321 VI 44 46 VII 4 62 194 198 328 353 354 VIII 3 17 163 IX 302 355 X 31 33 43 129 XI 15 29 32 84	ܥܒܕ
III 179 293 320 326 333 VI 87 217 X 136	ܐܬܥܒܕ
VII 56	ܥܒܘܕܐ
V 66	ܥܓܐ
II 151 VII 237 464	ܥܓܠܢ

ܫܘܠܛܢܘܬܐ VII 212
ܐܫܬܠܛ V 175
ܫܪܐ V 127 225 IX 353
ܐܫܬܪܝ V 93 VI 82 VIII 123
ܐܫܪܝ V 88 XII 129 129 130
ܫܪܠܐ IV 66
ܫܪܪ A 131 I 64 VII XI 1
ܫܪܝܪܐ XII 66
ܐܫܬܘܝ II 217 232
ܫܘܐ II 257 277 312 III 197 211 213
338 IV 139 151 153 V 146 VI 77
VII 113 115 116 226 231 234 246
316 VIII 127 172 IX 287 296 336
340
ܕܠܐ ܫܘܐ II 255
ܕܠܐ ܫܘܝܢ III 189 209
ܫܘܝܐܝܬ IX 36 37 40 51 53 71 286 334
XII 171 197 198
ܫܘܝܘܬܐ IX 259
ܫܘܝܘܬ ܝܪܫܐ A 208
ܫܘܝܘܬ ܡܘܢܕܢܐ II 224
ܫܘܝܘܬ ܦܘܪܟܢܐ II 225
ܫܘܝܘܬ ܐܓܪܐ II 225
ܫܘܙܒ VIII 93 104 IX 387
ܐܫܬܘܙܒ VII 479
ܐܫܝܚ VII 181
ܫܛ IV 4 204 VI 39 VII 344 346 VIII 83
IX 385 399
ܐܫܬܛܝ VIII 69
ܫܛܝܐ A 16 27 III 39
ܫܛܝܘܬܐ V 77
ܫܛܪܐ VIII 96 IX 209 210
ܟܠ ܫܛ VII 133 314
ܫܝܘܐ XII 45 46 88

33 36 50 52 53 92 141 X 30 50
54 141 XI 58

VII 387 388 391 IX 405 408 410 ܥܠܝܠܬܐ
X 64 66

II 119 123 174 III 80 167 217 285 ܥܘܠܠܬܐ
287 289 IV 207 217 VII 385 392
VIII 138 IX 17 220 294 416 418
X 6 13 28 32 47 52 55 60 67 108
231

A 115 131 132 221 I 40 V 8 104 ܥܠܡ
VII 229 IX 226

I 40 V 83 115 385 VII 353 X 177 ܥܠܡ
178 180 XII 139

III 18 VII 406 VIII 186 IX 368 ܐܬܥܠܡ
X 165

X 47 ܐܥܠܡ

XI 7 ܡܥܠܡܢܐ

III 70 73 ܥܠܡܐ

A 120 211 II 190 V 253 338 402 ܥܘܠܡܐ
VI 152 VII 30 76 102 104 IX 53
222 283 340 343 X 36 134 135
XI 80 91 XII 140

A 72 139 141 159 168 173 II 225 ܥܡܐ
229 231 V 259 VI 16 18 80 94
176 183 185 193 VII 1 2 32 VIII 36
37 XI 141 142

A 140 VII 458 VIII 33 IX 163 ܥܡܗ
233 XI 70 141

A 81 140 II 317 IV 51 65 VI 179 ܐܬܥܡܗ
XII 141 144

VI 179 180 ܥܘܡܗܐ

X 86 ܥܡܩ

V 56 VII 218 X 223 ܥܡܝܩܐ

XI 23 ܥܡܝܩܘܬܐ

ܫܒܚ A 28 149 152 I 78 81 82 V 4 5
44 VI 69 70 185 192 416 VII 417
419 420 426 VIII 30 40 X 109
XII 190 191

ܐܫܬܒܚ A 147 V 154 VIII 11 IX 401 404
406 XII 9 47

ܫܒܚܐ A 13 142 I 83 XII 65 167

ܫܘܒܚܐ XII 156

ܡܫܒܚܘܬܐ II 99 XII 59

ܫܒܝܚܐ I 52 52 VI 94 97 VII 161 XI 105
XII 9 10 12 16 21

ܬܠܝܬ ܫܒܝܚܐ A 193 I 32 93 116 121 205 II 33
138 151 237 248 259 264 279 III 190
IV 1 35 90 214 216 V 247 285 355
VI 1 13 233 VII 167 305 VIII 108
190 250 IX 68 120 204 207 262
374 X 49

ܫܓܫ I 138 V 278 X 187

ܐܫܬܓܫ II 107 VIII 172 179

ܫܓܘܫܝܐ I 21 II 44 70 74 VII 513 X 165
XII 8

ܬܫܓܘܫܬܐ II 45 102 VII 503 505

ܫܕܐ ܫ̈ܕܐ XII 40 47 50

ܫܕܬܐ V 66 75 270 272 276 280 VIII 217
223 XI 120 XII 67

ܫܕܬܐ ܫܕ̈ܝܐ III 2 VI 64 65 69 101 XI 110
XII 4

ܫܕܐ A 115 IV 219 VIII 45

ܫܕܪ I 5 II 313 III 316 IV 225 227
V 220 VII 221 VIII 234 238 IX 372
X 92 112 XI 30

ܐܫܬܕܪ IX 113

ܫܘܕܪܐ IV 89 V 250

ܬܫܕܘܪܬܐ II 314 318 IV 22 VIII 81 124

VII 464 ܐܫܡܠ
I 119 II 60 69 106 156 163 III 295 ܫܡܠܠܝܐ
VII 305 VIII 36 80 IX 171 XI 66 ܫܪܪ
XII 165
III 117 VIII 39 258 ܐܫܬܪܪ
VIII 41 ܐܬܐܫܪ
VI 217 VIII 40 ܐܫܪ
A 95 96 125 IV 185 187 X 232 ܫܪܪܐ
XII 158 170
A 98 II 183 III 124 V 244 245 260 ܫܪܝܪܐ
279 310 VI 146 148 162 163 165
VII 190 202 VIII 16 37 240 IX 65
208 226 395 X 147 XI 102 XII 212
VI 170 ܫܪܝܪܬܐ
VI 164 ܫܪܝܪܐܝܬ
A 124 158 I 14 39 II 182 III 3 ܫܪܝ
55 V 80 292 383 415 VI 109 110
117 VII 259 524 VIII 70 IX 12
14 127 X 166 177 XI 82 86 90
93 123 126 XII 2 56 80 124
I 58 68 69 170 II 146 III 59 VI 118 ܐܫܬܪܝ
VII 250 XII 124
A 185 I 14 II 164 III 253 256 ܫܘܪܝܐ
IV 242 VI 174 VIII 257 IX 23
224 X 40 44 121 157 182 XI 81
82 83 126 144 XII 140
XII 38 73 85 121 ܫܪܝܐ
X 196 ܡܫܪܝܬܐ
VI 10 VIII 196 234 ܫܪܒܐ
IX 172 187 189 198 ܫܪܓܐ
III 231 V 296 X 194 ܐܫܬܪܓܠ
XII 69 70 ܫܪܕܐ
XII 35 83 ܫܪܢܐ
A 164 V 263 VI 241 242 VIII 166 ܫܪܓ

ܬܒ I 53 55 66

ܬܝܒܘܬܐ V 184 VII 147 322 351 VIII 79 146 164 165 IX 88 91 XII 28

ܬܘܗ VII 157

ܬܘܢ III 102

ܬܚܘܒܘܬܐ VII 29

ܬܚܡ I 133 III 86 216 IX 30 32

ܬܚܘܡܐ A 211 I 64 IV 33 V 223 VI 132 IX 26 36 59 60 64 65 220 222 249 280 341 350

ܕ ܠܐ ܬܚܘܡܐ VII 531

ܬܚܬܝ A 78 V 179 181 183 IX 306

ܐܬܬܚܬܝ IX 413

ܬܚܬܝܐ XII 109

ܬܟܒ VII 313

ܬܟܠ V 131

ܐܬܬܟܠ III 119 VI 149 IX 397

ܐܬܟܠ III 115 V 244 VI 156 VII 180 195

ܬܘܟܠܢܐ III 120 122 123 IV 195 VI 163 VII 183 198 202 VIII 88 IX 92 268 395

ܬܟܝܠܐ III 23 124 IV 206 V 155 VI 170 VIII 103 IX 169 XI 4 97

ܬܟܦ V 158 VI 236 VII 140 331 410

ܡܬܟܦܢܐ IX 309

ܬܘ ܠܟܐ XII 128

ܬܠܬܐ II 164 III 11 IV 172 XII 138

ܬܠܬܝܗܘܢ A 174

ܬܠܬ X 215

ܬܡܗ V 172 176 VI 190 VII 333 VIII 243

ܬܡܝܗܘܬܐ I 139

ܬܡܝܗܐܝܬ VI 3 VIII 233

ܐܬܡܠ XI 14

Eigennamen

Verzeichnis der Bibelstellen

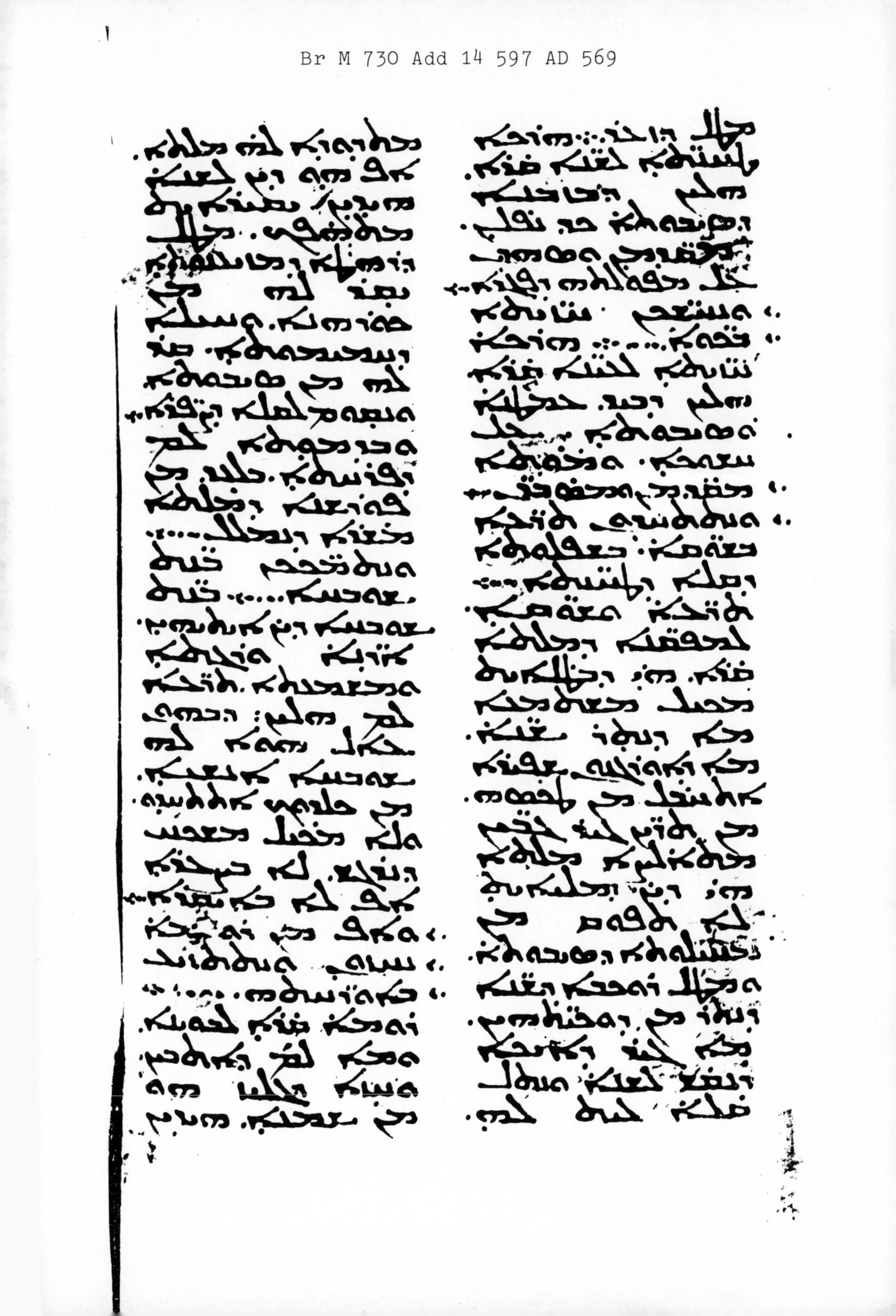